Василий Аксёнов

Московская сага

Тюрьма и мир

книга третья

*Создатели телесериала
и Издательство «Эксмо»
благодарят Первый канал
и лично Константина Эрнста
за участие в осуществлении этого проекта*

«Изографус»

МОСКВА

ЭКСМО

2005

УДК 82-31
ББК 84(2Рос-Рус)6-4
    А 42

Разработка макета: *Андрей Бондаренко*

Художники обложки: *Ирина Киреева* и *Татьяна Семенова*

**Фотографии, опубликованные в книге, предоставлены
съемочной группой киноромана «Московская сага»**

Аксенов В.

А 42   Московская сага. Тюрьма и мир. Книга третья. —
М.: Изографус, Эксмо, 2005. — 480 с.

ISBN 5-699-09247-1 (Эксмо)
ISBN 5-94661-102-X (Изографус)

«Поколение зимы», «Война и тюрьма», «Тюрьма и мир» — эти три
романа составляют трилогию Василия Аксенова «Московская сага». Их
действие охватывает едва ли не самые страшные в нашей истории годы: с
начала двадцатых до начала пятидесятых — борьба с троцкизмом, коллективизация, лагеря, война с фашизмом, послевоенные репрессии.
    Вместе со страной семья Градовых, три поколения российских
интеллигентов, проходит все круги этого ада сталинской эпохи.

УДК 82-31
ББК 84(2Рос-Рус)6-4

ISBN 5-699-09247-1
ISBN 5-94661-102-X

Мы все ходили под богом.
У бога под самым боком...
Однажды я шел Арбатом,
Бог ехал в пяти машинах...
Борис Слуцкий

Выделявшийся среди поэтов зрелой советской поры своим талантом, автор приведенных в эпиграфе строк все-таки не достиг ясности Хлебникова, а потому этот, как и предыдущий наш эпиграф Л.Н.Толстого, нуждается в некотором пояснении.

Называя Сталина «богом», Борис Слуцкий, естественно, как человек, воспитанный на идеалах коллективизма, материализма, интернационализма и прочей коммуналки, употребляет это слово в сугубо негативном смысле. Уж конечно, не Бога, Творца Всего Сущего, имеет он в виду, а некое идолище, узурпатора светлых идей революции, тиранище, надругавшееся над вдохновениями молодых ифлийцев, установившее свой культ над поруганной народной демократией. Потому и снабжает он своего «бога» ошеломляющим, с точки зрения материалиста, парадоксом — едет одновременно в пяти машинах! Перед нами морозящая кожу картина: ночь, Арбат, размножившееся на пять машин идолище едет в своем неизвестном направлении. Отнюдь не мчится. Кажется, не любил быстрой езды. Как с человека нерусского, с него и взятки гладки.

В шестидесятые годы в гараже «Мосфильма» стояла одна из этих пяти машин, может быть, самая главная, где основная часть идолища передвигалась, его тело. Это был сделанный по заказу бронированный «паккард» с толстенными стеклами. Даже с очень мощным мотором такую глыбу трудно было вообразить мчащейся. Неспешное, ровное, наводящее немыслимый ужас движение. Впереди и сзади катят еще четыре черных чудища. Все вместе — одно целое, «бог» коммунистов.

Писатель иной раз может испытать соблазн и, сопоставив два противоположных чувства — страх и отвагу, сказать, что это явления одного порядка. Страх, однако, более понятен, он ближе к биологии, к естеству, в принципе он сродни рефлексу: отвага сложнее. Так, во всяком случае, нам представляется к моменту начала нашего третьего тома, к концу сороковых годов, когда страна, еще недавно показавшая чудеса отваги, была скована ошеломляющим страхом сталинской пятимашинности.

Глава первая
Московские сладости

В Нагаевскую бухту входил теплоход «Феликс Дзержинский»; весьма гордая птица морей, подлинный, можно сказать, «буревестник революции». Таких профилей, пожалуй, не припомнит Охотское море с его невольничьими кораблями, кургузыми посудинами вроде полуразвалившейся «Джурмы».

«Феликс» появился в здешних широтах после войны, чтобы возглавить флотилию Дальстроя. Среди вольноотпущенников ходили насчет заграничного гиганта разные слухи. Болтали даже, что принадлежало судно самому Гитлеру и что в тридцать девятом злополучный фюрер подарил его нашему вождю для укрепления социалистических связей. Подарить-то подарил, а потом пожадничал и отобрал назад, а заодно и чуть Москву не захапал. История его, конечно, наказала за коварство, и теперь кораблик снова наш, закреплен навеки гордым именем «рыцаря революции». По этой байке выходило, что чуть ли не вся Великая Отечественная разгорелась из-за этой посудины, однако чего только не намелют бывшие зеки, сгрудившись вьюжной ночью в бараке и наглотавшись чифиря. Ну и, конечно же, непременно пристегнут к любой подобной истории своего любимого героя по кличке Полтора-Ивана.

Полтора-Ивана был могучий и прекрасный, как статуя, юный, но в то же время очень зрелый, зверо-подобный зек. Сроку у него было в общей сложности 485 лет плюс четыре смертных приговора, отмененных в последний момент самим великим Сталиным. Именно Полтора-Ивану, а не какому-нибудь адмиралу вождь поручил провести «Феликса» с живым товаром на Колыму. Как так — зеку поручил командовать этапом? Вот именно зеку, но не какому-нибудь охламону, как мы с тобой, а самому Полтора-Ивану! Секрет в том, что у «Феликса» в трюмах сидели тогда 1115 бывших Героев Советского Союза, то есть неспокойный народ. Довезешь гадов до Колымы, сказал Сталин Полтора-Ивану, сам станешь героем, впишешь свое имя золотом в анналы... Куда? В анналы, жопа, в анналы! Не довезешь, расстреляю лично или поручу Лаврентию Павловичу Берии.

Ваше задание, товарищ Сталин, будет выполнено, сказал Полтора-Ивана и полетел с Покрышкиным на Дальний Восток. Что же получилось? Вместо Нагаева «Феликс» причалил в американском порту, санитарном Франциско. Там уже их встречал президент Генрих Трумен. Всем героям вернули их звания и дали по миллиону. Теперь они хорошо живут в Америке: сыты, обуты, одеты. А Полтора-Ивану Генрих Трумен десять миллионов отвалил за предательство СССР, и дачу в Аргентине. Нет, сказал тут Полтора-Ивана, я не родину предавал, а спасал товарищей по оружию, мне ваших денег не надо, гражданин Трумен. И повел «Феликса» обратно к родным берегам. Пока он плыл, обо всем доложили Сталину. Сталин беспрекословно восхитился: вот такие люди нам нужны, а не такая гниль, как вы, Вячеслав Михайлович Молотов!

На Дальний Восток был послан полк МГБ для расстрела героя нашего романа. Кинооператор заснял фильм о конце Полтора-Ивана, который показывали всему Политбюро вместе и по отдельности. На самом деле расстрелян был, конечно, двойник, а Полтора-Ивана со Сталиным съели при встрече жареного барана и выпили самовар спирту, после чего Полтора-Ивана в форме полковника МГБ отправился на Дальстрой и затерялся на время в одном из дальних лагерей.

Такие байки иногда доходили и до капитана «Феликса», но он подобного рода фольклором не интересовался. Вообще не совсем было понятно, чем интересовался этот человек. Стоя на капитанском мостике своего корабля, бывшего атлантического кабелеукладчика, взятого нацистами у голландской компании, а потом оказавшегося в Союзе в качестве трофея, капитан без интереса, но внимательно озирал крутые скалы Колымы, без проволочек уходящие ко дну бухты Нагаево, что приплясывала сейчас под северо-восточным ветром всеми своими волнишками одномоментно, словно толпа пытающихся согреться зеков. Сочетание резких, глубинных красок, багряность, скажем, некоторых склонов, свинцовость, к примеру, проходящих туч вкупе с прозрачностью страшных далей капитана не интересовало, но к метеорологии, естественно, он относился внимательно. Вовремя пришли, думал он, хорошо бы вовремя и уйти. С этой бухтой в прошлом случалось, что и в одну ночь схватывалась льдом.

Негромким голосом отдавая приказы в машинное отделение, ловко швартуя махину к причалам «шакальего края», как он всегда в уме называл Колыму, капитан старался не думать о грузе, или, как этот груз назывался в бесчисленных сопроводительных бумагах, о контингенте. Всю войну капитан водил сухогрузы через Тихий в Сиэтл за ленд-лизовским добром, очень был доволен своей участью и японских подлодок не боялся. Совсем другим тогда был человеком наш совсем не старый капитан. Тогда его как раз все интересовало в заокеанской союзнической стране. Общий язык с янки он находил без труда, потому что неплохо его знал, то есть бегло «спикал» по-английски. Совершенно восхитительное тогда было морское осмысленное существование. «Эх, если бы...» — нередко думал он теперь в одиночестве своей каюты, однако тут же на этом «бы», на камешке столь безнадежного теперь сослагательного наклонения, спотыкался и мысль свою не продолжал. В конце концов чем занимался, тем и занимаюсь — кораблевождением. Совсем не мое дело, что там грузят в Ванине в мои трюмы, бульдозеры или живую силу. Есть другие люди, которым вменяется в обязанность заниматься этой живой силой, пусть их и называют зековозами, а не меня, капитана данной плав-единицы двадцати трех тысяч тонн водоизмещением. Совсем не обязательно мне вникать в какой-то другой, ненавигационный смысл этих рейсов, да они меня, эти смыслы, и ни хрена не интересуют.

Единственно, что на самом деле интересовало капитана, был легковой «студебеккер», который всегда сопровождал его в специально выделенном отсеке трюма. Машину эту он купил недавно в Сиэтле в последний год войны, и теперь во время стоянок, как в Ванине, так и в Нагаеве, ее лебедкой опускали на причал, и капитан садился за руль. Ездить ни в том, ни в другом порту капитану было некуда, но он все-таки ездил, как бы утверждая свое лицо международного мореплавателя, а не презренного зековоза. Он любил свой «студ» больше родной жены, которая, похоже, и думать о нем забыла, проживая среди большого количества флотских во Владике. Впрочем, и с машиной, похоже, назревала порядочная гадость: не раз уже на парткоме поднимался вопрос о том, что капитан злоупотребляет служебным положением, выделяется, увлекается иностранщиной. В нынешнем 1949 году такая штука, как американская легковушка в личном пользовании, может до нехорошего довести. Короче говоря, опытный мореход, капитан зековоза «Феликс Дзержинский», пребывал в хронически удрученном состоянии духа, что стало уже восприниматься окружающими как черта характера. Это не помешало ему, впрочем, проявлять исключительные профессиональные качества и, в частности, провести очередную швартовку к нагаевской стенке без сучка и задоринки.

Швартовы были закреплены, и трапы спущены, один с верхней палубы — для экипажа, другой из люка чуть повыше ватерлинии — для контингента. Вокруг этого второго уже стояли чины вохры и цепь сопровождения с винтарями и собаками. За цепью толклась бригада вольнонаемных из обслуживания санпропускника, и среди них кладовщик Кирилл Борисович Градов, 1903 года рождения, отбывший свой срок от звонка до звонка и еще полгода «до особого распоряжения» и теперь поселившийся в Магадане, имея пятилетнее поражение в гражданских правах. Работенку эту в кладовых санпропускника добыл Кириллу кто-то из зверосовхозовских «братанов». После всех колымских приключений работенка казалась ему синекурой. Зарплаты вполне хватало на хлеб и табак, удалось даже выкроить рубли на черное пальто, перешитое из второго срока флотской шинели, а самое главное состояло в том, что кладовщику полагалось в одном из бараков нечто такое, о чем Кирилл уже и мечтать забыл и что он теперь называл всякий раз с некоторым радостным придыханием: отдельная комната.

Ему исполнилось недавно сорок шесть лет. Глаза не потускнели, но как бы несколько поменяли цвет в сторону колымской голубой стыни. Разрослись почему-то брови, в них появились алюминиевые проволочки. Поперечные морщины прорезали щеки и удлинили лицо. В кургузой своей одежде и в валенках с галошами он выглядел заурядным колымским «хмырьком» и давно уже не удивлялся, если на улице к нему обращались с криком: «Эй, отец!»

Теоретически Кирилл мог в любой момент купить билет и отправиться на «материк». В Москве и в области его как пораженца, конечно, не прописали бы, однако можно было, опять же теоретически, устроиться на жилье за сто первым километром. Практически, однако, он сделать этого не мог, и не только потому, что цена билета казалась астрономической (и отец, и сестра, конечно, немедленно бы выслали эту сумму, 3500 рублей), а в основном потому, что возврат к прошлому казался ему чем-то совершенно противоестественным, сродни входу в какие-нибудь гобеленовые пасторали.

Нине и родителям он написал, что, конечно же, приедет, но только не сейчас, потому что сейчас еще не время. Какое время, он не уточнил, и в Москве переполошились: неужели будет высиживать все пять лет поражения в правах? Между тем по Магадану шла так называемая вторая волна. Арестовывали тех, кто только что вышел по истечении сроков на так называемую волю. Кирилл спокойно ждал своей очереди. Укоренившись уже в христианстве, он видел больше естественности в общем страдании, чем в радости отдельных везунков. Он и себя считал везунком со своей отдельной комнатой. Наслаждался каждой минутой так называемой воли, которую он в уме все еще полагал не волей, а расконвоированностью, восхищался любым заходом в магазин или в парикмахерскую, не говоря уже о кино или библиотеке, однако вот уже полтора «свободных» года прошли, а он все еще почти подсознательно пристыживал себя за то, что так нагло удалось «придуриться», «закосить», в глубине души, а особенно в снах, считая, что естественное место страждущего человека не в вольном буфете с пряниками, а в этапных колоннах, влекущихся к медленной гибели. Он помнил, что богатому трудно войти в Царствие Небесное, и полагал себя теперь богатым.

На всю Колыму, на весь миллионный каторжный край, наверное, не было ни одного экземпляра Библии. «Вольнягу» за такую крамолу неизбежно поперли бы из Дальстроя, а то и взяли бы под замок, что касается зека, тот был бы без задержки отправлен в шахты Первого управления, то есть на уран.

И все-таки кое-где по баракам среди Кирилловых друзей циркулировали плоды лагерного творчества, крохотные, на пол-ладони, книжечки, сброшюрованные иголкой с ниткой, крытые мешковиной или обрывком одеяла, в которые чернильным карандашом новообращенные христиане записывали все, что помнили из Священного писания, обрывки молитв или просто пересказ деяний Иисуса, все, что удалось им спасти в памяти из добольшевистского детства или из литературы, все, что как-то протащилось сквозь три десятка лет безбожной жизни и их собственного атеистического, как они теперь полагали, бреда.

Однажды как-то Кирилла окликнули на магаданской улице, на скрипучих деревянных мостках. У него даже голова крутанулась от этого оклика — голос прилетел из «гобелена», то есть из нереальной страны, из Серебряного Бора. Две кургузые фигуры бывших зеков в ватных штанах, разбежавшись мимо и споткнувшись, теперь медленно, в изумлении, друг к другу оборачивались. Из полуседого обрамления косм и бороды, из дубленых складок лица на Кирилла смотрел Степка Калистратов, имажинист, неудачливый муж его сестры Нины. «Степка, неужели выжил?!»

Оказалось, не только выжил, но даже как-то и приспособился бывший богемщик. Вышел из лагерей значительно раньше Кирилла, поскольку и сел раньше. Работает вахтером на авторемонтном заводе, то есть ни черта не делает, как и всю жизнь, только пишет стихи. Что ж ты, и в лагере стихи писал? Степан помрачнел. В лагере ни строчки. Вообрази, за десять лет ни строчки стихов! А здесь вот пошла сплошная «болдинская осень». А второй посадки не боишься, Степан? Нет, теперь уже ничего не боюсь: главное за плечами, жизнь прошла.

Степан свел Кирилла со своей компанией. Раз в неделю собирались у двух петербургских литературных дам, которые сейчас работали няньками в детучреждении. На шатких табуретках сидели, положив ногу на ногу, будто в гостиной Дома литераторов. Говорили о ранних символистах, о Владимире Соловьеве, о культе Софии.

Не Изида трехвенечная
Нам спасенье принесет,
А сияющая, вечная
Дева Радужных Ворот... —

декламировал некто с феноменальной памятью, бывший сотрудник Института мировой литературы, ныне пространщик в городской бане.

Казалось бы, что еще нужно человеку, который оставил свою марксистскую веру, будто змеиную кожу, в каторжных норах Колымы? Расконвоированность, хлеб насущный, радость и робость новой веры, мистические стихи в кругу утонченной интеллигенции, да ведь это же ренессанс «серебряного века» под дальстроевской маскировкой! Кирилла же не оставляло чувство своей неуместности в магаданском раю, едва ли не вороватости какой-то, как будто он, если пользоваться блатным жаргоном, «на халяву причимчиковал к итээровскому костру». Встречая беспрерывно прибывающие новые этапы и провожая отправляемые после санобработки на север, в рудники, он видел себя в их рядах. Вот для этого он был рожден, Кирилл Градов, а не для чего-нибудь другого. Уйти вместе со всеми страждущими и вместе с ними исчезнуть.

Вот и сейчас, глядя на выход этапа из чрева «Феликса», он ощущал в себе сильное желание пройти сквозь цепь солдат и слиться с этой измученной трюмным смрадом, вонючей толпой. Он так и не научился видеть в этих разгрузках привычное, бытовое, рабочее дело. Всякий раз при разгрузках, при выходе человеческих масс из стальной упаковки на простор каторги слышалось ему какое-то симфоническое звучание, орган с оркестром, трагический голос неведомого храма.

Вот они выходят, и жадно хватают ртами щедроты Божьей атмосферы, и видят ясность небес и мрак новой земли — тюрьмы, в которой двум третям из них, а то и трем четвертям предстоит скрыться навеки. Так или иначе, дни полуудушья, качки, тошноты позади. Пока их сортируют в колонны, можно насладиться ненормированными дозами кислорода. Они шевелятся, покачиваются, поддерживают друг друга и оглядывают новые берега. Может быть, для солдат и для вохровского офицерья в этих минутах ничего нет, кроме рутины, для зеков же, для любого из нового этапа, каждый миг сейчас полон значения. Не из-за этого ли тут и слышится Кириллу какая-то трагическая и все-таки ободряющая музыка? Вот так же и я одиннадцать лет назад, выкарабкавшись из трюма «Волочаевска», ошеломленный воздухом и ширью, испытал какое-то, неведомое раньше грозное вдохновение. Тогда я еще не хотел думать о том, что это могло быть приближением к Богу.

Этап с котомками, узлами, перетянутыми веревкой чемоданами собирался толпой на причале у подножия мостовых кранов. Видны были то тут, то там остатки чужеземного обмундирования — то шинель нерусского кроя, то шапчонка, в которой угадывалась бывшая четырехугольная конфедераточка, то финский армейский треух. Да и среди штатского барахла вдруг мелькало нечто, чудом залетевшее сюда из модной европейской лавки, — шляпенка ли тонкого фетра, клетчатый ли шарф альпака, неуместные ли в стылой грязи штиблетики... Сквозь ровный гул иной раз прорывалось какое-нибудь нерусское имя или возглас из иных, придунайских наречий... В непотребности измученных лиц вдруг начинал светить странно восторженный взгляд, впрочем, не обязательно и зарубежный: может быть, и русские глаза не все еще потеряли способность к свечению.

Солдаты оттеснили мужской этап от борта «Феликса» за рельсы. Началось излияние женской части груза. Сразу возникла другая звуковая гамма. Среди женщин в этот раз явно преобладали галицийские крестьянки. Общность, должно быть, придавала смелости их голосам, они галдели как на ярмарке. Их тоже оттеснили за рельсы, прямо к подножию клыкастой и мшистой сопки, и там начали сортировку.

Кирилл и другая обслуга санпропускника ждали соответствующих указаний от командования. В зависимости от степени завшивленности и количества инфекционных заболеваний определялся уровень санобработки одежды. В связи с вечной нехваткой спецовок надо было решить, по какому принципу и сколько выдавать бушлатов, штанов, чуней, а также какого срока спецодежда пойдет в расход: большинство этих бушлатов, штанов и чуней были латаными-перелатаными, сущее тряпье, достающееся вновь прибывшим от тех, кто никогда уже свои бушлаты, штаны и чуни не востребует. Решался вопрос, кому выдавать одежку, а кто еще в своем до приисков и лагпунктов дотянет. Кирилл, хоть ему и запрещалось разговаривать с заключенными, многим объяснял, что в лаг-пунктах могут им выдать что-нибудь более доброкачественное. Ну, а уж если получил тряпье из сан-пропускника, сменки не жди. Нередко он также говорил новичкам, что он и сам еще вчера был таким же, как они, что вот отбухал десятку и вышел, выжил. Новички смотрели тогда на него с острейшим любопытством. Многим он давал надежду этой информацией — все-таки жив человече, уцелел, значит, и у нас есть шанс, значит, не такое уж это гиблое место «Колыма, Колыма, чудная планета»... Кое-кто, однако, взирал с ужасом: десять лет, от звонка до звонка, как вот этот папаша! Неужели ж и наши десять, пятнадцать, двадцать лет вот так же пройдут, и никакого чуда не произойдет, и не распадется узилище?

Хлопот было много. Вохра бегала вокруг с бумагами, выкликала фамилии, номера, статьи Уголовного кодекса. Надо было еще от костяка этапа отделить спецпоселенцев, а из них выделить спецконтингент, а там разобраться, кто СВ (социально вредный), а кто СО (социально опасный). Вольнонаемная обслуга шустрила вокруг вохры, подхватывая приказания. Шустрил и Кирилл с блокнотиком, со связкой ключей, из которых один, между прочим, был от кладовой с ножными кандалами для особо важных гостей. В общем-то проявлялась определенная забота о сохранности живого состава заключенных, иначе какой бы смысл был везти их в такую даль. Рентабельность — один из принципов социалистического строительства.

Сегодняшний этап вызывал у начальства особенную головную боль. Наполовину он состоял из «социально нечуждых», то есть из блатных. Среди них, согласно слухам и сообщениям разных «наседок», в огромный магаданский карантинный лагерь прибывала банда «чистяг», боевики одной из двух враждующих по всей гигантской лагерной системе уголовных клик. Когда-то в старые, может, еще ленинские времена уголовный мир разделился на два лагеря. «Чистяги» были верны воровскому кодексу, в лагерях не горбатили, косили, с начальством в жмурки не играли, психовали, бунтовали. «Суки» хитрили, стучали, приспосабливались, доходили даже до такой низости, как выход на общие работы, то есть «ссучивались». Вражда, стало быть, началась на идеологической основе, как между двумя фракциями социал-демократов, однако впоследствии все эти кодексы были забыты, и смысл вражды теперь состоял лишь в самой вражде. С полгода назад один из казахстанских лагерей был избран полем боя. Туда путем сложной внутрилагерной миграции стеклись крупные силы «сук» и «чистяг». В кровавой схватке победили «чистяги». Остатки «сук», смешиваясь с регулярными этапами путем взяток, вымогательств и угроз, мигрировали на Колыму и здесь, по слухам, основательно укреплялись, особенно в огромном карантинном лагере Магадана — Нагаеве. Теперь в Управлении северовосточных лагерей стало известно, что сюда разрозненными группами и поодиночке начали прибывать «чистяги» и цель у них одна — окончательное искоренение «сук». Естественно, не обошлось в этой истории и без Полтора-Ивана, который был, конечно, самым «чистым» из «чистяг», а может быть, и их главным подпольным маршалом. Он, по слухам, то ли прибыл в этапе под видом рядового зека, то ли прилетел на самолете Ил-14, маскируясь под личного друга генерала Водопьянова, то ли его в кандальную команду определили, то ли лично начальник Дальстроя генерал Никишов встретил, а его супруга, младший лейтенант МВД Гридасова, приготовила ему постель в особняке на проспекте Сталина; во всяком случае, Полтора-Ивана был здесь.

Так или иначе, но УСВИТЛ ко всем этим шепоткам, рапортичкам и болтовне относился довольно серьезно, резня могла значительно ухудшить баланс рабочей силы, и потому у карантинной вохры в этот день прибавилось головной боли: надо было теперь кроме политических еще и блатных серьезно сортировать.

Вдруг, в разгар этого хипежа, через ящики генгруза перепрыгнул какой-то морячок, крикнул поспешавшему в этот момент по другую сторону проволочного забора Кириллу:

— Эй, керя, ты тут такого хера не знаешь, Градова Кирилла?

Кирилл споткнулся.

— Да это, собственно говоря, я и есть, Градов Кирилл...

— «Собственно говоря-я-я», — передразнил морячок, потом сощурился юмористически. — Ну, иди тогда встречай, дядя, к тебе там пассажирка приехала!

— Какая еще пассажирка? — удивился Кирилл.

Слово «пассажирка» морячок произнес с каким-то особым издевательством. Ему, очевидно, было неловко перед самим собой, что он делает одолжение какой-то пассажирке, ищет какого-то Градова, который к тому же оказывается паршивым старым хмырем, как видно, из троцкистов. Кирилл этот тон уловил и почему-то жутко заволновался, как в тот день двенадцать лет назад, когда ему позвонил следователь НКВД и попросил зайти «покалякать».

— Все пассажиры уже на площадке, — нелепо сказал он и показал в сторону проволочного забора, за которым толпились зеки.

Морячок расхохотался:

— Я ж тебе, батя, говорю про пассажирку, а не про зечку!

Он ткнул большим пальцем себе за плечо в сторону шаровой стены правого борта «Феликса» и пошел прочь.

Почти уже поняв, в чем дело, и отказываясь верить, Кирилл осторожненько, как будто этой осторожностью еще можно было что-то предотвратить, пошел к причалу. Он осторожненько огибал ноги кранов и штабели генгруза и вдруг в десяти метрах от себя увидел спускающуюся по главному трапу знакомую старуху.

В первую секунду у него как бы отлегло от души: все-таки не то, в чем он был почти уже уверен, просто какая-то знакомая по прежней жизни, может быть, из высланных, все-таки не Цецилия явилась, ведь не может же быть... В следующую секунду он понял, что это как раз и была его законная супруга Цецилия Наумовна Розенблюм, а вовсе не какая-то там знакомая старуха.

Сутулая или согбенная под немыслимым числом туго набитых сумок и авосек, она неуклюже шкандыбала вниз по трапу, юбка, как всегда, наперекос, тонкие ноги в немыслимых ботах, еще более немыслимый, как будто с картины Рембрандта, бархатный берет, свисающие из-под него, сильно траченные сединою рыжие космы, пудовые груди, не вмещающиеся в явно маловатое пальто. Казалось, она сейчас рухнет под тяжестью своих сумок, и этих грудей, и всего этого ошеломляющего момента. И впрямь вот ее первый шаг на колымскую землю, и она споткнулась о бревно, зацепилась за канат, разъехалась в луже и упала коленкой в грязь. Мотнулся за ее спиной и даже вроде бы сильно ударил ее меж лопаток большой, как капустный кочан, бюст Карла Маркса, который и сам, словно зек из-за проволоки, выпирал частями лица из ячеек авоськи. Естественно, на борту «Феликса» расхохоталась вахтенная сволочь, а на причале охотно заржала вохра. Кирилл бросился, подхватил жену сбоку под мышки, она глянула через плечо, сразу узнала, рот ее с нелепо намазанными губами распахнулся в истошном и долгом, как пароходный гудок, крике: «Кири-и-илл, родной мо-о-ой!» — «Циленька, Циленька моя, приехала, солнышко...» — бормотал он, целуя то, что он мог поцеловать из неловкой позиции, а именно ее молодое ухо и отвисшую, сильно припахивающую котлетой с луком щеку.

Тут, казалось бы, самое время похохотать молодежи, глядя на любовную сцену двух огородных пугал, однако почему-то и пароходная команда, и вохра немедленно отвлеклись по своим делам, предоставив пугалам упиваться наедине своей встречей. Для успешного издевательства нужно, конечно, чтобы объект как-то реагировал, злился ли, сгорал ли от стыда, данный же объект, то есть воссоединившаяся супружеская пара, был настолько далек от окружающего, что над ним и хохотать становилось неинтересно. Не исключено, впрочем, что у некотсрых представителей охранной молодежи жалкая эта сцена тронула какие-то струны в душе, смутно напомнила о непрерывной и непреходящей российской тюремной беде. Во всяком случае, все пошли по своим делам, а двое дневальных спокойно, без всяких подгребок спустили с борта на причал основное Цилино добро — два ковровых чемодана от прежних папашиных времен и ящик с классиками марксизма.

Они никак не могли сдвинуться с места. Вдохновенно сияя очами и положив руки на плечи Кирилла, Цецилия вещала, будто со сцены:

— Кирилл, мой любимый, если бы ты знал, сколько мук я перенесла за эти двенадцать лет! Если тебе что-нибудь передавали, не верь! Я была тебе верна! Всех мужчин отвергала, всех! А их было немало, Кирилл, знаешь ли, их было немало!

Кирилл все еще не мог прийти в себя.

— Что ты говоришь, Циленька, что ты говоришь, я не понимаю. Как ты оказалась здесь, на этом... на «Феликсе Дзержинском»?

Она победоносно рассмеялась. Все оказалось не так сложно. Она приехала по путевке Политпросвета, каково? Меня зачислят здесь в штат вечернего университета марксизма-ленинизма, вот так, мой дорогой! Смелость города берет, вот так! Она пошла к самому Никифорову в сектор ЦК, и он после долгого разговора дал добро. Нет-нет, ничего такого, о чем ты думаешь, между нами не было, если не считать, ну, нескольких красноречивых взглядов с его стороны. Ну, все же он понял, что она не из этого числа, проявил настоящий партийный подход к серьезному делу.

Самое ужасное было здесь, на Дальнем Востоке. Ты знаешь, все здесь так бурно растет, повсюду новое строительство, потоки молодежи, неподдельный энтузиазм, транспортные линии перегружены. Она неделю моталась в Находке, пытаясь заполучить билет на какой-нибудь дальневосточный пароход, все бесполезно. Потом ей сказали, что из Ванина на Магадан идет «Феликс Дзержинский», и она тут же понеслась в это Ванино. Там с ней никто разговаривать не хотел, и тогда она вдруг выскочила прямо на капитана. На что я могла рассчитывать, кроме женского обаяния? Ни на что! И вот результат: она плывет на «Феликсе» и капитан, такой суровый морской джентльмен, приглашает ее на обед в кают-компанию. Нет, разумеется, я все поставила в свои рамки, и наши отношения ни разу не вышли за пределы...

Цецилия то бормотала, то выкрикивала весь этот вздор, ничего не замечая вокруг, а только сияя глазами на своего любимого «мальчика». Она, похоже, даже не замечала существенных изменений во внешности «своего мальчика». Читатели первых двух томов нашей саги, разумеется, заметили, что Цецилия Розен-блюм принадлежала к сравнительно небольшому числу людей, что не замечают деталей, живя в мире только основных идей.

Между тем до Кирилла начинала из-за совсем недалекого проволочного забора доноситься его собственная фамилия в сопровождении крепких междометий: «Градов, ебенать! Где этот Градов ебаный болтается? Куда, на хуй, Градов блядский испарился?»

Нет, невозможно больше находиться среди этих вохровских скотов и придурков, вдруг подумал Кирилл так, как будто ему уже давно была невмоготу работа в санпропускнике. Теперь, когда жена приехала, я не могу здесь больше оставаться. Бог даст, устроюсь истопником в среднюю школу или в Дом культуры, да хоть и в любую другую котельную.

Мимо шествовал редкий прохвост, сменщик Кирилла Филипп Булкин. Хоть ему и нечего сегодня было делать в порту, он, конечно, не мог упустить прибытия парохода и этапа в надежде чем-нибудь поживиться. Кирилл пообещал Филиппу бутылку ректификата за подменку.

— Вот, видишь, жена приехала, — сказал он. — Не виделись двенадцать лет.

— Интересная у тебя жена, — сказал Булкин, быстрым взором оглядывая Цецилин разношерстный туалет, а также, с особенным вниманием, разваленный вокруг багаж, Филипп Булкин, похоже, принадлежал к числу людей, что как раз сосредоточиваются на деталях, не замечая основной идеи. — Скажи, а не привезла ли она с собой патефонных иголок?

С удивлением узнав, что градовская жена не привезла с собой этого дефицита, что шел на Колыме по рублю за крошечную штучку, он отправился на подмену. Это было ему, конечно, на руку.

Порыскав в портовых джунглях, Кирилл отыскал какую-то бесхозную тачку и погрузил на нее добро Цецилии. Одна из туго набитых сеток оказалась в поле зрения «пассажирки», и она вдруг бросилась на нее, как на приготовленную к обеду курицу. Газетные обертки каких-то кульков разлетались, словно пух курицы, попавшей в ощип.

— Смотри, что я тебе привезла, Кирюша, московские сладости! Ты, наверное, соскучился по московским сладостям!

Все эти «московские сладости» за время ее двух-недельного путешествия порядком утрамбовались, замаслились, расплылись или окаменели в зависимости от консистенции. Тем не менее она все терзала кульки, отламывала кусочки и запихивала их в рот Кириллу:

— Вот курабье, вот грильяж, вот тебе ойла союзная, файн-кухен, струдель, эйер-кухелах, такая вкуснятина, ведь ты же это все так когда-то любил, Градов!

Он посмотрел на нее с нежностью. Этими сладкими и действительно немыслимо вкусными, хоть и малость заплесневевшими, кусочками, равно как и внезапно выплывшим из памяти партийным обращением «Градов», его нелепая жена пытается, очевидно, ему сказать, что все исправимо в этом лучшем из материалистических миров.

Они шли к воротам порта. Рот его был забит огромной смешанной сластью.

— Спасибо, Розенблюм, — промычал он, и они оба прыснули.

У ворот пришлось притормозить. Проходила первая мужская колонна нового этапа. Все свое имущество зеки несли теперь вынутым из мешков, в охапках, направляясь на прожарку вшей.

— Кто эти люди? — изумленно спросила Цецилия.

Еще более изумленный Кирилл заставил себя разом проглотить сладкий комок.

— Как кто, Розенблюм? Ведь ты же с ними вместе приехала!

— Позволь, Градов, как это я с ними вместе приехала? Я приехала на теплоходе «Феликс Дзержинский»!

— Они тоже на нем, Розенблюм.

— Я никого из них там не видела.

— Ну да, но разве ты не знала... разве ты не знала, что... кого сюда перевозит «Феликс», эта птица счастья?

— Ну что ты болтаешь, Градов?! — воскликнула она. — Это такой прекрасный, чистый корабль! У меня была крохотная, но идеальная каютка. Душ в коридоре, чистое белье...

— У нас тут этот корабль называют зековозом, — сказал Кирилл, глядя в землю, что было нетрудно, поскольку они шли в гору, а тачка была тяжела.

— Что это за жаргон, Градов? — строго вопросила она и потом зачастила, ласково теребя его загривок, пощипывая щеку: — Перестань, перестань, Градов, милый, дорогой мой и ненаглядный, не нужно, не нужно преувеличивать, делать обобщения...

Он приостановился на секунду и твердо сказал:

— Этот пароход перевозит заключенных. — В конце концов должна же она знать положение вещей. Ведь нельзя же жить в Магадане и не знать магаданскую норму.

Короткая эта размолвка пронеслась, не омрачив их встречи. Они шли в гору по разбитой, еле присыпанной щебнем дороге, толкая перед собой ее пожитки, словно Гензель и Гретель, сияя друг на друга. Между тем уже темнело, кое-где среди жалких избенок и перекосившихся насыпных, почему-то в основном грязно-розового цвета бараков поселка Нагаево зажигались огоньки. Цецилия начала наконец замечать окружающую действительность.

— Вот это и есть Магадан? — с искусственной бодростью спросила она. — А где мы будем ночевать?

— У меня тут отдельная комната, — он не смог удержаться от гордости, произнося эту фразу.

— О, вот это да! — вскричала она. — Обещаю тебе жаркую ночь, дорогой Градов!

— Увы, я этого тебе обещать не могу, Розенблюм, — виновато поежился он и подумал: если бы от нее, от миленькой моей старушки, хотя бы не пахло этими котлетами с луком.

— Увидишь, увидишь, я разбужу в тебе зверя! — Она шутливо оскалилась и потрясла головой. Рот, то есть зубы, были в плачевном состоянии.

Они прошли вверх еще несколько минут и остановились на верхушке холма. Отсюда открывался вид на лежащий в широкой ложбине между сопок город Магадан, две его широких пересекающихся улицы, проспект Сталина и Колымское шоссе, с рядами каменных пятиэтажных домов и скоплениями мелких строений.

— Вот это Магадан, — сказал Кирилл.

На проспекте Сталина в этот момент зажглись городские фонари. Солнце перед окончательной посадкой за сопками вдруг бросило из туч несколько лучей на окна больших домов, в которых жили семьи дальстроевского и лагерного начальства. В этот момент город показался с холма воплощением благополучия и комфорта.

— Хорош! — с удивлением сказала Цецилия, и Кирилл вдруг впервые почувствовал некоторую гордость за этот городок-на-косточках, за этот сгусток позора и тоски.

— Это город Магадан, а там, откуда мы пришли, был только лишь поселок Нагаево, — пояснил он.

Мимо них, сильно рыча на низкой передаче и сияя заокеанскими фарами, прошел легковой автомобиль. На руле лежали перчатки тонкой кожи с пятью круглыми дырками над костяшками пальцев. В суровой безмятежности проплыл мимо английский нос капитана.

Чем дольше они шли, тем больше отклонялись в сторону от фешенебельного Магадана, тем страшнее для Цецилии Розенблюм становились дебри преступного поселения: перекошенные стены бараков, подпорки сторожевых вышек, колючая проволока, помойки, ручьи каких-то кошмарных сливов, клубы пара из котельных. Временами вдруг возникало нечто ободряющее, связывающее хоть отчасти с животворной современностью: то вдруг детская площадка с фигурой советского воина, то вдруг лозунг: «Позор поджигателям войны!», то портрет Сталина над воротами базы стройматериалов. Однако Кирилл все толкал тачку, и они оставляли за спиной и эти редкие бакены социализма и углублялись в сплошной бурелом послелагерной зековской жизни. Тут еще ни с того ни с сего из черного неба мгновенно, без всякой раскачки понеслись снежные вихри.

— Вот так тут всегда, — пояснил Кирилл. — Внезапно начинается первый буран. Но мы уже пришли.

Под бешено пляшущим фонарем видна была низкая розовая, постносахарная стена с кустистой трещиной, из которой вываливался всякий хлам. Прямо в дверь бил снежный вихрь. Кирилл не без труда ее оттянул, стал втаскивать вещи.

Пол длинного коридора, в котором оказалась Цецилия, казалось, пережил серьезное землетрясение. Кое-где доски выгибались горбом, в других местах проваливались или торчали в стороны. В конце коридора были так называемые места общего пользования. Оттуда несся смешанный аромат испражнений, хлорки, пережаренного жира нерпы. Не менее трех десятков дверей тянулись вдоль стен, изогнутых и выпученных уже на свой собственный манер. Из-за дверей неслось множество звуков в спектре от робкого попердывания до дивного голоса певицы Пантофель-Нечецкой, исполнявшей по первой программе Всесоюзного радио арию из оперы «Наталка-Полтавка». Откуда-то со странной монотонностью исходила угроза: «Откушу!» Мужской ли это был голос, женский ли, не понять. Заунывно и зловеще голос злоупотреблял двумя первыми гласными неприятного слова, на третьей же гласной всякий раз совершенно одинаково взвизгивал, так что получалось нечто вроде «О-о-откуу-у-ушуй!».

В середине коридора лежало неподвижное тело, о которое Цецилия, разумеется, споткнулась.

— Ну тут, как понимаешь, не Москва, — смущенно произнес Кирилл, снял висячий замок и открыл фанерную дверь в свою «отдельную комнату». Висящая на длинном, впрочем, укороченном несколькими узлами шнуре «лампочка Ильича» осветила пять квадратных метров пространства, в котором едва помещались топчан, покрытый лоскутным одеялом, этажерочка с книгами, маленький стол, два стула и ведро.

Ну вот, садись. Куда? Вот сюда. Ну, вот я села, а теперь ложусь, гаси свет! Ну, разве ж сразу, Розенблюм? Я двенадцать лет этого ждала, Градов! Всех ухажеров отгоняла, а сколько их было! Да я ведь, Циленька, что называется, совсем... Нет-нет, такого не бывает, чтобы совсем... вот, бери и жми, и жми, и сам не заметишь, как... ну вот, ну вот, вот вам и Кирилльчик, вот вам и Кирилльчик, вот вам и Кирилльчик...

Хорошо хоть темно, думал Кирилл, все же не видно, с какой старухой совокупляюсь. Вдруг он увидел в полосе мутного света, идущего из крохотного окна, лежащую на столе авоську с Марксом. Закругленные черты основателя научного коммунизма были обращены к потолку завального барака. Присутствие основоположника почему-то придало Кириллу жару. Запах пережеванной котлеты испарился. Погасли все звуки по всему спектру, включая монотонное «откушу». Синеблузочка, комсомолочка 1930-го, великого перелома, огромного перегиба; электрификация, смык, тренаж! Цецилия торжествующе завизжала. Бедная моя девочка, что сталось с тобой!

В тишине, последовавшей за этой патетической сценой, кто-то крякнул так близко, как будто лежал на той же подушке.

— Кирюха-то, чих-пых, бабенку приволок, — сказал ленивый голос.

— Да неужто Кирилл Борисыч шалашовку себе обеспечил? — удивился бабий голос.

— А то ты не слыхала, дура, — пробасил, поворачиваясь, ленивый. Стенка при его повороте прошла ходуном, в ногах сквозь отслоившуюся фанеру видна была черная пятка обитателя соседней «отдельной комнаты».

— Жена приехала с «материка», Пахомыч, — негромко сказал Кирилл. — Законная супруга Цецилия Наумовна Розенблюм.

— Поздравляю, Борисыч, — сказал Пахомыч. Он явно лежал теперь спиной к стене. — А вас с приездом, Цилия Розенблюмовна.

— Я тебе обещаю, что у нас скоро будет настоящая отдельная комната, — прошептала Цецилия Кириллу прямо в ухо.

Шепот ее щекоткой прошел через ухо прямо в нос. Кирилл чихнул.

— Хочешь спирту? — спросил Пахомыч.

— Завтра выпьем, — ответил Кирилл.

— Обязательно, — вздохнул Пахомыч.

Кирилл пояснил в розенблюмовское молодое ухо:

— Он как раз из нашей с тобой Тамбовщины. Добрейший мужик. Сидел за вооруженный мятеж...

— Что за глупые шутки, Градов, — усталой баядеркой отмахнулась Цецилия.

Надо, однако, раскладываться. Кирилл взялся распаковывать багаж, стараясь увиливать от прямых взглядов на копошащуюся рядом старуху. Да вовсе и не старуха же она. Ведь на три года младше меня, всего лишь сорок четыре. Сорок лет — бабий цвет, сорок пять — ягодка опять. Глядишь, и помолодеет Розенблюм.

— А это еще что тут такое у тебя, Градов?! — вдруг воскликнула Цецилия. Подбоченившись, она стояла перед этажерочкой, на верхушке которой располагался маленький алтарь-триптих, образы Спасителя, Девы Марии и святого Франциска с лесной козочкой под рукой. Эти лагерные, сусуманской работы образа подарил Кириллу перед разлукой медбрат Стасис, которому еще оставалось досиживать три года.

— А это, Циля, самые дорогие для меня вещи, — тихо сказал он. — Ты еще не знаешь, что в заключении я стал христианином.

Он ожидал взрыва, воспламенения, неистового излияния марксистской веры, однако вместо этого услышал только странное кудахтанье. Бог мой, Розенблюм плачет! Будто вслепую протягивает руку, опускает ему на голову, как Франциск Ассизский на братца-волка, шепчет:

— Бедный мой, бедный мой мальчик, что с тобой сталось... Ну, ничего, — встряхнулась тут она. — Это у тебя пройдет!

Бодрыми движениями рассупонила Маркса, водрузила его на этажерку рядом с образами. Вот теперь уж и посмотрим, кто победит! Оба облегченно рассмеялись.

Ну, разве ж не идиллия? Кипит московский электрический чайник. Распечатана пачка «грузинского, высший сорт». Комки слипшихся сладостей разбросаны по столу. Посвистывает первая метель осени сорок девятого года. Затихает завальный барак, только откуда-то еще доносится голос Сергея Лемешева: «Паду ли я, стрелой пронзенный», да гребутся по соседству увлеченные примером Пахомыч со своей бабой Мордёхой Бочковой. Цецилия же извлекает большую фотографию девятнадцатилетней давности. На веранде в Серебряном Бору после их свадебного обеда. Все в сборе: Бо, и Мэри, и Пулково, и Агаша, и восьмилетний их кулачонок-волчонок Митя, и Нинка с Саввой, и четырехлетний Борька IV, и хохочущий пуще всех молодой комдив, и неотразимая, белое платье с огромными цветами на плечах, Вероника, ах, Вероника...

— Эта сволочь, — вдруг прошипела Цецилия. — Тебя могли освободить еще в сорок пятом, освободить и реабилитировать как брата маршала Градова, всенародного героя, а эта сволочь, проститутка, спуталась с американцем, со шпионом, удрала в Америку, даже не дождавшись известий о сыне! Не говори мне ничего, она — сука и сволочь!..

— Не надо, не надо, Циленька, — бормотал он, поглаживая ее по голове. — Ведь мы же все тогда друг друга любили, посмотри, как мы все влюблены друг в друга и как мы счастливы. Этот миг был, вот доказательство, он никуда не улетел, он всегда вместе с нами существует...

Когда она злится, лицо, нос и губы вытягиваются у нее, как у какой-то смешной крысинды. Но вот лицо разглаживается, кажется, уже перестала злиться на Веронику...

— Ты говоришь, мы все любили друг друга, а я никого из них вокруг просто не видела, только тебя...

Глава вторая
Бьет с носка!

От колымского убожества, дорогой читатель, столь верно идущий за нами уже несколько сотен страниц, заграничное мое перо, купленное на углу за один доллар и семь копеек и снабженное по боку загадочной надписью «Paper-mate Flexgrip Rollen — Micro», уведет вас в огромный город, склонный на протяжении веков очень быстро впадать в полнейшую мизерность и затрапезность и со столь же удивительной быстротой выказывать свою вечную склонность к обжорству, блуду и странной какой-то, всегда почти фиктивной, но в то же время и весомой роскоши. Итак, мы в городе, давшем название всему этому трехступенчатому сочинению, в Москве, н.д. и у.ч., то есть наш дорогой и уважаемый читатель.

По-прежнему на общих кухнях коммунальных квартир хозяйки швыряли друг в дружку кастрюли со щами, а молодожены спали на раскладушках под столом в одной комнате с тремя поколениями осточертевшей семьи. По-прежнему на покупку гнусных скороходовских ботинок уходило ползарплаты, а шитье зимнего пальто было равносильно постройке дредноута. По-прежнему очереди в баню занимались с утра, а посадка в автобус напоминала матч вольной борьбы. По-прежнему вокруг вокзалов валялись пьяные инвалиды Великой Отечественной, а в поездах слепые и псевдослепые пели жестокий и бесконечный романс «Я был батальонный разведчик». По-прежнему содрогался обыватель при виде ночных «воронков», и по-прежнему все остерегались открывать двери на кошачье мяуканье, дабы не впустить банду «Черная кошка», во главе которой стоял, по слухам, могучий и таинственный бандит Полтора-Ивана.

Голод, впрочем, кончился. Собственно говоря, в Москве он на самом деле никогда и не начинался. Худо-бедно, но снабжение столичного населения по карточкам во время войны осуществлялось, ну а после денежной реформы сорок седьмого и отмены карточной системы в хлебных магазинах появились батоны, крендели, халы, французские булочки (через два года, впрочем, переименованные в городские, дабы не распространять космополитическую заразу), сайки, баранки, сушки, плюшки, всевозможные сдобы, затем по крайней мере полдюжины названий ржаных изделий — бородинский, московский, обдирный... в кондитерских же отделах среди щедрой россыпи конфет воздвиглись кремовые фортификации, подкрепленные серьезными, в каре и в овалах, формациями шоколадных наборов, в гастрономах же в отделе сыров можно было теперь увидеть не только жаждущих пожрать, но и знатоков, ну, какого-нибудь грузного москвитянина с налетом прошлого на мясистом лице, который благодушно объясняет более простодушной соседке: «Хороший сыр, голубушка моя, портяночкой должен пахнуть...»

Да и мясная гастрономия, хо-хо, не плошала, ветчины и карбонады радовали глаз своим соседством с сырокопчеными рулетами, разнокалиберными колбасами, вплоть до изысканных срезов, обнажавших сущую мозаику вкуснейших элементов начинки. Сосиски, те свисали с кафельных стен какими-то тропическими гирляндами. Сельди разной жирности полоскались в судках, чертя над головами покупателей невидимые, но ощутимые траектории к отделу крепких напитков. Ну, а там представал глазу патриота сущий парад гвардейских частей, от бутылочных расхожих водок до штофных ликеров. Икра всегда была в наличии, в эмалированных судках она смущала простой народ, веселила лауреатов Сталинских премий. Крабы в банках были повсюду и доступны по цене, но их никто не брал, несмотря на потрескивающую в ночи неоновую рекламу. То же самое можно было сказать и про печень трески, и это может подтвердить любой человек, чья юность прошла под статичным и вечным полыханием сталинской стабилизации: «Печень трески! Вкусно! Питательно!»

У простого народа были свои радости: «микояновские» котлеты по шесть копеек, студень, что повсюду стоял в противнях и продавался за цену почти символическую, то есть максимально приближенную к коммунизму.

Живы еще были кое-где знаменитые московские пивные в сводчатых подвалах. Вот спускаешься, например, в «Есенинскую», что под Лубянским пассажем. Товарищ половой тут же, не спрашивая, ставит перед тобой тарелочку с обязательной закуской: подсоленные сухарики, моченый горошек, ломтик ветчинки или косточка грудинки; о, русские ласкательные, едальные уменьшительные! А пивко-то, пивко! И бочковое, и бутылочное к вашим услугам! «Жигулевское», «Останкинское», «Московское» в поллитровках, «Двойное золотое» в маленьких витых сосудах темного стекла!

Откуда же оно взялось — и довольно скоро после военной разрухи — это сталинское гастрономическое изобилие? Впоследствии нам объяснят, что возникло оно в городах за счет ограбления села, и мы с этим согласимся, хотя и позволим себе предположить, что объяснение не покрывает всей проблемы.

Порядок был тогда, неизменно гаркнут нам в ответ ветераны вооруженной охраны. Воровства не было! И в этом тоже содержится истина или, скажем так, часть истины. В самом деле, народ наш российский доведен был Чекой до такой кондиции, что уж и воровать боялся. За мешочек колосков со вспаханного поля, за полусгнившую, никому не нужную картофь отправляли «по указу» на десять лет кайлить вечную мерзлоту. Не важно было, что ты взял, колбасы вязку или золотишка на сто тыщ, все получали «за расхищение социалистической собственности» жутчайшие каторжные сроки, а то и вышку могли схлопотать, если дело отягощалось какими-нибудь обстоятельствами. В лагеря отправлялись и те недотепы, что опаздывали на работу, то есть совершали проступок, близкий к саботажу великой реконструкции. В общем, трудно отрицать: порядок был.

И все-таки для того, чтобы полностью объяснить грандиознейшую стабилизацию и распространение могущества, возникшие к концу сороковых и распространившиеся на первую половину пятидесятых годов, нам придется скакнуть с накатанных рельс реализма в трясину метафизики. Не кажется ли нам, елки-палки, что дело все в том, что к тому времени организм социализма, который мы теперь в связи с недавними событиями не можем не сравнить с простым человеческим организмом, хотя бы по продолжительности жизни, что к тому времени этот организм социализма просто-напросто достиг своего пика, не кажется ли нам? То есть в том смысле, что... вот именно в том смысле, что социализм, если его рассматривать как некое биотело, а почему бы нам не рассматривать его как тело, достиг вершины своего развития, и вот именно потому-то и работал тогда некоторое время без сбоев.

И впрямь, ему было в те времена слегка за тридцать, расцвет каждого отдельно взятого тела. Предельно развитая суть всякого тела и данного тела, то есть социализма, в частности. Наконец-то было достигнуто сбалансированное совершенство общества: двадцать пять миллионов в лагерях, десять миллионов в армии, столько же в гэбэ и системе охраны. Остальная часть дееспособного населения занята самоотверженным трудом; состояние умов и рефлекторных систем великолепное. Произошло максимальное и, как впоследствии выяснилось, окончательное геополитическое расширение. Возникший под боком, как гирлянда надувных мешков, социалистический лагерь, старательно подравнивался к метрополии, чистил ячейки. К моменту начала нашего третьего тома, то есть к осени 1949 года, прошли уже в каждой «стране народной демократии» свои большие чистки. Одна лишь банда бывших друзей умудрилась увернуться от сталинских объятий, «банда Иосипа Броз Тито с его гнусными сатрапами, банда американских шпионов, убийц и предателей дела социализма». Ненависть, обращенная к Югославии, была так горяча, что безусловно свидетельствовала не только о желчном пузыре стареющего паханка, но и об активности, то есть совершенстве, социалистических процессов. Разоблачение предателей не затихало ни на минуту ни в прессе, ни на радио, ни в официальных заявлениях. Кукрыниксы и Борис Ефимов соревновались в похабнейших карикатурах. То изобразят строптивого маршала в виде толстожопой бульдожицы на поводке у долговязого «дяди Сэма» — с когтей, конечно, капает кровь патриотов, то в виде расплывшегося в подхалимском наслаждении пуфа, на котором все тот же наглый «дядя Сэм» развалился своей костлявой задницей. Постоянно делались намеки на толстые ляжки вождя югославских коммунистов и на нечто бабье в очертаниях его нехорошего лица. В каких только преступлениях и злостных замыслах не обвинялся этот человек, однако один, может быть, самый гнусный замысел никогда не упоминался. Дело в том, что у вождя южных славян была тенденция не только к отколу от лагеря мира и социализма, но и к слиянию с оным. Еще в сорок шестом «клика Тито» предложила Сталину полный вход Югославии в СССР на правах федерации союзных республик, ну и, разумеется, вход всей «клики» в Кремль на правах членов Политбюро. Сталин тогда струхнул больше, чем в сорок первом. Явится «верный друг СССР» в Кремль со своими гайдуками, а ночью передушит всех одновременно в кабинетах и спальнях. Вот в чем причина упорства — хочет, мерзавец, стать вождем не только южных, но и вообще всех славян. Любопытно, что этот в общем-то самый страшный заговор против прогресса никогда не упоминался в советской печати. Слишком уж кощунственной казалась сама идея посягательства на великого отца народов и его главное детище — Советский Союз.

Вообще, не так много преступлений упоминалось конкретно, особенно когда речь шла о клевете на Советский Союз. Вот, например, Юрий Жуков, один из лучших, можно сказать, бойцов пера, пишет из Парижа о взрыве клеветы в империалистической прессе, а в чем суть клеветы, никогда не сообщает, просто «гнусная клевета, исполненная зоологической ненависти к оплоту мира и прогресса». В этом неназывании, неупоминании тоже проявлялась вершина социализма, его полный расцвет, ибо новому советскому человеку вовсе и не нужны были детали для того, чтобы преисполниться благородным гневом.

И все главные советские писатели, особенно международно нацеленные на борьбу за мир, такие, как Фадеев, Полевой, Симонов, Тихонов, Турсунзаде, Грибачев, Софронов, Эренбург, Сурков, очень хорошо знали, что не нужно ничего уточнять, говоря о злобной клевете. Вообще, с писателями в те времена было фактически достигнуто партией предельное взаимопонимание. Литературная общественность решительно отвергла как космополитический декаданс, так и высосанный из пальца конфликт внутри советского общества. Спустя некоторое время неразумные выбросили «бесконфликтность» как извращение, а ведь и в ней тоже выражалась молодая зрелость, полный апофеоз социалистического тела.

У каждого зрелого тела все должно быть хорошо внутри, однако извне у него обязательно должен быть сильный враг. Этот враг был и у нас, да не какая-нибудь Югославия, а самый гнусный, самый коварный ну и, конечно, самый обреченный — Америка! Все другие враги, даже Англия, были менее гнусными, менее коварными и даже менее обреченными, потому что были слабее Америки. Вот и в этом противостоянии с Америкой наше социалистическое тело достигло тогда значительных успехов. Во-первых, разрушило ее атомную монополию; во-вторых, выставило нерушимый заслон в Германии в виде республики рабочих и крестьян; в-третьих, мощно атаковало американских сатрапов в Корее — «Но время движется скорее, / И по изрытой целине / Танкисты Северной Кореи / Несут свободу на броне...» (С.Смирнов); в-четвертых, путем развернутого движения за мир укоротило руки реакции в Западной Европе, в-пятых, у себя дома окончательно и бесповоротно покончило с тлетворными атлантическими влияниями.

И вот перед нами распростертый через эти славные годы лежит огромный, воспетый сатанинскими хоралами, но все-таки на удивление все еще живой, жрущий и плюющий, бегущий, марширующий и пьяно вихляющийся город, и мы смотрим на него глазами шестнадцатилетнего вьюноши, явившегося на Сретенский бульвар из татарского захолустья, и глазами двадцатитрехлетнего мужчины, вернувшегося на улицу Горького из польских лесов.

Куда девались инвалиды Великой Отечественной войны? В один прекрасный день вдруг исчезли все, о ком ходила в народе столь милая шутка: «Без рук, без ног, на бабу — скок!» Администрация позаботилась: на прекрасных улицах столицы и в мраморных залах метро нечего делать усеченному народу. Так мгновенно, так потрясающе стопроцентно выполнялись в те годы решения администрации! Инвалиды могут прекрасно дожить свой век в местах, не имеющих столь высокого символического значения для советского народа и всего прогрессивного человечества. Особенно это касалось тех, что укоротились наполовину и передвигались на притороченных к обезноженному телу платформочках с шарикоподшипниками. Эти укороченные товарищи имели склонность к черному пьянству, выкрикиванию диких слов, валянью на боку колесиками в сторону и отнюдь не способствовали распространению оптимизма.

Пьянство вообще-то не особенно возбранялось — если ему предавались здоровые, концентрированные люди в свободное от работы или отпускное время. Напитки были хорошего качества и имелись повсюду, вплоть до простых столовых. Даже глубокой ночью в Охотном ряду можно было набрать и водок, и вин, и закусок в сверкающем чистотою дежурном гастрономе. К началу пятидесятых годов полностью возродились огромные московские рестораны, и все они бывали открыты до четырех часов утра. Во многих играли великолепные оркестры. Борьба с западной музыкой после полуночи ослабевала, и под шикарными дореволюционными люстрами звучали волнующие каскады «Гольфстрима» и «Каравана». В большом ходу были так называемые световые эффекты, когда гасили весь верхний свет и только лишь несколько разноцветных прожекторов пускали лучи под потолок, где вращался многогранный стеклянный шар. Под бликами, летящими с этого шара, танцевали уцелевшая фронтовая молодежь и подрастающее поколение. В такие моменты всем танцорам казалось, что очарование жизни будет только нарастать и никогда не обернется гнусным безденежным похмельем.

Процветал корпус московских швейцаров, широкогрудых и толстопузых, с окладистыми бородами, в лампасах и с галунами. Далеко не все из них были рвачами и гадами, некоторые горделиво несли традицию, удовлетворенно подмечая эстетический поворот в сторону имперских ценностей. Особенно нравилось швейцарам введение формы в различных слоях населения: черные мундиры горняков и железнодорожников, серые с бархатными нашивками пиджаки юристов различных классов... По мере увеличения успехов легкой промышленности вся страна, разумеется, будет одета в форму, и тогда легче будет угадывать клиентуру.

Пока что есть, конечно, отдельная анархия. Московские парни, например, любят ходить с поднятыми воротниками и в резко сдвинутых набок восьмиклинках из ткани букле. Модники особенно дорожат длинными клеенчатыми плащами, поступающими из Германии в счет репараций. Чрезвычайно популярны чехословацкие вельветовые курточки с молнией и кокеткой, а также отечественного производства маленькие чемоданчики с закругленными краями. Вот вам портрет молодого москвитянина 1948 — 1949 годов: кепка-букле, курточка с молнией, клеенчатый плащ, в руке чемоданчик. Детали в виде носа, глаз и подбородка дописывайте сами.

Идеалом тогдашней молодежи был Спортсмен. Довоенное слово «физкультурник» употреблялось лишь в насмешку, как показатель непрофессиональности. Высококлассный носитель слова «спортсмен» был профессионалом или полупрофессионалом, хотя в стране Советов профессионального спорта в отличие от растленного Запада не существовало. Спортсмен получал от государства стипендию, точные размеры которой никто не знал, поскольку она шла под грифом «совершенно секретно». В крайнем случае, если Спортсмен до стипендии еще не дотянул, он должен был получать талоны на спецпитание. Спортсмен был нетороплив и неболтлив, среди публики цедил слова, передвигался с некоторой томностью, скрывающей колоссальную взрывную силу. Из репарационных клеенок настоящий Спортсмен, конечно, вырос. Являл обществу струящийся серебристый габардин или богатую пилотскую кожу. Кепарь-букле, однако, на башке задерживался, иногда даже с подрезанным козырьком, как память о хулиганской мальчиковости.

Из всех спортсменов главными героями были футболисты команд мастеров, особенно ЦДКА и новоиспеченного клуба ВВС, опекуном которого был генерал-лейтенант авиации Василий Иосифович Сталин. Большой популярностью пользовались игроки нового послевоенного вида спорта, который сначала назывался канадским хоккеем, а потом в ходе антикосмополитической кампании был переименован в хоккей с шайбой. Очень часто хоккеистами оказывались те же самые футболисты. Зимой, когда поля затягивались льдом, «мастера кожаного мяча» обувались в железо, на голову же водружали «велосипедки» с продольными, «вдоль по черепку», дутыми обручами или даже шлемы танкистов; и-и-и, пошла писать губерния: свистит шайба, скрежещут коньки, сшибаются, исторгая из печенок матерок, сильные офицерские тела.

Самым, конечно, любимым был лейтенант Сева Бобров, который на футболе мог метров с двадцати, перевернувшись через себя, «вбить дулю в девяточку», ну, а на хоккее, заложив неповторимый вираж за воротами, влеплял шайбу вратарю прямо «под очко». Да и внешностью молодой человек обладал располагающей: бритый затылок, чубчик на лбу, квадратная, наша русская, ряшка, застенчиво-нахальная улыбочка: Сева такой.

Хоккейные побоища на «Динамо» в двадцатипятиградусный мороз. Клубы пара над могутной толпой, что твоя торфяная теплоэлектростанция. Опытные болельщики в тулупах поверх пальто, в карманах стеклоцех: «четвертинки» и «мерзавчики». Да и какой же русский не любит ледяных забав!

Катками, вообще, невероятно увлекалось население в Москве. В Казани, скажем, или в Варшаве такого не было. В вечерний час от метро «Парк культуры» к самому залитому льдом Парку культуры шли через Крымский мост толпы молодежи, несли свои «норвеги», «ножи», «снегурочки». Там, в ледяных аллеях, под электрическими арками, назначались свидания, шло скользящее ухаживание, проливалась и кровянка. «Догоню, догоню, ты теперь не уйдешь от меня!» — разносился из репродукторов тоненький, девчачий голос популярной певицы.

Популярен был и баскетбол, однако не в столь широких кругах. Старшие школьники и студенты особенно увлекались этой американской игрой, которую так и не умудрились переименовать на патриотический манер в «корзиномяч». Казанский провинциал, что сам недавно начал играть и уже умел передвигаться с мячом и бросать из затяжного прыжка, совершенно обалдел от размаха баскетбольной жизни столицы. Одни прибалты чего стоят! Команда Эстонии, настоящие европейские атлеты, выходила на площадку в кожаных наколенниках, тщательно набриолиненные волосы разделены на пробор, все улыбаются, расшаркиваются перед судьями, никакого мата, хрипа, плевков, выигрывают, как хорошо сказано было в газете, «с легкостью и изяществом». Или литовские гиганты, крутящие так называемую «восьмерку» перед ошеломленными игроками Киргизии. Счет 115:15 в пользу больших людей малой страны.

Между тем идеал московской женщины тех дней был весьма далек от спортивных ристалищ. В этом идеале сочетались черты певицы Клавдии Шульженко и киноактрисы Валентины Серовой. Идеал прогуливался по Москве в туфлях-платформах с ремешками, переплетенными на щиколотке, и в белых войлочных «труакарах». Взгляд этого идеала обещал уцелевшим мужчинам и подрастающему поколению удивительное воплощение каких угодно романтических мечтаний. У нашего «поляка», весьма сдержанного в сложных условиях работы за рубежом, в Москве закружилась голова. Однажды на Сретенке он покупал свой «Дукат» (десяток сигарет в маленькой оранжевой пачечке), когда все мужики возле табачного киоска повернули головы в одном направлении. Среди кургузых эмок и трофейных лягушек «БМВ» мимо скользил огромный зеленый открытый «линкольн», и в нем на заднем сиденье мечтательная белокурая головка. «Серову в Кремль ебать повезли», — похмельным басом пояснил кто-то из курящих. Была ли это Серова, и в Кремль ли ее везли, и действительно ли для патриотической миссии, никому неведомо, однако наш «поляк» долго еще выискивал среди московской транспортной шелупени зеленый «линкольн», всерьез собираясь в следующий раз прыгнуть на его подножку и вырвать у «мечты» номер телефончика. Так никогда больше не увидел и вообще усомнился в реальности того момента на Сретенке у табачного киоска; не во сне ли привиделось, а потом уже в ложных воспоминаниях переселилось на Сретенку?

В сценке этой наблюдался еще один любопытный момент — эдакое небрежное, запросто, упоминание Кремля в контексте московского блядства. Похмельный хмырь, конечно, не представлял большинства населения, а только лишь разрозненный, растрепанный московский «мужской клуб», однако клуб этот был еще до конца не добит, в нем еще играли на бильярде, делали ставки на бегах, дули водку и пиво под сардельки с кислой капустой или, напротив, на крахмальных скатертях «Националя» употребляли марочный коньяк под семгу, бардачили по «хатам».

Что касается Кремля, то как-то трудно было себе представить, что столь легкая и милая красавица направлялась в эту мрачную твердыню. Еще куда ни шло, если бы под покровом ночи, в «воронке», с кляпом во рту волокли красавицу на поругание... Ведь, по слухам, Он как раз по ночам там сидит, думает о судьбах мира и прогресса...

Проходя как-то в полночь по Софийской набережной, «варшавянин» не мог оторвать взгляда от Кремлевского холма. Рубиновые звезды отчетливо светились и как бы поворачивались под темным осенним ветром, все, что ниже башенных шатров, было недвижимо и ужасно. Вдруг появился и прополз некий огонь. Скорее всего, это была фара патрульного мотоцикла, и все-таки наш «варшавянин» содрогнулся: трудно было не подумать, что это глаз дракона прошел во мраке.

Кажется, никто не заметил, как содрогнулся опытный, видавший всякое «варшавянин». Набережная была пуста, ни души, за исключением какого-то юнца, притулившегося в десяти шагах под аркой, но он, кажется, тоже не заметил, потому что и сам содрогнулся, когда по кремлевскому бугру прошел светящийся глаз.

Что за странный юнец, что он тут делает один, почему вперился взором в резиденцию главы государства? В Польше пришлось бы такого повернуть лицом к стене и обыскать...

— Спичек нет? — спросил «варшавянин».

— Я не курю, — ответил наш «казанец».

Чудак, усмехнулся первый, как будто я его спрашиваю, курит он или нет. Да ведь он меня не про курение спрашивает, а про спички, подумал второй и покраснел. Позор, краснею перед каким-то парнем. Чего это он покраснел, этот пацан?

Не холодно? Парень, конечно, имел в виду сомнительную одежку пацана. Ветер парусил сатиновую рубашку. Под ней, правда, что-то еще было надето, однако что бы там ни было надето, все-таки слабовато для октябрьской ночи. Парень, естественно, не знал, что это «что-то еще» было скрытой мукой пацана. По каким-то непонятным причинам пацан считал, что рубашка у него как раз такая, в какой надлежит прогуливаться «юноше конца сороковых годов», а вот это «что-то еще» совсем, совсем «не из той оперы»: бабушкина фуфайка. Растянувшийся, неопределенного цвета утеплитель он надевал под рубашку и глубоко засовывал в штаны, чтобы не деформировалась фигура сзади. При ходьбе, однако, фуфайка собиралась комками на заду и на боках, лишая население столицы возможности любоваться безукоризненными юношескими формами. Была, конечно, еще и телогреечка, стеганый ловкий ватник, который мог бы решить эту проблему, однако в Москве, в отличие от Казани, ватники эти были явно не в ходу среди «юношей конца сороковых годов», а больше принадлежали дворницкому сословию. Вот почему пацан доходил до минусовой температуры в своей «хорошей» рубашке, под которой таилась нехорошая, постыдная фуфайка. Нет, спасибо, не холодно, ответил он незнакомому парню.

Они собрались было уже разойтись, но на секунду задержались, словно хотели запомнить друг друга. Парень в черном пальто с поднятым воротником — темно-рыжие волосы, светло-серые жесткие глаза — восхитил провинциального пацана. Вот оно, воплощение современной московской молодежи, такая уверенность в себе, наверняка мастер спорта, подумал пацан. Может, подарить свитер этому сопливому романтику, с усмешкой подумал парень. Из Польши он привез полдюжины толстых свитеров. Однако это будет как-то странно, дарить свитер незнакомому пацану.

Они разошлись. Пацан дошел до угла небрежной неторопливой походкой, боясь, что парень, обернувшись, может подумать, что ему холодно. На углу оглянулся. Парень садился в седло мотоцикла. Развевалась шевелюра. Он смирял ее извлеченной из багажника лыжной шапочкой. Если бы у меня был такой старший брат, вдруг подумал пацан, завернул за угол и тогда уже дунул во все лопатки, забыв о сомнительных подошвах, о которых, признаться, помнил всегда, помчался, спасаясь от ветра, а временами вдруг как бы сливаясь с ветром, как бы восторженно взлетая, к станции «Новокузнецкая», к теплым кишкам метрополитена.

Его старший брат погиб в Ленинграде во время блокады. Его отец сидел свой пятнадцатилетний срок в воркутинских лагерях. Его мать только что освободилась из колымских лагерей и осела в Магадане, то есть в том месте, откуда мы начали третий том нашей градовской саги. Считая себя, однако, представителем «молодежи конца сороковых годов», этот пацан думал не о тех миллионах своих сверстников, что числились там, где положено им было числиться, «детьми врагов народа», а о тех, кто играл в баскетбол, футбол и хоккей, проносился мимо на трофейных и отечественных мотоциклах, танцевал румбу и фокстрот, уверенно, ловко подкручивая своих партнерш, сногсшибательных московских девчонок.

Москва, собственно говоря, была для этого пацана промежуточной остановкой на пути в Магадан. До этого он ни разу не выезжал из Казани, там воспарял юношеской душою к урбанистической романтике. Не замечая повсеместного убожества, озирал только закатные силуэты башен и крыш, засохшие фонтаны и перекошенные окна «прекрасной эпохи». И вдруг попал в большой мир, в кружение столичного обихода, вот он где, Город, какая уж там Казань, о которой певец Города Владимир Маяковский не нашел ничего лучшего сказать, как только: «Стара, коса, стоит Казань...»

Из Москвы он должен был лететь в Магадан вместе с маминой покровительницей, колымской вольной гражданкой, возвращающейся из отпуска. Покровительница в связи с семейными делами затягивала отъезд, а он пока что кружил по московским улицам, и в деловой толчее, и в ночной пустыне, в день по десять раз влюблялся в мелькающие мимо личики, кропал стишки на обрывках «Советского спорта»: «Ночная мгла без содроганий / Неслышно нанесла удар, / Упал за баррикадой зданий / Зари последний коммунар...», вообще вел себя так, как будто напрочь забыл, кто он такой, как будто никто не может украсть его молодость, как будто ему никогда не приходило в голову — ну, за исключением, может быть, того момента, когда по ночному Кремлю прополз драконий глаз, — что этот город до последнего кирпича пронизан жестокостью и ложью.

А между тем Москва...

Глава третья
Одинокий герой

От чего я точно пьяный бабьим летом, бабьим летом... — пел московский бард в шестидесятые годы. Бабьим летом сорок девятого, в начале октября, то же настроение охватывало двадцатитрехлетнего мотоциклиста, еще не знавшего этой песни, но уже как бы предчувствовавшего ее появление. Он кружил в вечерний час пик по запруженным улицам в районе Бульварного кольца на трофейном мотоцикле «цюндап», и закатное, начинающее принимать оттенок зрелой меди небо, открывающееся, скажем, при спуске со Сретенки, почему-то сильно волновало его, как будто обещало за ближайшим поворотом некую волшебную встречу, как будто оно открывалось не перед матерым диверсантом из польских лесов, а перед каким-нибудь наивным вьюношей-провинциалом. Все это дело, очевидно, связано с бабами, думал Борис IV Градов. Собственно говоря, он уже целый год был основательно влюблен во всех баб Москвы.

В это же время по Садовому кольцу, держась вблизи от тротуара, медленно ехал черный лимузин с пуленепробиваемыми стеклами. В нем на заднем диване сидели два мужика. Одному из них, генерал-майору Нугзару Ламадзе, было слегка за сорок, второму, маршалу Лаврентию Берии, заместителю председателя Совета Министров, отвечающему за атомную энергию, и члену Политбюро ВКП(б), отвечающему за МГБ и МВД, было за пятьдесят. Последний тоже, можно сказать, был влюблен во всех баб Москвы, однако несколько иначе, чем наш мотоциклист. Чуть раздвинув кремовые шторки лимузина, маршал в щелку внедрял свое зоркое стеклянное око, следя за проходящим, большей частью очень озабоченным женским составом трудящихся столицы. От этого подглядывания его отяжелевшее тело принимало какой-то неестественный поворот, вывернувшийся голый затылок напоминал ляжку кентавра. Левая рука маршала поигрывала в кармане брюк.

Совсем уже, свинья такая, меня не стесняется, тем временем думал Нугзар. Во что меня превратил, грязный шакал! Какой позор, второй человек великой державы и чем занимается!

Он делал вид, что не обращает внимания на своего шефа, держал на коленях папку с бумагами, сортировал срочные и те, что могут подождать. Рука маршала между тем вылезала из штанов, вытаскивала вслед за собою большой и местами сильно заскорузлый клетчатый платок, вытирала увлажнившуюся плешь и загривок.

— Ай-ай-ай, — бормотала голова. — Ну, посмотри, Нугзар, что нам предлагает новое поколение. О, московские девчонки, где на свете ты еще найдешь такие вишенки, такие яблочки, такие маленькие дыньки... Можно гордиться такой молодежью, как ты считаешь? А как она перепрыгивает через лужи, а?! Можно только вообразить себе, как она будет подпрыгивать... хм... Ну посмотри, Нугзар! Перестань притворяться, в конце концов!

Генерал-майор отложил папку, вздохнул с притворной укоризной, посмотрел на маршала, как на расшалившегося мальчугана; он знал, что тот любил такие взгляды с его стороны.

— Кто же так поразил твое воображение, Лаврентий?

В такие минуты возбранялось называть всесильного сатрапа по имени-отчеству, а уж тем более по чину: простое, дружеское «Лаврентий» напоминало добрые, старые времена, город-над-Курой, блаженные вакханалии.

— Она остановилась! — вскричал Берия. — Смотрит на часы! Ха-ха-ха, наверное, ёбаря поджидает! Стой, Шевчук! — приказал он своему шоферу, майору госбезопасности.

Тяжелый бронированный «паккард», наводящий ужас на всех постовых Москвы, остановился неподалеку от станции метро «Парк культуры».

Сзади подошел и встал к обочине ЗИС сопровождения. Берия извлек цейсовский бинокль, специально содержащийся в «паккарде» для наблюдения за лучшими представительницами здешних масс.

— Ну, Нугзарка, оцени взглядом знатока!

Генерал-майор пересел на откидное сиденье и посмотрел в щелку сначала без бинокля: метрах в сорока от их машины у газетного стенда стояла тоненькая девушка в довольно шикарной жакетке с большими плечами. Она читала газету и ела мороженое, то есть, как и полагается современному советскому человеку, старалась получить сразу не менее двух удовольствий. В сгущающихся сумерках казалось, что ей лет двадцать, однако сбивала с толку нотная папка, которой она с некоторой детскостью похлопывала себя по коленке.

— Почему так долго не зажигают свет? — возмущенно спросил Берия. — Форменное безобразие, люди топчутся в потемках.

В десяти метрах за правым плечом девушки было метро. У дверей закручивались потоки входящих-выходящих. Ей нужно не больше двух секунд, чтобы исчезнуть, подумал Нугзар. Поворачивается и исчезает, и свинье остается только дрочить, на чем он, конечно, не успокоится, будет искать себе другую и, уж конечно, найдет, но уж хотя бы не эту прелесть. Увы, она не уходит. Стоит, дура, со своим мороженым, как будто ждет, когда он пошлет Шевчука или... или... даже меня, генерал-майора Ламадзе... скорее всего, меня и пошлет, «не в службу, а в дружбу»... почему меня никто не попросит его убить?..

В последний год ненависть Нугзара к шефу достигла, казалось, уже предельной точки. Он понимал, что время уходит и что Берия никогда не позволит ему подняться на следующую ступеньку, занять более независимое положение в системе. Неожиданно дарованная Сталиным в тяжелый военный год генеральская звезда так и осталась сиять в одиночестве. Да разве в чине дело? Генерал-майоры в системе иной раз командуют целыми управлениями, осуществляют большой объем работ, получают творческое удовлетворение, накапливают авторитет. Берия, однако, перекрыл ему все пути для роста. Очевидно, он решил это еще тогда, в сорок втором, после памятного ужина у Иосифа Виссарионовича.

Крысиным чутьем чувствует опасность. Остановить молодого Ламадзе! Конечно, он мог его просто убрать, как убирал десятки других из своего окружения. Уж кто-кто, а Нугзар-то знал, что Лаврентий любит кончать опасных карьеристов лично, в своем кабинете, неожиданным, в ходе дружеской беседы, выстрелом в висок. Тогда, однако, он не решился таким излюбленным методом избавиться от выдвиженца самого Сталина, а сейчас ему, очевидно, кажется, что и всякая необходимость отпала. Уничтожил Нугзара Ламадзе, максимально приблизив его к себе. Что это за должность: помощник зампредсовмина? Может быть, это человек неслыханного влияния, посвященный во все важнейшие дела государства, а может быть, просто адъютант, холуй, которого за бабами посылают?

Никогда не забывает, скотина, темных пятен в послужном списке Нугзара. Нет-нет да вспомнит «связь с троцкисткой» и то, как спасал эту троцкистку, любимую Нинку Градову, от органов, перепрятывал ее дело из одного шкафа в другой. Половая связь с врагом партии, дорогой товарищ Ламадзе, нередко приводит к идеологической связи. Да я шучу, шучу, хихикает он, ты что, юмора не понимаешь?

А тут еще вся эта история с маршальшей Градовой — и опять эта семейка, какой-то рок! — из этой истории органы явно не вышли победителем; так считает негодяй. Да как же, Лаврентий Павлович, вот же ее подпись на документе, она в наших руках, в любой момент можем задействовать. Ну, Нугзарка, ты опять лезешь в официальщину! Лучше расскажи старому товарищу, как ты ее ебал, как породнился своим концом, можно сказать, с американс-

кой разведкой. Фу, даже пот прошибает от таких
шуток, Лаврентий. Фу, Нугзар, уж и пошутить
нельзя? Что-то у тебя с чувством юмора появились
недостатки.

Сам себе Нугзар иногда признавался, что с Вероникой и Тэлавером далеко не все было ясно в 1945
году. Психологический рисунок операции вроде был
безупречный, одного только в нем не хватало: русской
бабской истерики. Вдруг на второй или третий день
после предложения без всяких стенаний и даже с каким-то высокомерием Вероника подписала соглаше-
ние о сотрудничестве. Уж не открылась ли жениху
красотка, не ведет ли двойную игру, подумал тогда
Нугзар, однако руководству своих подозрений не вы-
дал. Во-первых, не хотелось все снова запутывать,
снижать ценность такого блестящего дела, как помещение своего человека в постель крупного американского военного специалиста. Во-вторых, было немного жалко Веронику, которая ему где-то по-человечески, ну, как говорится, по большому счету, в общем-то
нравилась. Второй посадки она, конечно, уже не вы-
держала бы. Ну, а если бы просто «закрыли семафор»,
было бы еще хуже: окончательно бы спилась красавица Москвы.

Все прошло неожиданно гладко. Во-первых,
Лаврентий, который поначалу лично курировал опе-
рацию, вдруг утратил к ней интерес. Во-вторых, похоже было на то, что вмешались самые крупные
чины союзников, чуть ли не сам Эйзенхауэр из Германии через союзническую контрольную комиссию
или даже прямо через Жукова обратился к Сталину
с просьбой не чинить препятствий женитьбе полковника Тэлавера на вдове дважды Героя Советского
Союза. Так или иначе, но Берия перестал спраши-

вать об этом деле, а на прямые вопросы только отмахивался: делай, мол, как хочешь, не имеет, дескать, большого значения. И вот только тогда, когда
голубки улетели в Заокеанию — по последним данным, мирно живут в Нью-Хэвене и ни хрена не имеют общего с государственными секретами, — тогда
только маршал начал жутковато шутить насчет по-
ловых связей с американской разведкой. Снова этот
подлец сделал вилку конем: с одной стороны, мол,
дело ерундовое, значит, и не надо поощрять Ламадзе, а с другой, попахивает, мол, слегка, чуточку так
смердит самым страшненьким, так что если, мол,
плохо будешь соображать, можно и раздуть этот запашок.

Что касается запашков, то, как говорится, в доме
повешенного ни слова о веревке. От вождя в последние годы частенько смердит. Жене осточертел со
своими бесконечными случками на стороне, перестала следить за его кальсонами. Ну, а сам чистоп-
лотностью не отличается, хорошо моется только перед заседаниями Политбюро... Вообще, с годами
какие-то странности стали наблюдаться в чудовище. Вдруг помешался на спорте, на своем любимом
«Динамо». Еще до войны упек в лагеря футболис-
тов-спартаковцев, четырех братьев Старостиных,
чтобы не мешали успехам «команды органов», а теперь вообще съехал с резьбы: охотится за спортсменами, переманивает их из армейских клубов, а иногда просто похищает. Особенно докучает ему новое
общество ВВС, что под эгидой Василия, самого ге-
нерал-лейтенанта Сталина. Вдруг ни с того ни с сего
начинает беситься. Думаешь, в разведке какой-нибудь провал, в Иране что-нибудь неладно или в Берлине или там какой-нибудь сбой в развороте «ленин-

градского дела», а оказывается, вся беда в том, что Васька опять к себе каких-то хоккеистов перетащил.

А то вдруг вообще начинается нечто не вполне рациональное, чтобы не сказать иррациональное. Не так давно Нугзар, войдя в кабинет, застал Лаврентия Павловича за чтением «Советского спорта». Сразу понял, что чем-то недоволен вождь в жалкой газетенке, чем-то она его вдруг раздражила. Что-нибудь не так, товарищ маршал?

Можно сказать, что «не так». Вот полюбуйся, что печатают, негодяи. Палец, похожий на миниатюрный хрен в морщинистом гондоне, упирается в стихотворение «На Красной площади». Нугзар мучительно читает:

> На площадь в потоке колонн
> Под звуки чеканного марша
> Вплывает заря знамен.
> Вливается грохот металла
> И кованый цокот копыт.
> И в солнечном шелке алом
> Октябрьский
>   ветер
>   кипит.
> Но вот за полками пехоты
> Проходят полки труда,
> Заводы идут, как роты,
> И песня
>   звенит
>   в рядах.

«Читай вслух!» — вдруг гаркнул Берия. Нугзар вздрогнул: таким криком можно и без пистолета человека пришить. Все-таки набрался мужества, развел руками: надо иногда показывать характер чекиста. «Не понимаю, что тут такого читать, Лаврентий Павлович?» Берия нервно хохотнул, вырвал газету: «Не понимаешь? Тогда слушай, я тебе сам прочту с чувством, с толком, с расстановкой». Он начал читать, то и дело останавливаясь, упираясь пальцем в строку, взглядывая на Нугзара и продолжая, распалялся каким-то странным бешенством, часто делая неправильные ударения в русских словах.

Сегодня у стен кремлевских
Спортсменов
              я узнаю.
Отвага,
        юность
              и ловкость
Проходят
          в строгом строю.
Над площадью
             солнца лучи,
Золотом
        плиты
           облиты,
Приветствуют москвичи
Любимцев своих
           знаменитых.
Колонны шагают легко,
И Красная площадь
            светлеет,
Стоит полководец веков
На
      мраморном
           Мавзолее.

Бессильная ярость
                              за океаном,
От злобы
              корчатся
                              черчилли,
А он
        строительством мира
                              занят —
Будущее
              вычерчивает.
По всей неоглядной Отчизне,
Равненье
              на Кремль
                              держа,
Строится коммунизм
По Сталинским
                              чертежам.
Вскипают
              в степи седой
Полезащитные
                              полосы,
Тундра
        в осаде садов
Покорно
              пятится
                              к полюсу.
Встают города,
                              расцветают пески,
Распахнуты
              светлые дали!
И нам,
        как имя Отчизны, близки
Два имени,
              Ленин и Сталин!

«Ну вот, — чтение закончилось как бы в каком-то изнеможении. — Ну, что теперь скажешь?»

«Ничего не понимаю, Лаврентий Павлович», — без всякого сочувствия ответил помощник. Он и в самом деле не понимал, ради чего тут было устроено, один на один, такое фиглярство вокруг стиха. «Ах, ты не понимаешь, Нугзар? Это печально. Если даже ты не понимаешь, то на кого же я могу положиться? Только на свое чутье?»

«Простите, Лаврентий Павлович, что же тут можно найти? Тут все, что полагается...»

«Эх, Нугзар, Нугзар, не по-дружески себя ведешь... Сколько раз я тебя просил, один на один не называй меня по отчеству, Нугзар-батоно. Я тебя всего на десять лет старше, всю жизнь вместе работаем, понимаешь...» Отшвыривает «Советский спорт», начинает расхаживать по кабинету, причем ходит так, что только и жди, как бы не повернулся с пистолетом. «Никто меня не понимает в этой блядской конторе, кроме Максимильяныча!» Имеется в виду Маленков. «Ты что, Нугзар, между строк не можешь читать? Не видишь, сколько тут издевательства? Над нами над всеми издевается негодяй! Как его зовут? Посмотри, как подписывается? Евг. Евтушенко. Что это за фамилия такая, Евг. Евтушенко? С такой фамилией нельзя печататься в советской прессе!»

«Слушай, Лаврентий, дорогой, что такого в этой фамилии, — возразил Нугзар в том стиле, который вроде от него требовался. — Обыкновенная украинская фамилия, а «Евг.» — это, наверное, сокращение от «Евгений»...»

«Я этому Евгению не верю! — взвизгнул Берия. — Меня чутье никогда не подводило! Суркову верю, Мак-

симу Танку верю, даже Симонову верю, даже Антана-
су Венцлове, а этому нет! Откуда такой взялся — Евг.?»

Вдруг смял комом «Советский спорт», ударил
ногой, как вратарь, выбивающий мяч. «Проверить
и доложить, товарищ Ламадзе!»

Одернул пиджак, нахмуренный пошел к столу
читать протоколы ленинградских допросов.

Нугзар тогда подумал: сам с собой играет в кош-
ки-мышки, зловещий бандит. Пытается отвлечься
от бесконечных убийств. Конечно, нелегко забыть,
как вот в этом же лубянском кабинете поросенком
визжал под допросом вчерашний член Политбюро
Николай Вознесенский. А сколько таких «поросят»
у него на совести! У всех у нас. Все мы тут черные
духи, дьяволы, иначе и не скажешь. Однако этот хочет отвлечься: девчонки, спорт... Вот он читает эту
газетку, такой, видите ли, нормальный болельщик,
и вдруг опять мрак накатывает, опять крови захотел,
теперь какого-то Евг. Евтушенко...

А тот, несчастный, и не подозревает, кто им за-
интересовался. Старается, делает из одной строчки
три себе на пропитание, то есть под Маяковского
крутит. Наверное, какой-нибудь бывший лефовец,
пожилой и замшелый неудачник...

Нугзар надел штатский макинтош, мягкую шляпу и поехал в «Советский спорт». Редактор там сразу
же, похоже, описался от страха. Вскочил, зашатался,
побежал куда-то, в коридоре закричали: «Тарасова к
главному!» Прибежал какой-то завотделом. Вот товарищи из органов интересуются вашим автором.
Спокойно, спокойно, товарищ редактор, почему мно-
жественное число? Не «товарищи интересуются», а
вот лично мне интересно, почему вы печатаете такого Евг. Евтушенко. Звонко пишет, говорите? Моло-

до, говорите, пишет? Любопытно, любопытно. Он сейчас здесь, говорите? А где же? Да вот он здесь, товарищ генерал, на лестнице курит. Позвать? Не надо. Просто покажите. Редактор лично открыл дверь на лестницу. Там стоял долговязый мальчишка в вельветовой курточке, в кепочке-букле, торчал сизый от дыма нос, гордо позировали новые туфли на микропорке. «Вот это и есть Евг. Евтушенко?» — «Так точно». — «Сколько же лет этому вашему Евг. Евтушенко?» Редактор дернулся из-за стола, потом, остановленный жестом грозного гостя, плюхнулся обратно в свое стуло. Трудно было взирать на такого гостя из-за начальственного стола, хотелось навытяжку, по-курсантски. «Тарасов, сколько лет этому вашему автору?» У Тарасова лицо непроницаемое, даже презрительное: от страха, должно быть, утратил всякую искательность. «Шестнадцать, — бормочет он, — или восемнадцать... Во всяком случае, не больше двадцати...» — «Наверное, еще школьник?» — «Кажется», — с каким-то даже высокомерием прогундосил Тарасов.

Через коридор видно было, как кто-то сверху, из другой редакции, прошел мимо Евг. Евтушенко и как тот потянулся к прошедшему длинной шеей, прозрачный зрачок блеснул неожиданно умудренной лукавинкой. Прошедший хохотнул, что-то сказал, явно вдохновляющее, отчего Евг. Евтушенко сплясал на лестничной площадке маленького трепачка-чечеточку: дела идут, контора пишет!

«Чем же вас подкупили его стихи?» — спросил Нугзар у Тарасова. На главного редактора он уже не обращал никакого внимания. Тарасов сидел, как Будда, почти отключившись от действительности. Все-таки разомкнул уста: «Звонкостью такой... ну, молодостью такой...»

В этот момент Евг. Евтушенко прикончил папиросу каблуком микропорки и заметил, что дверь в кабинет главного редактора открыта. Немедленно поспешил мимо по коридору в туалет и, проходя, заглянул в кабинет с огромным, всеохватывающим интересом. Каков пацан, подумал Нугзар, и вдруг сложилась другая оригинальная мысль: нет, такому в тюрьме явно нечего делать.

Тарасов тут вытащил из кармана бумажный лепесток. Вот, еще одно стихотворение принес. Есть неожиданные рифмы... идейность безупречная...

Последнее стихотворение Евг. Евтушенко называлось «Судьба боксера» и рассказывало о тяжкой судьбе американского атлета по имени Джин.

Вспомнил войну,
                         русского солдата,
Уроженца Сибири дальней,
который,
                 дружбе солдатской
                                          в задаток,
Джину подарил
                    портрет
                                 Сталина.
Ничего сейчас у Джина нет,
Только
            этот
                     портрет!
Идет чемпион неоднократный,
Сер сквер.
А наверное, сейчас
                              бьют куранты
В Москве.

Там люди, как воздухом,

                  дышат свободой

Под знаменем

             Сталинских светлых идей.

Там спорт —

              достояние всего народа,

Воспитывает людей!..

«Где же здесь неожиданные рифмы?» — спросил Нугзар. Вся ситуация вдруг показалась ему чрезвычайно забавной. Странная какая-то необязательность присутствует в этой россыпи обязательных слов. Неужели Берия это уловил? «Неоднократный — куранты, сквер — Москве...» — пробормотал Тарасов. «Что?» — «Корневые рифмы». — «Ах да». Это поколение явно не собирается в лагеря. На что они рассчитывают? На корневые рифмы? «Вы пока что, товарищ Тарасов, воздержитесь от напечатания этого стиха, — мягко посоветовал он. — Лады?» — «Как скажете», — сказал Тарасов. «Ну, просто до моего звонка, пока не надо. Стихи, ей-ей, не испортятся за пару недель. Помните, как один поэт сказал: «Моим стихам, как драгоценным винам, наступит свой черед»?»

Тарасов проглотил слюну, отвлекся взглядом в угол: виду подавать нельзя, что помнишь запрещенную Цветаеву. Наверное, думает: ну и чекисты пошли с такими стишками на устах. Не знает этот Тарасов, что я рос рядом с поэтами. Там, рядом с поэтами, и вырос в убийцу. Такой, стало быть, облагороженный вариант душегуба.

За две недели Берия, разумеется, и думать забыл об авторе стихов «На Красной площади». Приближалось главное событие 1949 года, испытания «устройства» в Семипалатинске. Несколько раз собирали актив засекреченных ученых, накручивали кишки на кулак. Совершили поездку по объектам. Проверяли схему агентуры влияния в западных средствах массовой информации. Если испытание пройдет успешно, надо будет, чтобы об этом, с одной стороны, никто не узнал, а с другой стороны, чтобы узнали все. Хозяин не раз намекал, что от испытания зависит новая расстановка сил на мировой арене. Возможно наступление по всему фронту.

В утренней почте Берии всегда присутствовал «Советский спорт». Иной раз он вытаскивал его из кучи газет, быстро заглядывал в сводку футбольного чемпионата — как там возлюбленное «Динамо» крутится, хлопал ладонью по краю стола то с досадой, то с удовольствием и тут же отбрасывал орган Госкомитета по физкультуре. Однажды Нугзар для собственного алиби все же упомянул о посещении редакции — сделал он это именно тогда, когда шеф был меньше всего расположен говорить о чем-нибудь, кроме «устройства». Однако Лаврентий Павлович тут же его перебил: «О чем ты говоришь, генерал? Да пошел он на хер, этот гамахлэбуло Шевкуненко!» Из этого можно было сделать вывод, что тот приступ необъяснимой ярости в адрес поэта, скорее всего, относится к чудачествам среднего возраста, что все это надо забыть в той же степени, как не следует держать в уме разные прочие эскапады сатрапа, и уж во всяком случае молодой Евг. Евтушенко может пока что благополучно трудиться над своей «корневой рифмой» во славу завоеваний революции.

Он просто сделал из меня своего холуя, думал Нугзар, следя в щелку за тоненькой фигуркой с торчащими накладными плечами, просто потакателя своим гнусным причудам, хоть и просит всякий раз помочь ему «как мужчина мужчине». Тут перед станцией метро загорелись фонари.

— На! — сказал Берия. — Вот, полюбуйся, какая прелесть! Я просто влюблен!

— Что «на»? — спросил Нугзар.

Шеф протягивал ему свой охотничий бинокль. Он влюблен, оказывается. Влюбленный кабан. Такому бы хороший заряд в лоб, чтобы стекла посыпались. Нугзар подкрутил колесико. Ничего не скажешь, хороша цейсовская оптика. Перед ним отчетливо выделялось из толпы прелестное детское лицо: светлые глаза избалованной красоточки, крутой лобик, говорящий о мало испорченной породе, тоненький и чуточку, самую чуточку, длинноватый носик, полнокровные губки, мелькающий между ними, словно язычок огонька, изничтожитель мороженого. Все это овевалось под нарастающим ветром трепещущей волной каштановых волос.

— Хороша! — проговорил генерал-майор Ламадзе.

— А я что говорил! — воскликнул маршал Берия. Изо рта пахнуло, как из преисподней. Зубы не чистит, мученик идеи!

— Хороша будет! — закончил свою мысль Ламадзе.

— Что значит будет? — возмущенно возопил Берия, словно гадкий мальчик, у которого отнимают кость. Пардон, что-то тут не сходится: гад, срака!

— Года через два-три хороша будет, — мягко и лживо улыбался Нугзар. Почему-то он не мог себе представить, что подойдет к этой девчоночке, покажет ей свою эмгэбэшную книжку и поволочет затем в лимузин. К кому угодно, но только не к этой! Пусть хоть глаза выкалывает, не пойду!

— Ты говоришь не как кавказец, — продолжал чванливо, с выпячиванием подбородка брюзжать Берия. — Вспомни, в каком возрасте в Азербайджане девчонок берут в постель.

В Азербайджане может быть, думал Ламадзе, в цивилизованных христианских странах никогда! Его собственная дочка Цисана, между прочим, тоже подходила уже к «возрасту», кажется, уже месячные начались, и хоть держалась еще за мамкину юбку, а вдруг... через годик привлечет внимание какого-нибудь, если можно так сказать, тлетворного маршала. От этой мысли потемнело в глазах. Убойной силы у меня в правой руке еще достаточно, вот этим биноклем со всего размаху прямо под челюсть, чтобы проломить основание черепа...

— Притащить девчонку, товарищ маршал? — вдруг спереди бойко сделал запрос верный Шевчук.

— Зачем ты пойдешь?! Зачем не Нугзарка пойдет?! — взвизгнул Берия. Когда злится, начинает неправильно говорить по-русски.

Нугзар весело рассмеялся:

— Я просто подумал, Лаврентий, что по закону РСФСР... ха-ха-ха, ведь мы же на территории РСФСР, нас... ха-ха-ха, могут привлечь за растление малолетних...

Мысль о привлечении по закону РСФСР показалась Берии такой забавной, что он даже на минуту забыл о девчонке.

— Ха-ха-ха, ну, Нугзар, насмешил... все-таки ты еще не совсем занудой стал... Шевчук, слышал? По закону РСФСР!

В этот момент вся диспозиция возле метро «Парк культуры» резко переменилась. К девчонке подошел молодой крепкий парень в короткой суконной заграничного покроя куртке. Снисходительно и уверенно хлопнул ее по попке. Девчонка обернулась и радостно бросилась ему на шею, не выпуская, однако, полусъеденного мороженого. Парень сердито отмахивался от сладких капель. Схватив за руку, бесцеремонно потащил ее через толпу к пришвартованному под фонарем могучему мотоциклу. Через несколько секунд мотоцикл уже отчаливал, сразу же разворачиваясь в сторону Садового кольца. Девчонка сидела на заднем сиденье, обхватив парня вокруг талии, то есть по всем правилам послевоенного московского романешти.

— За ними, товарищ маршал? — вскричал Шевчук. Восклицанием этим он, разумеется, только лишь выказывал стопроцентную преданность и двухсотпроцентное рвение. Может ли возникнуть по Москве более нелепое зрелище, чем бронированный «паккард» второго человека в государстве, преследующий фривольную парочку на мотоцикле? Передавать приказ машине сопровождения тоже было нелепо: за эти несколько минут мотоцикл умчится далеко, ищи-свищи его по необъятной Москве. Да и вообще сам стиль бериевской похотливой охоты не предусматривал суеты, спешки, погони. Наоборот, все должно проходить в медленном неотвратимом, как сама нынешняя власть, гипнотизирующем темпе. В общем, сбежала антилопка!

— Это все из-за тебя, Нугзар, — с досадой, но, к счастью, без особенной злобы проговорил Лаврентий Павлович. — Малолетку, видите ли, пожалел, а за ней как раз и подъехал ебарь. — Вдруг расхохотался: — Это же анекдот, привлекут, говорит, к ответственности за растление, а за малолеткой ебарь-шмобарь тут же подъезжает!

Нугзар, сообразив, что опасность вдруг утекла по прихотливым извивам тиранической психологии, тоже охотно расхохотался, закрутил красивой головою с благородными седыми опалинами на висках.

— Сплоховал, сплоховал я, Лаврентий. Отстал от жизни, старею, наверное.

— Ну, вот теперь за это сам и ищи новую дичь! — весело хихикал Берия. — Даю тебе пять минут. На ночь глядя нам надо еще к Хозяину заехать.

Он нажал кнопку. Из вмонтированного в спинку переднего кресла шкафчика выехал поднос с коньяком, хрустальными стаканами, боржомом и лимончиком. Неудачу надо быстро запить и зажевать лимоном.

Дичь не заставила себя ждать. Из недр метрополитена явилась прямо как по заказу московская Афродита с плебейской юной мордахой, завершенный вариант наложницы. Не говоря ни слова, Берия кивнул. Нугзар выпростался из «паккарда» и двинулся к девушке.

По разработанной схеме в таких случаях он должен был быть чрезвычайно вежлив, что было нетрудно, учитывая хорошее в общем-то тифлисское воспитание. Ему надлежало притронуться к козырьку — если в штатском, то к полям мягкой шляпы, — затем извлечь, увы, не то, что вы думаете, уважаемый читатель, а наводящую на всех ужас книжечку МГБ и только потом уже мягким баритончиком произнести: «Простите за беспокойство, но с вами хочет поговорить человек государственной важности». Нугзар всю эту схему выполнял неукоснительно за исключением сакраментальной фразы, которую он подавал на свой манер: «Простите за беспокойство, но с вами хочет поговорить один из государственных мужей Советского Союза». Какая разница в конце концов, однако ему казалось, что он вносит в ситуацию какую-то убийственную иронию. Именно этими «государственными мужами Советского Союза» он как бы на одно мгновение убивал злодея, а самого себя спасал от грязнейшего унижения. Неизвестно еще, как шеф реагировал бы, узнай он о нугзаровском варианте приглашения: ведь до недавнего времени он даже и от верного оруженосца, и может быть особенно от него, ждал подвоха. Сейчас, кажется, он уже не ждет от меня ничего, кроме подлейшего раболепия, ну а жертвам, тем уж не до словесной игры: естественно, голову теряют от страха, ничего не помнят.

Плебеечка, только что гордо под взглядами мужчин несшая свои божественные формы, съежилась при виде вылезшего из страшного лимузина и направившегося прямо к ней красавца генерала. Приближался самый драматический момент ее маленькой жизни. «Помню, я еще молодушкой была» — так будет петь когда-то поближе к старости. Он взял под козырек и извлек из нагрудного кармана — нет-нет, дорогой читатель, — извлек книжечку с испепеляющей аббревиатурой: МГБ, Московская Геронтократия Блядожоров, что-то в этом роде.

На лице у нее вдруг россыпью выступили веснушки, проявилось несколько оспинок. Ничего, сойдет на сегодня.

— Простите за беспокойство, но с вами хочет поговорить один из государственных мужей Советского Союза.

Девушка так перепугалась, что не могла ни вымолвить слова, ни шевельнуть ногою. Нугзар мягко взял ее под руку. Он вообразил, что шеф в этот момент уже законтачивает свою систему в кармане штанов.

— Вам не нужно ни о чем беспокоиться. Как вас зовут?

— Л-л-люда, — еле слышно пробормотала жертва.

Нугзар заметил, что за этой сценой внимательно наблюдают постовой милиционер и киоскерша.

— Не волнуйтесь, товарищ Люда, поверьте, нет никаких причин волноваться. Просто с вами хочет познакомиться... (подчеркнул голосом многозначное слово, чтобы поняла, дура, просто выебать хотят, а не под расстрел... ну, поняла?.. ну, не целочка же... нет, ничего не понимает, трясется идиотка...) хочет познакомиться один важный государственный... (чуть не сказал «преступник») деятель...

Он повел ее с осторожностью, словно больную. Открылась дверь, но не в главной машине, а в сопровождающей. Очевидно, Шевчук уже сбегал, передал приказ быкам: благополучно доставить к соответствующему подъезду на Качалова. Очевидно, решено сначала к Хозяину с докладом, а уж потом, как скотина выражается, в царство гармоний.

Возле самой машины Люда вдруг взбрыкнула, вся вытянулась стрункой да так заартачилась, что у Нугзара у самого шевельнулось нечто мужское в «остывшей душе», однако тут же майор Галубик выскочил, ловко подсадил девицу под задок. Дверь захлопнулась. Нугзаровская часть операции благополучно завершилась.

А мотоциклист с пассажиркой между тем мчались. Уродливая, с точки зрения какого-нибудь парижанина, Москва казалась им, двадцатитрехлетнему и шестнадцатилетней, прекрасней и, уж конечно, загадочней любых кинематографических Парижей. Эх, сейчас бы вместо Ёлки сидела бы сзади какая-нибудь взрослая девка, думал Борис IV. Предположим, Вера Горда обнимала бы меня за мускулы живота. А вот если бы вместо нашего Бабочки мчал бы меня сейчас какой-нибудь известный спортсмен, предположим, чемпион по прыжкам в высоту, моряк Ильясов, думала Елена Китайгородская, дочь поэтессы Нины Градовой, то есть родная кузина нашего мотоциклиста. Вот такое тесное соприкосновение со спиной спортсмена, разве это возможно? Обвив прелестными руками мускулистого живота неродственного мужчины разве мыслим? Да и вообще, слово «обвив» — разве это существительное?

Сегодня оба обещали деду и бабке приехать на ужин в Серебряный Бор. У Ёлки был урок фортепиано в частном доме на Метростроевской, а после урока, как договорились, Борис подхватил ее у метро «Парк культуры». Ни тот ни другая, разумеется, не подозревали, что попали в фокус некоей вельзевуловской компании из бронированного автомобиля.

Проехали мимо первого в Москве высотного дома, шестнадцатиэтажной гостиницы «Пекин». Она была еще в лесах, однако огромный портрет Сталина уже закрывал окна ее верхней, башенной части. Тот же персонаж, по сути дела, присутствовал в любом московском окоеме, куда бы ни отлетало око. Там над крышами виднелся профиль, выложенный светящимися трубками, сям вздымалась парсуна — герой в мундире наконец-то приобретенного высшего титула — генералиссимуса отечески озирает веселящиеся под его сенью народы: «Сталин — знаменосец мира во всем мире!» Через пару недель, к 32-й годовщине

Октября, лик его явится в самом зените московского небосвода среди фонтанов праздничного салюта.

Когда в прошлом году Борис Градов вернулся из Польши, Москва как раз пульсировала огненными излияниями. Вождь народов плыл над Манежной, подвешенный к заоблачным невидимым дирижаблям. Вокруг разрывались и вспыхивали тысячами многоцветные шутихи, которые давно уже утратили способность шутить, а стало быть, и собственное имя в условиях грандиозных торжеств. Уже и слово «фейерверк» было к подобным зрелищам не применимо. В ходу был лишь вдохновляющий «салют» вместе с его могучими «залпами».

После четырех лет в лесах или на окраинах полусожженных городов старший лейтенант Градов даже несколько растерялся посреди столичного великолепия. Тысячи запрокинутых лиц с застывшими улыбками взирали на распростертый в небесах цезарский лик. Цезарский, если не больше, подумал основательно к этому моменту пьяный Борис. Разноцветные пятна, летящие по щекам и по лбу, проплывающие иной раз розовые и голубые облачные струйки явно намекали на небесное происхождение этого лика.

«Ах, какими красочными мы сделали наши празднества!» — громко вздохнула рядом представительная дама. Над верхней губой у нее красовались, будто подклеенные, основательные черные усики. Борис потягивал шнапс из плоской, обтянутой сукном офицерской фляги. «Он на нас прямо как Зевс оттуда, сверху, смотрит, правда?» — сказал он даме. «Что вы такое говорите, молодой человек?» — с испуганным возмущением прошептала дама и стала от него поскорее в толпе отдаляться. «А что такого я сказал? — пожал плечами Борис. — Я его просто с Зевсом сравнил, с отцом олимпийских богов, разве это мало?» Не переставая отхлебывать из своей фляги, он выбрался с Манежной на улицу Горького, то есть прямо к своему дому, где ждала его в любой день и час огромная и пустая маршальская квартира. Маршальская квартира! Маршал здесь в общей сложности не провел и недели. Здесь жили чины помельче. Однажды вернулся с тренировки в неурочный час, забежал в «библиотеку» (так все чаще здесь называли кабинет   отца) и остолбенел от стонов. На диване, распростертая, лицом в подушку, лежала мать: золотая путаница головы. За ней на коленях, в расстегнутом кительке трудился Шевчук. На лице застыла кривая хулиганская усмешка. Увидев Борьку, изобразил священный ужас, а потом отмахнул рукой: вали, мол, отсюда, не мешай мамаше получать удовольствие.

Пьяный старший лейтенант теперь, вернее, тогда, в мае сорок восьмого, то есть сразу по возвращении из Польской Народной Республики, где он огнем и ножом помогал устанавливать братский социализм, сидел на том же самом диване, в темноте, тянул свой шнапс и плакал.

Здесь нет никого. Здесь меня никто не ждал. Она уехала и сестренку Верульку забрала. Теперь живет в стане поджигателей войны. Не знаю, можно ли ее называть предателем Родины, но меня она предала.

По потолку и по стенам все еще бродили отблески затянувшегося до полуночи салюта. На карниз падали обгоревшие гильзы шутих. Одна пушка салютной артиллерии палила поблизости, очевидно, с крыши Совета Министров. Водки становилось все меньше, жалости к себе все больше.

Последний год в Польше Борис уже не воевал. За исключением двух-трех ночных тревог, когда всю их школу на окраине Познани вдруг ставили «в ружье», а потом без всяких объяснений командовали «отбой». Аковцы, то есть те, что назывались на политзанятиях «силами реакции», уже либо были уничтожены, либо умудрились выбраться за границу, либо растворились среди масс замиренного населения; теперь за ними охотились местные органы. Бориса вместе с еще несколькими лесными боевиками МГБ и ГРУ откомандировали на должности инструкторов в Познанскую школу. Там он в течение года передавал свой вполне приличный убивальный опыт курсантам польской спецохраны, народу, надо сказать, довольно уголовного типа, которым иногда приходилось не просто показывать какой-нибудь прием самообороны без оружия, но доводить его до конца.

В течение года он послал не менее дюжины рапортов с просьбой о демобилизации для продолжения образования. Всякий раз ответ был однозначный и исчерпывающий: «Вопрос о вашей демобилизации решен отрицательно». Он уже стал подумывать, не принять ли приглашение в закрытую школу старшего командного состава, чтобы хоть таким образом перебраться в Москву, поближе к деду с его связями, как вдруг его вызвали в совместный польско-советский директорат и объявили, что пришла демобилизация.

Впоследствии выяснилось, что как раз дед, Борис III, и был непосредственно замешан в это дело. Проведав какими-то путями, кому непосредственно подчиняется его таинственный внук, Борис Никитич начал планомерную осаду этой инстанции, стараясь дать понять товарищам, что всему свое время, что мальчик, движимый романтикой и патриотизмом, вернее, наоборот, патриотизмом и романтикой, вот именно в этом порядке, отдал родине и вооруженным силам четыре года своей жизни, а между тем ему необходимо продолжить образование для того, чтобы принять эстафету династии русских врачей Градовых. В конце концов ему, заслуженному генералу, профессору и действительному члену Академии медицинских наук, отцу легендарного маршала Градова, трудно было отказать. Невидимая инстанция пошла на попятный и со скрежетом отдала деду его внука, столь ценный для дела мира во всем мире диверсионно-разведывательный кадр.

И вот блаженный день. Борис IV запихивает форму с погонами на дно вещмешка. Отправляется на познанскую толкучку и закупает себе кучу польского штатского барахла. Пьет с начальником АХО, дает ему на лапу и получает в личное пользование как бы списанный огромный эсэсовский «хорьх» с откидной крышей. Денег куча — и рублей, и злотых: Польская объединенная рабочая партия щедро благодарит за помощь в закладывании основ пролетарского государства. Затем — и в Познани, и в Варшаве, и в Минске, и в Москве — соответствующие товарищи проводят с ним леденящие душу собеседования. Ты, Градов, — грушник и, хоть ты уходишь от нас, никогда не перестанешь быть грушником. В любой момент ты можешь понадобиться и обязан прийти, иначе тебе пиздец. Если же ты нас предашь, то тогда, где бы ни был, в любом месте земного шара, тебе «пиздец со щами»; знаешь, что это такое? Хорошо, что знаешь. Если же ты останешься нашим верным товарищем, тогда тебе во всем «зеленый семафор».

Намекалось, и довольно прозрачно, чтобы никогда ни при каких обстоятельствах не принимал предложений от чекистов. У них своя компания, у нас своя. Если прижмут, беги к нам.

Официально ему объявили, что он остается в сверхсекретных списках резерва ГРУ. Разумеется, дали подписать не менее дюжины инструкций о неразглашении того, что знал, в чем приходилось принимать участие во время спецопераций на временно оккупированной территории Советского Союза и в сопредельной братской стране Польше. В случае нарушения к нему будут применены строжайшие меры согласно внутреннему распорядку, то есть опять все тот же пиздец.

Так или иначе, прибыл на тяжеленном «хорьхе» (нагружен в основном запчастями) к родимым пенатам, в Серебряный Бор (предоставляем тем, кто уже успел прочесть два наших первых тома, возможность вообразить эмоции обитателей градовского гнезда), и там получил ключ от пустой квартиры на улице Горького. Он уже знал из смутных намеков в бабкиных письмах, что мать уехала в какие-то места, не столь отдаленные, однако предполагал, что куда-нибудь на Дальний Восток с каким-нибудь новым генералом или высокопоставленным инженером, а то и, чем черт не шутит, с тем же самым мелким демоном его юношеских ночей, вохровцем Шевчуком, однако такого отдаления, американского, не мог себе даже и в бреду вообразить. К тому времени, то есть к весне 1948 года, вовсю уже разыгрывалась новая человеческая забава, «холодная война». Вчерашние «свои парни», янки стали злобными призраками из другого мира. Склонный к метафорам вождь бриттов вычеканил формулу новой советской изоляции — «железный занавес». О почтовой связи с Америкой даже и подумать-то страш-

но советскому обывателю, что касается такого спец-
солдата, как Бабочка Градов, то для него любая попытка связаться с матерью была теперь равносиль-
на измене своему тайному ордену, что носил имя,
схоже с голубиным воркованием «гру-гру-гру», и в
то же время напоминал грушу с откушенной мясис-
той задницей.

Намерения у Бабочки поначалу были весьма серьезные. Немедленно и самыми скоростными темпами получить аттестат зрелости. Все его одноклас-
ники уже заканчивали четвертый курс вузов, и поэтому надо было догонять, догонять и догонять! Что
потом? Поступить и окончить за три года какой-
нибудь престижный московский институт, ну, скажем, Востоковедения, или Стали и сплавов, или
МГИМО, или Авиа, ну... Ну, уж конечно, не какой-
нибудь заштатный «пед» или «мед». Аргументация
деда была хороша только для выхода из армии, но
уж никак не для честолюбивых амбиций Бориса IV.
Далеко не заглядывая, он хотел принадлежать к лучшему кругу столичной молодежи, не к середнякам
из всех этих «педов» и «медов», до того ординарных,
что их уже просто по номерам называют — первый,
второй, третий... Медицинский? Трупы резать в анатомичке? Нет уж, прости, дед, насмотрелся я трупов. Борис III разводил руками: ну, что ж, этот аргумент действительно не отбросишь.

Благие намерения Бабочки в практической московской жизни, однако, забуксовали. В вечерней
школе, куда он записался для получения аттестата,
он чувствовал себя кем-то вроде Гулливера в стране
лилипутов. И впрямь что-то лилипутское появлялось в глазах одноклассников при его появлении.
Никто из них не знал, кто он такой, но все чувство-

вали, что им не ровня. Учителя и те как-то поежи-
вались в его присутствии, особенно женщины: тем-
но-рыжий, отменных манер и образцового телосло-
жения парень в свитере с оленями казался чужаком
в плюгавой школе рабочей молодежи. «У вас какой-
то странный акцент, Градов. Вы не с Запада?» —
спросила хорошенькая географичка. Бабочка рассмеялся; идеальная клавиатура во рту: «Я из Серебряного Бора, Людмила, хм, Ильинична». Географичка затрепетала, вспыхнула. В самом деле, разве ей
под силу научить такого человека географии? И всякий раз с тех пор, встречаясь с Градовым в школе,
она потупляла глаза и краснела в полной уверенности, что он не берет ее только лишь по причине пресыщенности другими, не чета ей, женщинами: ари-
стократками, дамами полусвета.

Между тем о пресыщенности, увы, говорить
было рановато. Двадцатидвухлетний герой тайной
войны, оказавшись в Москве, вдруг стал испытывать какую-то странную робость, как будто он не в
родной город вернулся, а в чужую столицу. Заколе-
балась и мужественность, вновь возник некий от-
рок «прямого действия», как будто все эти польские
дела происходили не с ним, как будто тот малый с
автоматом и кинжалом, субъект по кличке Град,
имел к нему не совсем прямое отношение, и вот
только сейчас он вернулся к своей сути, а этой сути
у него, может быть, не намного больше, чем у того
пацана, что он однажды ночью повстречал на Софийской набережной.

Не будет преувеличением сказать, что таинственный красавец Градов сам немного подрагивал
при встрече с географичкой. С одной стороны, очень
хотелось пригласить ее на свидание, а с другой сто-

роны, неизвестно откуда появлялась чисто детская робость: а вдруг потом начнет гонять по ископаемым планеты?

Среди множества женских лиц вдруг высветилось одно под лучом розового ресторанного фонарика: эстрадная певица Вера Горда. Как-то сидел один в «Москве», курил толстые сигареты «Тройка» с золотым обрезом, пил «Особую», то есть пятидесятишестиградусную, не залпом, а по-польски, глотками. Вдруг объявили Горду, и, шурша длинным концертным платьем, поднимая в приветственном жесте голые руки, появилась белокурая красавица, что твоя Рита Хейворт из американского фильма, до дыр прокрученного в Познани. Весь зал закачался под замирающий и вновь взмывающий ритм, в мелькании многоцветных пятен, и Боря, хоть и не с кем было танцевать, встал и закачался; незабываемый миг молодости. «В запыленной пачке старых писем мне случайно встретилось одно, где строка, похожая на бисер, расплылась в лиловое пятно...» Одна среди двадцати мужланов в крахмальных манишках, перед микрофоном, полузакрыв глаза, чуть шевеля сладкими губами, наводняя огромный, с колоннами, зал своим сладким голосом... какое счастье, какая недоступность...

Да почему же недоступность, думал он на следующее утро. Она всего лишь ресторанная певичка, а ты отставной разведчик все-таки. Пошли ей цветы, пригласи прокатиться на «хорьхе», все так просто. Все чертовски просто. Совсем еще недавно тебе казалось, что в мире вообще нет сложных ситуаций. Если был уже продырявлен пулей и дважды задет ножом, если не боишься смерти, то какие могут быть сложные ситуации? К тому же она, кажется, заметила меня, видела, как я вскочил, смотрела в мою сторону... Он опять пошел в «Москву», и опять Вера Горда стояла перед ним с протянутыми руками, недоступная, как экранный миф.

«Мне кажется, что Бабочка проходит через какой-то послевоенный шок», — сказал как-то Борис Никитич. «Наверное, ты прав, — отозвалась Мэри Вахтанговна. — Ты знаешь, он не позвонил ни одному из своих старых друзей, ни с кем из одноклассников не повстречался».

Бабушка была почти права, то есть права, но не совсем. Приехав в Москву, Борис на самом деле не выразил ни малейшего желания увидеть одноклассников — «вождят» из 175-й школы, однако попытался узнать хоть что-нибудь о судьбе своего кумира, бывшего чемпиона Москвы среди юношей Александра Шереметьева.

Последний раз он видел Александра в августе сорок четвертого на носилках. Его запихивали в переполненный «дуглас» неподалеку от Варшавы. Тогда тот был еще жив, бредил под наркотиками, бормотал бессвязное. Потом на запрос о судьбе друга пришел приказ впредь не делать никаких запросов. Судьба Шереметьева оказалась предметом высшей государственной тайны, очевидно, потому, что ранение произошло во время сверхсекретной операции по вывозу коммунистического генерала из горящей Варшавы.

В сорок восьмом, уже получив на руки все документы, то есть частично освободившись от «гру-гру-гру», Борис рискнул обратиться к непроницаемым товарищам, которые его провожали: «Ну, все-таки хотя бы сказали б, товарищи, жив ли Сашка Шереметьев, а если нет, то где похоронен». —

«Жив, — сказали вдруг непроницаемые товарищи и добавили: — Это все, что мы вам можем сказать, товарищ гвардии старший лейтенант запаса».

Что же получается, думал Борис, жив и до сих пор засекречен? Значит, до сих пор служит? Значит, руки-ноги целы? Но ведь этого не может быть: его правая нога при мне была расплющена стальными стропилами.

Оставшись при этих сведениях, Борис IV продолжил свое одиночество. В общем-то одинок он был не из-за высокомерия и даже не из-за послевоенного шока, как предполагали дед и бабка, а просто потому, что отвык — или никогда не умел — навязываться. Иногда он ловил себя на том, что, как подросток, надеется на какой-нибудь счастливый случай, который соединит его с какими-нибудь отличными ребятами, с какими-нибудь красивыми девушками.

В отношении первых случай не заставил себя слишком долго ждать, и все произошло вполне естественно, на почве мото-авто. Однажды подошли двое таких в кожаночках, Юра Король и Миша Черемискин. Боря как раз в этот момент раскочегаривал свой вдруг заглохший «хорь», подняв капот, возился в обширном, как металлургическое предприятие, механизме. Ребята несколько минут постояли за его спиной, потом один из них предложил обследовать трамблер: там, по его мнению, отошел контакт. Так и оказалось. Когда машина завелась, парни с большой любовью долго смотрели на мягко работающее восьмицилиндровое предприятие. «Потрясающий аппарат, — сказали они Борису. — Судя по номеру, это ваш собственный?»

Так они познакомились. Ребята оказались мастерами спорта по мотокроссу. Их мотоциклы стояли рядом, ну, разумеется, два «харлей-дэвидсона». Пока еще гоняем на этих, объяснили они, но с нового сезона придется пересаживаться на нечто похуже. Спорткомитет издал приказ о том, что к официальным соревнованиям будут допускаться только отечественные марки.

Тут как раз подъехали еще двое, Витя Корнеев, абсолютный чемпион страны по кроссу, и Наташа Озолина, мастер спорта; тут же подключились к разговору. Тема была животрепещущая в этих кругах. В общем-то, склонялись спортсмены, есть в этом решении некоторая сермяжная правда. Импорт из Америки в ближайшее время вряд ли предвидится, надо свою поощрять мотоциклетную промышленность. Вот такие машины, как Л-300, ИЖ, ТИЗ, «Комета», если их довести до кондиции, могут с европейскими поспорить.

Боря был в восторге от новых знакомств: вот нормальные ребята мне, к счастью, повстречались! Ну и «нормальные ребята» его радушно приняли в свою компанию, особенно когда узнали, что он сын маршала Градова и сам человек с туманным боевым прошлым, да и квартира у него пустая, всегда к общим услугам, на улице Горького, ну, а когда обнаружилось, что он неплохо разбирается в марках немецких мотоциклетов, совсем зауважали.

Естественно, молодой человек мгновенно ринулся в мотодело. «Хорьх» был оставлен для редких вечерних выездов. Совсем забросив школу рабочей молодежи, Борис IV все дни теперь проводил в гаражах ЦДКА и «Динамо», а также в одной из аллей Петровского парка, где по воскресеньям собиралась моторизованная молодежь для обмена запчастями и общего трепа. «Харлея», этот признак высшего мотогонщика, ему пока что достать не удалось, зато приобрел по случаю могучий вермахтовский «цюндап», который во время Второй мировой войны был оборудован коляской и пулеметом и мог отлично тащить на себе трех мясистых фрицев. Между тем в спортклубе ему выделили отечественную марку, гоночный компрессорный ДКВ с движком объемом 125 кубических сантиметров. Ну, естественно, машину эту он стал «доводить» под чутким руководством Юры Короля и Миши Черемискина. Вскоре стал показывать на ней приличные результаты: на отрезке один километр — 125,45 километра в час на ходу и 89,27 километра в час с места. Через год, гарантируем, станешь мастером, обещали шефы. Раньше стану, усмехался про себя Борис.

Весной сорок девятого поехали всей гопой в Таллин на ежегодную гонку по кольцевой дороге Пирита — Козе. Ехали своим ходом через псковские и чухонские леса, хоть и пугали там «лесными братьями».

Кольцевая гоночная дорога привела Бабочку в полный восторг. Ну, тут уж и вопросов нет, думал он, я должен выиграть когда-нибудь эту карусель. Пока что он был записан запасным в команду ЦДКА, в гонках не участвовал, но прикидки делал вполне прилично. Спортивно грамотная публика на него явно глаз положила, и в частности некая Ирье Ыун, гонщица из «Калева», двадцатилетняя голуболупоглазица чистой балтийской породы. «Получается, что с женщинами порабощенной Европы я чувствую себя как-то проще, естественней», — сказал ей Борис после того, как они очень сильно познакомились лунной ночью в готической крепости Тоомпеа. Она, к счастью, не поняла ни бельмеса, только хохотала. «Среди проклятых оккупантов попадаются неплохие ребята, — хохотала она по-своему, — к тому же привозят такое веселое вино «Ахашени».

Что касается «лесных братьев», то на опытный спецназовский глаз казалось, что их тут не меньше пятидесяти процентов среди публики на автотрассе и уж никак не меньше восьмидесяти процентов в городе. Однажды под утро в ресторане «Пирита», построенном в стиле «буржуазная независимость», брат Борисовой подружки Рэйн Ыун, подвижный такой, координированный баскетбольный краёк, отвел Бориса в угол и показал ему подкладку своего клубного пиджака. Там, в районе сердца, был нашит трехцветный лоскут: белый, синий, черный — цвета свободной Эстонии.

«Понял?» — угрожающе спросил Ыун. «Понял!» — вскричал Борис. Все было так здорово: мотороман, полурассвет, антисоветчина. Жаль только, что он не эстонец, нашил бы себе такой же лоскут. Что же мне, русскому пню, нашить себе под мышку? Двуглавого орла? «Я тебя понял, Рэйн, — сказал он ее брату. — Я с вами!» — «Дурак!» — сказал баскетболист. Очень хотелось подраться с русским, дать ему по зубам за Эстонию и за сестру. Страна несчастна, сестра хохочет, очень хочется дать по зубам хорошему парню, мотоциклисту Москвы.

Вот в таких делах проходили дни гвардии старшего лейтенанта запаса, когда вдруг позвонила из школы Людмила Ильинична (откуда номер-то узнала, фея географии?) и сказала, запинаясь: «Вы, может быть, забыли, Градов, но через неделю начинаются экзамены на аттестат зрелости».

Первым делом Борис, конечно, бросился покупать кофе, потом к знакомому медику за кодеином.

В студенческих кругах ходила такая феня: кодеину нажрёшься и можно за ночь учебник политэкономии или ещё какую-нибудь галиматью одолеть. Вот так неделю прозанимался, сначала кофе дул до посинения, потом к утру на кодеин переходил, шарики за ролики начинали закатываться. Ну, или провалюсь с треском, или — на золотую медаль! Получилось ни то ни другое. В школе рабочей молодёжи для статистики никого не заваливали, провалы заполняли трёшками. Кодеиновые озарения тоже ни у кого тут восторгов не вызывали. Шикарный и таинственный ученик Борис Градов получил полноценный, но, увы, весьма посредственный аттестат: одни четвёрочки да троячки.

Ну и пошли они на фиг, эти детские игры! Назад, к нормальным ребятам, к мотоциклам! Все лето катали по мотокроссам — Саратов, Казань, Свердловск, Ижевск. К осени оказалось, что он набрал полный зачёт для получения звания мастера спорта СССР. Бумаги, подписанные тренером, ушли в комитет.

Тогда же выяснилось, что катастрофически опоздал к вступительным экзаменам в вузы. Ну что ж, ничего страшного, ждал четыре года, подожду ещё один. За этот год стану чемпионом, и меня в любой институт с восторгом без экзаменов примут. Да ещё с моей фамилией, сын дважды Героя СССР маршала Градова, чьё имя уже украшает неплохую улицу в районе Песчаных! На всякий случай Борис поездил по приёмным комиссиям престижных вузов — МГУ, Востоковедения, МГИМО, Стали и сплавов, МАИ... И тут вдруг выяснилось совершенно неожиданное обстоятельство. Оказалось, что на «зелёную улицу» в этих вузах ему рассчитывать не приходится. Оказалось, что он вовсе не принадлежит к тем, «кому открыты все пути». Во всех приемных комиссиях сидели специальные люди, которые после наведения справок давали понять, что не рекомендуют ему подавать бумаги.

Зря потеряете время, товарищ Градов. Здесь у нас идет отбор абитуриентов с совершенно незапятнанной репутацией. То есть ваша-то личная репутация безупречна, ей-ей, лучше не придумаешь, как там сказали... хи... ну, вы знаете где... однако в анкетных данных у вас пятна. У вас странные, нетипичные анкетные данные, товарищ Градов. С одной стороны, ваш дед, медицинское светило, гордость нашей науки, ваш покойный отец, герой и выдающийся полководец, однако с другой стороны, ваш дядя Кирилл Борисович числится в списках врагов народа, а самое главное, ваша мать, Вероника Александровна Тэлавер, проживает в Соединенных Штатах, будучи супругой американского военного профессора, и вот это, конечно, является решающим фактором... Что стало со мной, думал иногда в пустынный час Борис IV, шляясь по комнатам своей огромной квартиры, где едва ли не в каждом углу можно было найти пол-литровую банку, забитую окурками, батарею пустых бутылок, оставшихся после очередного мотосборища, пару колес с шипами для гонок по льду или без оных, ящики с промасленными запчастями, свалку одежды, стопки учебников. Как-то не улавливаю связи между собой сегодняшним и тем, позавчерашним, которого мама в хорошие минуты называла «мой строгий юноша». Куда подевался, скажем, мой патриотизм? Все чаще вспоминаются слова приемного кузена Митьки Сапунова об «извергах-коммунистах». Да я ведь и сам теперь из их числа, вступил тогда, в польском лесу, всех тогда было предписано принять в партию. Нет, я не об этом. Патриотизм — это не партия, даже не коммунизм, просто русское чувство, ощущение традиции, градовизм... Что-то такое росло в душе, когда убегал из дома, боялся не успеть на войну, глупец. Все это растеклось в мерзости карательной службы — вот именно карательной, кем же мы еще были в Польше, если не свирепыми карателями, — все это, понятие «родина», растеклось, осталась только внутренняя циничная ухмылка. Никто из парней никогда не ухмылялся при слове «родина», все хранили серьезное молчание, однако у всех по лицам проходил, он замечал, какой-то отсвет этой ухмылки, как будто сам черт им ухмылялся прямо в лица при слове «родина».

А сейчас я просто потерял какие-то контакты сам с собой, вернее, с тем, со «строгим юношей», какой-то трамблер во мне поехал, и я никак не могу вернуться к себе, если только тот «строгий» был я сам, а не кто-то другой, то есть если вот тот, что я сейчас собой представляю, бесконтачный, с поломанным трамблером, не есть моя суть.

Я просто не могу тут без матери, вдруг подумал он однажды в пустынный час. Там, в лесу, мне не нужна была мать, а здесь, в Москве, я не могу без матери. Может быть, я тут и кручу сейчас без конца эти моторы, потому что не могу без матери. Вот эта пожирающая скорость — это, может быть, и есть бессмысленное стремление к матери. Но до нее не добежишь, она в Америке, предательница. Америка — страна предателей, бросивших свои родины. Вот и она туда убежала со своим длинным янки, которого ненавижу больше, чем ненавидел Шевчука.

Если бы встретились на поле боя, я бы ему вмазал! Предала эту нашу хитротолстожопую родину, предала отца, предала меня. И Верульку увезла. Теперь у меня нет и никогда не будет сестры.

Все-таки еще хотя бы есть двоюродная сестра Ёлочка, думал Борис IV, погоняя свой вермахтовский «цюндап» вдоль Ленинградского проспекта. Киска все-таки какая. Держит меня за стальное пузо нежнейшими пальчиками. В старину, черт возьми, женились на кузинах. В старину я бы на Ёлке женился. Сейчас нельзя. Сейчас мне больше, может быть, сестра нужна, чем жена. Какому-нибудь дураку наша Ёлочка достанется. Вряд ли какому-нибудь концентрированному парню, мастеру мотоспорта. Скорее всего, с каким-нибудь болваном-филологом познакомится на абонементных концертах в консерватории.

Было уже совсем темно, когда они подъехали к даче. Ворота были открыты: старики ждали их прибытия. Борис въехал во двор и остановился напротив большого окна столовой, за которым видны были собравшиеся вокруг стола остатки градовского клана: седовласый печальный патриарх, все еще прямая и гордая бабушка Мэри, все еще молодая и красивая и донельзя стильная со своей вечной папиросой поэтесса Нина, ну и Агаша, совсем уже как бы утратившая понятие возраста и все хлопочущая вокруг стола в постоянном монотоне и все с тем же репертуаром, коим мы потчевали читателей двух предыдущих томов: пирожки, капусточка провансаль, битки по-деревенски... Кое-что новое, впрочем, появилось в ее кружении: временами она стала застывать с блюдом в руках и с философским выражением на лице, вытесняющим привычную лучезарную доброту. Казалось, она задает кому-то немой вопрос: только лишь в любви ли к ближнему заключается смысл человеческой жизни?

Не следует нам также скрывать от читателей, что после стольких потерь в клане Градовых появилось и прибавление, то есть некоторое расширение, если это дефинитивное существительное применимо к лысенькому и узкоплечему, с пушистыми пиросманиевскими усами живописцу Сандро Певзнеру, которого Агаша в телефонных разговорах со старым другом, заместителем директора киностудии имени Горького по АХЧ товарищем Слабопетуховским, называла не иначе как «то ли муж наш, то ли друг».

Ёлка спрыгнула с мотоцикла. Боря грубовато, как надлежит кузену, хлопнул ее по лопаткам:

— Что-то слишком нежно обнимаетесь, мадемуазель! Где это вы так научились?

— Дурак! — замахнулась она нотной папкой, и у него мелькнуло вдруг нечто немотоциклетное: эх, если бы задержать, ну хоть бы повторить это мгновение!

Тоненькая девчонка в таком легком порывистом движении, с таким счастливым и чистым лицом. Он смотрел на нее, словно сам уже не был юнцом, словно сам уже точно знал, что это значит — больше никогда не испытать вот такого, как сейчас у Ёлки, очарования и ожидания жизни.

Ей было шестнадцать лет, она начинала девятый класс. Пуританское воспитание школы и общее ханжество общества, а также некоторый недостаток внимания со стороны блистательной мамочки и некоторый переизбыток внимания со стороны величественной бабули привели к тому, что Ёлка только совсем недавно поняла, что означают странные взгляды мужчин в метро и на улице. Сначала она думала, что, может, пуговица оторвалась на пальто или носок съехал на пятку, краснела, заглядывала в отражающие поверхности, в чем дело, почему такие пристальные взгляды, да еще нередко и в совокупности с кривыми улыбочками, направлены в ее адрес. Однажды с мамой ехали в метро, с поэтессой Ниной Градовой. Вдруг какой-то уставился. Такой толсторожий, в большом кожаном пальто с меховым воротником и в белых фетровых с кожаной оторочкой бурках. Мама, хоть и книжечку, по обыкновению, читала — кажется, дневники Адели Омар-Грей, — заметила мордатого, резким движением откинула волосы назад и посмотрела ему прямо, как она умеет, с вызовом, в лицо. Далее произошло нечто для обеих, матери и дочки, захватывающее и незабываемое. Прошло мгновение, в течение которого мать поняла, что это не на нее направлено похотливое внимание мужчины, а на ее дочку. Вспыхнув, она повернулась к Ёлке, и тут вдруг до вчерашнего ребенка дошел весь смысл этого промелька. Произошло какое-то неизвестное доселе, пакостно всколыхнувшее и в то же время музыкально и радостно опьяняющее озарение. Мать же, схватившая ее за руку и повлекшая к выходу из вагона, благо и их остановка подошла, испытала мгновенную и острейшую грусть, если то, что мгновенно жалит, может называться грустью. Конечно, они не сказали друг другу ни слова и никогда в течение всех последующих дней не говорили об этом эмоциональном вихре, налетевшем на них из-за мерзкого мордатого дядьки в поезде метро на перегоне от «Охотного ряда» до «Библиотеки имени Ленина», однако, из всех скопом валивших и пропадающих мигов жизни этот ярко выделился и не забывался никогда.

Короче говоря, Ёлочка повзрослела и теперь после школы перед музыкальным уроком не упускала возможности забежать домой, в Гнездниковский, чтобы сменить опостылевшую коричневую, с черным фартучком школьную форму на мамину жакетку с плечами, как не забывала и подкрасить ресницы, чтобы оттенить исключительное, градовско-китайгородское лучеглазие.

Уже половина ее жизни, то есть восемь лет, прошла без отца. Папа вспоминался как друг-великан, с которым вечно куролесили, возились и хохотали. Вспыхивали и пропадали яркие картинки раннего детства: папа-лыжник, папа-пловец, папа-верблюд, то есть это когда едешь у него на плечах от озера к железнодорожной станции, папа-мудрец объясняет «Дон-Кихота», папа-обжора съедает целиком сковороду макарон с сыром, папа-вечный-мамин-кавалер подает поэтессе Градовой шиншилловую шубу в виде обыкновенного драп-пальто, одергивает фрак в виде спинжака — отправляются на новогодний бал в Дом литераторов... «Как Сам, как Сам! — помнится, кричал папа. — Ну, разве вы не видите, что я, как Сам, во фраке?»

Мама и Еленка, вслед за ней, от смеха умирали. Только много лет спустя Ёлка узнала, что под словом «Сам» имелся в виду Сталин. Оттого мама и «умирала», что вообразить Сталина во фраке было невыносимо. Конечно, было бы еще смешнее, если бы папа тогда просто говорил: «Я сегодня, как Сталин, во фраке», однако он вполне разумно не произносил этого, боясь, что на следующий день в детсаду дочка будет показывать сверстникам «Сталина во фраке». И не ошибался, конечно: Ёлка помнила, что она и в самом деле потом в детсаду прыгала и кричала, как оглашенная: «Сам во фраке! Сам во фраке!»

Слова «погиб на фронте», которые она писала в графе «отец» при заполнении школьной анкеты, никогда не доходили до нее в их подлинном смысле, то есть она никогда не представляла себе, что тело ее отца было истерзано пулями и истлело в сырой земле. «Погиб на фронте» сначала означало, что он просто исчез, что он, конечно, где-то есть, но никак не может до нее, своей единственной дочки, добраться. Она видела, как мама тайком плачет в подушку, и сама, подражая ей, плакала в подушку, будучи, однако, в полной уверенности, что эти слезы в конце концов помогут папе найти дорогу обратно. С возрастом она поняла, что он уже не доберется, что его нет, и все-таки мысль об истреблении его плоти никогда ее не посещала.

Вдруг появился старший брат. То есть не полный старший брат, а двоюродный, но зато какой великолепный, Борька IV! Они мгновенно сдружились, частенько даже ходили вместе в кино и на каток. Иногда он брал ее с собой на соревнования, и тогда она замечала, что он явно гордится ею перед друзьями: вот такая, мол, имеется красивая сестренка. В их отношениях присутствовало нечто любовно-юмористическое, то, что как-то косвенно относилось к тому отдаленному детскому куролесничеству, нечто имеющее какую-то связь с ее полузабытой отцовщиной. Жаль, что он мне брат, думала она иногда, вышла бы за него замуж.

Итак, они вошли вместе в дом к полному восторгу ожидавшего их семейства. Тут когда-то ведь был еще и пес, наш любимый Пифагор, одновременно вспомнили они. Борису это было нетрудно: овчар был в расцвете сил во времена его детства. Почти серьезно Борис всегда утверждал, что Пифагор сыграл серьезную роль в его воспитании. Однако и Ёлке казалось, что она прекрасно помнит, как ползала здесь по ковру, а старый благородный Пифочка ходил вокруг и временами трогал ее лапой.

Итак, они вошли, и все просияли. Даже нервная Нина мимолетно просияла, прежде чем снова уткнуться в газету; просиял и Сандро. Этот последний, вернувшись с войны, умудрился прописаться в Москве у единственной своей родственницы, престарелой тетки. Счастью его не было границ. Он не мог себе представить, что будет жить вдалеке от Нины. Поначалу все шло хорошо. Первая официальная выставка прошла успешно. Ободрительная рецензия в «Культуре и жизни», между прочим, сообщала, что «лучшие живописные традиции «бубновалетовцев» Сандро Певзнер наполняет глубоким патриотическим содержанием, сильными впечатлениями своего недавнего боевого прошлого». Сейчас даже невозможно себе представить, что так могли писать в 1945 году: «бубновалетовские» традиции и патриотизм! В те времена, однако, его реноме подскочило, МОСХ даже выделил студию на заброшенном чердаке в Кривоарбатском переулке. Взявшись за плотницкие и малярные принадлежности, Сандро превратил затхлую дыру в уютное гнездо процветающего богемного художника: огромное полукруглое окно над крышами Москвы, спиральная лесенка на антресоли, камин, полки с книгами, альбомами, древними паровыми утюгами, медными ступками, чайниками, самоварами; на отциклеванные своими руками полы бросил два тифлисских старых ковра, где-то раздобыл «древесно, что звучит прелестно», которое — то есть старинный маленький рояль — звучало прелестно пока только в воображении, ибо в нем отсутствовали две трети струн, да и клавиши все западали, однако, будучи отреставрировано в будущем, оно, конечно, зазвучит и в реальности, создавая особую атмосферу московских артистических вечеров, главным и постоянным украшением которых, несомненно, станет поэтесса Нина Градова.

«Ну, что ж, храбрый воин и патриот с сильными впечатлениями своего недавнего боевого прошлого, — сказала последняя, посетив завершенную «певзнеровку», — можешь считать, что это твоя окончательная победа. Отсюда я уже никуда не уйду!»

Так Нина стала жить на два дома, Гнездниковский и Кривоарбатский, благо расстояние между ними было небольшое. Взрослеющая Ёлка к этой ситуации быстро привыкла и ничего не имела против. Художник ей нравился, и она звала его просто Сандро без добавления мещанского «дядя». Впрочем, она и маму свою часто звала Ниной, словно подружку.

Сандро умолял любимую «оформить отношения», но она всякий раз начинала придуриваться, допытываясь, что он под этим имеет в виду, ведь она всякий раз, ложась с ним в постель, старается как можно лучше оформить отношения.

Все шло, словом, дивно в жизни «божьего маляра», как Нина его иногда называла, пока не началась идеологическая закрутка конца сороковых. После ареста членов Антифашистского еврейского комитета сверху в творческие организации стали спускаться жидоморческие инструкции. В январе сорок девятого партия произвела направляющий документ «О репертуаре драматических театров и мерах по его улучшению». Выявлена была антипатриотическая группа театральных критиков, состоящая, в частности, из неких Юзовского, Гуревича, Варшавского, Юткевича, Альтмана, которые пытались дискредитировать положительные явления в советском театре, с эстетских, немарксистских, космополитических позиций атаковали выдающихся драматургов современности, в частности, Сурова, Софронова, Ромашева, Корнейчука, протаскивали в репертуар идейно чуждые пьески Галича (Гинзбурга) и прочих «со скобками», низкопоклонничали перед буржуазным Западом. Оформилась могучая антикосмополитическая кампания советского народа, в редакции потекли возмущенные письма доярок, металлургов, рыбаков, требующих «до конца разоблачить космополитов». В творческих организациях проходили бесконечные пленумы и общие собрания, на которых записные ораторы истерически требовали «открыть скобки» у космополитов, скрывшихся под русовидными псевдонимами. Особенно старались, разумеется, писатели, однако и художники не хотели отставать.

До Сандро Певзнера очередь дошла не сразу. Держиморды, очевидно, спотыкались о его грузинское имя, вместе с которым автоматически проглатывалась и еврейская фамилия. Дружбу народов СССР надо было все-таки всячески опекать, вот, очевидно, благодаря этому постулату Сандро и смог некоторое время, как Нина злобно шутила, придуриваться под чучмека.

Вдруг однажды секретарь МОСХа, некий червеобразный искусствовед Камянов, с трибуны нашел его взглядом в переполненном и потном от страха зале и заявил, что пришла пора серьезно поставить вопрос о последышах декадентских групп «Бубновый валет» и «Ослиный хвост» и, в частности, о художнике Александре Соломоновиче Певзнере. Что он несет советскому человеку на своих полотнах? Перепевы ущербной, безродной, космополитической поэтики Шагала, Экстер, Лисицкого, Натана Альтмана? Советскому человеку, русскому народу с его высочайшими реалистическими традициями такие учителя не нужны.

Попросили высказаться. Бледный Сандро начал зайкаться с трибуны, но постепенно окреп и высказался так, что хуже и не придумаешь. Во-первых, он не понимает, чем живописная эстетика «Бубнового валета» противоречит патриотизму. Во-вторых, «Валет» и «Хвост» нельзя смешивать друг с другом, они находились в непримиримой вражде. В-третьих, обе эти группы состояли из ярких индивидуальностей и о каждом художнике хорошо бы говорить отдельно. В-четвертых, вот товарищ Камянов набрал тут для пущего страха одних еврейских фамилий космополитов-декадентов... — в этом месте Камянов в гневе ударил кулаком по столу президиума и обжег оратора уже не червеобразным, а змееподобным взглядом, — но почему-то, продолжил Сандро, не привел ни одной русской фамилии, таких, скажем, мастеров, как Наталья Гончарова, Михаил Ларионов, Василий Кандинский...

Тут присутствующий из ЦК некто Гильичев — глиняная глыба лба, влажные присоски губ и нозд-

рей — с мрачным вопросом повернулся к Камяно-
ву. Тот что-то быстро ему нашептал про упомянутых.
Гиличев тогда прервал художника Певзнера, пыта-
ющегося сбить с толку присутствующих разглаголь-
ствованиями о какой-то «переплавке» традиций ре-
волюционного, видите ли, авангарда, и поинтере-
совался, как это так получается, что советский художник, член творческой организации, оказывается столь осведомленным в так называемом творче-
стве эмигрантского отребья, белогвардейцев от искусства? Нет ли тут какой-то уловки во всех этих раз-
глагольствованиях о творческой «переплавке»? Не
пытаются ли тут нам подмешать в нашу сталь буржуазной коросты?

Сандро сошел с трибуны, и тут сразу полезли
разоблачители. Немедленно отмежевалось несколько старых товарищей. Кто-то предлагал тут же разоблачить миф о талантливости Сандро Певзнера.
Какой-то дремучий и всегда полупьяный ваятель
даже заорал, что надо раскрыть у Певзнера скобки,
после чего Сандро уже возопил, забыв о всех око-
личностях: «Какие скобки тебе нужны, идиотина?
Со своей дурацкой башки сними скобки!»

Пьяный захохотал, начал передразнивать грузинский акцент, однако его никто не поддержал: все
знали, что в Москве еще кое-кто говорит с грузинским акцентом. Воцарилось молчание, и в этом, совсем уже зассанном страхом молчании Сандро Певзнер гордо покинул помещение. Так он, во всяком
случае, потом рассказывал Нине, с резким отмахом
ладонью вбок и вверх: «И я пакынул памэщэние!»
На самом деле еле-еле до дверей добрался и по коридору бежал в панике, скорей-скорей на свежий
воздух. Друг-коньяк спасал его до утра в ожидании

ареста, однако ареста не последовало. Из ведущих «космополитов» тогда почти никто не был арестован: то ли у партии руки еще не дошли до их мошонок, то ли «солили» впрок для более важных событий. Страх, однако, всех терзал животный, во всех трех смыслах этого слова: во-первых, нечеловеческий, во-вторых, непосредственно за «живот», то есть за жизнь, а не за какую-нибудь опалу, в-третьих, такой страх, что вызывает унизительнейшую перистальтику в животе, когда в самый драматический момент в вашем подполье с глухой, но явственной угрозой, будто последние силы сопротивления, начинают перемещаться газы. И не удивительно: ведь за каждой строчкой партийной критики стоял чекист, мучитель, палач, охранник в вечной лагерной стыни.

Страх подвязал все либеральные языки в Москве. Люди Нининого круга уже не обменивались даже шуточками, в которых можно было хотя бы мимолетно заподозрить какой-нибудь идеологический сарказм. Даже и ироническая мимика была не в ходу. Попробуй хмыкнуть в ответ на какую-нибудь речь всесоюзного хряка Анатолия Софронова. Немедленно полетит на тебя соответствующая рапортичка «туда, куда надо». Остались только взгляды, которыми еще обменивались при полной неподвижности лицевых мышц. По этим взглядам, к которым вроде нельзя было придраться, либералы научились определять, кто еще держится, в том смысле, что еще принадлежит к их кругу. Опущенные глаза немедленно говорили: на меня больше не рассчитывайте, вскоре появится гнусная статья, или мерзкий стук, или подлейшая «патриотическая» повесть за моей подписью.

Жизнь тем не менее шла, и на нее надо было зарабатывать деньги. Сандро оказался в полной блокаде: о выставках и об официальной приемке картин не могло быть и речи. Он радовался, если доставалась хоть небольшая халтура — оформить стенгазету в подмосковном совхозе или через вторые-третьи руки получить заказ на макет почтовой марки, посвященной героической советской артиллерии. Основной доход в семью шел от Нины, которая приспособилась переводить «верстами» с подстрочников стихи лучезарных акынов Кавказа и Средней Азии, этих чудовищных порождений социализма, творящих новую культуру, «национальную по форме, социалистическую по содержанию». Республики платили поэтессе Градовой довольно щедрый гонорар, а одна, хоть и завалященькая, дала ей даже титул заслуженного деятеля своей культуры.

Эти так называемые переводы с языка, ни единого слова которого ты не знаешь, были главным подспорьем поэтов. Даже и загнанная еще Ждановым Ахматова, и полностью замолчавший и укрывшийся в переделкинских кустах Пастернак занимались этим делом. Забыть обо всем, думала иногда Нина, жить, как Борис Леонидович. Он ведь, кажется, ничуть не тужит. Свое пишет «в стол», неплохо зарабатывает переводами, говорят, даже влюбился в шестьдесят лет, живет так, как будто не очень-то замечает, что происходит вокруг: «Какое, милые, у нас тысячелетье на дворе?» Отчего же меня-то всю колотит? Почему я не могу оторваться от этих гнусных статей, «раскрывающих скобки», почему я хожу на эти кошмарные собрания и запоминаю, кто что сказал, как будто когда-нибудь можно будет спросить с грязных ртов?

За ужином она сильно и зло хлопнула ладонью по «Правде», смяла папиросу, расхохоталась:

— Ну, я вам скажу, тут, оказывается, есть что почитать сегодня, сеньоры и сеньориты!

Все с удивлением посмотрели на нее.

— Перестань, — тихо сказал Сандро: ему не хотелось, чтобы она начала читать дубовые правдистские словеса на разные голоса, как это часто случалось наедине с ним. Совершенно не обязательно нарушать таким образом мирную семейную трапезу, да к тому же и присутствующую молодежь заражать опасным сарказмом.

— Что ты там такого выискала, тетка Нинка? — снисходительно спросил Борис IV. Сам он в этой газете просматривал только последнюю колонку, где иногда печаталась кое-какая спортивная информация.

— Сегодняшний текст достоин всеобщего внимания, — продолжала ерничать Нина. — Вот слушайте, какие даже и в наше время случаются стилистические чудеса!

Статья называлась «Порочная книга». Автор, товарищ В.Панков, со сдержанным гневом и с легкой партийной издевкой рассказывал о том, как некий вологодский сочинитель Г.Яффе взялся за перо, чтобы написать книгу «Колхозница с Шлейбухты» в серии «Портреты новаторов наших дней». Своей героиней он избрал лауреата Сталинской премии свинарку Люськову Александру Евграфовну.

Описывая эту знатную колхозницу, Г.Яффе говорит, что она как бы «выступает от лица природы», зная все мельчайшие свойства свинюшек, кур и петушков, анализируя все хрюканья и писки, при помощи которых она может даже предсказывать погоду. Именно глубокое понимание природы позволяет Люськовой перестраивать живые организмы. Так, по Яффе, вера в прогнозы пети-петушка приводит к серьезным практическим и научным выводам... Этот сочинитель явно не без скабрезной цели называет новатора «фермершей», «опекуншей», «усердной попечительницей»; что это за термины, откуда?.. Он опошляет народный язык, употребляя надуманные пословицы, вроде «не люблю назад пятками ходить».

«...Яффе грубо искажает деятельность депутата, говоря, что Люськова только и делает, что борется против несправедливостей. В превратном виде представлены жизнь советской деревни и достижения новаторов... Есть и такие, пишет он, которые пришли к совершенно фантастическим (?) результатам. К счастью, эти достижения выражены живыми занумерованными поросятами. Иначе рассказ о них несомненно (?) показался бы новеллой барона Мюнхгаузена...

...А как вам понравятся, читатель, вот такие перлы. «Свиньи нередко рождают таких существ, которые, едва взглянув на белый свет, словно сразу решают: «Э, жить не стоит!» Вот к какой глупости приводит литературщина!

А разве не видна оскорбительная ухмылка в таких, например, фразах, как: «Все наше садоводство надо до корня «промичурить»... Непонятно, почему редактор Вологодского издательства К.Гуляев беспечно пустил гулять по свету такое издевательство над обобщением опыта передовых людей страны... Книги о передовиках сталинских пятилеток должны воспевать вдохновенный труд строителей коммунизма...»

Кончая читать, Нина уже захлебывалась от смеха.

— Ну, каково?! — вопрошала она присутствующих. — Каков Яффе, ну не Гоголь ли? Каков Панков, ну не Белинский ли? Да ведь это же, товарищи, не что иное, как новое письмо Белинского Гоголю! Думаю, не ошибусь: перед нами один из основных текстов русской культуры!

Она наслаждалась своей сатирической находкой: новое «письмо Белинского Гоголю», снова и снова оглядывала окружающих, понимают ли они смысл шутки. Мама сдержанно, очень сдержанно улыбалась. Отец улыбался живее, однако вроде бы слегка покачивал головою, как бы говоря «язык твой — враг твой». Ёлка прыснула: они как раз проходили «письмо Б. — Г.», и не исключено, что оно ей что-то другое напомнило, совсем не связанное с мамиными эскападами. Борис IV улыбчиво жевал кусок кулебяки: секретная служба приучила его не шутить по адресу государства, а газета как-никак «острейшее оружие партии». Няня кивала с неадекватной сокрушенностью. Сандро, просияв было от «находки», тоже благоразумно смолчал. Короче говоря, народ безмолвствовал. А вот возьму завтра и повторю этот номер на секции переводчиков, подумала Нина, зная прекрасно, что никогда этого не сделает: не сумасшедшая же ж!

Молчание прервала Агаша.

— А зачем же так без конца дымить, как печка? — строго сказала она Нине и потянулась за ее папиросой. Не дотянувшись, тут же повернулась к Ёлке: — А ты чего же так все глотаешь, не жуя, как чайка? Вот учись у Бабочки, как он жует хорошо, будто тигр.

Вот тут уж все наконец замечательно расхохотались и обстановка разрядилась.

— А у меня, между прочим, для вас сюрприз, ваши величества, — обратился Борис IV к деду и бабке. — Надеюсь, вы, Борис Третий, августейший повелитель, не грохнетесь со стула, узнав, что ваш нерадивый отпрыск в конце концов решил поступить в медицинский институт?

Он не зря так пошутил насчет стула. Семидесятичетырехлетний хирург давно уже не испытывал такого сильного счастья. Уши не изменяют мне? Глаза не изменяют мне? Руки не изменяют мне? Борис Никитич кружил вокруг внука, обнимая его за могучие плечи, заглядывал в стальные глаза:

— Неужели передо мной сидит продолжатель династии русских врачей Градовых? Бабочка, родной, ты будешь, я уверен, очень хорошим врачом! После всего того, что тебе довелось пережить, ты будешь великолепным врачевателем и клиницистом!

Вечер завершился, как в добрые старые времена, Шопеном. Мэри Вахтанговна импровизировала на тему Второго концерта фа минор; получалось сегодня мажорно! Верный ее рыцарь, никогда за всю жизнь не изменивший ей ни с одной женщиной (в отличие от нее, грешной, изменившей ему однажды во время короткого грузинского ренессанса), стоял, как и встарь, облокотясь на рояль, и кивал с глубоким пониманием. Он знал, что это не только в честь Бобки-Бабочки, но и в его честь, в знак благодарности за проявленное мужество. Как раз сегодня утром Борис Никитич отверг предложение партбюро Академии, выдвинувшего

его на пост вице-президента. Сослался, правда, на возраст и состояние здоровья, но все прекрасно поняли, что совесть русского врача не позволяет ему занять место изгнанного «безродного космополита», академика Лурье.

После концерта Борис, который решил остаться на ночь со стариками, пошел проводить до трамвая тетку, кузину и «нашего-то-ли-мужа-то-ли-не-знаю-кого» Сандро Певзнера. По дороге в темной аллее все четверо непрерывно курили. Автор не оговорился, уважаемый читатель, знакомый с пуританскими в отношении юных школьниц нравами конца 40-х и 50-х годов: Ёлке тоже иногда, разумеется не в присутствии деда с бабкой, разрешалось подымить, что всякий раз приводило ее в состояние тихой экзальтации.

— Что же тебя вдруг подвигнуло на благородную стезю, Борис? — спросила Нина.

Племянник пожал плечами:

— А что прикажешь делать? Конечно, я думал о МГИМО или о МАИ, но там эти представители... ну, вы понимаете, о ком я говорю... дали мне ясно понять, что шансов нет никаких. Расскажи кому-нибудь, не поверят. Сын дважды героя, маршала Советского Союза, и сам почти герой... ты знаешь, меня ведь представляли на героя, но потом заменили на Красное Знамя... И вот у меня нет доступа в престижные вузы. Туфта какая-то. Дядя, видите ли, из «врагов», а самое главное, мамаша в США, замужем за империалистом-янки. Это перевешивает. Сиди, не вертухайся. Что же мне делать? Высшее образование надо получать? Единственный вариант — к деду под крыло. Он, кстати, обещал, что, может быть, еще в этом году как фронтовику задним числом оформят вступительные экзамены. Почему бы не стать врачом, в конце концов? Все-таки, действительно, династия, традиции. Буду гонять машину за спортобщество «Медик»...

Он еще что-то говорил, пожимал плечами, усмехался, бросал сигарету и закуривал новую, когда Нина вдруг плотно взяла его под руку, слегка как бы повисла и заглянула в глаза.

— Скажи, Боря... ты скучаешь по ней... тебе хотелось бы ее увидеть?..

Зачем я это делаю, подумала она. Писательское любопытство на грани жестокости, ей-ей...

Несколько шагов Борис еще прошел с теткой под руку, однако она уже чувствовала, как враждебно каменела эта конечность. Вырвал руку, прошел чуть вперед, вдруг обернулся с горящим и прекрасным юношеским лицом.

— Вы... вы... — Он явно, будто утопающий, искал, за что бы уцепиться, наконец вроде бы что-то нашел, усмехнулся надменно: — Вы, ребята, надеюсь, понимаете, что, если бы я захотел ее увидеть, я бы это сделал просто вот так! — И он щелкнул пальцами у себя над правым ухом. Какой-то странный жест, мелькнуло у Нины. Ах да, Польша!

— Что ты имеешь в виду, Борька? — ужаснулась Ёлочка. — Через границу, что ли?..

Он пожал плечами:

— А почему бы нет?

Девочка всплеснула белыми в темноте ладошками:

— Но ведь это же невозможно! Борька! Через советскую границу? Что ты говоришь?!

Довольный, что его вспышка и промельк детского отчаяния вроде бы прошли незамеченными, Борис IV усмехнулся:

— Ничего особенного. В принципе, ничего нет легче, чем это... Вы уж простите, Нина, Ёлка, Сандро, но вы, похоже, не совсем понимаете, что я за человек и чем мне приходилось заниматься во время войны и три года после.

В этот момент они остановились под уличным фонарем и образовали маленький кружок. Борис смотрел на Нину с непонятной улыбкой. Ой, какой у меня брат, подумала Ёлка с восхищением. Кажется, я понимаю, чем он занимался во время войны и три года после, подумал Сандро. Такие убийцы (он решительно перечеркнул жуткое слово и заменил его «головорезами», как будто оно было хоть чем-то лучше)... в общем, таких ребят он видел: они прилетали иногда из тыла противника для каких-то инструкций в штабе фронта.

Нину вдруг пронзило: да ведь он же просто ребенок, потерявший мамочку, давно уже, еще с той ночи 1937 года, с той ночи она уже к нему никогда не возвращалась; это ведь просто сиротка, бабушкин Бабочка. Она бросилась к нему на шею, повисла, зашептала в ухо:

— Умоляю тебя, Борька, родной, никогда никому, даже нам, не говори больше об этом! Неужели ты не понимаешь, с чем шутишь? Ради всего святого, ради всего нашего, градовского, перестань даже думать о переходе границы!

Он был поражен. Что за горячие мольбы? Значит, она все это восприняла всерьез, значит, тетка Нинка до сих пор не понимает шуток мужчин моего типа?

— Спокойно, спокойно, тетушка Нинушка...
Легче, легче, мальчик просто пошутил. — Он погладил ее по спине и вдруг почувствовал нечто совершенно неподобающее племяннику по отношению к сорокадвухлетней тете. Быстро отстранился. Фрейдизм проклятый, подумал он. Проклятущая мерзопакостнейшая фрейдуха. Закурил спасительную сигарету. — К тому же должен добавить, дорогие товарищи, у меня нет ни малейшего желания увидеть мою матушку. Пусть она там...

Подошел восемнадцатый трамвай, две больших коробки электрического света. Выпрыгнули два хулигана в восьмиклинках с подрезанными козырьками: укоренившийся еще с конца тридцатых тип под названием Костя-капитан. Семейство художника Певзнера погрузилось. «Кондуктор-Варя-в-синеньком-берете» дернула за веревочку, звоночек пробренчал. Коробки света двинулись в темноту, три милых башки — во второй. Мирный быт трамвайного кольца в поселке Серебряный Бор.

Борис притушил каблуком сигарету и тут же начал новую. Хулиганы стояли у закрытого киоска и смотрели в его сторону. Может, хотят потолковать пацаны? Хорошо бы сейчас с этими двумя поговорить. Одному — левой по печени, другому — правой в зубы. Отлетит прямо вон к тому забору. Говна не собрать! Сейчас самое время поговорить с этими двумя «костиками». Он прошел вплотную к ним и внимательно посмотрел в лица. Оба испуганно отвели глаза. Один шмыгнул носом.

Не менее трех часов продрожала ученица парикмахерского училища Люда Сорокина в особняке на улице Качалова в ожидании неизвестности. А чего, казалось бы, бояться девушке в такой уютной роскошной обстановке? Огромный нежнейшего ворсу ковер покрывает пол салона, вот именно, иначе и не скажешь, салона с мягкими неназойливыми, да еще и затененными изящными абажурами, источниками света. В трех узких хрустальных вазах стоят три расчудеснейшие розы: красная, розовая и кремовая. Еще два великолепных ковра, правда, не новых, явно бывших в употреблении, один с какими-то маврами в крепости, другой с морскими чудовищами, свисают со стен. На третьей стене библиотечные полки с книгами в кожаных переплетах. Четвертая стена задрапирована товаром высшего класса, шелк с кистями, за драпировкой высоченное окно; в шелковую щелку видать — под окном взад-вперед прохаживается военный. Что еще заметила Люда Сорокина за эти три часа? В углу стоит мраморная фигура обнаженной девушки, такая фигура, как вроде у самой Люды, когда ее можно увидеть в зеркале Даниловских бань по дороге в моечную залу. Как раз вчера Люда была с матерью и соседкой в бане и очень хорошо промыла все сокровенные места. Мраморная девушка остатками одежды прикрывает свое главное место, но на губах у нее порочная улыбка. У Люды губы дрожат: неизвестно, что ее ждет в салоне, какие обвинения будут предъявлены. Вот еще одно непонятное наблюдение. Таких красивых зеркал, как из Даниловских бань, то есть в резных рамах, здесь целых три. Слева от койки, справа от койки и, что еще довольно интересно, в наклонном виде прямо над койкой. Ну вот, значит, и койка, похожая, как бы старший мастер Исаак Израилевич сказал, на произведение искусства. Эту койку даже и койкой-то не назовешь, потому что по жилплощади она, может быть, не уступает всей сорокинской комнате в дальнем Замоскворечье, то есть 9 кв. метров. У нее есть головная спинка из резного дерева, там, мама родная, сплетаются два лебедя, а вот ножная спинка отсутствует. Койка очень низкая, полметра высотой, под ней не спрячешься. В общем, это, конечно, не койка, а вот, как в «Королеве Марго» Александра Дюма написано, ложе. Вот именно, ложе, покрытое опять же ковром с переплетенными цветами, и кроме того, разбросаны бархатные подушки. Оно, кажется... Люда оглянулась, потрогала рукой поверхность: тугое и малость пружинит. Что со мной тут будут делать? Неужели, как в училище говорят, будут совокуплять с мужским органом? Да ведь генерал же такой красивый приглашал, такой солидный. Ой, лишь бы не расстреляли!

Приходила тётька в кружевном фартучке и в такой же наколочке на голове. Принесла поднос, мама родная, с очаровательными фруктами и с тремя шоколадными наборами, в каждом серебряные щипчики. «Дамочка, дорогая, где я нахожусь?» Тётька улыбнулась совсем без душевной теплоты. «Вы в гостях у правительства, девушка. Кушайте эти вкусные вещи».

Люда съела одну штучку. Ой, какая же вкусная, моя любимая, которую и пробовала-то один раз в жизни: орех в шоколаде! Ну, правительство ведь не расстреливает же, само-то ведь оно не расстреливает же. Ну, ведь и совокуплять, наверное, не будут, иначе как-то будет выглядеть несолидно. Вдруг заиграла музыка, и от этих звуков симфонических Люда опять вся затрепетала и поняла, что добром отсюда все же не уйдешь. И вот наконец через три

часа пришел старик в театральном халате с кистями, как на занавеске. На голове ковровая тюбетей-
ка, на мясистом носу очки без дужек, кажется, на-
зываются «пениснэ». Люда вскочила, ну прямо как
эта мраморная девушка, хоть и была вся одетая.

— Добрый вечер, — культурно сказал старик,
кажется, нерусский. — Как вас зовут?

— Люда, — пролепетала юная студентка воло-
сяного искусства. — Люда Сорокина.

— Очень приятно, товарищ Люда. — Он протянул руку. Кажется, он только Люду услышал, Сорокина ему как будто без надобности. — А меня зовут
Лаврентий Павлович.

От страха Люде это довольно благозвучное имя
показалось каким-то жутким «Ваверием Саловичем».

— Не надо волноваться, товарищ Люда, — сказал Ваверий Салович. — Сейчас мы будем ужинать.

Он сел рядом с Людой в кожаное кресло и нажал какую-то кнопку на высокохудожественном
столике. Почти немедленно давешняя женщина
вместе с военнослужащим вкатила столик на коле-
сиках; Люда даже и не знала, что такие бывают. Все
блюда прикрыты серебряными крышками, кроме
хрустальной вазы с холмом икры. Этот продукт Люде
был знаком еще по культпоходу в ТЮЗ, когда в ант-
ракте угощались бутербродами. Вот что было совсем
малознакомо, так это ведерко на столе, из которого
почему-то торчало горлышко бутылки. Две других
бутылки приехали самостоятельно, то есть без вед-
рышек. Все расставлено было на художественном
столике перед Людой и Ваверием Саловичем. После этого обслуживающий персонал укатил свое
транспортное средство. Ваверий Салович улыбнул-

ся, как добрый дедушка, и продемонстрировал Люде, как надо разворачивать салфетку.

— Вы любите Бетховена? — спросил он.

— Ой, — выдохнула Люда.

— Давайте-ка начнем с икры, — посоветовал он и строго добавил: — Надо съесть сразу по три столовых ложки. Это очень полезно.

Может быть, это доктор правительственный, подумала Люда. Медосмотр?

— Как вы чудно кушаете эту серебристую икру, товарищ Люда, — улыбнулся Ваверий Салович. — У вас губки, как черешни. И наверное, такие же сладкие, а? — Он гулко, заглушая музыку, расхохотался. Нет, медики так не смеются. — А вот теперь надо выпить этого коллекционного вина.

Собственноручно Ваверий Салович наполнил хрустальный бокал темно-красным и прозрачным напитком.

— Да ведь я же не пью, товарищ, — пробормотала она.

Он лучился добротой.

— Ничего, ничего, вам уже пора пить хорошее вино. Сколько вам лет? Восемнадцать? Скоро будет? Охо-хо, опять эти законы РСФСР! Ну-ну, пейте до дна, до дна!

Люда сделала глоток, потом еще глоток, еще, ну, никак не оторвешься от этого вина. Вдруг рассмеялась соловьиной трелью: «Ваверий Салович, вы, наверное, доктор?» Показалось, что покачивается на волнах. Весь стол покачивался на мягких волнах. Приятнейшие волны раскачивают всю нашу комнату — вот Ваверий Салович правильное слово нашел: будуар...

— Вам нравится наш будуар, Людочка?

Мы раскачиваемся все вместе, с мебелью, всем будуаром, и потому тарелки не падают. А почему же так плотно приближаться? Если нужен медосмотр, пожалуйста, но зачем же так тянуть? Меня вырывают из будуара, куда-то тянут. Ваверий Салович, помогите! Ведь я в гостях у правительства! Ваверий Салович, вы меня так не тяните, вы мне лучше помогите вырваться от этого Ваверия Саловича. Ой, смешно, да ну вас, в самом деле, как-то несолидно получается, Исаак Израилевич...

Берия перетащил обмякшую девицу на тахту, начал раздевать. Она по-детски бубукала вишневыми губками, иногда повизгивала поросеночком. Какое ужасное белье они тут носят в этом городе. От такого белья любое желание ебать пропадает, понимаете ли. Комбинашка самодельная в горошек, штанишки розовые, байковые, кошмар... Еще хорошо, что девчонки укорачивают эти штанишки, обрезают их повыше резинок, которые безбожно уродуют их ляжечки. Безобразие, никакой у нас нет заботы о молодежи. В первую очередь надо будет наладить снабжение женским бельем. Он раскрыл штанишки, прижал к носу. Пахнет неплохо, парное, чуть кисленькое, по шву немного какашечкой потягивает, но это естественно в таком-то белье. Желание стремительно увеличилось. Сейчас надо всю ее раздеть и забыть про социальные проблемы. В конце концов имею я право на небольшие наслаждения? Такой воз на себе тащу!

Он раздел Люду догола, вот тут уже все первосортное, стал играть ее грудями, брал в рот соски, поднял девушке ноги, начал входить, вот сейчас, наверное, заорет, нет, только лишь улыбается в блаженном отключении, какое-то еврейское имя шепчет — и тут они! Не-е-т, теперь, как видно, по Москве целки не найдешь!

Тут Берия понял, что приходит его лучшая форма, блаженное бесконтрольное либидо. Теперь полчаса буду ее ебать без перерыва. Даже жалко, что она в полубессознательном состоянии, лучше бы оценила. Эти порошки из спецфармакологии немножко все-таки слишком сильные. Он стащил с себя халат и увидел в зеркале восхитительно безобразную сцену: паршивый, с отвисшим мохнатым брюхом старик ебет младую пастушку. В верхнем зеркале зрелище было еще более захватывающим: желудевая плешь, складки шеи, мясистая спина, по которой от поясницы к лопаткам, что твои кипарисы, ползут волосяные атавизмы, видна также розоватая, ноздреватая свинятина ритмично двигающихся ягодиц. А из-под всего этого хозяйства раскинулись в стороны девичьи ножки, ручки, виднеются из-за его плеча затуманенные глазки и стонущий рот; такая поэзия! Жаль только, что нельзя одновременно осветить и наблюдать главные участки боевых действий. Эта техника у нас пока не продумана.

Берия таскал Люду Сорокину вдоль и поперек необъятной тахты. Иногда, для разнообразия, переворачивал девушку на животик, под лобок ей подсовывал подушку, сгибал ноги в желаемую позицию: вот идеальная партнерша — горячая кукла!

Влагалище у нее слегка кровило. Недостаточно разработано. Этот Исаак Израилевич недостаточно еще девушку разработал. Ничего, в недалеком будущем в нашем распоряжении окажется идеальное влагалище! Для пущего уже куражу Берия начал щипать Люду Сорокину за живот, причинять боль, чтобы заплакала. Не заставила себя ждать, разрыдалась сквозь эмгэбэшную фармакологию). Какая красота, мени дэда товтхан, кавказский злодей, понимаешь, ебет рыдающее русское дитя!

И вот наконец подошло то, о чем Берия Лаврентий Павлович, названный через четыре года на июльском пленуме ЦК в речи Хрущева Н.С. наглым и нахальным врагом СССР, всегда мечтал в казематах и углах своей плохо освещенной души. Исчезли все привходящие, дополнительные мотивы его ненасытной похоти. Забыв о своем всесильном злодействе и о всей прочей своей мифологии, столь скверно всегда его возбуждавшей, — я, мингрел, могу любую русскую бабу ебать, могу любую превратить в блядь, в рабыню, в трофей, могу расстрелять, могу помиловать, могу пытать, могу хорошую квартиру дать, французское белье, родственников освободить из-под стражи или, наоборот, всех втоптать в вечную мерзлоту, — забыв обо всем этом, он вдруг просто ощутил себя мужчиной, жарким и страстным, влюбленным в мироздание, открывшееся ему всей своей промежностью, то есть в Женщину, товарищи, с большой буквы.

Кто хорошо это понимает, так это Петр Шария, думал Берия, умиротворяясь рядом с бормочущей сквозь забытье девчонкой, вытирая свой горячий еще отросток ее рубашечкой в горошечек. Хорошо, что я его тогда вытащил из когтей этого большевистского мужичья. Экую, видите ли, нашли измену — пессимистические стихи, посвященные умершему от туберкулеза юному сыну. В глубине особняка, ему показалось, слышался визг законной супруги. Закатывает истерику. Требует, чтобы ее пропустили в будуар. А если я сейчас прикажу ее пропустить, испугается, спрячется наверху. Дождется, что привяжу ее в саду к березе и выпорю ногайской плетью. Гордая Гегечкори, чучхиани чатлахи! Кто вам сказал, что второй человек государства должен быть под каблуком у фригидной бабы?

Шария это понимает. С ним я могу откровенничать. Он поэт, пессимист, такая же блядь, как я, он меня не боится. Зураб — не друг, он меня боится. В нем уже никакой жизни нет, в нем только страх перед Берией живет, больше ничего. С ним я не могу откровенничать, а Шарии я могу рассказать все о своей ебле и о своей жене, забыть всякую политику. Если я их двоих сейчас ночью приглашу выпивать, ебать эту голубушку, Зураб не захочет. Он, хлэ, конечно, приедет, но только от страха. А Шария приедет, если захочет. А если не захочет, не приедет. Поэт, партийный авантюрист, совершенно меня не боится.

Я окружен говном. Когда момент придет, все это говно вычищу. Надо себя окружить настоящими товарищами, когда момент придет. Мужчинами, поэтами, не большевиками, а партийными авантюристами. Все это мужичье разгоню из Политбюро. Хватит, поиздевались над народом. Дундуку Молотову, кретину Ворошилову, этой лошади Кагановичу, Никитке-свинтусу Хрущеву, всем им пора на свалку. Жорку Маленкова, Жорку Маленкова... Жорку тоже вычищу; в новом, бериевском обществе не потянет. Как только момент придет, сразу начнем решительную перестройку всего общества. Коммунизм подождет. Распустим колхозы. Радикальное сокращение лагерей. В стране не может быть такой процент врагов, это может неприятно сказаться в будущем. Главное, что надо сделать? Перемещение власти от большевистского мужичья к железным чекистам, своим ребятам. Постепенно начнем выкорчевывать всех шпионов ЦК из аппарата, братья Кобуловы займутся этим делом. Сразу нельзя: начнется визг о «буржуазном перерождении». Сначала мы партию задвинем в огород, пусть своими кадрами занимается и пропагандой, а в государственные дела не лезет. Артачиться начнут, устроим процесс ведущей сволочи, обвиним... ну, в шпионаже в пользу английской короны. Можно не сомневаться, все признаются. У Абакумова даже ишак признается, что был коровой. Воображаю, как Никитка будет признаваться. Любопытно будет посмотреть, никогда не откажу себе в этом удовольствии. Все это дурачье гроша не стоит, сотрем в лагерную пыль.

Давайте разберемся. Берия прикрыл халатом храпящую в глубоком провале девушку, откатился к краю тахты, встал на тонкие ножки, надо похудеть, давайте разберемся, что такое коммунизм. Вот когда выпивали у Микояна (этого армянина не вычистим, способный, циничный, давно все понял), вот тогда я у Никитки спросил: ну, как ты видишь себе коммунизм, Сергеевич? Ну что может сказать курский мужик? Сала, говорит, много будет, говядины. А у нас, говорит, многие отрасли сельского хозяйства находятся в запущенном состоянии. А какой же, говорит, коммунизм, если нет лепешек и масла? И это будущее для великой страны? СССР должен быть богатым и шикарным, и если это не коммунизм, пусть этот коммунизм собаки пожрут.

В будуаре по-прежнему горели три маленьких лампочки, темно-кремовый свет разливался по коврам. Изнасилованная девица подрагивала под халатом. Соломенная куча волос. Берия налил себе стакан вина из другой бутылки. Выпив, закурил длинную гаванскую сигару. Вот блаженство, ночное удовлетворение эротических и эстетических запросов, развитие любимых тайных концепций. Без Запада, конечно, не обойтись. Западу надо сразу показать, что с нами можно иметь дело. Пойдем на решительные уступки Западу. Отдадим им эту говеную ГДР, на хера создавали такого уродца, Ульбрихта и всю эту бражку — на Колыму! Объединенная Германия должна быть миролюбивой, нейтральной страной. Дальний прицел — противопоставим Европу Америке. Ну, просто для баланса. С Америкой — торговать, торговать, торговать! Откроем двери для больших фирм. Вот вам и «холодная война», господин Уинстон Черчилль! Что за абсурд, батоно? Если война, она должна быть горячей, как ебля. «Холодная война» — это онанизм.

Конечно, замирюсь с Тито, съезжу к нему на Бриони, посмотрю, как устроился. Средиземноморские вожди должны друг друга уважать.

Когда момент придет, конечно, надо будет разобраться в национальной политике. Мужичье тут немало дров наломало. Активный костяк многих наций искорежен, на Западной Украине, в Литве, в любимой Мингрелии... Из этих людей, тех, что уцелели, надо внимательно отобрать таких, кто сможет быть нам помощниками в такой грандиозной перестройке. Надо, чтобы люди понимали меня с полуслова, а лучше с одного взгляда. Когда момент придет, нам часто придется говорить одно, а делать другое...

В углу будуара вдруг глухо гукнул дважды самый важный телефон страны, как бы предупреждая маршала: хватит фантазировать, момент еще не пришел. Этот глухой двойной сигнал пробуждал Берию из самого глубокого сна. Хозяин! Взял себе в привычку ночью сидеть в кабинете. Видно, опять сова его стала по Кремлю гонять. Да, момент еще не пришел.

— Слушаю, товарищ Сталин!

На тахте вдруг белорыбицей всплеснулась Люда Сорокина, забормотала: «Исаак Израилевич, Ваверий Салович...» Берия прыгнул, зажал ей ладонью вишневые губки.

— Что там у тебя, Лаврентий? — спросил Сталин.

— Персонал, товарищ Сталин, — проговорил он в ответ.

Сталин кашлянул:

— Если не спишь, давай приезжай. Есть ыдеи.

Антракт I. Пресса

«Зери и популит»

Тито — это всего лишь ощипанный попугай американского империализма!

Энвер Ходжа

«Правда»

...Студентка в Пензе сидит над томиком Радищева. От благородных слов чаще бьется сердце. Что ей «Стандарт ойл», что ей речи Даллеса и Черчилля?.. Теперь американские рвачи хотят вытоптать сады Нормандии... Они боятся русских, потому что русские хотят мира...

Илья Эренбург

«Тайм»

Анна Луиза Стронг о советских колхозниках: «Сто миллионов самых отсталых в мире крестьян почти в одноча-

сье перешли к ультрасовременному сельскому хозяй-
ству... Их увеличившийся доход трансформировался в
шелковые платья, парфюмерию, музыкальные инстру-
менты...»

Кремль об Анне Луизе Стронг: «Скандально извест-
ная журналистка была арестована органами государственной безопасности 14 февраля 1949 года. Ей предъявлено
обвинение в шпионаже и подрывной деятельности против СССР...»

На этой неделе Москва выслала А.Л.Стронг из России. Стронг потеряла своего коммунистического бога,
которому так хорошо служила.

«Правда»

> Да, снова лгут они
>   в конгрессах и сенатах.
> Да, лжет газетный лист,
>   и книга, и эфир,
> Но время мчит вперед,
>   и нет путей обратных —
> Не тот сегодня век,
> не тот сегодня мир.
> Мы видим их игру...

Николай Грибачев

С именем Сталина трудовые люди мира выиграют борьбу
за мир!

Элие Сезер, поэт (остров Мартиника)

Обуздать поджигателей войны! Над площадями Варшавы
долго и неумолчно гремело: «Сталин! Сталин! Сталин!»

«Тайм»

Самым трагическим гостем Нью-Йорка на прошлой неделе был знаменитый композитор России Дмитрий Шос-
такович. Он прибыл, чтобы участвовать во Всемирном

конгрессе деятелей культуры и науки за мир. Являясь символом свирепости полицейского государства, он говорил как коммунистический политик и действовал так, как будто его приводил в движение часовой механизм, а не сознание, творящее удивительную музыку...

Среди спонсоров нью-йоркского Конгресса мира знакомые имена леваков, вроде драматурга Артура Миллера, романиста Нормана Мейлера, композитора Аарона Копланда...

Боссом и директором русской делегации является румяный, узкоглазый Александр Фадеев, политический руководитель советских писателей и чиновник МВД.

«Чикаго трибюн»

Два советских авиатора, белокурый 29-летний Анатолий Барсов и черноволосый 32-летний Петр Пирогов, угнали самолет в Линц (Австрия) и попросили у американских властей политического убежища.

«Культура и жизнь»
ОБ ОДНОМ МЕСТНОМ ТЕАТРЕ
Наши театры должны стать рассадниками всего самого передового. Однако в старейшем театре страны — Ярославском драматическом имени Ф.Г.Волкова — не всегда выполняется постановление ЦК ВКП(б) «О репертуаре драматических театров и мерах по его улучшению». Ставятся безыдейные порочные пьесы, в том числе даже «Парусиновый портфель» М.Зощенко. Такой пьеске, как «Вас вызывает Таймыр» А.Галича (Гинзбурга), и вообще не место на сцене театра им. Волкова...

Художественный руководитель Степанов-Колосов и директор Топтыгин попали под влияние подголосков буржуазных космополитов, разоблаченных в постановлении ЦК «Об антипатриотической группе театральных критиков»...

«Литературная газета»
Трудящиеся Советского Союза требуют окончательного разоблачения критиков-космополитов Юзовского, Гуревича, Альтмана, Варшавского, Холодова, Бояджиева и иже с ними...

«Тайм»
Полковник В.Котко в газете «Вечерняя Москва» разоблачает немарксистский подход к вопросу о чаевых. В парикмахерской, пишет он, человечек со щеточкой стряхивает с тебя несуществующие волосы и смотрит выжидательно. В театре вам предлагают бинокль и в ответ на вопрос о цене говорят: «сколько дадите»... Новые социальные отношения сделали отвратительными эти отжившие унизительные привычки.

«Нью-Йорк таймс»
Суд в Варшаве приговорил к смертной казни сборщика лома за кражу медной проволоки.

«Тайм»
Военная разведка США сообщает, что венгерский кардинал Мидсенти после ареста и следствия находится под наблюдением тюремных психиатров.

Советские газеты обвиняют в жестокостях югославские власти и, в частности, возлагают личную ответственность на министра внутренних дел Александра Ранковича, который в 1946 году провел долгое время в Москве, стажируясь в своем деле под руководством босса советской секретной полиции Лаврентия Берии.

«Правда»
ЯНКИ В РИМЕ
На улицах ты видишь жирного заокеанского хама в огромных башмаках. Он жует чуингам и тащит за руку ме-

стную девушку. Кабальный план Маршалла предлагает
итальянцам назойливые рекламы американских фирм.
То тут, то там видишь изображение наглой девицы с
кока-колой. И это в стране натуральных лимонадов и
оранжадов!

Борис Полевой

«Литературная газета»
К ЮБИЛЕЮ ГЕТЕ
Понять такое сложное, многообразное, противоречивое
явление, как жизнь и творчество Гете, оказалось не под
силу буржуазной мысли. И только коммунистическая
мысль смогла в полном объеме показать творчество Гете.

И.Анисимов

«Правда»
ЗА БОЕВОЙ ФИЛОСОФСКИЙ ЖУРНАЛ
В статье «Космополитизм — идеология империалистической буржуазии» чрезмерно много места уделяется разной дряни, вроде мертворожденных писаний реакцион-
ных буржуазных профессоров Милюкова, Ященко, Гер-
шензона, писаний, от которых за версту несет трупным
смрадом...

ПОДНЯТЬ ИДЕЙНО-ХУДОЖЕСТВЕННЫЙ
УРОВЕНЬ ЖУРНАЛА «ЗВЕЗДА»
Глубоко порочна повесть Юрия Германа «Подполковник медицинской службы». Передовые советские люди
изображены в ней безвольными хлюпиками, погружен-
ными в нудное психологическое самокопание. Центральный персонаж, доктор Левин, — пустой и вздорный
старик, ложно выдаваемый автором за смелого экспе-
риментатора.

В.Озеров

«Литературная газета»

В газете «Монд» появилась статья некоего Андре Пьера. Он утверждает, что произведения Пушкина будто бы обедняются, когда их переводят на грубый язык бурят, коми, якутов и чувашей. Группа якутских писателей разоблачает фашистского борзописца и его хозяев. Эстетствующий мракобес, видимо, и не слышал о всемирно известном 13-томном словаре якутского языка академика Пе́карского. Отвечая глубоким презрением на выходку Андре Пьера, мы горячо приветствуем трудовой народ Франции.

«Тайм»

Шесть месяцев прошло с тех пор, как Вячеслав Молотов был освобожден от поста министра иностранных дел, и, хотя он удерживает звание заместителя премьер-министра, пушечное ядро его головы ни разу не появлялось на официальных фото.

«Вашингтон пост»

СУД НАД ПРЕДАТЕЛЕМ ВЕНГЕРСКОГО НАРОДА (РЕПОРТАЖ ИЗ ЗАЛА СУДА)

Второй человек в иерархии Венгерской компартии Ласло Райк признался перед народным судом в Будапеште, что он в течение 18 лет был шпионом последовательно диктатора Хорти, гитлеровского гестапо и американской разведки.

«Правда»

Напрасно стараются господа белградские писаки: тайные рычаги заговора были в руках Аллена Даллеса и Александра Ранковича... Белградское радио продолжает нечленораздельно бубнить о кознях Коминформа. Перед судом стоит человек и монотонным, равнодушным голосом рассказывает историю чудовищных предательств, затеянных и уже совершенных убийств.

Борис Полевой

«Юманите»

Кампанией клеветы на Советский Союз реакционеры хотели бы заставить народы забыть тот простой факт, что социализм — это мир, а капитализм — это война.

Морис Торез

«Непсабадшаг» — ЮПИ

Адвокат на будапештском процессе сказал о своем подзащитном генерал-лейтенанте Дьерде Палфи: «Я должен защищать этого человека, хотя он мне отвратителен».

«Тайм»

На долю хорошенькой негритянки миссис Тельмы Дайел, домохозяйки и жены музыканта, выпало от лица 12 присяжных (4 мужчин и 8 женщин) объявить вердикт по отношению к одиннадцати подсудимым, боссам американской компартии: каждый из обвиняемых признан виновным в заговоре по подстрекательству к насильственному свержению правительства США.

Закончился длиннейший в истории страны криминальный процесс, который вел судья Гарольд Медина, плотный человек с элегантными усиками и большими меланхолическими бровями. Он продолжался 9 месяцев. Защита опросила 35 свидетелей, правительство 15 свидетелей. Показания состоят из 5 000 000 слов. Стоимость процесса для защиты 250 000 долларов, для правительства 1 000 000 долларов. Установлено, что подсудимые хотели в нужный момент путем стачек и саботажа парализовать экономику, насильственно свергнуть правительство и установить диктатуру пролетариата. Приказы поступали непосредственно из Москвы.

«Правда»
Судебная расправа над коммунистами продолжалась 9 месяцев. Присяжные были тщательно просеяны ФБР. В списке свидетелей предстали 13 шпионов, провокаторов, ренегатов, продажных людей. Судья Медина стал символом дикого преследования коммунистов и всех прогрессивных сил в Америке.

Кукрыниксы: «Американская дубина — судья Медина!»

Капиталистический способ земледелия неизбежно ведет к истощению почвы. В США многие миллионы гектаров доведены до крайнего истощения.

Претворяя в жизнь сталинские планы, колхозное крестьянство полностью овладело силами природы в интересах создания изобилия продовольствия, в интересах построения коммунизма.

Впечатления советского моряка, электромеханика Задорожного, от Нью-Йорка. «В магазинах покупателей нет. Прилично одетые люди просят цент на пропитание. Трое дюжих молодчиков били негра. Наш пароход повсюду встречали возгласами: "Да здравствует Сталин!"»

«Литературная газета»
Роман Павленко «Степное солнце» — это горячий, стремительный, оптимистический рассказ о больших делах простых советских людей.

Валентин Катаев

«Тайм»
На экранах Москвы идут пять фильмов, которые названы просто иностранными без указания источника, среди них

«Последний раунд» и «Школа ненависти» об ирландском восстании против Англии. Эти фильмы на деле являются продуктами геббельсовского ведомства пропаганды, они были направлены на возбуждение антибританских и антиамериканских чувств.

«Лайф»

О сыне советского диктатора генерал-лейтенанте Василии Сталине в Москве ходит немало слухов. Согласно одному из них, В.Сталин однажды пилотировал самолет, на котором кроме него находилась только некая женщина с ребенком. Над полями Белоруссии В.Сталин выпрыгнул из самолета на парашюте.

«Нью-Йорк таймс»

372 беженца из СССР достигли Швеции на судне, которое может вместить не более 50 пассажиров. Среди них поляки, эстонцы, белорусы и латыши.

Одиннадцать признанных виновными боссов американской компартии явились в суд, чтобы узнать о приговорах. Десятеро из них получили по 5 лет тюрьмы и 10 000 штрафа за заговор по подстрекательству насильственного свержения правительства США. Одиннадцатый, кавалер Креста за выдающуюся службу во время войны, получил три года.

«Лайф»

Восторженные москвичи не могли оторвать глаз от неба, когда над парадной Красной площадью пролетел огромный четырехмоторный бомбардировщик в сопровождении истребителей. На следующий день у всех отвалились челюсти, когда в газетах и по радио было объявлено, что самолет пилотировал командир воздушного парада генерал Василий Иосифович Сталин. Большинство граждан не знало, что у отца народов есть сын.

Василий имеет двух детей от своей второй жены, дочери маршала Тимошенко. Он отличается вспыльчивостью, пьянством и склонностью улаживать споры с помощью кулаков.

«Правда»

> Дочь отчизны,
> Советской женщиной зовусь,
> И этим я горда.
>
> *Екатерина Шевелева*

ТОРГОВЦЫ ЯДАМИ

Правительство Трумена хочет насадить американские нравы по всей маршаллизированной Европе. Париж наводнен голливудскими кинобоевиками. Погнавшись за большими долларами, Марлен Дитрих снялась в антисоветском пасквиле «Железный занавес», который потерпел сокрушительный провал на французском экране. В фильме «Скандалистка из Берлина» дана правильная сатира на американские нравы, но одновременно этот фильм представляет из себя циничный и наглый поклеп на советскую армию.

Юрий Жуков (Париж)

«Руде право»

Я люблю Советский Союз! Я видел своими глазами, как эту землю целовали Пабло Неруда, Эми Сяо, многие молодые женщины. Мы живем в эпоху тов.Сталина!

Ян Дрда

«Правда»

Гадина извивается. В Софии начался процесс Трайчо Костова.

> Со Сталиным в наш дом вошла мечта.
> Как утренняя песня молода.
>
> *Алексей Сурков*

С тех пор, как с нами Сталин, сбывается всякое затаенное желание советского народа.

Леонид Леонов

Коль Сталин с нами, значит, правда с нами.

Джамбул

М.Шолохов: «Отец трудящихся мира». Ф.Гладков: «Вдохновитель созидания». А.Первенцев: «Наш Сталин». М.Исаковский: «Надежда, свет и совесть всей земли».

Антракт II. Ничтрусы — туда!

Кот профессора Гординера любил стоять на одной ноге. То есть не то чтобы он на ней просто-напросто стоял, забыв о трех остальных конечностях, или, скажем, кружился на одной ноге, как балерина Лепешинская, однако он любил положить две передних лапы на подоконник и созерцать происходящее на дальней стороне улицы, на углу переулка, на крышах низких домов и на карнизах высоких и в эти минуты поджимал к пузу то левую, то правую ногу, уподобляясь тем редким людям, у которых иногда возникает желание постоять на одной ноге.

Все-таки не зря я его назвал Велимиром, думал профессор Гординер. Сидя в глубоком кресле у батареи отопления в ожидании ареста, завернувшись в толстый плед верблюжьей шерсти, он созерцал кота, созерцающего объективный мир. Он вспоминал того, в честь кого семь лет назад назвал толстого боевого котенка, принесенного ему в подарок любовницей Оксаной. Смешно, но в мяуканье котенка почудилась ему какая-то веселая хлебниковская заумь. Тогда и возникло имя кота. Настоящий Велимир, конечно, не обиделся бы, наоборот, был бы польщен, тем более что у кота с возрастом появилась хлебниковская манера стоять на одной ноге. То есть, простите, на одной лапе.

Бронислав Гординер когда-то входил в футуристическую группу «Центрифуга» и по этой линии не раз встречался с Хлебниковым. Тот был старше его на несколько лет; мифическая фигура поэта-странника, словотворца и вычислителя истории. Молодой критик благоговел, хотя по групповой принадлежности полагалось не благоговеть, а задирать одного из ведущих кубофутуристов, нагло предъявлявших права на все движения.

Хлебникова, надо сказать, групповая политика мало занимала, как мало его занимали молодые, благоговеющие перед ним критики. В разгар бурной дискуссии и посреди какого-нибудь места, на суарэ ли у сестер Синяковых, в толпе ли у Сухаревской башни, он мог замереть, обкрутив праздную ногу вокруг другой, рабочей; с выражением лица полнейшего идиота что-то бормотать пухловатыми губами под вечно неспокойным носом. В такие минуты вокруг поэта возникало разреженное пространство: творит, не мешайте!

Ах, как здорово жилось тогда! Все эти полуголодные вернисажи! Головокружительное ощущение принадлежности к новому веку, к творителям новой культуры! Давно все это уже ушло. Сначала перестали хохотать, потом прекратили улыбаться, наконец, бросили собираться вместе, отошли от групп, то есть разобрали их до нуля общим отходом, потом, эх, потом вообще настали времена, когда о группах старались забыть, да и личные дружбы прежних грешных лет не особенно афишировались, а если где-нибудь в неподходящем месте вдруг выплывало чье-нибудь некогда славное имя, прежний групповщик лишь бормотал «ах, этот» и тут же переключал стрелку на главную магистраль. Хлебников, измученный возвратным ти-

фом, недоеданием, а в основном персидской анашой, умер
еще в двадцать втором. Центрифуга поэзии, которой надлежало, по замыслу ее теоретиков Сергея Боброва и Ива-
на Аксенова, поднимать на поверхность крем словесного
мастерства, пошла наперекосяк, взбаламутила на дне бе-
зобразный осадок. Лучше тем, кто ушел заблаговремен-
но, как Иван; что бы он делал сейчас со своими «елизаве-
тинцами», со своим «Пикассо»? Плачевны мы, оставшиеся, Сергей, я, Николай, даже Борис... Вот так, десятиле-
тие за десятилетием, сидеть в маленьком холодном потцу,
ждать ареста, не высовывать носа, Велимир, сжиматься в
комочки, что твои мышки, строчить аккуратненькие, бла-
гонамеренные рецензийки, рифмовать версты подстроч-
ного перевода; плачевны мы, Велимир. Я знаю, что ты
сейчас скажешь...

«Времыши-камыши! Жарбог, Жарбог!» — отозвался
кот. «Вот так так! — сказал Гординер. — Нет, не зря я назвал тебя Велимиром».

Кот отпрыгнул от окна и даже, как показалось Гординеру, перед тем как заскочить ему на колени, сделал
некий однолапный пируэт. Устраиваясь на коленях любимого Бронислава, копая его плед и вельветовые штаны
колючими лапами, бодая подвздошие ему крутою головою, кот мурчал: «Пинь, пинь, пинь, тарарахнул зензи-
вер. О, лебедиво! О, озари!»

Говорят, что коты любят не человека, а свое место,
думал недавно разоблаченный критик-космополит. Может быть, может быть, но меня Велимир любит явно больше, чем нашу комнату. То есть в этой комнате он больше
всего любит меня. Мне отдает предпочтение даже перед
диваном. Бесконечно следует за мной, лижет мне пятку
во время совокуплений с Оксаной. Вполне возможно, он
видит во мне не человека, а свое место, такое свое ходя-
чее место... Эдакое покряхтывающее, бормочущее матер-

щинку, покуривающее, попукивающее, писающее в ведерко, когда лень идти в коммунальный туалет, скрипящее перышком, шевелящее страницы любимое место. Только тяга к заоконному пространству соперничает в нем с привязанностью ко мне, только поэзия кошачьего космоса...

«Ну, что ты там лицезрел сегодня, в своем заоконном пространстве, Велимир?» Кот посмотрел на него снизу вверх, как заговорщик, и, словно, убедившись, что подвоха нет, возбужденно запел: «Сияющая вольза желаемых ресниц и ласковая дольза ласкающих десниц. Чезоры голубые и нравы своенравия. О, право! Моя моролева, на озере синем — мороль. Ничтрусы — туда! Где плачет зороль»...

«Эка хватил, — пробормотал Гординер. — Мы все обманываем себя, дружище Велимир. Красоты в объективном мире не существует, есть только ритм. Наш мир — лишь жалкий заговор культуры...»

Он вспомнил, как они вот в этой же комнате еще в тридцать четвертом говорили на эти темы с Иваном Аксеновым, только тот, естественно, сидел не на его коленях, а вон на той, тогда еще не протертой до мездры шкуре медведя. Хотя бы обои переклеить один раз с тех пор, хотя бы выветрить когда-нибудь запах холостяцкой мизантропии!

Привычное советское многолетнее вялое ожидание ареста недавно сменилось у профессора Гординера более ощутимым, то есть до некоторых спазмов в кишечнике, его ожиданием. После нескольких упоминаний его имени в списках других людей с неблагозвучными для русского уха именами все его статьи в журналах завернули, а самого его вычистили из профессуры ГИТИСа, где он читал курс по Шекспиру. Хоть никого еще из отъявленных мерзавцев-космополитов не посадили, однако в печати все чаще появлялись требования трудящихся разоблачить до конца, а это означало, что общий знаменатель приближается.

Все это было еще окрашено чудовищной иронией. На фоне бесконечных требований «раскрыть скобки» Гординер являл собой парадоксальный выверт литературы и судьбы. Дело в том, что у него-то в скобках как раз скрывалось самое что ни на есть великолепное не еврейское, белорусское благозвучие, а именно Пупко. В далекие футуристические годы юный критик Бронислав Пупко решил, что с такой фамилией в авангард не проедешь, вот и выбрал себе псевдоним, в котором, как ему казалось, звучала как бы славянская стрела, перелетающая немецкую твердыню. К имени этому в литературных кругах скоро привыкли, и он сам к нему привык до такой степени, что про Пупко своего изначального даже и забыл, даже и паспорт получил в начале тридцатых на фамилию Гординер. Кто же думал тогда, что придется отвечать за такое легкомыслие, что такое неизгладимое еврейство приклеется к его седым бакенбардам и пегим усам вместе с этим псевдонимом? Что же теперь делать? Не вылезать же на трибуну, не бить же себя в грудь, не вопить же: «Я Пупко, я Пупко!» Нет, до такого падения он все-таки не дойдет! Отказываться от Гординера — это все равно что отказываться от всей жизни, перечеркнуть свое место в литературе, оплевать все свое творческое наследие! Нет уж, пусть приходят и берут Гординера; Пупко отсюда не убежит, в комсомол возвращаться постыдно! «А ты уходи, — говорил он Велимиру. — Когда они явятся, я открою форточку, ты прыгай туда и сразу уходи по крышам. Ты знаешь, где живет Оксана, немедленно отправляйся к ней один или со своей моролевой. Им в руки не давайся!»

«Проум, праум, преум, ноум, вэум, роум, заум», — отвечал кот.

Ближе к вечеру приехала Оксана и прямо с порога начала снимать юбку. Их связь тянулась уже много лет, и, как они оба говорили друг другу и сами себе, она заполняла собой их «кулуары романтики». Оксана когда-то, естественно, была студенткой Гординера по шекспировскому курсу, тогда-то и выяснилось, что оба они не могут говорить о «пузырях земли» без волнения. С годами она из девчонки с задранным носиком превратилась в статную даму с чуть поблескивающим меж по-прежнему дивных губ металлокерамическим мостом. В лице у нее иногда уже мелькало что-то мрачновато-величественное, и Гординер во время свиданий прилагал все усилия, чтобы хоть на миг сквозь обычную для московской женщины усталость выглянула та прежняя, с шекспировской лекции, восторженная девчонка. Свидания, увы, становились все более деловитыми, как бы рассчитанными до минуты. Семья обременяла Оксану: муж, сотрудник Минтяжпрома, и трое детей, из которых среднее дитя, дочь Тамара, было, по ее убеждению, зачато вот в этой самой комнате, на этом самом протертом кожаном диване.

Довольно часто в конце свиданий Гординер вспоминал эгофутуриста Игоря Северянина и начинал канючить:

Ты ко мне не вернешься даже ради Тамары,
Ради нашей малютки, крошки вроде крола,
У тебя теперь дачи, за обедом омары,
Ты теперь под защитой вороного крыла.

Хохоча, собирая белье и тайком то и дело поглядывая на часы, Оксана возражала: «Хороши омары! Питаемся одними «микояновскими» котлетами, к вашему сведению».

Так вот и сейчас, едва переступив порог, сбросив заляпанные боты и расстегнув юбку, Оксана уже бросила косяка на часы. Одиночество — удел критика-космополита, думал Гординер, с кривой улыбкой вылезая ей навстречу из своего кресла. Кот между тем, по-светски покрутившись вокруг быстро обнажающейся Оксаны, решительно направился к окну. В последнее время он резко сократил свое участие в «заполнении кулуаров романтики», то есть облизыванье папиных пяток. Оксанины визиты начали его раздражать, потому что женщина отказывалась жить с ними постоянно.

«Галагала гэгэгэ! Гракахата гророро!» — потребовал он.

Гординер открыл форточку: «Возвращайся до темноты!» Велимир выпрыгнул на карниз, спустился на низлежащую крышу и прошел к трубе, держа перпендикулярно колеблющийся, словно гвардейский султан, хвост. Помимо всего прочего, он был флагманом здешнего флота. Лучи заката просвечивали сквозь густой пух хвоста, отчетливо выделяя стержневую мощную пружину.

...Заполнив «кулуары романтики», Оксана и Бронислав еще некоторое время лежали в объятиях друг друга. Профессор нажатием на лопатки подавлял внутреннюю суету возлюбленной: «Перестань смотреть на часы!» Она гладила его по голове, нежнейшим образом пощипывала славно поработавший старый орган. «Да-да, ты прав, Броня, не будем наблюдать сей странный механизм». Она вздыхала: «Вчера он искал папиросы, залез в мою сумку, нашел ключ от твоей квартиры. Разумеется, скандал. В который раз? Ах, это почти невыносимо!»

Гординер молчал. Обычно после таких сообщений он начинал бурно требовать, чтобы она немедленно ушла от докучливого Минтяжпрома, чтобы все они начали новую, романтическую жизнь, без всякой фальши и тягомотины. Сейчас молчал. «Что же ты молчишь?» — спросила она. Все-таки хотелось, чтобы поклянчил, хоть и знала, что никогда к нему не уйдет.

«Молчу потому, что мне теперь нечего тебе предложить. За мной, наверное, скоро придут. Вчера на открытом парт-собрании секции критики опять требовали полного разоблачения. Позаботься о коте, Оксана, не дай ему пропасть».

Кот между тем несся по конькам крыш. Домой — с благой вестью! Последние закатные лучи ударяли в открывающиеся форточки, пьянили и слепили, как когда-то, в незапамятной жизни, в плавнях Волжского устья, ослепляли и пьянили мальчонку закатные, сквозь камыши, блики, когда за каким-то папенькой-орнитологом поспешал, волоча калмыцкий челнок с выводком окольцованных птиц. Экое счастье было, экое счастье — сейчас! Вперед, вперед, на молодых или, ну, еще не старых, там, мускулах, страшная железобетонная радиосхема последней наркотической ночи в Санталово еще впереди или уже позади, а может, ее и совсем нет, хоть и присутствует, а главное, эти блики, этот полет любви, главное, как можно быстрее сообщить любимому ходячему местечку, а именно папочке Брониславу Григорьевичу Гординеру, в прошлом Пупко, о том, что он не будет арестован!

Откуда взял это кот Велимир, с какого панталыку? Высокочастотную связь, что ли, подслушал? В эфире ли прошел какой-то сдвиг, что улавливают коты и что недоступен людям? Во всяком случае, вдруг озарило, и он понял, что всем их страхам теперь конец: папа уцелеет! Скорей! Скорей! Теперь самое главное, как передать эту новость Гординеру? Поймет ли он универсальный язык, унаследованный из глубин онтологии?

Оксана рыдала. Только сегодня она поняла, что Гординер обречен. Рыдала не только от горя, но и от стыда, ибо знала, что не останется с ним даже сегодня, что он ей давно уже немного в тягость, а также потому, что, невзирая на все благородное сострадание, там, и даже скромные потуги самопожертвования, в предательских мыслях то и дело возникает молодой сослуживец по библиотеке ВТО — совсем молодой, на 15 лет ее младше, — который давно уже дает понять, что не прочь заполнить ее «кулуары романтики». Гординер ее не утешал.

Вдруг за окном бурно возникла фигура кота во весь рост, в распушившейся шубе, с огнем в глазах. Барабанил передними лапами по стеклу, требовал впуска. Вот кто никогда не предаст, подумал Гординер, бросаясь к окну.

Впрыгнув в комнату, кот заколесил, хвост трубой, меж ног своего папы и его любовницы. Громко и торжествующе он пытался донести до них свою новость:

> Лили эги, ляп, ляп, бэмь.
> Либибиби нираро
> Синоано цицириц.
> Хию хмапа, хир зэнь, ченчь
> Жури кака син сонэга.
> Хахотири эсс эсэ.
> Юнчи, энчи, ук!
> Юнчи, энчи, пипока.
> Клям! Клям! Эпс!

«Что это с ним случилось? — перепугалась Оксана. — Валерьянки, что ли, где-нибудь насосался или мышьяку перехватил?»

Профессора вдруг осенило: «Да как же ты не понимаешь? Велимир где-то узнал, что меня не арестуют! Правда, Велимир?»

Кот в восторге вдруг сделал пируэт на одной ноге.

> Иверни выверни,
> Умный игрень!
> Кучери тучери,
> Мучери ночери,

Точери тучери, вечери очери.
Четками чуткими
Пали зари.
Иверни выверни,
Умный игрень!

Оксана смотрела, мучительно не понимая. Старый ее любовник, которого она всегда из-за его возраста немного стеснялась, хотя и не замечала, что в последнее время народ на улице уже не видел в их редких совместных прогулках никакого несоответствия, теперь стоял на одной ноге посреди комнаты, балансировал руками и бормотал: «Хоть здесь и нет объективной красоты, но все-таки есть ритм, а это немало. Ну что ж, ну что ж, пусть еще потянется этот заговор культуры, пусть пройдет вся игра»...

Глава четвертая
Пурга пятьдесят первого

Зимы в начале пятидесятых годов были исключительно морозные, что впоследствии дало возможность обиженным сталинистам ворчать: в те времена все было крепким, неуклонным, порядок был повсеместный, даже и зимы отличались ядреностью, настоящие русские были зимы, не то что нынешняя слякоть.

А ведь и в самом деле, климат значительно рассопливился после Сталина. В 1956 году, например, очень долго не наступала зима в Петербурге, то есть в тогдашнем городе Ленина, как будто вместе с эскадрой британских кораблей, ведомой авианосцем «Триумф», в Неву вошел прародитель атлантической демократии, теплый поток Гольфстрим. Случилось даже небольшое наводнение, столь романтически окрасившее одну из ночей нашей юности. Естественно, напрашивается некоторое поверхностное предположение, что, мол, все наши либерализации зависят от каких-нибудь солнечных взрывов или пятен, что малейшие изменения в потоках энергии влияют на состояние умов, а следовательно, и на политическую ситуацию. Желающих развить эту идею отсылаю к началу второго тома нашей трилогии, а именно туда, где дебатируется историческая концепция Льва Толстого с ее миллионами произволов.

С другой стороны, если на этой гипотезе массовых произволов заторчать с особенной силой, можно будет даже преодолеть притяжение истории, подняться выше и предположить, что поворот в состоянии миллионов умов способен развеять иные астральные мраки, а это, в свою очередь, повлияет и на климат.

Так или иначе, но в ту январскую ночь, о которой сейчас пойдет речь, никому в Москве не приходила в голову мысль о либерализации климата и смягчении политического курса, а злая пурга, гулявшая от Кремля по всей циркулярной топографии, казалась вечной. Естественно, и Борис IV Градов не предавался философии или историософии. Отоспавшись после занятий в анатомическом театре, сдав кое-как зачет по костям и отгоняя от себя тошнотворные мысли о зачете по сухожилиям, он решил на всю сегодняшнюю ночь, а может быть, и на весь следующий день выдавить из себя занудного студяру и вернуться к своей сути, то есть к молодости, моторам и алкоголю.

Спускаясь в лифте со своего пятого этажа, он думал о том, удастся ли ему сейчас завести «хорьх». Температура — 29⁰ С, при порывах ледяного ветра падает, очевидно, до минус сорока. Гаража нет, «хорьх» стоит во дворе, напротив задних дверей магазина «Российские вина». Ну вот и он — превратился в гигантскую гробницу Третьего рейха. Что ж, увидим, кто кого. В мотоциклетно-автомобильных кругах считалось высшим классом не смотреть на погоду: мотор заводится всегда! Использовались всякого рода присадки к маслу — скажем, авиационные, с полярных аэродромов; больше всего ценились, конечно, оставшиеся с войны ленд-лизовские или вынесенные по великому и тайному блату из гаража особого назначения. Иные, особо выдающиеся мотористы, фанатики и профессора своего дела, предпочитали сами изготовлять какие-то смеси и, разумеется, держали их в секрете.

Борис IV, увы, был не из их числа. Слишком много времени отнимали институт, спортобщество, рестораны и «хаты», как в те времена называли вечеринки с горючим и девицами. Фанатики и «профессора», особенно один пожилой апостол двигателя внутреннего сгорания по кличке Поршневич, нередко его стыдили: «У тебя, Борис, редкий дар в отношении механизмов. Зачем ты пошел в медицинский, вообще зачем время зря тратишь?» Борис иной раз с похмелья отправлялся в гараж Поршневича, проводил там целый день, будто грешник, отмаливающий грехи в церкви. Смешно, думал Борис, но в этих автолюдях и в самом деле есть что-то от святости, во всяком случае отрешенность от паскудного мира налицо.

Паскудный этот мир иногда представал перед двадцатичетырехлетним Градовым волшебной феерией, чтобы потом, перекатившись даже и через грань паскудности, свалиться уже в настоящий отстойник дерьма. Может быть, даже и не в пьянках было дело, а в общем послевоенном, послеармейском похмелье, когда он ощущал себя никому не нужным, невознагражденным, глубоко и необратимо оскорбленным и выжатым, как лимон. «Если нельзя найти ничего посвежее, называйте меня «выжатый лимон», — иногда говорил он партнерше по танцу медленного темпа, как теперь в ходе борьбы с иностранщиной стали именовать танго. У девушки от восхищения закатывались глаза и приоткрывался ротик. Боря Градов был известен в веселящихся кругах столицы как личность таинственная, романтическая и разочарованная — современный Печорин!

В синдром его похмелья прочно вошел анатомический театр Первого МОЛМИ. Никогда он, хоронивший растерзанных пулями и осколками товарищей и сам изрешетивший и проколовший штыком немало человеческих тел, не мог себе представить, что его в такую подлую тоску будут вгонять проформалиненные останки, на которых ему полагалось изучать анатомию. «Прихожу к какому-то чудовищному парадоксу, — жаловался он деду. — Война с ее бесконечными смертями кажется мне апофеозом жизни. Анатомичка, формалиновые ванны, препаровка трупов — это, может быть, мрачнее смерти, окончательный тупик человека... У тебя такого не было, дед?»

«Нет, такого не было никогда, — решительно отвечал старик. — Прекрасно помню, как я был вдохновлен на первом курсе факультета. Первые шаги в космосе человеческого организма, будущее служение людям...» Он клал на плечо внуку усыпанную старческой пигментацией, но все еще вполне хирургическую кисть руки, заглядывал в пустоватые, слегка пугающие глаза отставного диверсанта. «Может быть, мы оба ошиблись, Бабочка? Может быть, тебе уйти?» — «Нет, я еще потяну», — отвечал внук и уходил от дальнейшего разговора, чувствуя страшнейшую неловкость. Дед, очевидно, думает, что при таком отвращении к анатомичке из меня никогда не получится хорошего врача, а я, говоря «еще потяну», проявляюсь как полный хер моржовый, как пацан, у которого в мозгу с пятнадцати лет засел только лишь один постулат: я человек прямого действия, отступать перед трудностями не в моих привычках. Как давно все это было, все эти упражнения с Сашкой Шереметьевым... как мать тогда злилась, подозревая нас в заговоре... мать... где она?.. превратилась в какой-то недобрый дух... вот все, что от нее осталось в этом доме... оскорбленье и забвенье... «Ну что, будем заводиться, герр «хорь»?» — обратился он к могучему и как бы слегка уже окаменевшему сугробу. Из магазина выскочил и пробежал к своему фургону шофер Русланка. Увидел Бориса, тут же переменил курс, подошел, проваливаясь в наметенном из-под арки сугробе. «Привет, Град! Раскочегариться хочешь?» Борис был уже популярной личностью среди шоферов улицы Горького, а также и среди милиции. Постовые обычно козыряли при виде несущегося «хорьха», а некоторые, у светофора, подходили, чтобы пожать руку: «Под твоим батькой всю войну прошел на Резервном фронте, лично видел его три раза, орел был твой батька, лучший военачальник!»

Вдвоем с Русланкой дворницкими лопатами они освободили лимузин из ледяного плена. За последнюю морозную неделю машина задубела до состояния ископаемого, из вечной мерзлоты, мамонта. «Давай огня ей засунем под жопу, — предложил Русланка. — А потом на проводах от моего газка мотор погоняем». Расторопности необыкновенной, шоферюга «Российских вин» мигом откуда-то приволок лист кровельного железа, на нем они развели костерок из смоченных в мазуте тряпок, затолкали его под картер. Такой же горящей тряпкой отогрели замок, отодрали заледеневшую дверь. Борис влез внутрь словно водолаз в затонувшую подводную лодку. Кожаное сиденье жгло через кожу эсэсовских штанов, доставшихся ему когда-то в качестве трофея после боя на окраине Бреслау. Нелепо, конечно, даже пробовать завести мотор ключом, аккумулятор, хоть и танковый, все равно мертв, масло не разгонишь и на адском огне. Отступать, однако, нельзя, если уж взялся: мотор заводится всегда! Русланка тем временем пытался, маневрируя меж сугробами, подогнать свой фургон поближе, чтобы протянуть провода от плюса к плюсу, от минуса к минусу, то есть «прикурить». Борис раскачал педаль газа, крутанул вправо-влево руль и, наконец, повернул ключ в замке. Как ни странно, звук, последовавший за этим движением, не показался ему безнадежным. Искра явно прошла, мотор сделал два-три оборота. Он выбросил наружу заводную ручку и попросил Русланку покрутить. Вдвоем они минут десять пытались подхватить обороты, однако ничего не получалось. Борис уже хотел было бросить это дело, чтобы окончательно не добить аккумулятор, и уповать теперь только на провода, когда «хорьх» вдруг взвыл, как вся устремившаяся в прорыв армия Гудериана, а затем, как только газ был сброшен, заработал ровно и устойчиво на низких оборотах. Вот так чудеса! Что же тут в конце концов оказалось решающим — немецкая технология, самогонная присадка Поршневича или энтузиазм двух молодых москвичей? «Мы киты с тобой, Русланка! — сказал Борис, употребив недавно усвоенное студенческое выражение. — С меня пол-литра!»

«Ловлю на слове! — весело отозвался шоферюга. — Жди в гости, Град!» Все ребята с этого двора мечтали побывать в загадочной маршальской квартире, в честь которой к фасаду дома уже прибили мемориальную плиту с чеканным профилем героя. «Хорьх» деятельно прогревался, льдинки сползали со стекол, внутри оттаивала кожаная обивка, играло радио: монтаж оперы «Запорожец за Дунаем». Борис отправился наверх, отмыл замазученные руки, переоделся в синий костюм с большими вислыми плечами, расчесал на пробор и малость набриолинил свои темно-рыжие волосы, сверху надел черное легкое пальто в обтяжку, трехцветный шарф: либертэ, эгалитэ, фратернитэ. Головной убор побоку: московским денди мороз не страшен.

Сквозь метущие широким пологом или завивающиеся в торнадные хвосты снежные вихри целый час он ездил по Садовому кольцу с одной лишь целью — полностью разогреть и оживить своего роскошного любимца, а потом вернулся на улицу Горького и остановился возле тяжелой двери, над которой висела одна из немногих светящихся вывесок, конусообразный бокал с разноцветными слоями жидкости и с обкручивающейся вокруг ножки, словно змея в медицинской эмблеме, надписью «Коктейль-холл». Из бокала к тому же торчала некая светящаяся палочка, которая означала, что полосатые напитки здесь не хлобыщут через край до дна, а элегантно потягивают через соломинку. Самое интригующее из всех московских злачных мест начала пятидесятых. Существование его под этой вывеской уже само по себе представляло загадку в период борьбы со всяческой иностранщиной, особенно англо-американского происхождения. Даже уж такие ведь слова, как «фокстрот», то есть лисий шажок, были отменены, а тут в самом центре социалистической столицы, наискосок через улицу от Центрального телеграфа, со скромной наглостью светилась вывеска «Коктейль-холл», которая ничем была не лучше отмененных джаза и мюзик-холла, а может быть, даже и превосходила их по буржуазному разложению. Иные московские остряки предполагали, что если заведение с позором не закроют, то, во всяком случае, переименуют в ерш-избу, где уж не особенно будут заботиться о разноцветных уровнях и о соломинках. Время, однако, шло, а коктейль-холл на улице Горького преспокойно существовал, чрезвычайно интригуя среднего москвича и гостей столицы. Поговаривали даже, что туда среди ночи на обратном курсе с Центрального телеграфа, то есть после отсылки клеветнических антисоветских телеграмм, иной раз заворачивает корреспондент американской газеты «Юнайтед диспетч» Ф.Корагессен Строубэри.

От Борисова дома сие заведение было в пятидесяти секундах ходьбы по прямой, и он, естественно, не преминул тут стать завсегдатаем. Всякий раз строго, чуть нахмуренно шел в обход очереди, коротко стучал в дубовую, будто прокурорскую, дверь. В щелке появлялось узкое око и широкий брыл швейцара, нехорошие, неприступно советские черты лица. Увидев, однако, гостя, лицо тут же стряхивало неприступность: «Борису Никитичу!» Публика, конечно, не возражала: раз пускают, значит, этому товарищу положено. Так, собственно говоря, тут вся публика разделялась: те, что в очереди стояли, случайный народец, среди них иногда даже и студент попадался, решивший за одну ночь прогулять всю стипендию, и «свои», которых знали в лицо, а то и по имени, в основном, конечно, деятели литературы и искусства, выдающиеся спортсмены и детки больших чинов, американизированная молодежь, называвшая улицу Горького Бродвеем, а то, еще пуще, Пешков-стрит; эти, конечно, в очереди не стояли.

При входе светился, будто многоярусный алтарь, бар с полукруглой стойкой. За стойкой священнодействовали старшая барменша Валенсия Максимовна и два ее молодых помощника Гога и Серега, о которых, естественно, говорили, что оба в капитанских чинах. Эти последние сливали и сбивали в смесителях коктейли. Валенсия же Максимовна, похожая в ореоле своих перекисьводородных волос на Елизавету, дщерь Петрову, лишь принимала заказы. Только уж очень избранным персоналиям она соизволяла преподнести изделия своих собственных имперских десниц.

— Что вам сегодня предложить, Боренька? — серьезно и благосклонно спросила она молодого человека.

— «Таран», — сказал Борис, усаживаясь на высокую табуретку.

Укоризненно чуть-чуть качнув головою, Валенсия Максимовна отошла к многоцветной пирамиде своего хозяйства. Внутри, вокруг столиков и в бархатных нишах, было людно, но не многолюдно, имелись даже свободные кресла. В основном все были «свои», уютное и веселое сборище, и трудно было даже представить себе, что за дверью имеется под порывами пурги очередь общей публики. На антресолях играл маленький оркестр. Его репертуар, разумеется, тоже находился под строгим идеологическим контролем, но музыканты умудрялись исполнять даже «Жил на опушке рощи клен» так, что получалось что-то вроде джаза.

Валенсия Максимовна поставила перед Борисом большой бокал с пузырящейся и переливающейся многоцветной влагой.

— Не нужно начинать с «Тарана», Боренька. Примите «Шампань-коблер», — сказала она так, как будто и не ожидала возражений.

— Хм, — Борис пожал плечами. — Кажется, меня тут все еще за взрослого не считают? Впрочем, вы наверняка правы, Валенсия Максимовна.

Взрыв хохота долетел до бара из одной бархатной ниши. Кто-то там махнул рукой Борису: «Причаливайте, сэр!» Это были писатели и артисты, созвездие лауреатов. Площадкой владел (таково было новое выражение, вошедшее в обиход с легкой руки футбольного радиокомментатора Вадима Синявского: «владеть площадкой»), итак, площадкой владел композитор Никита Богословский, автор песни «Темная ночь», которую по популярности можно было сравнить только с «Тучами» Борисовой тетки Нины.

— Тут недавно в Москве, уважаемые товарищи, сделано удивительное открытие... — «Уважаемые товарищи» звучали в его устах, шевелящихся над галстуком-бабочкой в горошек, словно «леди и джентльмены». — Вот, обратите внимание, обыкновенная фотокарточка... — С этими словами он извлек из кармана снимок совокупляющейся в довольно похабной позе пары. — Ну, самая обыкновенная продукция... ну, кто из нас не знаком с такого рода изделиями... ну, словом, самая элементарная маленькая порнушка...

С той же небрежностью, с какой говорил, Богословский бросил карточку на середину стола. Все вокруг умирали от этой небрежности — обыкновенная, видите ли, порнопродукция, и это в самой пуританской стране суровых пролетарских нравов. Все хохотали, однако Борис с удивлением заметил, что некоторые, в частности Валентин Петрович Катаев и Константин Симонов, обменялись короткими многозначительными взглядами.

— А теперь возьмите любую газету, — продолжал Богословский. — Ну любую! Ну вот хотя бы эту ежедневную газету. — Он вытащил из портфеля и развернул рядом с фотографией «Правду».

Ничего себе, «любая ежедневная газета», боевой орган ЦК ВКП(б), которую каждое утро кладут на стол не кому-нибудь, а самому Хозяину! Смех тут начал немного увядать, общество отвлекалось к напиткам. Заметив это, Богословский юмористически сморщил на удивленье свежую, круглую мордаху:

— Нет-нет, товарищи, никакой контрреволюции! Тут просто удивительный перекос человеческой логики. Дело в том, что этот снимок может быть иллюстрацией к любому заголовку любой газеты. Пари? Извольте! Ну вот, Саша, читай заголовки, а я буду картинку показывать. — Он подтолкнул газету к автору недавно раскритикованной комедии «Вас вызывает Таймыр» Александру Галичу, высоколобому молодому человеку с усиками, которые аккуратной подстриженностью и элегантностью спорили со знаменитыми усиками шестижды лауреата Сталинской премии Кости Симонова.

— Пардон, пардон. — Галич отодвинулся от газеты. — Читай уж сам!

— Нет, так неинтересно. — Богословский обвел глазами присутствующих. — Надо, чтобы кто-нибудь другой читал. Ну, Рубен Николаевич, может, вы будете читать как мастер читки? Миша, ты? А, вон Сережа Михалков пришел, вот он нам прочтет!

— Б-б-без меня! — сказал, проходя мимо сразу в туалет, длинный дятлоподобный «дядя Степа».

— Ну давайте я прочту, — сказал Борис IV Градов.

— Ха-ха-ха! — вскричал Богословский. — Вот студент прочтет своими устами младенца!

Катаев, с которым Борис оказался рядом, тихо пробормотал: «Зачем это вам?» Однако уста младенца зазвучали ко всеобщему удовольствию.

— «Новый приступ безумия в лагере поджигателей войны», — читал Борис.

— Извольте! — восклицал Богословский, демонстрируя совокупляющуюся с ослиными лицами парочку.

— «Крепнет связь науки и практики», — читал Борис.

— Ну, лучше не придумаешь! — восклицал Богословский.

Снимок и в самом деле отлично иллюстрировал неразрывность науки и практики.

— «Сказы латышского народа».

— А вот и картинка к ним!

— «Районная животноводческая выставка».

— Товарищи, товарищи!

— «Подготовка национальных кадров».

— Ну не гениально ли?

— «Молдавия отвечает на призыв...»

Тут разошедшегося Бориса прервал Симонов:

— Ну, хватит, ребята! Так ведь окочуриться от смеха можно.

— Кто же это, интересно, придумал? — спросил Катаев, шелковым платком отирая лоб.

— Понятия не имею. — Богословский забрал карточку, газету и, очень довольный, удалился.

Все вдруг заговорили о войне. Вот тогда народ умел шутить, хохмили за милую душу. Парадокс, не правда ли? В окопах юмора было больше, чем сейчас, в мирной жизни.

Борису, признаться, чрезвычайно льстило, что он запросто вхож в этот круг старших да еще и таких знаменитых мужчин Москвы, хоть сам-то он был, конечно, им интересен лишь как сын маршала Градова. Многие из них, в частности Симонов, водили знакомство с его отцом во фронтовые годы. «Ваш отец, ста'ик, был п'ек'асный па'ень и великий солдат», — сказал шестижды лауреат со своей знаменитой картавостью, когда в том же самом коктейль-холле молодого Градова представил компании сильно нагрузившийся актер Дружников. Все тогда спешились с табуреток, выпростались из бархатных седалищ, окружили Бориса. Не может быть, сын маршала Градова?! Старик, позвольте пожать вашу руку! Ваш отец был прекрасный парень и великий солдат. Что, Костя это уже говорил? Нет, это я сам сказал. Это в стиле Хемингуэя. Ну, конечно, в стиле Хемингуэя. Да, мы с Никитой... Я о нем очерк писал для «Звездочки», неужели не помните — «Вещмешок маршала Градова»? Он был бы сейчас наверняка министром обороны... Помню, летел в его самолете в район Кенигсберга. Отличные хлопцы там были в штабе, Кока Шершавый такой, зампотылу, майор Слабопетуховский... расписали там «пулю», ну и... Эх, Никита, Никита... недели не дожил до Победы... Настоящий мужчина... безупречная храбрость... философ и практик войны... Чья-то пухлая лапа обхватила Бориса за плечи, прямо в ухо влез мокрый рот, зашептал: «А я твою маму знал, Боренька... Ох, какая она была...» «Боренька» дернулся, сбросил пухлую лапу, еле сдержался, чтобы не залепить в мокрую пасть. Кто-то оттащил любителя интимных откровений. Ты что, с ума сошёл, пьяный дурак? Нашёл чем делиться с парнем, такими воспоминаниями! Вскоре все в этой компании поняли, что с сыном маршала можно говорить о чём угодно, только не о матери.

В разговорах о войне вдруг выяснилось мимоходом, что и Борис воевал.

— Когда же вы успели, старик? — удивился Катаев. — Может быть, были «сыном полка»?

Все засмеялись. За повесть «Сын полка» почтенный мастер «южной школы» пять лет назад получил свою Сталинскую.

Борис усмехнулся. Он понял, что дело тут не в возрасте, просто все уверены, что уж сыну-то маршала не пришлось в окопах вшей кормить.

— Я никогда не был в полках, — сказал он. — У нас был отряд не больше роты по личному составу.

— Но всё-таки ведь ваша рота была частью полка, старик, не так ли? — спросил какой-то только что подсевший, которому вовсе вроде бы и не полагалось подсаживаться к такой компании и уж тем более пользоваться шикарным обращением «старик».

Борис внимательно на него посмотрел и ничего не заметил, кроме жёлтых глазёнок.

— Нет, наша рота не была частью полка, старик, — сказал он.

Лауреаты заулыбались, оценив сарказм молодого Градова.

Борис продолжил в том же духе, хотя немедленно понял, что немного перебарщивает:

— Простите, больше ничего не могу вам сказать, старик.

Симонов разливал по стаканам уже третью бутылку коньяку. Кому еще заказывать такие напитки, как марочный «Арарат», если не шестижды лауреату?

— Между прочим, старики, в заведении появилась интересная публика, — проговорил он. — Сразу не оглядывайтесь, но вон там под антресолями столик заняли три американца.

— Т-т-то есть к-к-как это три американца? — удивился Михалков, немедленно уставивший в указанном направлении два своих глаза, похожих на линзы кинокамер. — Откуда они тут взялись? С парашютами?

— Двоих я знаю лично, — сказал Симонов. — Один, моего возраста, это Ф.Корагессен Строубэри, он корреспондент газеты «Юнайтед диспетч» в Москве, хорошо говорит по-русски, не бздун, плавал в Мурманск на конвоях, летал в Ленинград во время блокады. Второй, старики, это вообще большой человек, да-да, вот этот старик, старики, большая антисоветская скотина, знаменитый Тоунсенд Рестон. Откройте любую нашу газету... — тут все захихикали, вспомнив «изобретение» Никиты Богословского, — и увидите сразу, как его гребут и в хвост и в гриву, паразита, за клевету и дезинформацию. Ну, а третий, наверное, из посольства, этого не знаю.

Увидеть зимой 1951 года трех вылупившихся из московской вьюги розовощеких американцев было все равно что увидеть марсиан. Вздрогнул задремавший было в своем кресле Михаил Светлов.

А может быть, это не американцы, а марсиане? Боря Градов пошел к бару и попросил у Валенсии

Максимовны десятирублевую сигару. Закурив ее, отправился обратно, окружая себя чем-то вроде дымовой завесы. Прекрасная идея — наблюдать за врагом сквозь дым сигары! Я им, конечно, не виден, вместо лица косматое облако, а их вижу отлично со всеми их проплешинами, очками, перстнями, обручальными кольцами, толстенными авторучками, торчащими из карманов толстенных пиджаков в рыбью косточку — почему еще зубные щетки не торчат из этих карманов? — с их золотыми часами и кожаными портсигарами... Интересно, какого черта они все трое смотрят на меня, если у меня вместо лица косматое облако дымовой завесы? Вот вам их фальшивые улыбки, вот вам «лицо врага», как наш друг Константин Михайлович писал в стихотворном репортаже из Канады... «Россия, Сталин, Сталинград, три первые ряда молчат...»

Он вернулся к своему столу и обратился к автору вспомнившихся строк о битве за мир:

— Вот вы, старик, говорите, что из тех трех двое вам лично известны. А почему же тогда не здороваетесь?

— Вы что, не понимаете, старик, почему я не здороваюсь? — поднял брови Симонов. — А вот они понимают, почему я не здороваюсь, и тоже не здороваются, проявляют отличный политический такт.

— А вот я сейчас пойду и с ними поздороваюсь, — сказал Борис неожиданно для себя самого. Вот так с сигарой главного калибра в зубах прямо вот через зал протопать и с поджигателями войны познакомиться.

— Вы этого не сделаете! — неожиданным фальцетом вознесся Катаев. — Как старший за столом не советую вам, старик, этого делать!

— Прошу прощенья, уже не могу этого не сделать. — Борис поднялся. — Как человек прямого действия уже не могу этого не сделать.

Оркестр заиграл «Красную розочку, красную розочку я тебе дарю!». За перилами антресолей был виден контрабасист, ловко перебирающий струны сардельками пальцев, большой, совсем молодой, хоть и уже лысеющий, к тому же сильно застекленный солидными очками парень, с блуждающей таинственной улыбкой на толстых губах; о нем тот же Катаев однажды сказал, что это талантливый прозаик Юрий... Юрий... ну, не важно... Борис направился к американцам, однако тут из туалета выпорхнули две хорошеньких девчонки и, пролетая мимо, обронили:

— Ах, неужели это мастер спорта Боря Градов собственной персоной?

Естественно, все американцы и вообще вся осложняющаяся день за днем международная ситуация были немедленно забыты. В дальнейшем забыты были и многие другие базовые проблемы середины двадцатого века. Оказавшись в компании людей своего поколения, то есть сборной солянки из всяких там физтехов, инязов, мгимошников, маишников (начались как раз зимние каникулы, студент гулял), Борис IV Градов немедленно стал одним из двух главных действующих лиц животрепещущего спора. Вопрос был поставлен остро: кто сильнее опьянеет — тот, кто сразу выдует пол-литра «Московской особой», или тот, кто употребит указанное количество зелья рюмками в течение получаса? Как человек прямого действия, Борис, разумеется, выступил за первый вариант: дескать, легче выдуть пузырь из горла или двумя стаканами по 250 граммов.

Противником его оказался дюжий малый, чемпион МГУ по борьбе классического стиля. Его звали Поп, из чего можно было сделать предположенье, что фамилия его была Попов. На ручке его кресла сидела очаровательная девчонка в свитере с двумя полярными оленями. Вот именно этой девчонке, Наташке, будет сейчас доказано преимущество прямого действия над тягомотиной, мотоциклиста над жиртрестом. Вы все сейчас увидите, как держат банку штурмовые десантники ГРУ, к тому же еще теперь вооруженные передовой медицинской наукой, знатоки нормальной анатомии. Вот теперь пусть все это пижонство наблюдает, все эти папины-мамины сыночки из тех, что в Ригу ездят заказывать себе штиблеты с тремя пряжками, сливки нашей молодежи с неподмоченными анкетками... Спокойно, сказал он себе почти вслух, только не звереть. Ребята отличные, Наташка со мной уедет, борец Поп, отличный малый, будет лежать в полном туше.

Он налил себе до краев тонкий стакан, выпил его одним духом, даже не почувствовав вкуса водки. Поп в это время, хитрый морж, махнул рюмашечку и подцепил солидный, как сторублевая ассигнация, пласт семги. О закуске, между прочим, не договаривались, ну да черт с ним. Пока наливал второй стакан, 250 граммов, как доктор прописал, вдруг нахлынула густая пьяная волна. Мгновенно сконцентрировался, не пролил ни капли. Волна сошла. Водка прошла. Перевернул бутылку, выжал, как полагалось в разведке, все четырнадцать оставшихся капель. Гром аплодисментов. Жадный до зрелищ московский плебс. Тем не менее благодарю тебя, мой добрый народ. «Закусывайте, Град! — крикнула Наташка. — А то не сможете ничего!» — «Будь спок,

Наташка! — ответил он ей с ослепительной улыбкой героя фильма «Мост Ватерлоо». — Обо мне не волнуйся, о себе подумай!» Четким гвардейским, как на параде, шагом, вот так бы прямо к Мавзолею, швырнуть к подножию генералиссимуса Сталина штандарт дивизии «Мертвая голова», прошагал к бару за новой сигарой, попутно получил от сеньоры Валенсии граненую рюмочку «Маяка», изумрудный шартрез с яичным желтком внутри, пьется тоже одним глотком. «Эй, Поп, даю тебе фору!» Кажется, все заведение смотрит на меня, так я прекрасен у стойки бара с сигарой, опрокидывающий «Маяк». Или наоборот, никто не смотрит на меня, такое я дешевое говно. На кой хер я ввязался в этот идиотский спор? Ведь мне все-таки не восемнадцать лет, ведь я все-таки не маменькин сынок. Нет-нет, я не маменькин сынок, кто угодно, но не маменькин сынок. Может быть, бабкин внук и теткин племянник, но уж никак, никак, ей-ей, клянусь Польской Народной Республикой, не маменькин сынок.

Писатели между тем покидали помещение. Кто-то вальяжный уже стоял в шубе с бобровым воротником и в шапке-боярке. Некто другой, то ли знаменитый, то ли на подхвате, теперь уже не отличишь, проходя, полуобнял Бориса за стальное плечо:

— А мы в «Ромэн», не хотите ли с нами? Сегодня там банкет, петь будут до утра. Эх, хорошо под вьюгу-то завить тоску цыганщиной!

«Надо было с ними пойти, — думал Борис, вертя в пальцах рюмку из-под «Маяка», — эх, под вьюгу-то запеть! Жаль, что я не цыган, эх, послать бы всех на хуй и зацыганствовать! Эх! Не-е-т, шалишь, мы пойдем другим путем! Кто так сказал? Кому? Гоголь Белинскому или наоборот? Да нет, это же Ленин сказал, наш Владимир Ильич сказал царю. Пальцы под мышки, под жилет, с небольшой усмешкой... Не-ет, батенька, мы пойдем другим путем. Мы знаем, куда сегодня ночью пойдем». Идея вдруг с ходу откристаллизовалась, теперь он понял, чем все завершится этой ночью. Мы знаем, куда пойдем и кому мы сегодня наконец-то покажем, что мы не маменькины сынки, отнюдь не маменькины сынки, может быть, мы сукины дети, но, ей-ей, не маменькины сынки.

Вдруг все звуки питейного заведения прорезались: стук стульев и пьяный смех, бум-бум-бум контрабаса, лабает «надежда русской прозы», голос Валенсии Максимовны: «Гаврилыч, закройте дверь, вы нас всех простудите!» — кто-то рядом хохочет с нерусским акцентом, бздынь, кто-то кокнул бокал, — пора отчаливать, чтоб не размазаться тут на сладком полу.

Он вернулся к столу, за которым начался «эксперимент». Борец, чуть-чуть отрыгивая, продолжал пропускать рюмочки. Бутылка его была опорожнена только наполовину. «Я проиграл», — сказал Борис и бросил на стол залог, три сотенных бумажки с изображением Кремля, Москвы-реки и маленького пароходика на воде. «Куда же вы, Град?!» — едва ли не с отчаянием воскликнула Наташа. Должно быть, именно этот Боря Град олицетворял для нее девичью мечту о принце, а вовсе не Поп, чемпион по классической борьбе.

— Пьян в дупель, — извинился Борис. — А меня дома мамочка ждет.

По паркетной диагонали четко прошагал к выходу, ни разу не оступился. Позади Поп сползал из кресла на пол, почти бессмысленно бормоча: «Ха-

ха, Града перепил, ха-ха». Подготовка чемпиона оставляла желать, как тогда говорили, много лучшего.

«Хорьх» стоял на месте. Все нормально. Видимость нулевая. Осадки не в виде снега, а в виде ведьминых косм и хвостов. Если это мирное время, то какого черта навешивать собак на войну? Заводимся вполоборота. Танковое сердце России в железных кишках Германии! Снег разгребать не будем, поедем с метровым холмом на горбу. Привет работникам ОРУД — ГАИ! Сын маршала Градова спешит объясниться в любви одной поющей проститутке.

Ехать было недалеко: два квартала по улице Горького и потом левый поворот в Охотный ряд, прямо к подъезду гостиницы «Москва». Там в огромном ресторане на третьем этаже пела по ночам его мечта, Вера Горда.

Много раз Борис говорил себе: плюнь ты на эту блядь, тоже мне мечта, фальшивка и подделка, да и не очень молода, наверное, если увидеть ее при дневном свете. Тут же, впрочем, сам себя опровергал: ее и не нужно видеть в дневном свете, она — мечта твоих пьяных ночей, ночная птица «Лалабай», воплощение блядства и нежности. Много раз он видел, как к концу программы в зале среди пьяного мужичья поднимался опасный спор — кто увезет Горду? Иногда она смывалась или уходила под защитой оркестра, а иногда с каким-то даже как бы вызовом ждала окончания спора и удалялась в сопровождении кавалеров, очень часто грузин. В эти минуты Борис сгорал от ярчайшей ревности: да как они, козлы, смеют посягать на это существо, самой судьбой мне предназначенное?! Да что посягать, наверняка ведь тянут ее, напоят допьяна и употребляют! В следующий раз никому не дам ее увезти, всю кодлу расшвыряю, затащу ее к себе в «хорьх»! Да ей и самой интересней будет с таким парнем, как я, вместо всех этих барыг... Подходил, однако, «следующий раз», и он опять, как мальчишка, смотрел на высокую женщину в облегающем черном платье, интимно чуть-чуть изогнувшуюся перед микрофоном, чуть-чуть отставившуюся в сторону, чуть-чуть появившуюся из длинного разреза длинную ногу в шелковом чулке. Низкий голос, будоражащий что-то очень далекое, почти забытое, мальчишеское, в глубинах отставного диверсанта...

> Здесь под небом чужим
> Я как гость нежеланный
> Слышу крик журавлей,
> Улетающих вдаль...

Всякий раз он напивался, когда ее видел и слышал, и всякий раз почти в отчаянии ощущал какую-то дичайшую недоступность этой, по всей видимости весьма доступной, особы.

Нужно к чертовой матери все это послать, говорил он себе и довольно успешно все это томящее, развратное, высасывающее к чертовой матери посылал, забывал, тем более что московская его жизнь становилась все более интенсивной: институт, спорт, моторы, околоспортивные девчонки, выпивоны в мужских компаниях... Месяцами он не появлялся в близлежащей (30 секунд ходу по прямой) гостинице, однако потом вдруг, будто из морского мрака, белоголовый вал возникал и швырял его прямо к подножью ресторанной сцены, где стояла в луче фонаря Вера Горда, где она поднимала к золотоволосой голове обнаженные руки, голосом своим как бы держа ритм всего биг-бэнда.

> Молча лежат в песках верблюды,
> И в тишине безлюдной
> Ночи медленной нет конца...

Весь ее репертуар состоял из полузапрещенных песен, которых уж ни под каким предлогом не услышишь по радио или в концертах, ритмы блюза и танго, с сильной нотой российско-цыганской романтики, словом, самая что ни на есть «ресторанщина», а рестораны в те годы хоть и существовали, однако всенародно считались капищами греха, пережитками капитализма.

В кругах ресторанных завсегдатаев, то есть людей не идеальных, с которых не следовало брать пример подрастающему поколению, о Вере Горде говорили: «Вы слышали, как Горда поет «Караван» Айвазяна? Это, знаете ли, нечто!»

...«Хорьх» шел к намеченной цели с опущенным боковым стеклом. Борис этого не замечал и весь покрылся инеем и снегом. Вспоминалось даже нечто блоковское: «кружится снег, мчится мгновенный век, снится блаженный брег...» При всем моторном направлении ума не чурался иной раз в захламленности квартиры подцепить с полки томик стихов из маминой коллекции. Она, наверное, там и русские стихи забыла, зачем ей теперь русские стихи? Не заметил, как вдруг совершенно протрезвел и оробел. Не надо мне туда идти. Ну что туда идти на посмешище? Ну как я к ней подойду, что скажу? Простите, Вера, но я вас хочу. Но это же совершенно немыслимо — от меня к ней. Любой барыга может ей так сказать, будет нормально. Для меня — абсолютно ненормально. Чудовищно. Немыслимо. С девчонками все это получается естественно и как будто между прочим, а эта блядь почему-то за каким-то барьером недоступности...

Был уже почти час ночи. Надо домой пилить, повыть в одиночестве и отключиться. Два раза он объехал вокруг центрального московского квартала: гигантская гостиница, кинотеатр «Стереокино» со своей вечной и единственной картиной «Машина 22-12», потом «Гранд-отель», потом снова «Москва»... Хмель совсем прошел, остался только стыд за гусарство в коктейль-холле: в конце концов добьюсь того, что все меня будут держать за дешевого пижона. Черт, я сам себя загнал в ловушку этой ночью, вьюга залепила мне мозги. Я не могу уйти и не могу кружить здесь без конца; в конце концов меня в МГБ поволокут за это кружение. В конце концов надо с этим покончить раз и навсегда!

У входа стояли только две «Победы» — такси с работающими моторами. Не видно было даже обычной очереди. Швейцар зевал за полузамерзшими стеклышками двери. Внутри, в вестибюле, бузил какой-то пьяный. Два официанта, бульдог и мартышка, обшаривали его карманы: видно, хорошо погулял по буфету Ваня-золотишник, а расплатиться позабыл. Обычно уже здесь слышен был грохот оркестра, сейчас стояла тишина. Борис оставил пальто швейцару, который, разумеется, его знал. Тоже под знаменами легендарного батеньки служил на Резервном фронте. Бегом поднялся в зал. Оркестр, очевидно, был на перерыве, сцена пустовала, если не считать нескольких оставленных инструментов: раскрытый рояль, горка ударных, многозначительные вопросительные знаки саксофонов. Буржуазная загогулина, ничего не скажешь. Не так давно газета «Культура и жизнь» объявила игру на саксофоне злостным хулиганством.

Борис пошел меж столов, пытаясь найти местечко с видом на сцену. К этому часу все в зале были уже более или менее пьяны. Салаты разрушены и размазаны. Торчали окурки из неожиданных мест, например из апельсина. Много обнажалось металлических ртов, преобладало червонное золото. Где-то было слишком много вина, где-то не хватало. Кого-то выводили под руки. Кто-то сам мчался, шатаясь, закрыв ладонями рот, пытаясь донести до сортира свое праздничное откровение. В основном, однако, царило некоторое остекленение, вызванное, по всей вероятности, тридцатиминутным отсутствием оркестра. В час ночи, конечно, всем хотелось двигаться, прижиматься телами, качаться, как романисты той поры писали о загранице, «в ударном трансе». Вдруг кто-то его окликнул. Из-за колонны махал рукой цэдэковский гонщик Сева Земляникин:

— Привет, Боб! Слушай, вали к нам, тут мой одноклассник, летчик-испытатель, гуляет. Грушей привез с Дальнего Востока вагон и маленькую тележку!

Прикинув, что сцена отсюда будет видна как на ладони, Борис шагнул за колонну и сразу увидел Веру Горду. Она сидела за дальним концом большого стола рядом с капитаном ВВС. Тот что-то ей шептал на ухо, она улыбалась. Там, в темном углу, на фоне какой-то бордовой портьеры, за скопищем пустых, полупустых и непочатых еще бутылок, в каких-нибудь трех шагах от него, как будто вдруг материализовавшаяся с киноэкрана, сидит она, один голый локоть на столе, вторая рука с отставленной длинной папиросой возле левого уха, глаза надменно полуприкрыты, а красный рот полуоткрыт так, как будто она уже в постели с этим гадом, летчиком-испытателем, чья рука, запущенная под скатерть, давно уже, наверное, путешествует меж ее колен.

Вокруг стола еще сидело персон не менее десяти, но Борис ровным счетом никого из них не заметил и даже не слышал обращенных к нему слов. Он руки чьи-то пожимал, не отрывая взгляда от Горды, с жадностью фиксируя все детали: опасно полуоторванную бретельку концертного платья, крупные кольца завивки, серьги, браслет, маленькую бородавочку на виске.

Она вдруг чуть отодвинулась от летчика, вдруг улыбнулась прямо новоприбывшему, окатила вдруг теплой синевой очей, вот именно: «очей-синевою-сейчас-я-завою». Пронзило и мгновенно отлетело ощущение, что этот момент уже был когда-то в его жизни.

— Простите, я не расслышала, как ваше имя? — спросила она.

— Борис Градов, — произнес он так, как будто она могла это немедленно опровергнуть.

— Борис Градов, неплохо звучит, — сказала она как маленькому мальчику. — А я Вера, если вы не расслышали.

— Я расслышал, — сказал он.

— Давайте выпьем! — вскричал летчик, бухая себе в фужер сразу из двух бутылок водку и шампанское, то есть формируя популярный в те годы напиток «Северное сияние».

— В Горду врезался Эдька, — сказал про него Сева Земляникин Боре Градову. — Как услышал «В запыленной пачке старых писем», так сразу в пике вошел, все свои шиши готов отдать за одну ночку.

— Мало ли что он готов отдать, — сказал Боря и сразу же, резко, пошел на опасное сближение с летчиком-испытателем. — А что же вы испытываете, Эдуард, если это не государственный секрет? Большие самолеты или маленькие?

Летчик с хмельным оскалом погрозил пальцем Борису, хотя тот вряд ли отчетливо в данный момент для него фокусировался.

— А вот это и есть как раз большой секрет, молодой человек. Маленький самолет под большим секретом. — Наклонив голову, он явно боролся с алкогольными перегрузками, потом, очевидно победив, весело осветился и вывалил самый уж что ни есть чудовищный государственный секрет: — Я этот самолетик, друзья и Верочка, на практике испытываю. Спросите где? Строго между нами, в Корее. Нелегкая там у нас работа, Верочка и вы, остальные. Одной рукой гашетки нажимаешь, а другой рукой глаза растягиваешь, под корейца косишь, вот такие дела.

Таким образом вдруг совершенно неожиданно подтвердилась грязная клевета империалистической прессы о том, что советские летчики якобы участвуют в боях на стороне Корейской Народно-Демократической Республики. Все присутствующие, хоть и под газом, не поддержали этой темы, только Горда, засмеявшись, прикрыла ладошкой рот гусарствующему авиатору. Боря же Градов вдруг почувствовал некоторую симпатию к пьяному дураку: свой все-таки, спецназ, с американцами воюет, вот нервы и не выдерживают.

На эстраде вдруг зазвучал рояль. Вера приподнялась и заглянула за колонну:

— Ну, мне уже пора работать.

Музыкантов на эстраде еще не было, один только пианист в медленном темпе наигрывал «Сент-Луис блюз». Летчик было приподнялся, чтобы проводить свою гостью, однако рука у него сорвалась со стола, и он чуть не упал. В этот момент Боря Градов быстро прошел за стульями, взял певицу под локоток и повел к эстраде.

— Профессионально сделано, Боб! — хохотнул за спиной Сева Земляникин.

— Давайте потанцуем, — предложил Борис.

— Ну что ж. — Она положила ему руку на плечо.

Они начали танцевать под пианино. Она что-то напевала под нос по-английски, потом спросила:

— Кто вы такой? Я давно вас заметила.

Поворачивая ее в танце, он касался ее груди и бедер. На высоких каблуках она была почти одного с ним роста. Спина у нее была влажная, пот добавлял к ее духам какую-то совсем уже убийственную нотку.

— Я... я... — забормотал он, — я офицер разведки в запасе, мастер спорта по мотогонкам, кроме того... кроме того, знаете ли, я — сын маршала Градова... у меня пустая пятикомнатная квартира на улице Горького... и еще, еще... автомашина «хорьх», и все это...

Она на мгновение прижалась к нему:

— Ну что вы дрожите, мальчик? Не волнуйтесь, я буду с вами.

Лабухи уже возвращались и рассаживались. Пианист, подмигнув Горде, продолжал играть, Борис уже не мог вымолвить ни слова. Наконец дири-

жер, пожилой павиан в торчащей коробом крахмаль-
ной манишке, объявил:

— Уважаемые товарищи, эстрадный оркестр
ресторана «Москва» начинает завершающее отделение своей программы.

— После концерта ждите в вестибюле гостиницы! — шепнула она.

Снова погас весь свет, закрутился под потолком
стеклянный шар, поплыли над быстро сбежавшей-
ся толпой танцоров разноцветные блики. Борис не
вернулся к столу авиатора, а плюхнулся на какой-то
стул поближе к эстраде. Горда стояла в глубине, весело болтала с пианистом, может быть, о нем, может быть, как раз о том «сумасшедшем мальчике», с
которым она танцевала, пока тот наигрывал «Сент-
Луис».

Потом луч прожектора вывел ее вперед, и она,
почти прижав губы к микрофону, запела, плечами и
коленками поддерживая медленный и пружинящий
ритм:

> Когда-нибудь пройдет пора ненастья,
> Сумеем мы вернуть былое счастье,
> И мы пройдем весь этот путь
> Когда-нибудь,
> Когда-нибудь!

Ну да, она пела теперь для него, только для него,
вовсе не для денежного капитана, которому так трудно нажимать на гашетки, когда приходится растя-
гивать глаза «под корейца», вовсе не для еще более
денежных, извечных своих грузинских поклонни-
ков, которые так горячо ей сейчас аплодируют, стуча перстнями, ни для кого из этой нажравшейся тол-

пы, а только для Бори Градова, которому она обещала быть с ним, назвав его именно так, как ему мучительно хотелось, — мальчиком!

Подошел официант. Борис заказал бутылку «Гурджаани» и тарелку сыра. Оглядевшись, увидел, что сидит среди каких-то молодых мужиков, никто из которых не обращал внимания ни на него, ни на его мечту. Разговор шел, разумеется, о «гребле с пляской». Один какой-то, уверенный в своих статях крупный малый лет тридцати, рассказывал, как он целый вечер маялся с «шалавой», никак не мог найти «станка», чтобы «пистон бросить». Остальные очень серьезно внимали. Ну, как на зло, Петьки дома нету, у Гачика в карты играют, к Семичастному тетка с дочкой приехала. Весь вечер таскаемся, обжимаемся, мороз, бля, яйца трещат от натуги. Ну не «стояка» же играть под забором. Наконец, она говорит, берите тачку, Николай, поехали ко мне. «Шалаву», очевидно, в этой компании знали. Один какой-то, фиксатый, сказал: «Она в Сокольниках живет». Один, другой какой-то, в очках, подтвердил: «Да-да, в Сокольниках». Один, третий какой-то, бородатый, только хохотнул. Рассказчик подтвердил: «Вот именно, в Сокольниках, в аварийной хате. Дверь открываешь, а за ней прямо яма с водой. Вот такая шикарная шалава, а живет в таких жилищных условиях. Комнатенка крохотная, одна только полутораспальная койка помещается, а на ней бабка ее лежит, дрожит под лоскутным одеялом. Потом-то я узнал, что у них батарея в ту ночь от мороза лопнула. «А ну, давай! — кричит она бабке. — Пошла отсюда!» Сбросила бабку на пол, тянет меня на себя. Ну тут, товарищи, я забыл обо всех нормах мировой литературы. Стащил с нее трусики, вогнал свой шатун и пошел вперед на полных оборотах. И смех и грех, ей-ей! Койка короткая, ноги у меня в заднюю спинку упираются, капэдэ от этого еще увеличивается, шалава визжит, пузыри пускает, бабка плачет в уголке, только и бормочет: «Боже, какой кошмар!»... — «К чему это вы все рассказываете?» — вдруг, совершенно неожиданно для себя, громко спросил Борис. Все тут повернулись к нему, как будто только что заметили. Бородатый выдохнул «ха!» и застыл с улыбкой в глубине своей растительности.

«А вам какое дело?» — с интересом обратился к Борису красивый сильный мужик, рассказчик Николай.

«А просто противно стало, — еще громче и даже с некоторой звонкостью ответил Борис. Снова возникло ощущение быстро увеличивающейся скорости. — Вас девушка от отчаянья в свою трущобу привела, унизила из-за вас свою бабушку, может быть, единственное любимое существо, а вы ее «шалавой», а вы про нее «визжит, пузыри пускает»!»

Тут сразу несколько человек зашумели: «Вот наглый хмырь, стиляга сраный... Вас кто-нибудь приглашал слушать?.. Сидишь тут со своим сыром, с «Гурджаани», ну и сиди, только пасть не открывайте, молодой человек!..» Все были очень рассержены, один лишь только бородатый с каким-то почему-то весьма знакомым выражением хохотал гулким, неестественным баском, выговаривал: «А в нем что-то есть, братцы, ей-ей, что-то есть, все по Достоевскому обрисовал!»

Борис спокойно под этот хор выпил фужер вина, закусил сыром.

— Простите, что случайно подслушал вашу беседу, джентльмены, однако стою на своем, а если бы я знал ту девушку, о которой вы так рассказывали, разговор вообще пошел бы иначе!

Все даже задохнулись от такой, еще пущей, наглости. Герой Сокольников хлопнул лопатистой ладонью по столу:

— Вы что, не понимаете, ребята? Товарищ напрашивается. Он тут ходит туда-сюда, ищет приключений на собственную жопу, напрашивается.

— Напрашивается, так напросится, — сказал фиксатый. — Мы тебя подождем, — сказал он Борису.

Только этого мне не хватает, подумал Борис, вместо свидания с Гордой влезаю в кабацкую драку. Он забрал недопитую бутылку и пошел назад, к Севе Земляникину.

— А где Вера?! — закричал, увидев его, летчик. — Ты куда мою любовь затащил, гад?!

— А ты что, не видишь, где Вера?! — закричал ему в ответ Борис. — Вон, на сцене поет! Не видишь, не слышишь? Ослеп, оглох на корейской войне?!

— Да что такое, весь вечер пошел наперекосяк! — огорченно восклицал Сева Земляникин. — Банку разучились держать в вооруженных силах!

Когда программа, после нескольких персональных заказов «для наших гостей из солнечного Узбекистана, из солнечной Молдавии, из солнечной Тьмутаракани», наконец закончилась и свет над эстрадой погас, Борис быстро вышел из зала и сбежал вниз, в вестибюль гостиницы. Там в креслах спали люди, которым обещали на завтра номера. Свирепые морозные пары врывались с улицы, когда открывались двери. По всему обширному помещению звучали пьяные голоса: народ упорно выяснял отношения; естественно, кто-то кричал, что его никто не уважает.

Бориса ждали. Человек пять-шесть кучковалось вокруг героя Сокольников, который оказался не менее двух метров ростом. Все рухнуло, и Веру опять другой уведет. Может быть, вот этот двухметровый со своим «шатуном» ее и увезет после того, как раздавит мне горло своим ботинком сорок пятого размера. Может быть, на этот-то раз у Гачика в карты не играют. Ходу! Быстро пройти так, как будто их не замечаешь. Оркестр выходит вон через ту дверь, под лестницей, оттуда и Вера минут через десять появится. Тогда вихрем с ней к верному «хорьху»!

— Слушайте, ребята, я вам не советую с Борисом связываться, — уговаривал один из компании, некто бородатый, остальных. — Этот человек отлично владеет приемами самообороны без оружия!

— Отскочи, Саня! — говорил ему сильный Николай. — Не хочешь, не ввязывайся. Все знают, что у тебя есть уважительная причина. Даже, как выясняется, две. Эй, молодой человек! — крикнул он якобы спокойно дефилирующему мимо «искателю приключений». — Эй, Борис, я к вам обращаюсь!

Градов запнулся:

— А вы откуда знаете мое имя, черт бы вас побрал?!

— Слухом земля полнится, — усмехнулся Николай. — Давай-ка сближаться!

Он сделал шаг к сближению. И Борис сделал шаг к сближению. И в этот как раз момент в шубке, накинутой прямо на концертное платье, из артистической дверцы выпорхнула Вера Горда.

— Борис, я здесь!

Градов бросился, схватил ее за руку, вихрем помчал красавицу через огромный вестибюль к верному «хорьху», который, согласно некоторой информации, возил когда-то эсэсовского ублюдка Оскара Дирлевангера. Компании Николая Сокольническо-го в силу ее стратегического расположения ничего не стоило перехватить влюбленных, и она это, без сомнения, сделала бы, не окажись в ее рядах преда-теля. Бородатый мужик Саня, сильно хромая, выс-кочил вперед и встретил набегавших друзей двумя мощными ударами: правым хуком по скуле фикса-тому, левым апперкотом Николаю в живот. Оба на мгновение отключились, каждый в соответствую-щей позиции. Это дало возможность Борису проско-чить мимо. Изумленный, он оглянулся на борода-того, однако бега не замедлил. Неслась и Вера, хо-хотала, придерживала рукой летящие волосы. Ей, конечно, казалось, что это, как нередко тут и рань-ше бывало, в ее честь разыгрывается битва. Впро-чем, она была недалека от истины: из другого угла вестибюля пикировал на них «сталинский сокол» Эдуард. По привычке, приобретенной во время ре-активных полетов над Корейским полуостровом, он одной рукой нажимал воображаемые гашетки, дру-гой растягивал глаза, становясь и в самом деле по-хожим на азиата. Тут уже самому Борису пришлось применить прием, отлично разработанный во вре-мя борьбы за становление социализма в братской Польше, а именно швырнуть капитана через бедро, став на долю секунды невольным пособником аме-риканского империализма. После этого выпростал-ся вместе с певицей, будто выпрыгнул из «дугласа», в завывающую пургу.

Ну, заводись, эсэсовская сволочь! Колымага, знавшая немало черных дел, и в этом деле, не со-всем светлом, не подкачала: взревела, будто целая колонна танков, идущая на форсаже брать Дюнкерк.

Руки обиженных мужиков рвали дверцы, в боковые стекла лезли хари недогулявших хлопцев, среди них вдруг прилипло к стеклу некое любимое, вдруг пронзительно узнанное, хоть и бородатое лицо: брат по оружию Александр Шереметьев! Ну и ночка!

— Сашка, вы знаете, я все там же! — проорал Борис в щелку ветровика.

Бородатая физиономия кивнула. «Дворники» расчистили снег с ветрового стекла для того, чтобы явить в позе Маяковского стоящего перед машиной Николая Сокольнического: «Пою мое отечество, республику мою!»

— Прикажете давить?! — оскалился Борис.

— Этого ни в коем случае! Задний ход, командир! — хохотала Вера Горда.

— Благодарю за альтернативу! — прорычал отставной диверсант.

Развернувшись посредине Охотного ряда, превращенного пургой в пугачевское русское поле, «хорь» двинулся к улице Горького и через мгновение исчез из поля зрения анархического мужичья. Николай Высокий уцелел для того, чтобы еще раз появиться в этом романе.

Все последующие телесные и душевные движения — а последние тоже весьма сильно присутствовали, хоть и скажут иные критики, что ничего тут душевного не было, один голый животный секс; присутствовали, милостивые государи, хоть и в немыслимо спутанном, недоступном для раскручивания комке, — все это потом вспоминалось Борису как продолжение той же пурги, только теперь в горячем варианте.

Уже в лифте он потерял способность отвечать на вопросы Веры Горды. Войдя в квартиру, он сильно взял ее за руку и, не говоря ни слова, повлек через переднюю, столовую и кабинет прямо в родительскую спальню. «Боже мой, что это за квартира, — бормотала она, — что это за немыслимая квартира!» В спальне, не зажигая и ночничка — залепленные снегом фонари главной улицы бросали внутрь метельные несущиеся тени, — он прямо в шубке положил ее на широченную, столь любовно маменькой добытую у антикваров «павловскую» кровать, начал вытаскивать из-под длинной юбки шелковое белье, запутался, рванул, потянул, какую-то гирлянду обрывков, после чего все, чего он так сокрушительно жаждал, открылось перед ним волшебным цветком, просящим лишь одного — войти поглубже в сердцевину. Она стонала, гладила его по голове и бормотала: «Боренька, Боренька, мальчик мой!» От этих обращений у него совсем мозги пошли набекрень, и он едва сдерживался, чтобы не выкрикнуть заветное слово. Потом она совсем прекратила его называть и только вскрикивала раз за разом с нарастающей дикостью, пока вдруг не произнесла сквозь дрожь презрительной сомнамбулой: «Ты меня заеб совсем, а ни разу даже не поцеловал, ебарь подлый! Что же, для тебя, кроме пизды, ничего не существует?» Он понял, что именно в этот момент ей нужно было сказать что-то грязное, что оба они приближаются к оргазму, и вмазался ей губами в горячий рот. Губы, да, конечно же, губы ее, которые шептали в микрофон эти пошлейшие дурманящие слова. Длинные ногти вцепились ему в затылок, Вера Горда заметалась, будто пытаясь сорваться, убежать, а он тут же слился с ее судорогой, как бы умоляя ее каждым новым ударом остаться со своим «мальчиком», с «Боренькой»... И вот наконец с торжествующими воплями, словно встреча союзников на реке Эльбе, подошел триумф, и не воробушком проскочил, а длился взмахами и клекотом, будто полет орла, и переливался постепенно в блаженнейшую и нежнейшую, безгрешную благодарнейшую заливную пойму.

Когда и это прошло, он почувствовал мимолетный стыд — чем я лучше того Николая? Но тут же отогнал его — разве это можно сравнить с той гадостью? Они лежат теперь рядом, не прикасаясь друг к дружке, оба еще в верхней одежде и в туфлях.

— Сколько вам лет, Борис? — спросила она.

— Двадцать четыре, — ответил он.

— Боже мой! — вздохнула она.

— А вам, Вера?

— Тридцать пять, — хохотнула она. — Что, испугались?

— Я не хочу, чтобы вы были моложе, — пробормотал он.

— Вот как? Это интересно. — Она начала подниматься, свесила ноги, встала. — Ой, вы мне там все порвали, все мое дорогое белье...

Он вытащил из кармана пачку с переломанными сигаретами, нашел обломок подлиннее, чиркнул спичкой.

— Там, в шкафу, — сказал он, — еще осталось много хорошего белья, и, по-моему, ваш размер...

Тут он испугался, что сказал, кажется, слишком много, что она сейчас начнет расспрашивать, от кого осталось, что и как... Горда, однако, ничего не сказав, зажгла ночник, открыла шкаф, подцепила пальцем что-то из маменькиного белья, присвистнула — неплохо! — юмористически и весело посмотрела на него. Он засмеялся радостно: ах, как с ней, наверное, будет легко!

Она посмотрела на себя в зеркало, все еще в шубке, в концертном платье с помятым и задранным подолом.

— Ну и ну, — опять присвистнула она. — Изнасилованная тридцатипятилетняя певица... — Затем она приблизилась к телефону, набрала номер, проговорила: — Меня сегодня не будет, — и тут же повесила трубку.

— Кому вы звонили? — спросил Борис и тут же устыдился вопроса: она меня ни о чем ведь еще не спросила, а я уже лезу в личную жизнь.

— Какая разница, — с легкой печалью сказала она. — Ну мужу.

От этого «ну мужу» ему опять захотелось немедленно затащить ее в постель. С восхищением он наблюдал, как она двигается по комнате, снимает шубку, змеей вылезает из серебристо-черного платья.

— У вас, наверное, тут и ванна работает? — вдруг спросила она с какой-то странной, как бы несколько задирающей и в то же время униженной интонацией.

— Почему же нет, конечно, — удивился Борис. — Вон по тому коридорчику до конца и направо. Извините за всеобщий бардак, Вера, но я тут один живу, и ребята, мотоциклисты, все время таскаются.

— Ничего, ничего, — весело крикнула она и пробарабанила на каблучках, подтягивая оборванный пояс с чулками, прямо в ванную.

Пока она плескалась, он перестелил постель (к счастью, нашлась чистая простыня), разделся, лег под одеяло в ожидании и не заметил, как заснул.

Разбудили его какие-то сладчайшие ощущения. Голая Горда сидела у него в ногах и облизывала его член, брала его целиком в рот, сосала, потом снова облизывала, все время глядя Борису в лицо большущими и невиннейшими глазами. Потом она подвинулась ближе и с замечательной ловкостью, впустив член в себя, оседлала Бориса, будто дама высшего света, привыкшая к галопированию на чистопородных жеребцах. Склонившись, предложила «мальчику Бореньке» свои груди с острыми сосками. «Боренька» начал сосать одну грудь, нежно пожимая другую, потом, вспоминая о принципах справедливости, сосал слегка обиженный второй парный орган, гладил и пощипывал первый, чтобы не обижался.

— Ну вот, а теперь давайте спать, мальчик Боренька, — сказала Горда после того, как ровная скачка, закончившаяся сумасшедшим стипль-чезом, наконец завершилась. Доверчиво положила голову на его плечо, обняла правой рукой и правой ногой и немедленно заснула, засвистела носом. Блаженно потягиваясь в теплейшем и нежнейшем объятии, он тоже засыпал, или, может быть, скорее, растворялся, это ли не нирвана, пока вдруг не проснулся вместе со всеми своими членами.

— Ну вот, опять, — сквозь сон забормотала она. — Хватит уж тебе, уймись, Боря... Ну что, что... ну, хорошо, делай, что хочешь, только меня не буди, я устала... ну, как ты еще хочешь... попкой кверху, да?.. ну, пожалуйста... Ну, Боря, ну сколько же можно, ну, уймись же наконец, оставь себе немного на утро...

Он снова засыпал и снова просыпался, чтобы услышать эти увещевания: «Уймись, Боря!» Как она умудряется найти именно те слова, что он жаждет услышать?

Наконец отключился, но только лишь для того, чтобы через полчаса вылететь из кровати, бессознательно броситься к комоду, вытащить из-под белья спецназовскую игрушку, именной парабеллум. В дверях заливался звонок. На часах было без десяти пять. Вера даже не шелохнулась, блаженно подсвистывала, что-то бессвязное пробормотывала. Первое, что пришло Борису в голову: неужели Сашка Шереметьев привел сюда ту шарагу? Сейчас шугану их пистолетом, церемониться не буду! Натянул халат, помчался босой ко входу. Звонок между тем затих. Он посмотрел в глазок. Под мутным плафоном тускло отсвечивал кафель лестничной площадки. Никого. Осторожно, с пистолетом в руке, открыл дверь. Пусто, гулко; подвывание бури из вентиляции. Под дверью стоял туго набитый большой бумажный мешок. Именно стоял этот странный мешок, а не лежал, как подобает обыкновенному мешку. Стоял поставленный на попа, то есть на свое плоское плотное днище. Это был не наш мешок. Россия не может произвести такой мешок. России нужно еще сто лет, чтобы построить такой мешок с нервущимися двойными стенками из плотной коричневой бумаги, с плоским днищем, с синими завязочными шнурами.

Он внес мешок в столовую, поставил на стол и развязал синие шнуры. Первое, что он извлек, было теплейшим и мягчайшим. Два свитера, свернутых вместе, один темно-красный, другой темно-синий, с одинаковыми этикетками, на которых выделялось одно слово: «cashmere». Затем появились две теплые плотные рубахи, одна в большую зеленую клетку, другая — в коричневую. Две пары кожаных перчаток. Часы на металлическом браслете. Невиданный аппарат, в котором впоследствии была опознана электробритва, толстые шерстяные носки, красная пара, голубая, желтая. Мокасины с бахромой и сапоги на меху. Зимнее белье — комбинезон. И наконец, последнее, то, что примято было к самому дну — в реальное существование таких вещей поверить было трудно, — пилотская кожаная куртка с цигейкой внутри, с огромными карманами там и сям, с маленькими кармашками там и сям, с молниями там и сям, с вешалкой-цепочкой и большой кожаной этикеткой, на которой была изображена «летающая крепость», а для уточнения написано: «Bomber jacket, large».

Черт побери, черт побери, я ничего не понимаю с перепоя, с перегреба, от усталости, что это за ночь, что это за вещи, кому они предназначаются, что это за... вдруг отчетливо и страшно оформилось в сознании: что это за провокация? Покрывшись потом, дрожащими пальцами он стал расстегивать молнии, обыскивать карманы; ничего не нашел. Заглянул в опустошенный мешок — там что-то еще было, большая глянцевитая картинка, изображающая зимний поздний пополудень на окраине западного городка с уже освещенными окнами, ранний закат, лед пруда, и на нем катающихся на коньках детей, дам и господ в одеждах XIX века, и между ними, разумеется, несколько простодушно и самозабвенно развлекающихся собак. На обороте серебристой выпуклой вязью было начертано «Merry Christmas and Happy New Year!», а под этим круглым детским, ее почерком: «Мой мальчик, как я тебя люблю!»

Это она подарок сыночку посылает к прошедшему Новому году, и кто-то, крадучись, среди ночи, как диверсант, подарочек этот доставляет. Кто-то из американцев, может, из тех, что сидели в коктейльхолле, а может быть, и из других, тайных американцев. Не сошла ли она с ума? Ее мальчика, которого она так любит, за такой подарок могут загнать на Колыму. Тайный, в ночи, засыл из вражеской, шпионской, агрессивной Америки; контакт! Нет, за такие штучки Колымой не отделаешься, застрелят в подвале. Ей лишь бы удовлетворение получить: дескать, послала сыну подарок к Новому году, а в остальном — хоть трава не расти. Может быть, в таких буколических городках, на таких коннектикутских прудах забыла, где четыре года отгрохала, откуда своего Шевчука привезла? В ярости он швырнул бесценную бомбовозку в угол. Это резкое движение вдруг вызвало поток мыслей в противоположную сторону. С каких это пор я стал таким трусом? Кажется, в Польше я научился ничего не бояться, ни автомата, ни штыка, а тут испугался подарка от матери! От своей любимой матери, которая вовсе не виновата в том, что мир вокруг сошел с ума, раздробил и расшвырял ее семью. Ты посмотри лучше, как все это любовно собиралось, одно к одному, все первоклассное, а главное, все такое теплое, как будто именно свое тепло она хотела мне послать в этом мешке, сгусток своего тепла. Все буду носить, и куртку буду носить с гордостью, а на вопросы буду отвечать: мать из Америки прислала!

Он подошел к окну, отдернул шторы и увидел, что снежная буря кончилась и небо стремительно очищается. В темно-лиловом небе в сторону Кремля, в каком-то симфоническом бравурном аллегро,

быстро, ладьями, плывут продолговатые белые тучки. Вдруг от счастья перехватило дыхание. Захоти
только, и вот так же поплывешь вместе с этими белыми тучками в темно-лиловом послеметельном
небе!

— Боренька, куда же ты ушел? — донесся из
спальни голос эстрадной певицы Веры Горды.

Глава пятая
Ну и зигзаги!

Через месяц с мелочью после только что описанной бурной ночи мы попадаем в край застывшей голубизны; солнечные блики и сверху, и снизу, ледяное неподвижное небо и залитая льдом чаша столичного стадиона «Динамо». Морозам нет конца, однако теперь над Москвой уже которую неделю застаивается антициклон, сухой слежавшийся снег скрипит под ногами. Мороз вымораживает из воздуха микробов, в аптеках залеживается аспирин, публика, во всяком случае здесь, на «Динамо», демонстрирует здоровые, привыкшие к зиме русские физиономии. Каждый понимает, что жить ему досталось именно сейчас, что до оттепели еще пять лет, а до перестройки и все тридцать пять и, если тебе довелось уцелеть в войне, не попасть в тюрьму, значит, можно вполне прожить в сухом, безмикробном воздухе позднего сталинизма и даже получить некоторое удовольствие от жизни, в частности наблюдая тренировки к предстоящим соревнованиям по мотогонкам на льду.

Несколько знатоков, разумеется, завзятые бездельники, пенсионеры внутренней службы и физкультурного ведомства, притоптывая фетрами, наблюдали с трибуны, как на шипованных колесах проносились внизу, будто весенние кабаны, ревущие мотоциклы, как они закладывали виражи, поднимая веера ледяной пыли.

— Что же, Черемискин-то, видать, с «Арды» на НСУ пересел? — обсуждали знатоки.

— А Грингаут, говорят, на льду больше не катается.

— Да как же не катается, когда я сам видел, как он свой ИЖ-350-й на шины ставил.

— А это кто там, такой борзой?

— А это Боря такой Градов. Он летом-то второе место в Москве взял по кроссу, а сейчас, вишь, на лед тоже пошел.

— И какие прикидки дает, приличные?

— А вот я засекал: девяносто с полтиной с места дает, сто двадцать пять и сорок пять на ходу.

— Прилично!

Все мастера, делавшие в тот день прикидки по ледяному кольцу «Динамо», работали со своими тренерами, и у Бориса тоже был его личный тренер, который замерял хронометром его отрезки и подбрасывал цэу, то есть ценные указания. Тренер был очень вежливый, кричал своему подопечному на «вы»:

— Какого же хера, Борька, вы не подгазовали на вираже, как я вам говорил?

Борис с засыпанной ледяной пылью счастливой красной мордой медленно подъезжал к аляповатой фигуре в вахтенном тулупе и в валенках с галошами.

— Простите, Сашка, вовремя не включился, пропустил момент. Давайте сначала.

Разумеется, он виду не показывал, что ему немного смешна серьезность, с которой Шереметьев относился к своей новой работе. В мотоциклах пока что этот бывший боксер разбирался на сугубо любительском уровне.

Их дружба восстановилась вскоре после только что описанной метельной ночи. В одно прекрасное утро Борис, со скрежетом зубовным одолевавший ненавистный учебник биохимии, пошел открывать на звонок и увидел за дверью молодого человека во флотской шинели, с чистым и интеллигентным, хотя немного квадратным лицом. Бороды как не бывало. Оказалось, сбрил ее сразу после битвы в вестибюле «Москвы».

— Увидев вас, сукин сын, я посмотрел на себя в зеркало и понял, как я гнусно опустился. Сбрил бороду и перестал ходить по пивным, даже от приглашений в рестораны отказываюсь.

И все-таки такая встреча через шесть с половиной лет, ну как тут не отречься от зарока. Друзья пошли в «Есенинскую», как называли тогда в Москве сводчатый подвал под Лубянским пассажем. Лучшего места не найдешь для грустных повествований. Пиво подают без заказа, как только увидят, что у тебя на донышке. Слабеющие нравственные силы всегда можно поддержать граненым стопариком.

Вот вам в лапидарном изложении история последних шести с половиной лет из жизни Александра Шереметьева. Разможженную ногу ему ампутировали сразу после эвакуации из Варшавы. Однако коленный сустав удалось спасти, значит, нога все-таки живая. В торжественной обстановке был вручен секретному герою — меня ведь тогда к званию героя представили — американский поколенный протез, потрясающая вечная штука, вот посмотри, можешь потрогать, не бойся, дар медицинской секции еврейского общества «Бнай Брит». Очень быстро привыкнув к нему, Александр даже начал думать о возвращении на ринг, надо было только весу поднабрать, чтобы перейти в менее подвижную категорию.

— Ну, это, конечно, шутка, главная проблема стояла передо мной — не спиться! Тогда я приковылял к командованию и попросил не списывать меня в инвалиды. Война еще идет, я могу принести пользу, да и в мирное время понадоблюсь. Знаете, Борька, все что угодно можно сказать о ГРУ, однако своих, особенно таких головорезов, какими мы были с вами, они стараются не предавать. Меня послали в школу военных переводчиков на Дальний Восток специализироваться по английскому языку в американском варианте. Ну, естественно, я воспрял духом, нафантазировал там себе сорок бочек арестантов: международный шпионаж, отели на карибском побережье, слегка прихрамывающий молодой американец, душа общества, пловец и ныряльщик, который на деле оказывается советским разведчиком, ну, и так далее в этом духе; разрешите напомнить, что, несмотря на весь польский опыт, нам с вами было тогда восемнадцать лет. Короче говоря, в этой школе я старался превзойти всех и во всем, ну, конечно, за исключением бега с барьерами. И преуспел, черт побери! Английский у меня и раньше, как вы помните, был вполне приличный, а через год в этой школе, где нам вообще запрещали даже в бане говорить по-русски, я уже спикал, как янки, и даже мог имитировать южный акцент, техасский акцент, бруклинский еврейский говорок. В стрельбе, как вы помните, я даже и в отряде был не последний человек, а здесь, компенсируя свое увечье, стал абсолютным и непререкаемым чемпионом. Особенно всех удивляло мое плаванье. Я плавал в заливе среди льдин, нередко со стадом моржей, мог ложиться на дно и там впадать в какой-то парабиоз, позволяя течению медленно влачить неполноценное тело, чтобы потом вдруг бурно вынырнуть из глубины прямо под сторожевой вышкой. Начполит училища был, между прочим, весьма озабочен этими способностями человека-амфибии. Не надо преувеличивать беспечность потенциального противника, нередко говорил он мне, в том смысле, что объект наших занятий, поселившийся на японских островах американский империализм, может меня когда-нибудь заманить в свои сети.

Короче говоря, к окончанию двухгодичного курса я рассчитывал, не без основания, что меня направят либо «нелегалом» за границу, либо уж в крайнем случае каким-нибудь сверхсекретным консультантом в генштаб. И вдруг все полетело в пропасть, в глубокую задницу, мой друг.

Этому предшествовала одна романтическая история, о которой я вам сейчас не расскажу. Ну, не расскажу и все. Потом расскажу, не сейчас. Потому что просто не хочу сейчас об этом рассказывать. Я знаю, что вам, Борька-гад, больше всего на свете хочется слушать романтические истории и в ответ рассказывать свои романтические истории, потому что вы у нас сейчас такой счастливый любовник, покоритель Веры Горды, но, может, поэтому я вам сейчас как раз ничего и не расскажу про свою романтическую историю. Нет, нет, вовсе не поэтому. Причина более веская: мне просто хочется побыть с вами, а если я вам расскажу эту немного страшненькую, романтическую в кавычках, историю, мне тогда придется вас немедленно оставить. Когда я вызываю в памяти всю эту «романтическую историю», мне потом три дня не хочется никого видеть. Ну, я вижу, вы совсем заинтригованы, хер моржовый, вот именно моржовый, поверьте, я знаю, о чем говорю, и больше ни о чем другом уже не хотите слышать. Ну, а если хотите, тогда закажите еще триста и по тарелке карбоната с огурцом.

Короче говоря, я перешел дорогу одному гаду с тремя звездочками на двух просветах и поплатился за это. Короче говоря, вместо карибских отелей в колониальном стиле меня закинули на остров Итуруп, в такую глухую жопу, что выброс на берег дохлой лошади считается там событием тихоокеанского значения. Там была станция слежения за американскими самолетами, и я должен был по двенадцать часов в смену работать на радиоперехвате, то есть подслушивать разговоры летчиков с наземными базами и между собой. Как вы догадываетесь, для этого вовсе не обязательно было в течение двух лет прочесывать оксфордские словари, читать Шекспира и современных американских писателей. Словарь кокпита насчитывает не больше трехсот entries, включая всю мыслимую матерщину. Созерцание катящихся на остров волн через три месяца превращается в назойливую бредовину. Сатанеешь от сослуживцев с их спиртом и домино, волком начинаешь выть от этой нашей пресловутой секретности...

— Кстати, Сашка, — прервал его в этом месте Борис. — Вы, конечно, понимаете, что, рассказывая все эти вещи здесь, в «Есенинке», вы со страшной силой нарушаете эту нашу пресловутую секретность?

— А пошла бы она подальше! — загорелся Шереметьев. — С этой секретностью мы все становимся параноиками!

— Еще чего-нибудь желаете, молодые люди? — спросил проносящий мимо свое пузо завзалом, которому как раз и полагалось в этом месте, весьма близком к штаб-квартире «вооруженного отряда партии», следить за неразглашением секретов.

— Да нет, вы только подумайте, Адрианыч, — возмущенно сказал ему Шереметьев, — присылают на днях для перевода английский каталог наших природных ископаемых, а там половина текста замазана черной чушью. От кого же секрет, спрашивается?

Завзалом, навалив пузо на край стола, послушал, покивал, потом сказал:

— Я тебе чанах сейчас принесу, Сашок, надо покушать, — и удалился.

— Вы тут, я вижу, свой человек, — засмеялся Борис.

— А знаете, мне эта берлога почему-то напоминает лондонский паб где-нибудь в районе Челси, — серьезно сказал Александр.

Борис рассмеялся еще пуще:

— Значит, еще где-то побывали, Сашок, кроме Итурупа? Где-то в районе Челси, а?

Шереметьев помрачнел и свесил черную челку в желтое пиво.

— Нигде я не побывал и нигде никогда не побуду, а на Итурупе я покончил самоубийством.

— Каталог минералов — это одно дело, Сашка, — сказал Борис, — а станция радиоперехвата — это все-таки совсем другое. Вы бы все-таки поосторожней на эту тему...

Шереметьев расстегнул пиджак и задрал деше-
венький свитер. На левом боку, прямо под сердцем,
синела глубокая яма.

Адрианыч поставил на стол два горшочка с гус-
тым бараньим супом чанах.

— Давайте-ка, давайте-ка, ребята, закусывайте,
сучьи дети, а то окосеете!

После нескольких ложек наперченной до пыла-
ния жижи Борис сказал:

— Ну, давайте, сукин сын, повествуйте о вашем
самоубийстве.

Шереметьев продолжил свое повествование:

— Эта наша база на Итурупе, как девяносто процентов всего остального, была секретом Полиши-
неля. Неужели вы думаете, что янки, пролетая мимо
на своих «flying fortresses», напичканных аппарату-
рой, не знали, кто там их снизу щупает своими вол-
нами? Наверняка уже сфотографировали все, вплоть
до последней консервной банки. Несколько раз мы
даже видели, как нас фотографируют. Вдруг возникает на бреющем полете здоровая дура без опозна-
вательных огней, наверняка фотографирует инфра-
красной оптикой. Это были события посильнее дохлой лошади, хотя говорить о них категорически вос-
прещалось; мы должны были делать вид, что нас
никто не фотографирует. Короче говоря, я понял,
что мне надо прощаться с вооруженными силами и
со всем моим прошлым, со всем этим нашим, простите меня, Баб (он произносил именно «Баб», а не
«Боб»), мальчишеским «прямым действием». Послал докладную с просьбой о выходе в отставку в
связи с ухудшившимся состоянием наполовину уко-
роченной правой нижней конечности, а также с желанием получить высшее образование. Ответ при-

шел через месяц: отставку признать нецелесообразной. Тут же отправил еще одну докладную, и снова через месяц ответ: признать нецелесообразной. Так и пошли месяц за месяцем. Вы говорите, что это вам знакомо по Познани, Борька, однако в Познани вы хоть могли к блядям сходить, тогда как на Итурупе единственной воображаемой партнершей могла бы стать только какая-нибудь симпатичная сторожевая овчарка. Гуманоидное население острова опровергало всякую мысль об эротике. Только пить были горазды. Все гироскопы опустошили, хотя сучье начальство водочным снабжением нас не обижало, как будто говорило: спивайтесь себе спокойно, ребята, и забудьте о высшем образовании.

Самое ужасное, Борька, состояло в ощущении полнейшей заброшенности, оставленности, никомуненужности. Кроме этих ответов на рапортички, я не получал никакой почты, ни от матери, ни от... ну... ни от «романтической истории»... Впоследствии выяснилось, что мать-то без конца писала, однако ее письма по нашей системе попадали как раз к тому трехзвездочному гаду, которому я потом челюсть сломал... Ну да, челюсть сокрушил одним прямым и вторым крюком... слабая оказалась, хилая, хрупкая, крякнула сразу в двух местах, весь штаб слышал... Но это уж потом было, а сейчас по порядку... Оказывается, без писем, Борис Никитич, можно в один прекрасный вечер, вот именно прекрасный, без осадков, большие морские дали, можно в такой вечер взять под расписку свое табельное оружие якобы для тренировки — такое не возбранялось, — на пляже выдуть пузырь почти не разведенного спирта, плакать, очень себя жалеть, ваньку валять под Печорина, под Чайльд-Гарольда, как все эти русские романтики в провинциальных гарнизонах, а потом сунуть себе ствол под ребро и шмальнуть. В общем, на счастье, а может быть, и на посмешище, пуля прошла навылет в пяти сантиметрах от сердца. До сих пор пытаю себя с пристрастием: а может, все-таки блефовал там, на диком бреге Итурупа, может, знал, что в несмертельное место ствол сую, может, и в самом деле одна лишь была бравада провинциального офицерика? Ответа на этот вопрос у меня нет.

После операции и следствия меня наконец списали в резерв. В характеристике появилась замечательная фраза: «Эмоционально неустойчив». Всякий раз, когда меня теперь просят прояснить, я отвечаю: «Ну обидчив». Заехал я также в училище якобы для того, чтобы забрать свои книги, а на самом деле для того, чтобы бросить взгляд на свою, столь странно молчавшую все это время «романтическую историю». Вдруг оказалось, что ее больше не существует. Да не переехала никуда, а просто ее нет. Прости, сейчас не могу об этом говорить, скажу лишь, что именно в тот день я сломал челюсть полковнику Маслюкову и попал в военную тюрьму. Дело мое разбиралось довольно долго, потому что возникло противоречие. Приличные ребята в трибунале шили мне то, что и было на самом деле: оскорбление старшего офицера действием в состоянии аффекта, мотивированного ревностью, за что полагался жуткий срок штрафбата. Ну, а гады, которых в трибунале было больше чем достаточно, с подачи Маслюкова накручивали «соучастие в шпионаже», а за это, как вы сами понимаете, итурупскому лорду Байрону полагалась пулька в затылок.

О'кей, о'кей, как-нибудь я вам подробнее обо всем этом расскажу, не сейчас, одно только хочу, чтобы вы знали: вырвался я из этой преисподней только благодаря дружбе с вами. Как так, а вот так. В округ приехал с инспекцией маршал Ротмистров, ну и мой ангел каким-то образом подсказал ему завернуть в военную тюрьму. Кто был этот ангел? Странные вы вопросы задаете, Борька. Мой ангел значит мой ангел-хранитель, только это я и имею в виду. Там, в тюрьме, какой-то приличный парень из администрации подсунул маршалу мое дело: ну, мол, герой, потерял ногу в тылу врага, остался в строю, в общем, «Повесть о настоящем человеке»; тоже, конечно, моего ангела делишки. Маршал вызвал меня к себе, и мы с ним два часа проговорили. Оказалось, что он слышал о нашей высадке в Варшаве и даже лично знал Гроздева, ну, помните, Волка Дремучего. Потом вдруг спрашивает: а вы Борю Градова там встречали? Оказалось, что они были близкими друзьями с вашим отцом и деда вашего он со страшной силой уважает, бывал не раз в Серебряном Бору. Вот таким образом вся маслюковская интрига закрутилась в обратную сторону. Не исключаю даже, что подонок пережил серьезные неприятности, впрочем, такие хмыри умеют выкрутиться из любой истории. Из одной только истории ему не выкрутиться, из отношений со мной, а когда-нибудь у меня снова дойдут до него руки. Короче говоря, мое дело закрыли, меня сактировали по состоянию здоровья, и я вот уже год, как обретаюсь в Москве, влачу тут жалкое существование, влачу, как бурлак, свое тяжелое, как баржа с говном, существование, вот так, Борька, волокусь без руля и без ветрил, копеек не считаю, но они меня сами считают, сучки... досчитали и дотерли до дыр... я весь в дырах, old fellow, как сыр голландский... только без слезы... кореш, в присутствии ангела своего заявляю: слезы от меня не дождутся, клянусь бронетанковыми войсками маршала Ротмистрова!..

Боря Градов, мотобог и счастливый обладатель лучшей любовницы Москвы, положил ему руку на плечо:

— Сашка, вашу-так-и-разэтак, пусть наше «прямое действие» провалилось, но мы ударим во фланг! Никто нам не помешает ударить во фланг! И никто не осудит! Маршал Ротмистров не раз бил во фланг, а потом уже мой папа валил всей ватагой! По флангам, друг! Как Костя Симонов писал: «Ничто нас в жизни не может вышибить из седла, такая уж поговорка у майора была!» У майора, старик! Такая вот, старик, была поговорка у старого майора Китчинера! А Маслюкова твоего мы вдвоем возьмем и повесим его яйца на сук! Помнишь тот ласковый вальс: «Тихо вокруг, только не спит барсук, яйца свои повесил на сук и тихо танцует вокруг»?..

Вот так, обмениваясь вот такими монологами, друзья покинули «Есенинский» подвал, выбрались в безмикробный мир морозного социализма и, тихо подтанцовывая под «Вальс барсука», пошли через Театральный проезд к памятнику первопечатнику Федорову, чтобы у его подножия прикончить взятую на всякий случай чекушку. И так начали заново дружить в своей лепрозорной столице.

Александр Шереметьев, что называется, вышел из армии с волчьим билетом и, в отличие от нашего Бабочки, без денег. О продолжении образования не могло быть и речи. Мать, конечно, не потянула бы здоровенного инвалида. Надо было искать работу и приработки. Со вторым, пожалуй, было легче, чем с первым: можно было давать уроки английского или делать технические переводы, однако требовался официальный статус для милиции; не хилять же, в самом деле, за инвалида с гармошкой: «Он был батальонный разведчик, подайте, братья и сестры...» От таких Москва в те годы брезгливо и надменно освобождалась. В конце концов после немалых мытарств (подозревал даже, что, несмотря на заступничество могущественного маршала, идет за ним «хвост» от дальневосточных особистов), в конце концов нашел себе официальное место работы, в которой души не чаял, а именно в отделе переводов Государственной библиотеки имени В.И.Ленина, которую в обиходе народ московский называл «Ленинкой» и этим привносил в торжественное звучание некоторое легкомысленное фрондерство. Там, в бесконечных залах с книгами, в коридорах и особенно в курилке, Шереметьев свел знакомство с незаурядными людьми своего возраста и постарше, ребятами, которые свободное после работы в разных «почтовых ящиках» время проводили в Ленинке за чтением философской литературы. Много спорили о прошлом, об исторических судьбах России, о характере русского человека и человека вообще. Обменивались старыми изданиями Достоевского и Фрейда. Средняя школа и вузы все-таки оставляют сейчас в образовании молодого человека много белых пятен. Хочешь стать мыслящей личностью, без самообразования не обойтись, а в Ленинке, если там работаешь и постепенно становишься своим человеком, можно получить доступ к уникальным, чаще всего закрытым, печатным материалам. В конце концов в этой группе знакомых читателей образовался интеллектуальный костяк, который стал собираться для обмена мнениями на квартирах или, в теплое время, за городом, на Истре или на Клязьме, под рыбалку или под костерок с бутылочкой, и все это называлось, разумеется не для афиширования, а так, между собой, «кружок Достоевского».

Как ни странно, именно на членов этого кружка натолкнулся в ту памятную метельную ночь мастер спорта Боря Градов. Он-то их принял за обычных барыг и похабников, а они просто-напросто собрались в «Москве» для того, чтобы обмыть крупную премию, которую получил их товарищ Николай, инженер по самолетным крыльям. Конечно, все тогда, во втором часу ночи, были основательно под газом, однако рассказ Николая о его приключениях в Сокольниках вовсе не был бахвальством и издевательством. Он стал делиться с друзьями своим недавним опытом, поскольку ему показалось, что в этой истории сложилась весьма «достоевская» ситуация. Вот такой произошел разнобой: вместо того чтобы опознать в Борисе Градове человека с довольно сильной интеллектуальной потенцией, его приняли за стилягу, который напрашивается.

Разъяснив все эти дела старому другу, Александр Шереметьев как-то сказал, что, по его мнению, Борис вполне мог бы стать одним из членов «кружка Достоевского» и даже подружиться все с тем же самым Николаем, который, разумеется, еще со школьных лет носил в районе Зубовской площади кличку Большущий.

А почему бы нет, вполне возможно, что эти типусы — вполне славные ребята. Боря Градов в эти дни готов был обнять весь мир. В сокрушительной американской куртке он прогуливался по улице Горького или по Невскому проспекту в Ленинграде, куда нередко ездил в двухместном купе «Красной стрелы» со своей красавицей Верой Гордой. Все у него прекрасно получалось, везде успевал, даже зачеты институтские больше на шее не висели. Больше стал и на льду заниматься к предстоящим соревнованиям конца зимы; особенно, конечно, усердствовал, когда Вера приходила на стадион и хлопала ему меховыми рукавицами. Значительно меньше стал кирять, потому что исчез главный стимул пьянства — задерзить, заинтриговать и потом заполонить демимодентную красавицу певицу в луче прожектора. Эта la femme fatale теперь превратилась в нежнейшее и преданнейшее существо. Блаженство переполняло его, и он побаивался: не слишком ли сильно перебирает в безоблачности, не возмутится ли природа?

Тучки, впрочем, иногда набегали, закручивались самумчиками ревности: а вдруг она вот так же, как со мной, с ходу, в темпе, кому-нибудь еще дает, где попало: в лифте, в поезде, на лестнице — что ей стоит? Она мгновенно ощущала закручивание этих туч, садилась к нему на колени, увещевала щекочущим шепотом в ушную раковину. Перестань торчать в ресторане и караулить! Разве ты не видишь, что я влюблена в тебя, как кошка, даже и подумать не могу ни о ком другом. У меня и вообще-то до тебя никого не было. Нет, не вру, а просто так ощущаю, все, что было, из памяти просто вычеркнула!

Все-таки к концу программы он шел ее встречать в гостиницу. Завсегдатаи сразу смекнули, что Горда переменилась, завела себе мальчика, и больше не беспокоили. Остались, однако, заезжие безумцы, всякие там полярники, летчики, моряки, закавказские директора и партработники, с этими иногда приходилось проводить сеансы самбо, хотя Вера сердилась, говоря, что она и сама с этим дурачьем легко справится.

Он хотел, чтобы она переехала к нему, что называется, с вещами. Она хоть и проводила на Горького большую часть своего времени, с вещами — отказывалась. Иной раз, чаще всего по воскресеньям, она исчезала, отправлялась куда-то на такси, никогда не позволяла Борису заводить «хорьх» ради этих оказий. Как он понял, в доградовское время она жила на два дома: где-то был заброшенный муж («Ну жалкое существо, ну просто самое жалкое существо!»), а в другом месте обреталась в трущобной коммуналке любимая тетка, старшая сестра умершей матери. Утонченная, прелестная, беззащитная, вся семья пропала на Колыме. Вот эта тетка, похоже, была главным предметом Вериных забот.

Где-то в пучинах Москвы обретался и ее отец, но это была полумифическая личность, старый холостяк, чудак, бывший футурист, а ныне профессор-шекспиролог. Оказалось, что сценическое имя Горда не с потолка слетело, а было взято от настоящей отцовской фамилии Гординер. Звучит по-еврейски, но мы не евреи, настойчиво повторяла Вера, скорее уж шляхтичи польские. В общем-то отец из-за каких-то старых распрей с туберкулезной маменькой единственную дочку Веру почти не признавал, во время ее визитов — очень редких, может быть не чаще одного раза в год, — держался сухо, отчужденно. Исключительным высокомерием по отношению к ней отличался и его мыслящий кот Велимир.

— Вот ты, Бабочка, во мне свою маму Веронику компенсируешь... — однажды вполне небрежно сказала она, — а мне отца никто не компенсирует, потому что у меня его и не было никогда.

Борис задохнулся. Во-первых, откуда она узнала его детское, смешное и немного, в самом деле, по нынешним-то временам, по отношению-то к офицеру разведки и мастеру спорта обескураживающее прозвище? А во-вторых, оказывается, самый его глубоко подкожный секрет, то, в чем и самому себе почти никогда не признавался, оказывается, для нее вовсе и не секрет. Ну да, это ведь так и было: в первый же момент, когда он ее увидел, она поразила его сходством с матерью. Может быть, сейчас в своем Коннектикуте мать наконец-то постарела, ведь ей уже сорок семь, но он ее помнил только молодой, ослепительной Вероникой. Потому-то и еле сдерживался тогда, в первую ночь с Гордой, чтобы не выкрикнуть: «Мамочка, мамочка моя!»

Оказалось, что Вера даже один раз видела его мать. Да-да, это было в конце 1945-го. Она тогда уже пела в «Савое», и там был банкет американских союзников, и она пела по-английски из «Серенады» и из «Джорджа». Не исключено, что она даже видела Бабочкиного отчима, во всяком случае это был длинный, немолодой полковник, с которым его мать в тот вечер все время танцевала, настоящий джентльмен. А Вероника... ох, это была женщина... какой класс... как я мечтала тогда, вот бы мне стать когда-нибудь такой, как эта знаменитая маршальша Градова, вот бы мне выйти замуж за американца! Слава Богу, что не вышла, а то я бы не встретила тебя, мой сыночек Бабочка!

Тут она начинала бурно и лукаво хохотать, чтобы спровоцировать его на очередную атаку, и, надо сказать, никогда эти провокации не оставались без ответа.

Впрочем, однажды она пришла печальной и, заведя разговор о матери, старалась показать всем своим видом, что сейчас не до излияний подспудных чувств и не до эротики.

— Ты должен быть осторожен, Боря, — сказала она. — Каждый момент должен быть начеку. За тобой очень пристально наблюдают. Для тебя, конечно, не секрет, что у нас почти все музыканты, да и вообще весь персонал гостиницы, по негласному договору обязаны являться к этим, ну, определенным товарищам. Ну, и они там вопросы свои задают. Ну, в общем, ты знаешь, как это бывает. Ну, а со мной, знаешь, у них как бы особые отношения, ну, в общем, потому что однажды я попала в очень неприятную историю, мне грозила тюрьма, ну, и они как бы меня выручили, ну, и теперь как бы своей считают, ну, Боря, ты только на меня так не смотри. Мне тридцать пять лет, я всю жизнь в ресторанах и с лабухами провела, ты же не ожидал, что Зою Космодемьянскую в постель затаскиваешь, правда? А вот теперь ты, пожалуйста, не отворачивайся и посмотри на меня. Ну, и скажи теперь: какой я агент? Я им всегда все путаю, чепуху всякую несу, они ко мне не очень серьезно относятся. А вот вчера вдруг с булыжными такими физиономиями явились трое. Мы, говорят... прибавь, пожалуйста, громкости в радио... мы хотим, говорят, с вами о вашем новом друге потолковать... Что, кто были старые друзья? Ну, Боря, ну, нельзя же так, ну, не было же никого, я же тебе говорила, маленький, что никого до тебя не было, вообще ничего не было в моей жизни, кроме тебя. Ну, в общем, они говорят, мы, конечно, не возражаем против вашего романа, они не возражают, понимаешь, Боря, как тебе это нравится, все обсудили и не возражают, Борис Градов, говорят, сын дважды героя, маршала СССР, сам боевой офицер, разведчик, наш кадр...

— Никогда я их кадром не был! — немедленно вклинился Борис. — У них своя компания! У нас своя!

— Да я знаю, знаю, но не буду же я с ними на эту тему спорить. Только брови удивленно поднимаю, как глупая кукла. Однако, они говорят, нам сейчас нужна о нем кое-какая дополнительная информация в связи с его сложными семейными обстоятельствами, а также в связи с некоторыми странностями в поведении. Ну вот, говорят, например, у нас есть сведения, что он участвовал в распространении антисоветских анекдотов в «Коктейль-холле». Вы слышали что-нибудь об этом? С американскими журналистами держался запанибрата... такие вещи не красят мастера спорта СССР. По последним, вот, данным, завел дружбу с человеком весьма сомнительной репутации, неким Александром Шереметьевым. При наличии родной матери в США, да еще замужем за пресловутым мистером Тэлавером, который сейчас одну за другой антисоветские статьи печатает в машине американской пропаганды, вашему другу построже надо себя держать, пособранней. Ну, я тут сразу начала соловьем заливаться: и какой ты патриот, и как ты нашего Иосифа Виссарионовича любишь, а что же, ведь и есть за что, он нас к победе привел, и с каким презрением ты к американскому империализму относишься, а сама дрожу от страха, как бы сейчас про ночной подарок не спросили. Нет, знаешь ли, не спросили и вообще вопросов мало задавали, мне даже показалось, что они просто хотели через меня как бы на тебя подействовать, сделать такое серьезное предупреждение...

— И вот ты его сделала, — печально произнес Борис. — И вот ты его сделала, — повторил он в острой тоске. — И вот ты его сделала, — в третий раз сказал он, и тут на мгновение его затошнило.

Она прижалась к нему, зашептала в ухо:

— Милый, если бы ты знал, как я их боюсь! Я когда их вижу в зале, за микрофон хватаюсь, чтобы не упасть. Но их же все боятся, их нельзя не бояться, ты тоже их боишься, сознайся!

— Я не боюсь, — шепнул он ей в ответ прямо во внутреннее ухо, то есть в отверстие, окруженное дужками внешнего уха, уравновешенными нежной висюлькой мочки, в свою очередь уравновешенной бриллиантовой абстракцией серьги.

Какой странный орган — человеческое ухо, почему-то подумал Борис. И мы все равно находим в нем красоту, если оно принадлежит женщине. Мы его увешиваем серьгой. Первый раз они прижимались друг к другу не для любви, а для того, чтобы их не услышало некое большое нечеловеческое ухо.

— О чем ты думаешь? — спросила она.

— О человеческом ухе, — ответил он. — Такая странная форма. Не понимаю, почему мне оно так нравится.

— А ты знаешь, что мочка уха не стареет? — спросила Вера, снимая серьги. — Все тело обезображивается, а мочка по-прежнему молода.

В ее природе было забывать побыстрее о всяких гадостях, в частности, о контактах с «органами», что она и делала в данный момент, быстро и деловито снимая серьги, поворачиваясь к Борису, чтобы расстегнул пуговки на спине.

— Вот я вся скоро постарею, скукожусь, а ты все будешь любить мочку моего уха.

О чем только не болтают эти придурки, думал недавно размещенный на чердаке маршальского дома слухач, старший сержант Полухарьев. У него уже барабанные перепонки гудели от оперетты «Мадемуазель Нитуш», через которую он ровным счетом ни хрена не слышал, когда вдруг неизвестно почему заржавевшая с войны аппаратура стала оглушительно передавать любовный шепот про уши. Ну что несут, рычал сержант, как будто попросту поебаться не могут.

Я их не боюсь, все чаще думал Борис. Мне ли их бояться? Ну, в конце концов, посадят. Немедленно убегу, мне это не составит труда. Ну застрелят при побеге или расстреляют по приговору суда, однако я ведь столько раз рисковал своей жизнью за четыре года службы, мне ли бояться такой элементарной штучки, как пуля. Вот пытки, это другое дело, не уверен, что и пыток не боюсь. Нас готовили психологически, как сопротивляться пыткам, однако я не уверен, что я их не боюсь. Нас к тому же знакомили с тем, как вести «активный» допрос. Слава Богу, не пришлось самому никого «активно» допрашивать, однако вспомни: ведь ты же видел, как Смугляный, Гроздев и Зубков допрашивали пленного капитана Балансиагу, хотели узнать его настоящее имя. Нет, я не уверен, что психологически готов к пыткам...

Да что это я себя стал так накручивать? Почему я стал просыпаться среди ночи рядом со своей красавицей и вместо того, чтобы любить ее, лежу и думаю о них? Почему мне раньше никогда в голову не приходило, что она связана с ними? Я живу так, как будто их нет, а они есть, они повсюду. Они даже мою любовь обмазали, хотя она ни в чем не виновна. В чем ты ее можешь обвинить, когда ты сам весь замазан, охотник из польских лесов? Они, наверное, к каждой красивой бабе в Москве подлезают на всякий случай, потому что красивая баба всегда может быть приманкой. Они, как крысы, прожрали все вокруг...

Ну вот, докатился уже до прямой антисоветчины, еще минута — и зашиплю, как мой названый кузен Митька Сапунов: «Ненавижу красную сволочь». Вот парадокс, ненавидел чекистов и коммунистов, а погиб за родину, вот вам простой парадоксишко нашего чокнутого века. Трудно поверить тетке Нинке, будто она видела Митькино лицо в колонне предателей, которых там кончали в овраге, скорее всего, ей просто померещилось: на войне часто кажется, что видишь вокруг знакомые лица. В конце концов разница между отдельными людьми очень небольшая, это особенно видно, когда смотришь на трупы. Инопланетянам, возможно, мы все покажемся на одно лицо, никаких красивых и некрасивых, что Вера Горда, что гардеробщица тетя Клаша, все одно. Жалко Митьку, какой страшной была его короткая жизнь! Мне-то еще повезло, я не видел того, через что он, через что мои родители прошли. Бабушка Мэри и дедушка Бо умудрились среди всего этого бедлама сохранить серебряноборскую крепость. Вот только там-то и не было их. Постой, постой, как это не было их? Ты что, забыл свою самую страшную ночь, когда они уводили твою мать, а ты идиотом смотрел, как накладывают сургуч? Ну да, они, может быть, туда иногда проходили, но они никогда не могли там жить, потому что там Мэричкин Шопен, дедовские книги, Агашины пироги, а они этого не выдерживают и, если не могут сразу разрушить или подменить фальшивкой, тогда испаряются.

Вот так и надо делать — жить так, как будто их нет, создавать среду, в которой они задыхаются. Жить с аппетитом, со страстью, мучить любовью Веру Горду, гонять мотоцикл на предельных оборотах, одолевать медицину, дружить с этим чертовым одноногим суперменом, всем их предостережениям вопреки, танцевать под джаз, пить водку, когда весело, а не когда тошно! В конце концов все здесь у нас, в России, образуется, ведь у нас все-таки не кто иной, как Сталин, во главе, личность исключительных параметров! Значит, я их не боюсь!

Убедив себя, что жить можно только так, без страха, Борис так и старался не бояться, однако то и дело ловил себя на том, что слишком упорно как-то не боится, слишком старается о них не думать, на самом же деле думает почти всегда и не то чтобы боится, но в большой компании почти всегда и почти бессознательно прикидывает, кто тут стучит и как вот в данном конкретном случае может выглядеть информация о поведении Бориса Никитича Градова.

Встречаясь с Сашей Шереметьевым и его друзьями-достоевцами, в том числе и с Николаем Большущим — он оказался вполне приличным парнем, хорошим волейболистом, хоть немного и задвинутым на своей мужской неотразимости, — Борис охотно включался в их беседы о российском гении, которого в те времена выкинули из школьных программ и прибрали с библиотечных полок как «писателя, проникнутого реакционным пессимизмом и мистицизмом, несовместимыми с моралью социалистического общества». И все-таки, встречаясь и включаясь, Борис не раз ловил себя на том, что не одобряет друзей за их игру в некоторое подобие какой-то свободомыслящей организации. Ну, и собирались бы, как сейчас все собираются, под «банку», под селедку, под огурчики, зачем же называть-то себя «кружком Достоевского», зачем тем давать возможность сварить из этого грязное варево?

Ну вот, пожалуйста, что и требовалось доказать! Однажды Сашка пришел к нему и сказал, что его выгнали с работы. Борис ударил кулаком в ладонь:

— Ну вот, доигрались со своим «кружком Достоевского»!

— При чем тут «кружок Достоевского»? — холодно спросил Шереметьев.

Борис вдруг понял, что как-то нехорошо в этот момент раскрылся перед другом, показал тому, что, хоть и посещал собрания, всегда все-таки имел какие-то двойные мысли насчет кружка.

— Ну, в общем-то, Сашка, я иногда думал, что в этом есть какой-то риск, вот так называться — «кружок Достоевского», — промямлил он. — Какие-нибудь идиоты могут и подпольщину пришить...

Шереметьев нервно хромал по комнате. Он снова начал запускать бороду и сейчас с двухнедельной щетиной на щеках напоминал известную фотографию в профиль молодого бунтаря Сосо Джугашвили.

— Риск? — хохотнул он. — Ну, что ж, конечно, риск! Совсем неплохое, между прочим, слово — риск!

Оказалось, что к делу о его увольнении из библиотеки «кружок Достоевского» имеет только косвенное отношение. Получилось так, что, пользуясь своим служебным положением, Саша Шереметьев вынес из спецхрана книгу реакционного философа Константина Леонтьева «Восток, Россия и Славянство». Конечно, не первый уже раз он пользовался расположением спецхрановских девчонок, которые и в самом деле видели в прихрамывающем молодом атлете некий байронический тип и прямо умирали, когда Александр на польский манер целовал «паненкам рончики». Обычно книга исчезала из спецхрана на неделю, а за это время знакомая машинистка распечатывала ее в трех экземплярах, которые потом поступали в кружок. Никому и в голову не приходило хватиться какого-нибудь забытого всеми на свете «реакционера», и вдруг случилась инспекция из ЦК или из каких-то других соответствующих органов, обнаружилось опасное несмыкание корешков на спецполках, проверили каталоги, началось ЧП, вызвали девчонок, и те под нажимом признались, что это просто Саша Шереметьев взял — полистать на сон грядущий. Ну вот, все и завершилось изгнанием из рая, да еще с такой характеристикой, с какой и в преисподнюю на работу не устроишься, а это, как ты понимаешь, грозит неприятностями с участковым, с милицией.

— Хреново, — сказал Борис и тоже стал ходить по комнате, только по другой диагонали. В этот момент Вера в оставшемся от Вероники ярко-синем длинном с кистями халате внесла в столовую кастрюлю с дымящимися сосисками. Срезав гипотенузу, по короткому катету Борис подошел к буфету и извлек графин с напитком.

Ни хрена с ним пить не буду, подумал Шереметьев. И зачем я ему все это рассказал здесь, да еще почти при этой шалаве-аристократке с кистями?

Впервые он почувствовал какую-то социальную зависть к старому другу. Почему это у него всегда так все здорово: квартира, в которой заблудиться можно, дед-академик, обе ноги целы, хер в хорошей, постоянной работе?

— Сашка, у меня идея! — вдруг подпрыгнул Борис. — Я вам дам работу! Будете моим личным тренером!

Он быстро развил перед изумленным Шереметьевым простейший и гениальнейший план. В «Медике» он единственный мастер спорта по мотоспорту. С ним носятся, как с кинозвездой. Приближаются зимние мотогонки на льду, у спортобщества впервые появился шанс на медаль. Мне нужен тренер, а тренера в «Медике» нет. Вдруг я случайно налетаю на гениального мототренера, который как раз на этом деле потерял ногу и приобрел огромный опыт. Некий Александр Шереметьев. Практически Александр Шереметьев — это единственный шанс задрипанного «Медика»! В полном восторге совет подписывает с тобой договор и кладет зарплату, о которой ты мог только мечтать в своем хранилище знаний, 1200 рублей плюс талоны на питание во время соревнований.

Секунду или две они смотрели друг на друга, а потом, не сговариваясь, бросились к хрустальному графинчику — запить подтекст. Этот скрытый подтекст был отчетливо ясен обоим: не важно, получит Сашка в «Медике» работу или нет, важно, что предложение сделано, значит, дружба сохраняется, значит, Борька Град все еще понимает не только уродство, но и красоту слова «риск»!

«Медик» Шереметьева на работу взял по первой же рекомендации своего чемпиона, и вот теперь, в марте 1951 года, личный тренер мастера Градова замеряет его прикидки, да еще так вошел в роль, что и советы дает строгим голосом.

Между тем на Бориса Градова, делающего круги по ледяному стадиону, смотрели не только всезнающие бездельники-ветераны, но и два человека, что были явно при деле, два полковника ВВС в своих несусветных мерлушковых папахах, больше подходящих для казачьей конницы, чем для современной авиации. Похоже было даже на то, что эти двое пришли на стадион именно по Борисову душу. Стоя на утоптанном снегу второго яруса под огромным лозунгом: «Великому Сталину и родной Коммунистической партии наши победы в спорте!», один из них внимательно, в бинокль, изучал физиономию Бориса, его посадку, его движения и его мотоцикл, второй тем временем пускал в ход хронометр, замерял прикидки и делал пометки в блокноте.

— Ну, что скажешь? — спросил один полковник другого, когда Градов закончил тренировку, передал мотоцикл своему тренеру и пошел в раздевалку.

— Вполне, — таков был лаконичный ответ.

Через пятнадцать минут Борис вышел из раздевалки. Поверх свитера с высоким горлом на нем была его знаменитая на всю Москву американская «бомбовая» куртка. В длинном и широком проходе под трибунами курили два офицера в полковничьих папахах. При виде Бориса оба одновременно загасили каблуками свои папиросы. Это его рассмешило — как будто гангстеры из кинофильма «Судьба солдата в Америке».

— В чем дело, ребята? — спросил он.

— Привет, чемпион! — сказал один полковник. — А мы, собственно говоря, по вашу душу!

— Не продается, — быстро схохмил Борис.

— Что ты сказал? — спросил второй полковник.

— Мы из спортклуба ВВС, — сказал первый, кладя осаживающую ладонь на большую ватную грудь второго.

— Добро пожаловать, — все-таки сказал второй.

— Здоровеньки булы, — ответил ему Борис фразой модного конферансье Тарапуньки.

— Давайте сразу быка за рога, — сказал первый полковник. — По-моему, вам, Борис, спортсмену такого калибра, давно пора переходить из вашего жалкого «Медика» в наш славный ВВС.

— Да ну, что вы, полковник, — улыбнулся Борис. — Я же студент Первого МОЛМИ, так что мое место в «Медике». Кроме того, я отдал армии четыре года жизни, этого и мне, и ей достаточно.

— Это кому это «ей»? — спросил второй полковник.

— Ну подожди, Скачков, — опять первый сдержал второго, потом весь сосредоточился на многообещающем мотоциклисте. — Вы, может, меня не совсем поняли, товарищ Градов? От таких предложений спортсмены сейчас не отказываются. Вы знаете, кто руководит нашим спортклубом?

Борис пожал плечами:

— Кто же этого не знает? Вася Сталин.

— Вот именно! — с энтузиазмом воскликнул первый полковник.

— Командующий ПВО МВО, генерал-лейтенант Василий Иосифович Сталин! Никто лучше него не понимает спорт! Мы уже сейчас лидируем во многих видах, а в будущем у нас вообще не будет равных!

Второй полковник тут пошел всей грудью вперед.

— Вот ты прикинь, Борис, что ты будешь у нас сразу иметь. Чин капитана, оклад плюс спортивная стипендия плюс пакеты и премиальные после выступлений. Бесплатный пошив одежды в нашем ателье. — Он сильно и мясисто подмигнул. — Самые модные лепехи заделывают! Путевки на ЮБК и Кавказ, подчеркиваю, бесплатно! Это сразу, а в недалеком будущем отдельная, подчеркиваю, отдельная двухкомнатная квартира со всеми удобствами!

— Ну ладно, — сказал Борис, отходя в сторону под напором. — Это несерьезно, товарищи офицеры.

Первый полковник все же подцепил его под руку:

— Обождите, Борис Никитич. Я вам хочу сказать, что матобеспечение, конечно, важная вещь, но для спортсмена — не это главное. Главное в том, что только у нас вы сможете развить свой незаурядный талант мотогонщика.

— Простите, спешу. Позвоните мне по телефону А15-502, — сказал Борис, чтобы отвязаться, но в этот момент в тоннель влился говор многих голосов и шум шагов.

В просвете появилась плотная куча неторопливо приближающихся людей. Из них дюжины две парней были значительно выше остальных, потому что передвигались по бетонному полу на коньках, будучи облаченными в полную боевую хоккейную форму и снабженными главным своим оружием, клюшками. Когда они приблизились, Борис узнал новый состав хоккейной команды ВВС, ведомый все тем же легендарным Всеволодом Бобровым. Месяца два назад старый состав гробанулся разом в самолетной катастрофе возле Свердловска, а Бобров, о везучести которого по Москве ходили мифы, умудрился с девочкой загулять и опоздал на фатальный рейс.

Что касается девочек, то они в этой толпе тоже присутствовали в не меньшем, чем хоккеисты, количестве. Неизвестно, перешли ли они по наследству от угробившегося состава, или уже новые подобрались, выглядели они, во всяком случае, вполне типично: околоспортивные модницы, быстроглазые и румяные, как матрешки, шубки в талию и меховые сапожки «румынки». О таких девочках в командах мастеров обычно говорилось «все умеют», а при уточнении добавлялось «вафли делать умеют».

В толпе, кроме того, шел всякий другой народ: тренеры, массажисты, доктор, спортивные фотографы и журналисты, несколько офицеров в форме ВВС, а во главе двигался невысокий и широкий в плечах молодой человек с крепко очерченной челюстью и припухшими подглазьями, одетый в такую же, как у Бориса, только похуже, пилотскую куртку без всяких знаков различия, скандально известный по Москве, как бы сейчас сказали, плейбой, Василий Сталин.

Заметив полковников вместе с Борисом, он остановился, крикнул по-хозяйски:

— Ну что, Скворцов, Скачков, еб вашу мать, в чем дело?

Борис с любопытством смотрел на всесильного Васю. Виски у того отсвечивали темной медью, как и у самого Бориса. Он полугрузин, а я грузин на четверть, подумал Борис. Конечно, как и все спортивные люди Москвы, он знал о невероятной активности, с какой «принц крови» создавал свои собственные спортивные конюшни под флагом клуба ВВС.

Не так давно Борис встретил на телеграфе молодого пловца, с которым как-то познакомился в Таллине, эстонского еврея Гришу Гольда. Дожидаясь разговора с домом, Гриша прогуливался по залу в полной форме лейтенанта ВВС. Что, да как, да откуда? Гриша под строгим секретом поведал ему свою любопытную историю. В прошлом году он выиграл первенство Прибалтики на 100 и 200 метров баттерфляем. Выступал он за «Динамо», то есть за спортклуб, опекаемый «органами». Вдруг на улице к нему подходят два полковника ВВС, которые, оказывается, специально из Москвы прилетели по его душу. Начинают петь сладкие песни о переезде в Москву, в центральный клуб ВВС. Могучий мальчик Гриша Гольд происходил из буржуазной формации, он не мог себе представить переезда в варварскую Москву из своего ганзейского городка, где еще сохранилась «элементарная вежливость». На следующий день эти два полковника (может быть, те же самые Скворцов и Скачков) плюс еще два сержанта прямо на улице впихнули вежливого Гришу в «Победу» и привезли на аэродром. Уже в самолете ему зачитали приказ военкома Эстонской ССР о его мобилизации в ряды Советской Армии и о немедленном переводе в 6-ю авиадивизию ПВО МВО. В Москве его привезли в какую-то комнату, и первое, что он там увидел на голой стене, был мундир младшего лейтенанта ВВС точно Гришиного размера. Тут же вручили пакет денег и расписание тренировок в команде ватерполо. Да почему же ватерполо, если я чистый пловец, изумился Гриша. Так надо, пояснили ему, и он стал играть в ватерполо. Тренера там поначалу толкового не было, и командовали все те же полковники. Если, скажем, проигрывали в первом тайме харьковскому «Авангарду», полковники командовали: меняем тактику! Нападение переходит в защиту, защита — в нападение! Да как же так, возражали ватерполисты, так как-то не того чего-то. На них орали: молчать, выполнять команду! Если вдруг команда выигрывала соревнования, игрокам в ударном порядке шили костюмы, устраивали банкет с девочками в ресторане, если «просирали» (Гриша, кажется, не до конца понимал значение этого русского слова), отправляли на аэродром чистить поле от снега.

Однажды Гришу снова похитили. Приехали из МВД оперативники с тяжелыми карманами. Есть предписание вам немедленно вернуться в родное спортобщество «Динамо». Подписано самим министром. Гриша и опомниться не успел, как оказался на динамовских тренировках, однако как только Вася узнал, устроил такое «чэпэ» (это русское слово Гриша Гольд определенно понимал как «чепуха наоборот»), разбил в своем штабе несколько лиц — ну да, морд — и послал за Гришей «додж» с автоматчиками из своего штаба. Так он снова примкнул к стальным когортам современной авиации.

— По внешнему виду, Гриша, ты не очень-то похож на раба-мученика, — сказал тогда Борис.

— Пожалуйста? — переспросил Гольд.

— Я говорю, у тебя вполне довольный вид.

— Понимаешь, мы завтра едем на тренировочные сборы в Сочи, а там я имею одна женщина, которая имеет сильный интерес к этот Гольд, — волнуясь, Гриша начинал путать склонения и спряжения, однако воду разрезал своими вислыми мускулистыми плечами всегда с постоянной завидной динамикой.

Вспомнив теперь эту историю, Борис подумал: ну, со мной-то у них этот номер не пройдет, перевозить себя в роли скакового жеребца никому не позволю.

Первый полковник стоял навытяжку с ладонью у папахи.

— Разрешите доложить, товарищ командующий? Мы вот только что познакомились с мастером спорта по мотогонкам Борисом Градовым и в настоящий момент обсуждаем его будущее.

Вася повернулся к Борису, прищурился:

— А, Градов, помню-помню. Мне нравится, как ты ездишь, Борис.

Хоккеисты, девчонки, журналисты и офицеры подошли поближе. Борис слышал, как в толпе перешептывались: «Градов... Боря Градов... ну да, тот самый... Град...» Синеглазые румяные не скрывали восторга: «Ой, девчонки, какой парень!» Знаменитый круглорожий Сева Бобров подтолкнул его локтем, шепнул: «Давай, Боря, полный вперед!» Хоккеисты улыбались, постукивали коньками и клюшками. Все, очевидно, уже считали его «одним из наших». Всем явно нравилось то, что к их молодой и настойчивой «хевре» теперь примкнет известный по Москве не только спортивными успехами, но каким-то особым классом жизни Боря Град. Вдруг и он сам почувствовал, что совсем не прочь примкнуть к этой новой банде, где атаманом не кто иной, как сын вождя. Может быть, вот этого мне как раз и не хватало. Если это и армия, то совсем особый отряд. Тем сюда хода не будет.

Сталин-младший вдруг ухватил Бориса за рукав и присвистнул:

— Эй, ребята, смотрите, какая у этого парня куртка! Это же настоящая американская пилотская шкура!

Борис усмехнулся и растянул молнию на всю длину:

— Хотите обменяемся, Василий Иосифович?

Сталин-младший разразился неудержимым хохотом:

— Ну и парень! Ну что ж, давай обменяемся!

Оба одновременно сбросили свои куртки и обменялись.

— Выгодная сделка! — хохотнул Василий.

— Для меня тоже, — улыбался Борис.

И все вокруг смеялись. Так здорово все получилось, так по-свойски, непринужденно. Два парня, ну просто, что называется, «махнулись не глядя»! А один-то из этих парней просто-напросто сын вождя, их могущественный шеф Вася. Нет, этот Борька Градов нам подойдет, ей-ей, похоже, что нашего полку прибыло!

— Хочешь посмотреть, как наш новый состав тренируется? — спросил Василий.

Борис посмотрел на свои часы, извинился:

— С большим бы удовольствием, Василий Иосифович, да не могу сейчас. Очень спешу.

Это тоже всем и, кажется, самому шефу очень понравилось. Вдобавок к такой замечательной молодой непринужденности этот Боря Градов демонстрирует такую хорошую независимость, не суетится под клиентом. Другой бы про все забыл, пригласи его сын вождя, а этот вот тактично извиняется, потому что спешит, и видно, что действительно человек спешит, может, у него свидание с девушкой.

— Ладно, скоро увидимся! — Сталин-младший хлопнул Бориса по плечу и пошел к ледяному полю. И все пошли за ним, а по пути каждый, кто мог дотянуться, хлопал Бориса по плечу: «До скорого!» Из девушек же две самых находчивых умудрились поцеловать мотогонщика в тугие морозные щеки.

Оставшись с полковниками Скворцовым и Скачковым, Борис сказал:

— Ну что ж, я, пожалуй, примкну к советской авиации, только с одним условием, что вы и моего личного тренера к себе возьмете, героя Отечественной войны Александра Шереметьева.

— Без проблем! — радостно тут взмыл Скачков.

Борис побежал к выходу из тоннеля, где уже виден был на солнечном снегу его тренер с мотоциклом. Ну и зигзаги, подумал Борис на бегу. Теперь, значит, и «кружок Достоевского» вливается в спортклуб ВВС!

Глава шестая
Кодекс Полтора-Ивана

Капитан медицинской службы МВД Стерлядьев, войдя в барак санобработки карантинного ОЛПа УСВИТЛ (Отдельный лагерный пункт Управления северо-восточных исправительно-трудовых лагерей), сразу же увидел не менее тридцати голых спин и, соответственно, не менее шестидесяти голых ягодиц. Застонав, как от зубной боли, он минуту или две взирал на эти страшные поверхности — фурункулы свежие, фурункулы в первостепенной гнойной зрелости, фурункулы инкапсулированные и окаменевшие, следы вырезанных фурункулов, вырезанных, естественно, по-янычарски, где-нибудь на отдаленных лагпунктах при свете керосиновой лампы, полоснул раз, полоснул два, подковырнул, затампонировал, всевозможные варианты сыпи, в том числе и явно сифилитического происхождения, джентльменский набор шрамов, ножевых, штыковых, «безопасной» бритвочкой-с, некоторое число и хирургических, в основном последствия недавней войны, имелся даже один, свисающий вялым стручком из-под лопатки кожный трансплантат, общее состояние кожи за пределами медицинских норм, зато в художественном и литературном отношении не подкачали, демонстрация шедевров кожной графики, все эти, почти уже классические, кошки-с-мышкой, кинжал-змея, орел-девица, бутылка-карты, места на грудях и на животах, видно, уже не хватает даже для таких банальностей, не говоря уже об уникальных произведениях, вроде вот этого межлопаточного пиратского брига с пушками в виде пенисов, или распахнутых женских ног с анатомически правильным изображением цветка посредине и с надписью вместо лобковых волос «Варота шчастя», или вот этого дерзкого четверостишия: «В Крыму весна, там пахнет розой, там жизнь легка, как та игра. А здесь тебя ебут морозы, одна сосна да мусора»; цвет кожных покровов бледный, желтоватый, синюшно-багровый, общее состояние подкожной жировой клетчатки удовлетворительное — а потом прошел в свой так называемый кабинет, отделенный от общего безобразия жалкой выгородкой.

Капитан Стерлядьев, молодой еще, хоть быстро и беспорядочно лысеющий человек, работал на Колыме уже три года и все три года не переставал себя корить за то, что погнался за длинным рублем и подписал с МВД контракт на работу в этом мрачном краю, где от недостаточной инсоляции не усваиваются витамины и, как следствие, человек начинает быстро и беспорядочно терять волосы, где и ножом могут в любую минуту пырнуть за милую душу. Особенно если ты работаешь в медсанчасти Карантинки, огромного пересыльного лагеря на северной окраине Магадана, в котором окопались самые страшные подпольные паханы блатного мира, включая даже, согласно весьма надежным источникам, самого неуловимого атамана «чистяг» Полтора-Ивана. Здесь тебя могут подкольнуть не за здорово живёшь, даже без «извините», просто могут, прошу прощения, в карты проиграть капитана медицинской службы.

На оперативных совещаниях офицеров предупреждают, что не исключена возможность колоссальной вспышки окончательной битвы между «суками» и «чистягами». Агентура докладывает, что обе стороны подтягивают силы на магаданскую Карантинку из лагерей по всему Союзу, запасаются оружием, то есть точат и складируют где-то на территории какие-то пики.

И вот в таких условиях мы должны обеспечивать стабильное прохождение рабочей силы на прииски. Попробуй обеспечь, если любой блатарь чувствует себя здесь хозяином, заходит в медсанчасть за справкой об освобождении от работы с такой же непринужденностью, с какой вольняга заходит в аптеку за аспирином. А не дашь освобождения, смотрит волком, настоящим таежным гадом с вонючей безжалостной пастью.

Поток рабочей силы практически обеспечивается только за счет политических, да ведь и политический-то сейчас пошел не тот, какой, говорят, был в тридцатых годах. Процент интеллигенции значительно уменьшился, привозят больше крестьян из западных краев, военнопленных и антисоветских партизан, которые с большим интересом и с большим знанием дела присматриваются к пулеметам на сторожевых вышках. Нет-нет, что-то не то происходит в стране, вдруг как бы тайно от самого себя начинал нашептывать доктор Стерлядьев, что-то неладное происходит в стране, лагеря слишком разрастаются, в какой-то момент может произойти общий взрыв, с которым никакая вохра не справится.

Эх, черт догадал попасть мне в эту систему с моими данными клинициста, отмеченными, между прочим, самим профессором Вовси. Ведь так прямо и сказал в ответ на мою разработку больного Флегонова, 1888 года рождения, со сложным печеночно-дуоденальным синдромом: «У вас, молодой человек, есть все данные, чтобы стать серьезным клиницистом». Мог бы не отстать от сокурсников, ведь вровень шел даже с Додом Тышлером, который, говорят, уже защитил докторскую диссертацию, стабильно удерживает пост старшего хирурга в Третьей градской, счастлив со своей дивной Милкой Зайцевой, никаких признаков быстрого и беспорядочного облысения: в Москве пока еще витамины великолепно усваиваются.

И это все она, Евдокия, с ее неудержимым пристрастием к буфетам, горкам, столам и креслам красного дерева и карельской березы. Ведь только лишь ради того, чтобы денег набрать для бесконечных покупок всей этой антикварщины, и спровоцировала она вербовку в МВД, на Колыму. Вот накупит всего этого добра, расставит и сядет посредине в бархатном платье, бездетная Евдокия Стерлядьева. Вот предел счастья, картина Кустодиева!

Таким раздраженным мыслям предавался дежурный врач медсанчасти, пока команда, зады которой он лицезрел в первых строчках главы, мылась под обжигающим — регулировке зековским составом не подлежит! — душем.

После помывки вошел сержант, гаркнул с прирожденной свирепостью:

— Построиться в одну шеренгу!

Зеки неторопливо разобрались, уставились на сержанта нехорошими взглядами. Он должен был их отвести по коридору на осмотр к капитану Стерлядьеву, а потом, не дав никому опомниться, выдать всем этапные телогрейки и ватные штаны для отправки вверх по трассе. Вместо этого он почему-то смешался, этот сержант. Прямо на него смотрел светлыми безжалостными глазами плечистый молодой мужик с сильно развитой грудной и ручной мускулатурой, поджарым животом и хорошим, темной замши, елдаком. Сержант хотел было уже скомандовать «Направо! Вперед — марш!», однако только рот открыл да так и застыл под взглядом этого авторитетного урки, чье фамилиё, кажись, было Запруднев.

— Поди-ка сюда, Журьев, — тихо сказал сержанту зек, скрещивая руки на груди, где в отличие от остальной папуасины вытатуированы были над левым соском только птичка-бабочка да блядская головка. Э, нет, это не блядская головка у него, а маленький Ленин с кудрями, защитник всего трудового крестьянства. Наверное, чтобы в сердце ему не привели в исполнение высшую меру, заделал себе Запруднев этого малыша. Сержант приблизился и подставил ухо, пряча глаза.

— Поди скажи лепиле, что Полтора-Ивана приказал нашу команду на Север не отправлять, — раздельно и понятно, очень доходчиво произнес Запруднев.

Сержант похолодел, потому что сразу понял, что это всерьез. У сержанта, можно сказать, сразу очко сыграло, потому что не всерьез имя Полтора-Ивана в зоне не употреблялось, а если кто пробовал с этим именем пошутить или приврать, немедленно получал хорошую пробоину во внутренних органах.

Похолодев, сержант на цирлах почимчиковал к дежурному офицеру медслужбы; ребята улыбались. Официально эта команда называлась «По уходу за территорией», и сейчас после приятного, хоть и слишком горячего, душа она, не дожидаясь распоряжений, вместо перехода в этапный отсек пошла одеваться в свое обычное.

— Товарищ капитан, — задышал в ухо Стерлядьеву сержант Журьев недопереваренной картофью, — тут мне зек передал от Полтора-Ивана, чтобы «По уходу за территорией» на прииски не отправлять.

Паника протрясла хрупкую конституцию Стерлядьева. Впервые вот так до него впрямую дошел приказ лагерного Сталина, Полтора-Ивана.

— Ладно, Журьев, ты мне ничего не говорил, я ничего не слышал. Отпусти людей, — пробормотал он, вытирая липкий и холодный — что: пот, лоб, лоб-пот, потлоб?

Между тем людей и отпускать-то было не надо: они сами разбрелись по обширной зоне. Кто в АХЧ подался, кто в КВЧ, кто в УРЧ, кто по кочегаркам разошелся, кто в пищеблок, кто в пошивочную: дел было немало на большой территории Карантинки, и везде эти люди вели приглушенные разговоры, вымогали, запугивали, распоряжались, ибо группа «По уходу за территорией» была самым что ни на есть костяком воинственных «чистяг», подчинявшимся только самому таинственному Полтора-Ивану, которого, признаться, даже из них никто в глаза не видел.

Запруднев Фома (такое ему когда-то, а именно 29 лет назад, было дадено папаней и маманей незажеванное имя в Нижегородской прохладной губернии) между тем отправился в инструменталку освежиться после бани. Он был самый авторитетный мужик, потому что именно через него шли в «По уходу за территорией» приказы Полтора-Ивана. В инструменталке, большом бараке, превращенном штабелями ящиков в некоторое подобие критского лабиринта, Запруднев и еще трое авторитетных с комфортом расположились на старых автомобильных сиденьях. «Шестерки» принесли солидный пузырь ректификата и заварили чифирок. На атанде стоял надежный малый из социально опасных, можно было не беспокоиться и хорошо отдохнуть душой у такого «итээровского костерка».

Однако и тут — дела. Дела, дела, покой нам только снится, подумал Фома Запруднев. Пришли ребята и сказали, что привели того хмыря из недавнего этапа, который, несмотря на предупреждение, все-таки сделал свое черное дело, то есть затащил в свой барак малолетку Ананцева и пустил его по «шоколадному цеху». Разведка к тому же донесла, что непослушный жопошник этапировался сюда из Экибастуза, то есть, по всей вероятности, принадлежал к тем «сукам», что потихоньку съезжались в Магадан на «последний и решительный бой».

Ладно, тащите его сюда, приказал Фома Запруднев. «Шестерки» коленками в корму протолкнули за ящики несуразную фигуру в лохмотьях дамского пальто, однако в хороших меховых унтах. Фигура ковыляла, согнувшись в три погибели, защищала башку свою докерскими рукавицами и, кажется, истерически рыдала, во всяком случае, кудахтала. Когда же подняла голову и взглянула в определенное лицо Фомы Запруднева, испустила, как в романах пишут, вопль ужаса.

Свидетели этой сцены утверждают, что и у Фомы Запруднева на суровом лице промелькнула, как мышка, молчаливая гримаса крика при виде длинноносенькой, грызунковой физиономии, на которой зенки висели, что две твои обсосанные карамелинки. Похоже, что узнали друг друга ребята, однако виду не подали, в том смысле, что сука-жопошник вопил что-то нечленораздельное, а Фома резко встал и отвернулся, изобразив, по своему обыкновению, с руками на груди, фигуру задумчивости.

— Ну, что с ним делать будем? — спросил один из «По уходу за территорией».

— Ну не пачкать же здесь, — сказал другой. — Давай мы его к коллектору сведем.

Оба посмотрели на задумчивого Фому. В мусорном коллекторе обычно находили тех, кто не подчинялся кодексу Полтора-Ивана. Жопошник тут прорезался: сообразил что к чему.

— Ребята, пожалейте! Я ж молодой еще! Жена, детишки на «материке», старики родители! — Заерзал на коленях. — Я всю войну прошел, чего только не видел, ребята! Товарищ, эй, ну, ты же ж меня знаешь! — уже совсем поросенком завизжал в спину Запрудневу.

— Ты, мандавошка, предупреждение получил от «самого»! — тряхнул тут жопошника один из «По уходу за территорией». — «Сам» тебе приказал не трогать малолеток!

— Да что? Из-за малолетки, да? Своего товарища? Да у него очко-то опытное было, у вашего малолетки! Ну, мужики, ну, хотите я вам, всем присутствующим, минтяру отсрочу сейчас по первому классу?

Обреченный дурак еще не знал, что «По уходу за территорией» такими посулами соблазнить было трудно, поскольку у них был отличный контакт с женской зоной.

— Ну, хватит, — сказал кто-то. — Давай тащи его к коллектору!

— А ты, Фома, чего молчишь? — обратился тут другой к Запрудневу.

Парнюга Запруднев обернулся с улыбкой.

— А я поиграть хочу, мальчики! — сказал со своей любимой ростовской интонацией. Известно было, что Фомочка Запруднев прошел хорошую школу в освобожденном от немецко-фашистских захватчиков Ростове-на-Дону.

Все замерли, и обреченный жопошник выпялил свои обсосанные карамельки из половой позиции.

— Что значит «поиграть хочу», Фомка? — поинтересовались «По уходу за территорией».

— А вот обратите внимание, граждане зеки! — начал выступать Фома Запруднев. — Напрягите свое воображение и представьте себе, что мы не в инструментальном складе карантинного ОЛПа, а в критском лабиринте, синьоры, широко известном по всему бассейну Средиземного моря...

Для всех близких сподручных Фомки-Ростовчанина было секретом, где учился этот парень, откуда приобрел такие литературные, даже почти что как в театре изречения.

— И вот мы запускаем в этот лабиринт рабапленника. — Запруднев пнул жопошника сильной ногою. — Иди, сука! А за ним, мужики, туда входит не кто иной, как бык Минотавр! — С этими словами он вытащил из каких-то внутренних карманов двадцатисантиметровый финкарь.

За ящиками уже мелькала безобразная малахайка жопошника. Он отчаянно пытался найти какую-нибудь нужную щелку и смыться из инструменталки, сквозануть к своим «сукам», настучать «оперу», упросить, чтоб отправили на трассу, неизвестно, на что он там еще рассчитывал.

Фома, выставив нож, вышел в лабиринт. Он хохотал:

— Эй, эй, я человекобык Минотавр! Говорят, граждане, что тут у нас в лабиринте герой Тезей появился? Любопытно, любопытно!

Он вдруг стремительно рванул вправо, влево, снова вправо. Малахайка жопошника исчезла, видно, пригнулся, исчезла и башка Фомы, тоже маскируется. Остальные участники сцены, в роли гостей царя Миноса, раскинувшись на автомобильных сиденьях, потягивали чифирь и ждали крика зарезанного. Фомке Запрудневу никто тут не перечил. Хотит поиграться, пусть играется. Как-никак правая рука Полтора-Ивана, из всей команды единственный, кто лично встречается с героем лагерной России.

На самом деле Фоме Запрудневу было не до игры, совсем не до быков Минотавров. Встреча с жопошником — неизвестно, как его теперь звать, — взбудоражила всю его вроде бы уже устоявшуюся в преступности суть. В общем-то он даже и не знал, что сейчас делать: отправить ли призрак прошлого хорошим почерком к Харону (вот именно, к тому лодочнику: «Мифы Древней Греции» были любимой книжкой этого заключенного) или пощадить во имя... во имя чего-то там, чего сам не знаю... не во имя же дружбы... Пригнувшись и держа нож острием вниз, он петлял между штабелями, выжидал, прислушиваясь к шагам, и снова петлял, пока ему на голову не обрушился разводной ключ. В последнее мгновение он успел подставить руку, и ключ срезался в сторону, лишь поцарапав щеку. В следующее мгновение он уже давил коленом на хрипящее горло Гошки Круткина и уже хотел было его кончать, то есть рука с ножом уже шла на замах, когда вдруг вырвавшееся из этого хрипящего горла прежнее имя «Митя-Митя!» поразило его чем-то немыслимо далеким и родным, словно блеяние козы Сестрицы там, в детстве, на сапуновском хуторе.

— Митя-Митя, — рыдал Круткин, — да не может этого быть, чтоб это был ты! Ведь я же сам видел, как ты валился в яму под пулей там, за Харитоньевкой. Ведь я ж там был в похоронной команде, мы ж сами и засыпали те рвы. Если это ты, Митя, так ты меня не убьешь! Мальчик мой родной, Мить, это ты?

Уже семь лет его никто не называл Митей. Сколько сменил он имен, и воровских кличек, и ксив, сам уже запутался, однако всегда возвращался к своей исходной, что тому пацанчику принадлежала, которого придушил по совету придорожной вороны, тому Фомочке Запрудневу, уроженцу города Арзамаса Нижегородской губернии. Всякий раз, когда следователи раскалывали его, чтоб узнать настоящее имя, он стойко держался, не раскалывался до последнего момента, пока наконец не выплевывал им в протокольные ряшки: «Ну, ладно, пишите, мусора, Запруднев я, Фома Ильич Запруднев».

Иногда, в те редкие моменты, свободные от уголовщины, он думал: «Как видно, я все-таки сошел с резьбы, там за Харитоньевкой. Почему же я мальчика того вспоминаю не как жертву своих лап, а как хорошего товарища?»

Корешам из воровских шаек, ну, скажем, из той первоначальной ростовской «Черной кошки», знавшим Фомку как человека решительной жестокости, конечно, невозможно было представить, что он по ночам может мерлихлюндии предаваться, даже вафельное полотенце к глазам прижимать, вспоминая какие-то обрывки человеческой жизни, какие-то лица, звуки Шопена, приветливый лай огромного пса, горячие пироги с вязигой, а между тем все это нередко проходило перед ним в памяти, пока мирно и приветливо не вытеснялось самым страшным днем его жизни, первым убийством невинного человека. Хлюпанье его сапог по апрельским лужам, веселенькое посвистыванье «Туч в голубом» на слова поэтессы Нины Градовой, вот солдатик идет по земле опаленной, ну концерт — фронту, да и только, в кадр не попадает несущийся за ним смердящий труп... ну и потом, как курили-то вместе, лежа за кустом, то есть как все одиннадцать гвоздиков из пачки употребили... то есть почему же это во множественном числе?.. ведь Фомочка-то Запруднев лежал, розовел, тихо-мирно, как спящий кореш, совсем не курил, пока ты весь его запас с наслаждением вытягивал...

— Какой я тебе Мить-Мить?! — свирепо тряхнул он пленненного «суку», Гошку Круткина, вечного друга и предателя. — Ты запомни навсегда, что меня зовут Фомка-Ростовчанин, и как только услышишь, что зову, беги на цирлах!

Пнув носком трепещущее от счастья тело — сразу понял, что помилован! — отвалился в сторону.

— Ты теперь нашим человеком будешь среди «ссученных», понял? — Он усмехнулся: — Солдатом невидимого фронта, так?

— Так, так, Мить, ой, прости, Фомка! — трепетал по-старому, как еще в батальоне «Заря», Круткин.

— Ну, а тебя-то как сейчас зовут? — спросил Запруднев. — Жопошник несчастный, как твое имя?

Движением женственного тюленя Круткин всплеснулся и быстро шепнул:

— Вова Желябов я, из Свердловска...

— Ну вот, Вова Желябов, учти, ты теперь не просто будешь небо в лагере коптить и за малолетками охотиться — кстати, еще раз узнаю, не пощажу! — теперь ты будешь выполнять задание «По уходу за территорией» и... — он подтянул вверх полуослиное ухо старого товарища по оружию и полувыдохнул, полуплюнул прямо в шахту: — И Полтора-Ивана!

Через несколько минут Фомка-Ростовчанин вывел к несколько разочарованным сотоварищам порабощенного, но невредимого «суку».

— Еще один шпион в стане врага не помешает, — коротко объяснил он. Дополнительных вопросов не последовало.

Уже вечерело, когда Запруднев вышел из инструменталки и быстро пошел в котельную. Тонюсенький серпик луны над волнообразной пустыней обещал большой привар серебра. По расчетам, именно в этом цикле малой планеты будет взята сберкасса в близлежащей Якутии. Котельная обслуживала как мужскую, так и женскую зоны, посему и располагалась, одним своим боком выпирая в край гераклов и тезеев, другим — в волшебную страну нимф и амазонок. Это замечательное расположение не могло, конечно, ускользнуть от внимания Фомки-Ростовчанина и всей его команды. Простому зеку даже приближение к мрачному бетонному строению без окон могло стоить жизни, между тем «По уходу за территорией» почти без помех использовала жаркие закоулки для огненных встреч с «марухами» из соответствующей женской команды.

Фому Запруднева в тот вечер ждала его постоянная, то есть уже почти что трехнедельная, зазноба Маринка Шмидт, профессиональная воровка из Ленинграда. Первое свидание им подстроили вслепую, однако они так по вкусу пришлись друг дружке, что теперь оба только и мечтали, как бы побыстрей снова оказаться вместе голышом под раскаленными трубами. «Мы, Маринка, тут с тобой, как детеныши в сумке кенгуру», — однажды пошутил Запруднев, и вскоре это «кенгуру» к нему вернулось: все посвященные в обеих зонах стали называть котельный цех «кенгуру». «Ну, пока, ребята, я в «кенгуру», авось там какая-нибудь халява, какой-нибудь фраер дожидается!»

Как ни странно, Маринка оказалась совсем чистая, то есть в том смысле, что он даже веселеньких насекомых от нее не подцепил, не говоря уже о мистической «бледной спирохете», этой Снежной Королеве Колымского края. «Как же это так, мадам Шмидт, получается, что вы не столько проститутка, сколько институтка?» — удивлялся Фомочка. «А я с девчонками больше игралась до встречи с вами, гражданин Ростовчанин, — смеялась она. — От вас, кобелей, одна грязь, а на нашем острове только пальмы да птички». Ростовчанин с его трижды залеченным «архиерейским насморком» даже несколько благоговел перед нежной монашеской кожей. Это раздражало. К тому же временами он стал теперь ловить на себе ее влюбленный взгляд. Это еще больше раздражало. Войдя в тот вечер в котельную, Фома кликнул бригадиру:

— Петро, а Петро, ты, слышь, скинь малость пару, а то мы с Маринкой там, как Сергей Лазо, зажаримся!

Башкой вперед он полез по подпольному лазу и вскоре оказался в приличной хавире с койкой и тумбочкой и с тусклой электрической лампочкой, что свисала с обернутой асбестом трубы. Маринка ждала его на койке, она была только в кружевных трусиках и лифчике. Где взяла такое бельецо? Где, простите, граждане, можно раздобыть такое бельецо, сидя на магаданском карпункте? Русские бабы, знаете ли, это сплошная тайна.

Не рассусоливая, Запруднев стащил с марухи это фартовое бельецо и приступил к делу. Пока занимался делом, много думал о финансовых вопросах группы, о транспортных средствах на случай неожиданного развития событий и возможного ухода с концами в Якутию. Так задумался, что, когда Маринка заверещала, даже удивленно ее спросил: «Ты чего?»

После половухи они немного, по обыкновению, поиграли, пощекотались, пощипались, похихикали. Вот были бы мы нормальными людьми, Маринка, то есть просто молодыми специалистами, энтузиастами Дальнего Севера, вот тогда могли бы, ха-ха, хи-хи, иначе жизнь построить. Ой, Фомочка, мне так хочется с тобой в театр сходить! Большое дело, хочешь, возьму тебя за зону? Ой, возьми, возьми меня за зону, Ростовчанин! Там, говорят, в Доме культуры

такая оперетка фартовая идет, «Одиннадцать неизвестных» Никиты Богословского, наши же зеки и
играют!

Вдруг помрачнев, Маринка Шмидт С-Пяти-
Углов (так она себя иногда называла) подняла на
Фомочку светло-зеленые кошачьи глаза:

— А еще я решила ребенка от тебя заиметь, гражданин Запруднев.

На такие неожиданные удары под дых Ростовчанин привык отвечать мощнейшим выбросом правого кулака вперед. Маруха отлетела к горячей стенке, завизжала и ощетинилась, вот уж действительно, как одичавшая колымская кошка:

— Гад! Гад!

Фома Запруднев, он же Митя Сапунов, опра-
вился от неожиданности, протянул левую руку ладонью вперед, чтоб погладить. Маринка клацнула
зубами, чуть пальцы не отхватила.

— Ты что, охерела, маруха?! — завопил он. —
Раба им хочешь родить? Еще одного раба?

— Вора хочу родить! — визжала Маринка. — А
тебе до этого никакого дела нет! Тебя, гада, в папаши не приглашаю! Мне от тебя, пидор гнойный,
ничего, кроме хуя, не надо!

Фомка-Митя задом уже влезал в секретный лаз,
ретировался. Хотелось уши заткнуть, как Одиссей,
воском, чтобы не слышать воплей любимой марухи. Дура какая, идиотка, от кого решила чистое дитя
родить, от убийцы и ублюдка! Куда она решила дивного мальчика или нежную девочку принести, в этот
мир большевистский?

Он долго еще трясся, сидя в углу за каким-то
бойлером, смоля папиросину. Наконец успокоился,
пошел в дежурку, переоделся в нормальный, «воль-

ный» костюмчик, сверху надел бобриковое пальто, на голову аккуратненькую ушаночку с кожаным верхом. В этом цивильном виде — в натуре молодой специалист, энтузиаст Дальнего Севера — он без всякого хипежа, спокойненько прошел через проходную за зону: вахта была здесь, на Карантинке, почти целиком «смазана», надо было только смотреть, как бы на «неосторожного» не нарваться.

От лагеря до города было четыре километра, не расстояние, а тут еще подвернулся медленно ползущий американский железный мамонт «даймонд». Все же немного быстрей движется, чем человек. Митя вспрыгнул на прицеп-платформу, ухватился за какой-то стояк и так прокачался с папиросочкой все двадцать минут, пока автопоезд катил к столице Колымского края. Большой закат распространялся над сопками, зеленели ранние звезды, как красивые марухины глаза, цепочки фонарей и пятнышки частных окон загорались в темнеющей долине. Как жалко, что я тогда в Италию не ушел. Можно было в Италию уйти. Можно было лесами и оврагами, ночными переходами постепенно в Италию уйти. Вот тогда мне и надо было в Италию уйти, в сорок третьем. Не к партизанам в «Днепр», а так потихонечку, целенаправленно, ну, вместе с Гошкой, конечно, говенным, в сторону Италии пробираться. Ну, Гошку, конечно, по дороге мадьяры за яйца бы повесили, а я бы до Италии дошел и там перешел бы на сторону атлантических союзников. Эх, нельзя переиграть всю эту ситуацию, вот жаль; как мне тогда все-таки не хотелось превращаться в злое животное!

В городе по деревянным тротуарам дефилировала, как Митя ее называл, золотопогонная чернь со своими бабами в мехах. «Валентина, дорогая, вы давно ли с «материка»?» — «Ах, чудесно провели время в городе-курорте Сочи!» Среди аристократии шаландался и свой брат, бывший зек, ну, то есть рабского сословия, презренный и блудливый. Как и подобает вольнонаемному — с понтом! — специалисту, он не обращал на них никакого внимания. Зашел в продмаг, купил голову сыра, положил в чемоданчик: в зоне неплохо бывает сырком побаловаться. Зашел в аптеку, купил полдюжины склянок пантокрина для ребят из «По уходу за территорией». Среди ребят существовало мнение, что от пантокрина концы так стоят, что хоть ведро на них вешай. Сам Митя не нуждался в этой вытяжке из рогов северного оленя: на его рычаг, особенно в присутствии Маринки Шмидт, можно было хоть гирю чугунную подвешивать. Затем небрежненько посетил сберкассу, снял со счета на имя Шаповалова Георгия Михайловича 25 000 рублей. На «материке» такой суммы сразу могли бы и не выдать, а то еще и милицию бы вызвали для проверки личности вкладчика, в Магадане же с его двойными, тройными, четверными окладами снятие такого куска с книжки было делом самым обычным. В этом, собственно говоря, и состояла главная цель сегодняшней вечерней прогулки: вохру на Карантинке надо было не только в страхе держать, но и «смазывать», чтобы все гаденыши «склеились».

Оставалось еще два часа до вечернего развода, можно было в кинотеатр зайти посмотреть первую половину фильма «Девушка моей мечты». Эту девушку из трофейного кино, Марику Рокк, мы с Гошкой видели еще в Германии, там-то она из бочки с водой голая выскакивала, ну, а тут, конечно, бочку эту из картины вырезали, чтобы советский человек не облизывался на живое тело. А все ж таки можно посмотреть виды альпийской Германии. Можно так посидеть полчаса, а потом как бы спохватиться. Ой, товарищи, простите, дорогие, у меня же телефонный разговор с Москвой, с министерством, заказан!

Вот как раз пятнадцать минут до начала сеанса, как раз можно еще пройтись по Советской улице, посмотреть на их два окна в доме № 14.

На Советской было пусто. В отсутствие больших снегопадов сугробы вдоль мостков малость почернели от городской гари и слегка уже по-весеннему засахарились. Тусклые паршивые фонарики висели на сегодняшнем редкостном небе, словно итальянские апельсинчики. Прошел патруль из двух вохровцев и офицера. Внимательно посмотрели на Митю, но не остановили. Магадан как солидный советский город, жемчужина Дальнего Севера, как бы не предусматривал проверку документов у любого прогуливающегося с чемоданчиком гражданина. Если бы спросили, впрочем, Шаповалов Георгий Михайлович смог бы представить любые доказательства своей благонадежности, от паспорта до короткоствольного револьвера.

Те два окна в доме № 14 были темны. Митя обошел вокруг двухэтажного, вполне пригодного для жилья строения, крашенного в излюбленный магаданцами цвет «тела испуганной нимфы». Кое-где светились в окнах большие абажуры с тесьмой. Свисали из форточек авоськи со скоропортящимися продуктами. Из нашей форточки — он криво усмехнулся: «из нашей»! — вывешена была голенастая кура. «Купила кухочку, фханцузску булочку...» Он уже не раз подходил в сумерках к этому дому и смотрел, прячась за трансформаторной будкой на другой стороне улицы, на окна квартиры своих приемных родителей, Цецилии Наумовны Розенблюм и Кирилла Борисовича Градова. Сначала у них там голая лампочка висела, а потом, как у людей, появился просторный шелковый абажур с кистями. Иногда к окну приближались их головы. Однажды он видел, как они кричали друг на дружку, размахивая руками: спорят, наверное, как и тогда, по теоретическим вопросам мировой революции. В другой раз воровской его взгляд перехватил их затяжной поцелуй, по завершении которого свет в квартире немедленно погас. Бесшумно расхохотавшись, то есть оскалив несколько раз свои фиксатые зубы, он покрутил тогда башкой: неужели и сейчас они этим занимаются, такие старые и нездоровые?

Прошло уже полгода после того, как он в костюме Шаповалова Георгия Михайловича нос к носу столкнулся с тетей Цилей на главном перекрестке Магадана, пересечении улицы Сталина и Колымского шоссе. Отца, наверное, так бы и не заметил: тысячи таких полузеков слоняются в здешней округе, ну, а Цецилию-то невозможно не выделить среди безликой толпы; тащилась, как всегда, расхристанная, пальто пристегнуто петлей к пуговице кофты, шарф волочится по слякоти, морковная губная помада не вполне совпадает с очертаниями рта, полыхание веснушек, разлет полузавитых полуседин, довольно громко вылетающий во внешний мир внутренний монолог: «Позвольте, позвольте... вот справка... кубатура...держитесь в рамках... социалистическая мораль...» Вот так из колыхания толпы вдруг материализовалась его еврейская «мамаша», стыд и жалость его отрочества. Митя остолбенел. Скользнув по нему невидящим взглядом, Цецилия прошла мимо.

Весь вечер тогда он шлялся за ней соглядатаем. Она заходила, явно по каким-то сутяжным делам, в управление Дальстроя и в горисполком, потом стояла в очереди за сгущенным молоком, потом топталась возле мастерской «Ремонт радиоаппаратуры», из которой вдруг раскорякой вышел отец с каким-то большущим, вроде бы самодельным радиоприемником на руках. Митя увидел, что его сильно постаревшая физиономия сияет от удовольствия. Ему, видно, очень нравился весь этот уклад жизни — корячиться с огромным, как дедовские кабинетные часы, приемником на руках, видеть, что на улице его ждет жена... Значит, оба живы, оба снова вместе, лишь только меня с ними нет, лишь только я погиб без остатка! Нагоняющий ужас на всю Карантинку Фомочка-Ростовчанин вдруг содрогнулся в мгновенном рыдании.

Митя, разумеется, не мог знать, что всего лишь за неделю до этой встречи его приемный отец был выпущен из магаданской тюрьмы «Дом Васькова». Не более полугода после воссоединения Кирилл и Цецилия наслаждались своим «раем» в завальном бараке на окраине Магадана. В городе шли неспешные методичные аресты бывших политических. Обсуждая очередной арест, знакомые интеллигенты приходили к выводу, что вся кампания идет в строго алфавитном порядке: Антонов, Авербух, Астафьев, Барток, Батурина, Берсенева, Бланк, Венедиктов, Виноградова, Вольберг... «Вчера взяли Женю Гинзбург, — как-то сказал Степан Калистратов, — так что скоро твоя очередь, товарищ гражданин Градов, готовь, Цилька, узелок с «Кратким курсом истории ВКП(б)», ну, а до меня еще полдюжины букв, так что погуляем».

От пристрастия к алкоголю имажинист в лагерях почти излечился, зато приобрел склонность к каким-то порошкам и таблеткам, вызывавшим, как он утверждал, исключительно оптимистическое и юмористическое восприятие действительности.

— Перестань болтать глупости, Степан! — тут же атаковала его Цецилия. — Какие еще алфавитные аресты?! Что за вздор? Этот юмор висельника по отношению к законам великой страны по меньшей мере неуместен! Вот ты можешь поплатиться за свой язык, а нам с Кириллом до этого никакого дела нет!

Они действительно жили с каким-то странным ощущением, что теперь, после их встречи, все должно налаживаться: жилищные условия, снабжение, культурный уровень населения, международная обстановка, даже климатические условия. Кириллу удалось устроиться в кочегарку горбольницы и оторваться, таким образом, от лагерного мира и хамской вохры. Цецилия почти сразу активно включилась в график Дома политпросвещения, принялась окармливать население теоретическим анализом развала мировой империалистической системы на фоне нарастающей борьбы народов за мир и социализм в обстановке быстро приближающегося окончательного триумфа. Руководство Дальстроя МВД СССР, очень довольное приездом вольнонаемного теоретика, благодаря которому так резво заполнялись клеточки Политпросвета, обещало товарищу Розенблюм хорошую комнату в доме № 14 по Советской, которая вскоре должна была освободиться, поскольку там доживала свои дни гражданка с неоперабельной формой легочной болезни.

Пока что жили в «раю». Стенка дышала в унисон с дыханием и прочими отправлениями тамбовского мятежника. Когда Кирилл уединялся и начинал что-то шептать у своего францисканского алтарика, Цецилия шумно перелистывала страницы «Анти-Дюринга» или «Материализма и эмпириокритицизма», восклицала: «Как глубоко!» — или: «Кирилл, ну вот послушай: так называемый «кризис в физике» есть лишь выражение несостоятельности идеализма в истолковании нового этапа в развитии науки». Очень часто после таких «противосидений» они сталкивались в споре, причем всякий раз, сходясь в середине, ибо больше и негде было сойтись, обжигали головы об электрическую лампочку.

— Да ведь еще со времен Демокрита, со времен Эпикура известно, что материю никто не создал! — кричала Цецилия. — Мир от начала и до конца познаваем!

Кирилл амортизировал ее наступательные, пышущие яростным партийным огнем дирижабли буграми своих ладоней.

— Кому это известно, Цилечка? Как это может быть известно? Что это значит «не создал»? Скажи мне, что такое «начало»? Что такое «конец»? А если ты бессильна перед этими вопросами, как ты можешь сказать, что мир познаваем?

В таких вот поединках проходили часы под вой гиблого колымского ветра и визги из коридора, причем, как читатель, безусловно, заметил, Цецилия фехтовала восклицательными знаками, Кирилл же отбивался вопросительными. «Эй, Наумовна, Борисыч, кончайте базарить, идите щи хлебать!» — кричала из-за перегородки посетительница вендиспансера по графе «хроники» Мордёха Бочковая.

В том «раю», где они жили, почти каждый вечер бабы на общей кухне вцеплялись друг другу в космы, норовили острых щепок набросать в варево, детки — иные с сифилитическими или туберкулезными свищиками — день-деньской носились по завальному коридору, одержимые одним лишь только разрушительным инстинктом. В то же время в дальнем конце, за гальюном, жил ангел созидания, некий старичок одессит, дядя Ваня Хронопулос, у которого даже десятилетний срок не отбил охоту творить шедевры — то скрипочку прекрасной наружности соорудит из затоваренных ящиков, то шкатулку-сигаретницу с музыкой «Венского вальса»; но больше всего старался дядя Ваня Хронопулос по части патефонов, радиол и приемников. У него-то Кирилл как раз и купил тот грандиозный радио-дом, который мы уже видели несколько страниц назад при выносе из ремонтной мастерской. Мастерская же нам понадобилась для упоминания о том, что, пока Кирилл повторно в тюрьме сидел, магаданская гэбэ прокатилась уже по всему алфавиту, загребла и букву «Х», которая в силу своей отдаленности довольно долго помогала дяде Ване крутить отверточкой, пилить лобзиком, паять лампочкой, то есть наслаждаться своей «райской жизнью» под сенью Хроноса.

Покупая ламповый приемник марки «Дядя Ваня Хронопулос», Кирилл, конечно, ни сном ни духом не предполагал, что когда-нибудь из этого самодельного ящика вдруг сквозь треск электрических разрядов проклюнется и окрепнет чисто русская православная молитва. Оказалось, радиостанция такая имеется — «Голос Америки», направленная на слушателей в Советском Союзе, и вот на волнах именно этой империалистической радиостанции читал русскую молитву сан-францисский проповедник.

Как ни странно, скрытая в нелепом ящике вражеская радиостанция не вызвала никаких возражений со стороны Цецилии Наумовны. Напротив, она теперь нередко, не отрывая глаз от первоисточника, бросала ворчливо: «Ну, включи!», услышав же рекламный и как бы глянцевитый призыв: «Слушайте «Голос Америки», слушайте голос свободного радио!», усмехалась с притворной издевкой, «свободного!», ну, а потом уже не отрывала от сводки новостей чуткого уха.

Когда Кирилла забрали прямо из горбольницы и привезли на допрос в похожий на дворянскую усадьбу особнячок гэбэ, он был уверен, что уж радио-то обязательно выплывет среди обвинений. Однако похоже было на то, что гэбисты даже и не слышали о могучем ламповом сооружении. Монотонно и бесстрастно повторяли они пункт за пунктом обвинение 1938 года: участие в контрреволюционной троцкистско-бухаринской организации, попытки дискредитировать политику советского правительства путем протаскивания вредных идеек через печатные органы и так далее. «Да ведь я уже десять лет за это отсидел», — слабо возражал Кирилл. «Не будь слишком умным, Градов, — говорили на это следователи. — Давай подписывай все заново, ты же опытный, знаешь, что будет, если сразу не подпишешь». Им явно не хотелось его лупить: как видно, никакого аппетита у них не вызывал этот жилистый, морщинистый, лысовато-седоватый смиренный истопник. На этот аргумент у него не было даже слабых возражений, и он все подписывал заново. «Вот я и возвращаюсь к своей сути, — спокойно думал он, — а суть моя не в теплой хавире с женой сидит, не московскими сладостями угощается, а в колоннах зековских бредет, за баландой стоит, от цинги пухнет. Господи, укрепи!»

Цецилия же Наумовна была потрясена вторым арестом мужа, может быть, не меньше, чем первым. «За что, за что», — шептала она в ночи, в отчаянии сжимая свои груди. К кому же я обращаю этот вопрос, думала она. Если к ним (впервые так подумала о власти трудового народа: они), то теперь-то вроде хоть немного, но есть за что: все-таки «религиозником» стал, иностранное радио слушает... Однако я, кажется, вовсе не у них вопрошаю, а у чего-то ночного, молчаливого, всезнающего...

Надо радио это проклятое разломать, стащить на помойку, по утрам с яростью думала она и уже заносила молоток над изделием Хронопулоса, однако тут же обнимала проклятую штуку и обливала ее слезами: ведь вместе же, вместе с любимым по вечерам под вой норд-оста слушали эти странные несоветские голоса из нереального мира!

А вот не буду выбрасывать, а вот, наоборот, буду слушать так же, как и с Кирилльчиком моим слушала!

Снова у ворот тюрьмы, снова с кульками и мешочками, с той только разницей, что очереди здесь не такие длинные, как в Лефортово, да и передачи принимают без проволучек. И снова письма, пространные заявления, только теперь уже не в Контрольную комиссию ЦК (как-то нелепо в ЦК просить за «религиозника»), а в Дальстрой, в МВД, министру Государственной безопасности товарищу Абакумову.

Однажды в главном продмаге Магадана, в очереди за чаем, она увидела Степку Калистратова, который в ожидании ареста вдруг стал поражать местное население элегантностью туалета: мягкая шляпа, пальто с каракулевым воротником, шарф, переброшенный через плечо, трость, то есть абсолютно та же сбруя, в которой фигурировал когда-то на знаменитом снимке вместе с Мариенгофом, Есениным, Шершеневичем и Кусиковым. Цецилия бросилась, забарабанила кулачками по драповой спине:

— Ты, Степка, накликал беду! Это ты, ты говорил о посадках по алфавиту!

Он обернулся, сама светская любезность, настроение великолепнейшее: верная комбинация кодеина с папаверином!

— Графиня Цецилия прекрасней, чем лилия!

Подцепил ее под руку и вдруг жарко шепнул в ухо:

— Стали выходить!

— Что ты говоришь? Кто? — ахнула она.

— Наши! Уже на «А» вышло несколько человек, на «Б», видели даже на «В»... а сегодня — сенсация, выпустили Женю Гинзбург... Так что: не унывай, Цецилия, откроется Бастилия!

Беспутный поэт, как ни странно, опять оказался прав. Не прошло и пяти месяцев со дня посадки, как Кирилла, все с теми же скучающими ряшками, с гэбэшной псевдольвиной зевотинкой, выпустили, оформив, как и всем другим «алфавитчикам», «вечную ссылку» в пределах семикилометрового радиуса вокруг города Магадана.

После этого, как ни странно, все как-то быстро наладилось. Чета Градов и Розенблюм даже обрела некое чувство стабильности: «вечная ссылка» — это все-таки статус! Цецилия даже испытала некоторое удовлетворение. Как-то солиднее сказать «мой муж — ссыльный», чем «бывший заключенный». Все-таки и Ленин Владимир Ильич был в ссылке в селе Шушенском, и даже великий вождь народов Сталин Иосиф Виссарионович был сослан в Туруханский край, откуда, наподобие легендарного Полтора-Ивана, дерзновенно бежал. Кирилла приняли на прежнее место работы, Цецилии повысили лекционную ставку. В скором времени освободилась комната в доме № 14 по Советской, и вот тут начался совсем волшебный, почти идиллический период их жизни — переезд на новую квартиру, в которой кроме них жили всего лишь две семьи, где стены почти не пропускали даже умеренно громких звуков, вроде, скажем, мелодичного храпа билетерши Дома культуры Ксаверии Олимпиевны, где у них была даже своя собственная конфорка на газовой плите и ограниченный только лишь очередностью доступ в теплые места общего пользования.

Вот именно к этому дому и завел себе привычку в темноте приходить гроза Карантинного лагпункта Фомочка Запруднев-Ростовчанин, он же Дмитрий Сапунов, волчонок кулацкого последа, найденный или пойманный 21 год назад молодыми активистами коллективизации Градовым и Розенблюм. Да что им я, думал Митя, присев на лагерный манер за трансформатором на корточки, одна рука локтем на колено, другой подбоченившись, смоля в рукаве папироску за папироской, они обо мне и думать забыли. Приемный сын — это даже не седьмая вода на киселе, вообще никакого киселя, одни благородные побуждения. Пропал мальчонка на войне, и дело с концом, эх, батя, батя, эх, мамочка моя Цецилия...

Как всегда, стало очень жалко себя, и он подумал, что это, может быть, главная причина, по которой он себе позволяет короткие бдения за трансформаторной будкой на краю земли под окнами своих приемных родителей: жалость, слабость, сопля смешивается со слезой перед тем, как все выхаркивается, и снова встает на задние лапы этот человекоподобный волк, я.

Он вышел из-за будки и пошел прочь от дома посередине улицы, как это часто делали по ночам и другие магаданцы, поскольку легковое автомобильное движение было в те годы в этих краях до чрезвычайности мало развито. Под одним из фонарей в начале улицы, где за воротами Парка культуры виднелся с поднятым семафором слишком длинной руки памятник Ленину, появились две кургузые фигуры с авоськами. Он сразу же понял, что это они, родители. Прыгнул в сторону, через кювет, прижался к стене за выступом какого-то здания. Кирилл и Цецилия медленно приближались, переходя из освещенного пятна в темноту и снова появляясь в следующем освещенном пятне. Уже слышны были их голоса. Они вели, по обыкновению, философскую дискуссию: позитивное мышление воевало обскурантизм. Цецилия кипятилась:

— Знаешь, Кирилл, ты смотришь на Вселенную, как неграмотная крестьянка! Как будто ты проспал всю эпоху Просвещения!

Кирилл петушился:

— Твое так называемое Просвещение, Циля, не имеет никакого отношения к тому, о чем я говорю! Просвещение и Вера существуют в разных измерениях! Понимаешь, в разных измерениях!

— Тебе изменяет логика! Ты видишь только тупики! — кипятилась Цецилия.

— Это не просто тупики! Это знаки наших пределов! Сказано ведь, что нельзя объять необъятное! — петушился Кирилл.

Цецилия докипятилась до хаотического бурления.

— А ваша жена еще объятная, Кирилл Борисович!

Кирилл допетушился до объятия с двумя авоськами на крыльях, как будто для того, чтобы не взлететь. Митя, между прочим, был прав: они его редко вспоминали, но совсем не по причине чужеродности. Слишком увлеченные друг другом, они вообще никого не вспоминали.

В этот момент Митя, подчиняясь непонятной какой-то, неподконтрольной тяге, вышел из своего укрытия и спросил измененным хриплым голосом:

— Эй, товарищи, огонька не будет?

Супруги передернулись.

— Что вам нужно?! — резко выкрикнула Цецилия, одним плечом как бы уже защищая Кирилла.

— Пожалуйста, товарищ, пожалуйста! — Кирилл отодвинул супружницу, вынул спички из кармана, зажег одну и протянул прохожему огонек в ладонях. Ветер дул меж пальцев, однако Митя успел прикурить. Спичка погасла, но он не сразу оторвался от заскорузлых ладоней. Он успел еще раз затянуться, чтобы в мгновенном красном мерцании увидеть, наверное, в последний раз линии судьбы своего отца.

Антракт III. Пресса

«Тайм»
26-этажное здание, сооружаемое в Москве на Смоленской площади, выглядело бы обычно на Манхэттене, однако для Европы — это колосс.

Великолепные станции метро построены на московском подземном кольце.
Перед футбольными матчами к стадиону «Динамо» съезжаются сверкающие автомобили, принадлежащие в основном советской коммунистической элите.

Западных дипломатов в Москве поражает мрачная осторожность и отстраненность второго человека в стране, господина Маленкова. Ожиревший, агатовоглазый, с восковым лицом, Маленков источает смутную угрозу. «Если бы я знал, что меня будут пытать, — сказал недавно один бывший посланник, — Маленков был бы последним из всех членов Политбюро, которого я бы выбрал для этого дела».

Всех поражает исчезновение молодого члена Политбюро Николая Вознесенского. Недавно вышедшая книга по истории не упоминает его имени в списке членов Политбюро военного времени. Невольно вспоминается «Министерство правды» Джорджа Орвелла.

«Правда»
...Продолжается поток приветствий в связи с 70-летием товарища И.В.Сталина. Трудящиеся обращаются к вож-

дю с сердечными пожеланиями доброго здоровья и долгих лет жизни.

«Известия»

Подразделения Народной армии Кореи в тесном взаимодействии с частями китайских добровольцев потопили один эсминец противника, производивший обстрел окрестностей Вонсана.

«Советский спорт»

На ежегодных таллинских соревнованиях мотоциклистов в классе машин до 750 куб. сантиметров первым финишировал В.Кулаков (спортклуб ВВС МО).

«Правда»

Глава иранского правительства Моссадык призвал к продолжению антиимпериалистической «священной войны за нефть».

...На ежегодном празднике «Юманите» в Венсенском лесу в воздух поднялись сотни белых голубей. Трудящиеся скандировали: «Фашизм не пройдет! Мир победит войну!»

Юрий Жуков (из Парижа)

«Тайм»

В 1936 году нацистское министерство пропаганды утвердило «движение по очищению языка», то есть германизацию многих обиходных слов и выражений. «Радио» превратилось в «рундфунк», «телефон» в «ферншпрехер», «автомобиль» в «крафтваген». Теория относительности знаменитого беженца из нацистской Германии Альберта Эйнштейна стала именоваться «беуглихкайтсаншауунггезетц». На прошлой неделе коммунистическая матушка-Русь вступила на тропу, проторенную Геббельсом. Академия наук приняла решение о тщательной русификации русского языка.

«Партизан ревю»

Противоречия возникли вокруг филологической системы, основанной покойным Николаем Марром, который выступал за единый универсальный, не обязательно русский, язык мирового коммунизма. Оставалось только ждать, на кого обрушится топор. Вскоре в «Правде» появилась бомба, статья самого Сталина, разрушившая «фальшивую» теорию Марра и расставившая все по своим местам.

«Правда»

Повышать уровень советского киноискусства! Все советские киноработники помнят слова товарища Сталина: «Обладая исключительной возможностью духовного воздействия на массы, кино помогает рабочему классу и его партии воспитывать трудящихся в духе социализма, организовывать массы на борьбу за социализм, подымать их культуру и политическую боеспособность».

Вышел в свет 8-й том сочинений В.И.Ленина на узбекском языке.

«Культура и жизнь»

Болгарская киностудия закончила съемки нового фильма «Слава Сталину!». В фильме отображена безграничная любовь болгарского народа к знаменосцу мира во всем мире товарищу Сталину.

...Творческие провалы и неудачи некоторых кинематографистов происходят прежде всего оттого, что они забывают постановления партии по вопросам литературы и искусства. Особенно это сказалось на производстве таких посредственных картин, как псевдонаучный фильм «Человек идет по следу».

И.Большаков, министр кинематографии СССР

«Нэшнл энд инглиш ревю»
Советы, может быть, смогут начать «блицкриг» на германский манер, но они совершенно не в состоянии без лендлиза выдержать продолжительное наступление.

Условия, в которых живет большинство русских, хуже, чем все, что я видел в беднейших кварталах Неаполя или Дублина.

Что мы можем противопоставить сейчас немыслимому напряжению в Европе? Безусловно, перевооружение, но кроме того, укрепление «железного занавеса».

Творческая активность России, застрявшая целиком в двадцатых годах, вскоре окончательно остановится. Все новое, что там появляется, включая атомную бомбу и истребитель МиГ, западного происхождения. Творческая энергия великого народа под влиянием большевизма идет на убыль.

Отрезанный от Запада, СССР постепенно настолько отстанет, что уже не сможет начать войну.

Русские не будут о нас хуже думать в результате жесткой политики, ничто уже не сможет сделать их более враждебными к нам, чем они есть сейчас. Может быть, впоследствии они будут думать о нас лучше.

Тоунсенд Рестон

«Скынтейя»
Тов. Георгиу-Деж призвал до конца разоблачить банду Фориша — Патрошкану, агентов американской и белградской разведок.

«Правда»

ВОСПИТЫВАТЬ КАДРЫ В ДУХЕ НЕПРИМИРИМОСТИ К НЕДОСТАТКАМ!

Слово в песне. Советский народ привык жить под знаком того, что «нам песня строить и жить помогает...». В последнее время созданы чистые, проникновенные песни на слова М.Исаковского «Ой, туманы мои растуманы», «Катюша»... Большой песенный дар проявляет А.Сурков: «По военной дороге», «Стелятся черные тучи»... Всем помнятся песни Лебедева-Кумача «Песня о родине», «По долинам и по взгорьям» С.Алымова, «Каховка» М.Светлова.

Однако в этой области подвизается немало деляг. Хочется спросить некоторых композиторов, задумывались ли они над тем, какой словесный хлам они подчас кладут на музыку?.. В этой связи не могут не вспомниться пустые, разухабистые тексты Я.Зискинда, Масса и Червинского, Дыховичного и Слободского... С.Фогельсон оскорбляет традицию некрасовского стиха...

«Тайм»

Наше господство в воздухе над Северной Кореей хоть еще и не потеряно, однако находится под вопросом.

МиГ-15 на высоте 25 000 футов обгоняет и опережает в маневрировании наш Г-86.

Генерал Уондерберг

Необычная фотография Сталина оказалась на Западе. Официальные снимки обычно тщательно ретушируются. На фото, сделанном в Большом театре, стареющий диктатор выглядит седым и усталым. По бокам у него с непроницаемыми лицами стоят два политбюрократа Лаврентий Берия (52 года) и Георгий Маленков (49), оба потенциальные наследники трона.

...Иван Бунин, поэт, романист и аристократ, одно из последних эхо старой России. Ему 80 лет, он почти прикован к постели и живет в своей парижской квартире полузабытый, несмотря на полученную в 1933 году Нобелевскую премию.

Побывавший недавно у Буниных на скромном литературном вечере принц Ольденбургский вздохнул: «Как жаль, что Коля никогда не бывал на таких вечерах...» Коля был расстрелян в подвале вместе со своей семьей. Он больше известен как царь Николай II...

«Правда»
Народы отстоят великое дело мира. И.В.Сталин учит народы: «Широкая кампания за сохранение мира как средство разоблачения преступных махинаций поджигателей войны имеет теперь первостепенное значение».

«Мира не ждут, мир завоевывают!» — эта крылатая фраза нашла отклик в сердцах миллионов.

Леонид Леонов

...Фестиваль советских фильмов в Иране прошел при переполненных залах. В представленных на кинофоруме картинах хорошо показана роль тов. И.В.Сталина во всех областях советской жизни. Между тем демонстрация американской отравленной кинопродукции проходила в пустых залах...

ТАСС
Новый пассажирский теплоход «Иосиф Сталин» начал курсировать по Днепру.

Восстановить независимость и суверенитет Франции призвал в своем докладе товарищ Жак Дюкло.

Неустанно повышать идейный уровень партийного просвещения!

«Тайм»

Не хотела ли бы советская делегация посмотреть на карту Советского Союза? «С восторгом», — ответил Громыко. Разворачивая карту, конгрессмен от Миссури О.К. Армстронг с готовностью пояснил: «Здесь содержится точное обозначение всех лагерей рабского труда в Советском Союзе». Громыко замигал, а потом пробормотал: «Хотел бы я знать, какой раб капитализма изготовил эту карту».

Население лагерей рабского труда в Советской России превышает 14 миллионов. Из них более чем 1 600 000, очевидно, умрут еще в этом году.

«Фигаро»

«Прошлой ночью я не мог спать, — заявил Вышинский с трибуны парижского Пале де Шайо. — Я все смеялся. Даже и сейчас, на этой трибуне, я не могу удержаться от смеха!»

Таким был ответ России на предложение Запада по разоружению.

«Ньюсуик»

...Во время своей хорошо охраняемой прогулки по Москве посол Джордж Кеннан и его личный гость журналист Рестон натолкнулись на плакаты к празднику Дня советских ВВС. На них изображались советские истребители, сбивающие американские самолеты. Вернувшись домой, Кеннан отправил в МИД разгневанное письмо. В ответ на следующий день он получил приглашение посетить парад советских ВВС. Кеннан отверг приглашение. Из солидарности британский и французский посланники тоже бойкотировали парад. Однако, будучи практическими людьми, все трое послали на парад своих военно-воздушных атташе. Рестон тоже был на параде.

«Юманите»

Зрители организовали манифестацию протеста против демонстрации антисоветского фильма, состряпанного американцами по сценарию небезызвестного реакционера Ж.П.Сартра. Французские фильмы должны призывать к миру!

«Правда»

Народы Советского Союза и прогрессивное человечество отмечают 50-летие сталинской газеты «Брдзола» («Борьба»). Никогда не изгладятся в памяти напечатанные на ее страницах стихи:

> «Брдзола», будь трубой призывной!
> Мрак ночной вокруг развей!
> Подними порабощенных
> И униженных людей!

...В Англии пять ведущих солистов балета Белграда и Загреба заявили о своем отказе возвратиться в Югославию, так как у них там нет возможности свободно заниматься творческой деятельностью.

...Части Народно-освободительной армии Китая вошли в столицу Тибета Лхасу в обстановке поддержки и всесторонней помощи местного населения. Тибетцы приветствовали войска с искренним удовольствием и радостью. Впервые в своей истории тибетский народ увидел армию, которая приносит трудящимся подлинную свободу.

Антракт IV. Думы Ганнибала

Знакомя читателей нашей саги не только с человеческими характерами, но и с представителями московской фауны, мы наконец добрались и до слона. Извольте: в столице нашей родины проживал в своем вполне комфортабельном, даже по нынешним временам, стойле африканский слон Ганнибал. Читатель, привыкший уже к астральным инкарнациям, вправе предположить, что автор при помощи этого примечательного в российской истории имени и африканских корней вознамерился уже потревожить Солнце нашей поэзии, Александра Сергеевича Пушкина, однако автор, во избежание малейших недоразумений, должен немедленно заявить, что речь идет о Луне нашей прозы — в том смысле, что в пятитонном теле с длинными клыками и с ушами-вигвамами на этот раз поместилась некая астральная суть Александра Николаевича Радищева, потомка татарских мурз и просвещеннейшего джентльмена своего, то есть екатерининского, времени.

Слону было сто два года, из них пятнадцать, за исключением двухлетней эвакуации в город Куйбышев, он прожил в Москве. Он очень нравился генералиссимусу И.В.Сталину. Еще в тридцатых годах, то есть тогда, когда этот титул вождю трудящихся и не снился, Сталин нет-нет да заворачивал, как бы ненароком, к стойлу Ганнибала, садился на раскладной стульчик и подолгу взирал на ритмично покачивающийся хобот самого крупного на сухопутной части планеты Земля животного. «Кое-кто меня сравнивает со слоном в посудной лавке, — думал вождь. — Нет, это неуместное сравнение».

В начале же пятидесятых, когда Сталин полностью перешел на ночной образ жизни, встречи его с Ганнибалом, как ни странно, участились. Вдруг среди ночи он вылезал из-под зеленой лампы и заказывал свой пятимашинный экипаж. Свита уже знала — к Ганнибалу!

Слон обычно по ночам все эти пятнадцать лет грезил жеванием сахарного тростника на краю плантации в Кении, хрум-хрум, работали коренные зубы, блям-блям, падали из-под хобота пол-литровые капли слюны. При виде же задумчивой фигуры генералиссимуса тростник затуманивался, из бездонных глубин астрала являлась радищевская тираноборческая мысль.

Тяжко моей душе, вспоминалось в ночи, страдаю и тоскую. В бликах свечей мелькали черты единомышленников по ложе «Урания», медленно текли гекзаметры Клопстока.

Слон поворачивался, показывал левое ухо, косил глаз. Может быть, ты из наших? Встань, тиран, покажи наш тайный масонский знак, тогда тебе многое простится. Может быть, замысел твой высок, хоть и позорна власть?

Сталин не принимал сигналов, не обнаруживал никаких внематериальных связей. Вот и она... только лишь, как спасительный дурман, потекли через сознание длинные волны большого мелкого озера, рассвет, сахарная голова горы, детеныш, бодающийся крутой башкой под пузо, розовое нёбо трубящей зарю подруги... и снова выплывает из небытия напудренное высокомерное существо, которое, видите ли, зарубежным вольтерам кадит в льстивых письмах, а своих-то вольтеров готово под кнут... Душистой пудрой пылит в глаза Европы, лично месье Дидерот в библиотекарях дворца, а вне дворца крушит печатный станок скромного таможенного офицера... значит, нам-то, русотатарам, нельзя быть умнее дидеротов, гнедиге фрау? Медлительно, словно старая музыка, проходили через слоновий мозг, сменяя друг друга, идеи сострадания и возмездия как проявления человеческого естества. О ты, дрожавшая перед масонами, приказы твои, что та палка майора Бокума, огорчившая чье-то космически отдаленное детство.

Сталин внимательно наблюдал медлительные, протяженные по пространству кожи волнения слона. «Самое крупное сухопутное животное, — думал он. — Самое крупное животное, и не хищник!» Он вставал, подходил к доске, на которой указывалось количество ведер картофеля, которое слон якобы может съесть. «Увеличить рацион!» — коротко командовал он, после чего возвращался в свою всенародную твердыню.

Однажды, поздней весной 1952 года, в 3 часа 30 минут утра Ганнибал покинул свое стойло, пересек вольер, без труда — слава Богу, присмотрелся за пятнадцать лет минус два года эвакуации — открыл хоботом ворота, вышел на улицу и начал свое «Путешествие с Пресни в Кремль», которое продолжалось ровно один час. Чем ближе подходил, тем больше понимал, что движется по правильному адресу: именно там, за зубчатой стеной, должно было дикой плюхой лежать чудище обло, озорно, стозевно и лаяй.

Генералу Власику пришлось с досадой прервать свой лососино-икряной ужин, переходящий в завтрак. Сталин поднял голову из-под зеленой лампы. Как приятно работать, когда все 250 миллионов дрыхнут, и вот тебя прерывают! Как приятно бичевать ленинской плетью зарвавшегося в своих псевдореволюционных умствованиях академика Марра, и вот докладывают, что пришло «самое крупное сухопутное животное».

— Где слон? — спросил он.

Ганнибал ждал Сталина на кремлевской площади. Нас утро встречает прохладой, подумал Сталин, нас ветром встречает река. В предрассветном небе, пощелкивая, полоскались гордые кровавые флаги.

— Ну, что вам угодно? — сухо спросил генералиссимус, с головой ученого, в одежде простого солдата.

Слон Ганнибал адресовался к старому знакомому всей передней частью своего тела, то есть не только самой выразительной ее частью в виде изгибающегося пальца на конце хобота, но и слегка трепещущими пластами ушей, и даже переступающими колоннами ног, и даже глубоко запрятанными лампочками Ильича, то есть глазами. Некоторые элементы задней части, а именно хвост, тоже участвовали в адресе, однако задние колонны стояли твердо и неподвижно, как бы устраняя всякие сомнения в том, что адрес будет услышан.

— Покайся, пока не поздно, старый знакомый! — говорил слон Сталину всем своим телом. — Вот, посмотри на меня, я каюсь уже семьдесят лет в том, что однажды задней левой задавил шакаленка. А ты, братец, как я заметил, ни в чем не каешься. Сделай это, пока не поздно, а то ведь сдохнешь без покаяния!

— Я вас не понимаю, — сухо ответил Сталин. Ему вдруг совсем перестало нравиться это раннее утро. Слон пришел своей дорогой в Кремль, что же, нельзя полагаться на охрану? Сова, скотина, совсем уже не пугается дневного светила, парит над плечом, значит, даже и профессор Градов как врач — говно?

Охрана между тем, стремясь исправиться, образовала круг вокруг Ганнибала. На передний край выкатили 45-миллиметровое противотанковое орудие.

Он меня не понимает, с тревогой, опять же долгой и протяжной, как тревога всей рощи, когда в ней появляется тигр, подумал Ганнибал. Он поднял хобот и протрубил какое-то свое отдаленное, радищевское страдание. Ну, теперь ты понял?

— Уведите, — поморщился Сталин, но никто не решился подойти.

— Уберите, — брезгливо поправился вождь, и тогда грянула пушка.

Так погибло самое крупное сухопутное животное, а мысли его, собравшиеся после выстрела в клубок, затем раскрутились и штопором вырвались из старой крепости на волю.

Глава седьмая
Архи-Медикус

Весной 1952 года в Серебряном Бору, вокруг дома Градовых, вновь появились из прошлогоднего навоза грибы-соглядатаи. Масляная морда одного из них то и дело просовывалась в прорехи обветшавшего забора. Двое других, нахлобучив шляпки-набалдашники на сморчковые физиономии, не скрываясь, прогуливались по аллее. Частенько подъезжала темно-синяя «Победа», останавливалась на углу возле будки телефона-автомата, в ней виднелись еще три землисто-мухоморных рыла.

Что это за порода людей-грибов, думал Борис Никитич. Появляются на поверхности и торчат без всякого оправдания существования. Явиться в Божий мир, чтобы стать эмгэбэшным соглядатаем! Впрочем, ведь даже эти люди могут заболеть, и тогда они присоединяются к благородному племени пациентов. Заболев, даже эти бессмысленные ядовитые грибочки становятся людьми. Страждущими людьми. Людьми, подлежащими лечению. Может быть, только тогда они оправдывают свое существование, участвуя в максимально гуманной человеческой акции: болезнь — лечение.

Соответствующие органы, собственно говоря, никогда не обделяли вниманием градовское гнездо. Телефон наверняка находился на постоянном прослушивании, участковые уполномоченные, начиная еще с младшего командира Слабопетуховского, наверняка получали специальные инструкции по надзору. Иной раз являлись необычные, пожалуй, даже странные учетчики электроэнергии и противопожарного состояния. Однако вот такой плотной осаде дом подвергался только в третий раз; так было в двадцать пятом, сразу после операции Фрунзе, в тридцать восьмом, после ареста сыновей, и вот сейчас.

Первые два раза я ничего не боялся, вспоминал старый хирург. В двадцать пятом я, может быть, и не заметил бы слежки, если бы Мэри не сказала. В самом деле, чего можно было бояться, каких пыток, если самое страшное тогда разыгрывалось у меня внутри, чтобы не сказать у меня в душе: я казался себе предателем, осквернившим весь свой род, все российское врачебное сословие. Ну а в тридцать восьмом я ничего не боялся, потому что был готов понести наказание за двадцать пятый. Или убеждал себя, что не боюсь. В общем, я был готов. В принципе, они ничего не могли придумать страшнее, чем вместо меня увести невинную. Они всегда, очевидно подсознательно, очевидно лишь в силу своей дьявольской натуры, находили возможность унизить меня самым максимальным, непоправимым образом. Самое поразительное заключалось в том, что оба раза тогда вместо ареста и гибели на меня начинали сыпаться их благодеяния, почести, звания, повышенные оклады. Тут, очевидно, опять действовала какая-то подсознательная логика. Все-таки они, очевидно, ощущали какой-то во мне скрытый ущерб, недостаток, ну, скажем так, рыцарских качеств. Что ж, может быть, они это правильно нащупали. Страх перед ними, очевидно, всегда жил во мне, иначе я бы не поддался панике тогда, на Красной площади, когда позорно убежал от иностранца. А эта прочистка сталинского кишечника! Какой гнусный, говенный смысл заключался в этой сверхсекретной процедуре, хотя я всего лишь выполнял свой врачебный долг. Чего же мне ждать сейчас, когда в околокремлевской медицине стали происходить какие-то загадочные и зловещие события. Арестован профессор Геттингер, куда-то пропал, а стало быть, скорее всего, тоже арестован, профессор Трувси, изгнан с кафедры и ждет ареста профессор Шейдеман... Что все это значит и почему все пострадавшие — евреи? Если это имеет отношение к уничтожению Еврейского антифашистского комитета, к исчезновению десятков, если не сотен еврейских интеллигентов, не значит ли это, что теперь и медицину пытаются пристегнуть к антикосмополитической, антисемитской кампании?

Однако я-то тут при чем, ведь я не еврей, думал он, и тут же его продирала дрожь позора. Жаль, что я не еврей, думал он. Я хотел бы быть евреем, чтобы избежать двусмысленности. Для этих бесов всякий российский интеллигент должен быть евреем, потому что — чужой!

Не могу я заканчивать жизнь, прочищая их грязные людоедские кишки, думал несчастный Борис Никитич Градов, профессор и академик и кавалер многих советских орденов. Заклинаю вас, гады, возьмите меня и расстреляйте! Все мои внуки уже выросли, как-нибудь пробьются, уцелеют; я больше не хочу жить рядом с вами!

Такие мысли иногда приходили во время бессонных ночей. Однажды он постучался в комнату Агаши, из-за двери которой пробивалась узенькая полоска света. «Агашенька, дорогая, не бойся, это я, Бо!» За дверью возник переполох, едва ли не паническое шуршание, топоток, метание туда-сюда. Наконец дверь приоткрылась, старушечка с мышиными хвостиками косичек, в длинной байковой рубахе трепетала в проеме, на кончике носа очки. «Что случилось-то, Борюшка?» Он погладил ее по голове: «Ну, дай мне войти, родная».

За 45 лет, что Агафья прожила в этом доме, такое случилось впервые, чтобы Борюшка, извечно любимый, пришел к ней в комнату. Ох, грехи наши тяжкие, а ведь как когда-то, в молодые-то сочные годы, мечталось о таком! Вот тихонький скрип в ночи, и Борюшка входит, и ласкает, и милует, и мучает немножко, и мы все трое еще больше друг друга любим, и Борюшка, и Мэрюшка, и Агашенька... Несметное ж количество раз грешила в мечтах!

Он вошел и сел на шаткий венский стул. Она, трепеща, на краешек кровати присела.

— Агашенька, родная, — проговорил он, — ведь ты же Библию читаешь, где там сказано про зверя?

Она успокоилась сразу и важно покивала:

— А это, Борюшка, в «Откровении Иоанна Богослова».

Борис Никитич кашлянул:

— Не дашь ли мне Библию посмотреть, Агашенька? Мне нужно, ну... для работы, я ведь, знаешь, сейчас почти беллетристику пишу...

Ей неловко было видеть, как Борюшка смущается. Немедленно кинулась и тут же извлекла желаемое из-под подушки. Значит, как раз Библию и читала, когда постучал. По ночам, значит, читает, чтобы не смущать позитивно мыслящего профессора.

«Позитивное мышление — это чистейший примитив», — думал Борис Никитич, медленно, с Библией под мышкой проходя по сильно скрипящим полам — пора перестилать паркет, пора, кроме того, обновить забор, чтобы не заглядывали в прорехи эти грибные морды. «Как мало это мышление понимает человека, вернее, как мало оно старается понять. Что за странную модель мира предлагает нам диалектический материализм? Ведь это же не что иное, как фантом примитивизма, если не дьявольского, со скрытой усмешкой, одурачивания. Это все равно, что вот этого Архи-Меда изобразить в виде картонной полой копии и сказать, что это и есть Архи-Мед».

Год назад внучка Ёлка подарила ему на семидесятипятилетие толстолапого щенка немецкой овчарки.

«Вот тебе, дед, на память о Пифагоре, изволь, — Архи-Мед! — хохоча от удовольствия, пояснила она. — Только этот Архи-Мед пишется через черточку, ибо он не кто иной, как Архи-Медикус, как и ты, мой любимый дед!»

Естественно, все сразу влюбились в наследника Пифагора; «если только это не сам Пифочка к нам снова явился», — добавляла Мэри, а Агаша, разумеется, тут же заменила гордое имя на Архипушку. Едва начав подрастать, Архи-Мед тут же выделил из всех главного, папу Бориса, и стал за ним всюду ходить. Переставал ходить только тогда, когда старый профессор садился, ложился или уезжал из дома. Вот и сейчас, став уже огромным годовалым красавцем, Архи-Мед, полусонный, все-таки сопровождал бессонного старика по скрипучему паркету и сел рядом с ним, возле кресла, точно так же, как Пифагор когда-то садился. Ну, в самом деле, похоже на реинкарнацию, жаль только, что на моем месте не сидит в расцвете лет новый пятидесятилетний профессор, еще не пришибленный операцией над наркомом Фрунзе. Он открыл «Откровение Иоанна Богослова» и сразу нашел о звере:

«...и поклонились зверю, говоря: кто подобен зверю сему? и кто может сразиться с ним?

И даны были ему уста, говорящие гордо и богохульно, и дана ему власть...

...и дана была ему власть над всяким коленом и народом, и языком и племенем.

И поклонятся ему все живущие на земле...»

Борис Никитич читал и перечитывал тринадцатую главу «Откровения» и думал о том, какая тут сокрыта тайна и можно ли все эти таинства и пророчества приложить к тому, что происходит в XX веке, ведь за первым зверем приходит второй, его прямой наследник и «...обольщает живущих на земле, говоря живущим на земле, чтобы они сделали образ зверя...». В молодые годы, в расцвете, в зрелости Борис Никитич к этим тайнам если и обращался, то с улыбкой. С незлой, надо признать, улыбкой, но со снисходительной улыбочкой, естественной перед некими поэтическими вольностями. Сейчас, вдруг, словно бездонный космос открылся ему со всем ужасом непознаваемых тайн... «Здесь мудрость. Кто имеет ум, тот сочти число зверя, ибо это число человеческое; число его шестьсот шестьдесят шесть».

Как я могу это постичь своей дарвинистской и материалистической башкой, думал Градов. Что это за страшные знаки и предначертания? Ясно только, что наше время пришлось на власть зверя и лжепророчества. Вся эта подмена христианских ценностей новыми ценностями суть не что иное, как лжепророчество и дьявольская насмешка. Даже ведь и крест, символ христианской веры, заменен его вывернутыми, искривленными, изогнутыми карикатурами, нацистской свастикой и нашим жуком, серпом и молотом. Подменяется все: и государство, и политика, и экономика, и искусство, и наука, и даже самая человеческая из наук пошла навыверт, и смысл этой подмены состоит только в самой подмене, в издевательской усмешке, которая к нам обращена из неживого космоса...

В одно туманное, с пробивающимися сквозь пелену лучами весеннее утро из округи исчезли грибные мордочки шпиков, и едва только он это заметил, как позвонил телефон. Говорил из 4-го управления Минздрава некто могущественный, предположим, Царенгой Вардисанович.

— Сегодня, в шесть часов вечера, Борис Никитич, за вами придет машина. Вам предстоит важное правительственное задание.

— Нельзя ли уточнить, Царенгой Вардисанович? Ведь мне нужно подготовиться.

— Нет, уточнять сейчас нельзя. Все будет уточняться в процессе выполнения. Могу сказать лишь, что это важнейшее правительственное задание. Постарайтесь отдохнуть и быть свежим к шести часам вечера.

Неужели опять к нему, к воплощению зверя? После тридцать восьмого Градов ни разу не видел Сталина, однако до него иной раз доходило, что вождь не забывает своего спасителя — прочистителя. Больше того, имя Градова для него стало как бы каким-то талисманом, как бы такой последней инстанцией в медицине: любые, мол, Трувси-Вовси, Геттингеры-Эттингеры могут провалиться, но останется Градов, и этот никогда не подведет!

Он не ошибся: машина новой модели ЗИС с ослепительно белыми ободами колес повезла его к Сталину, но не туда, где он уже однажды священнодействовал над бесценным телом, не на ближнюю дачу в Матвеевской, а прямо в Кремль.

Вождь на этот раз не стонал в полукоматозном состоянии, а, напротив, лично открыл дубовую дверь и своими собственными ногами вошел в приемную, где среди хороших ковров и кожаной мебели ждал его профессор Градов. Они пожали друг другу руки и уселись в кресла vis-б-vis. Основательно постарел, подумал Градов, глядя на полуседые волосы и набрякшее мешочками и оползнями лицо. Снимки не передают истины.

— Не молодеем, — прямо отвечая на его мысли, усмехнулся Сталин.

— Я намного старше вас, товарищ Сталин, — сказал Градов.

— Всего лишь на четыре года, товарищ Градов, — снова усмехнулся вождь, само добродушие. У него подрагивали пальцы здоровой руки: волнуется.

— Чем я могу быть вам полезен, товарищ Сталин?

Сталин прокашлялся в платок. Застойный бронхит многолетнего курильщика.

— Я бы хотел, чтобы вы сделали мне полный медицинский осмотр, профессор Градов.

— Но ведь я не терапевт, товарищ Сталин.

Если бы кто-нибудь из ведомых этим человеком миллионов в этот момент посмотрел на вождя, не нашел бы и струйки грозной, гипнотизирующей силы. Сталин не любил — читай: боялся — врачей: ему всегда казалось, что начни с ними иметь дело, так и покатишься безостановочно к концу; последнее же понятие просто не умещалось в сознании. Что же это за вздор такой, к концу, к концу всего дела, что ли, к концу коммунизма? При всей неприязни к медицинскому персоналу, всегда, начиная еще с тридцатых, была у него в уме некая окончательная преграда, последний резерв: профессор Градов. Это имя олицетворяло для него нечто более существенное, чем «передовая советская медицина». И вот, по некоторым причинам, приходится вызывать этот последний резерв и, стало быть, уповать только на него, не оставляя уже никаких вспомогательных сил. Впервые за долгие годы Сталин снова почувствовал страннейшую зависимость от другого человека, и это выводило его из себя. Однако мы, профессиональные революционеры — как замечательно однажды охарактеризовала его Светланка, написав в анкете: «отец — профессиональный революционер», — мы, профессиональные революционеры, не имеем права на обычные человеческие слабости. Еще Троцкий когда-то хорошо сказал: «революционер — это рупор веков», или это не он, нет тут что-то не то, Троцкий ничего не мог хорошего сказать, он — пособник Гитлера и Черчилля... нет... кто передо мной?.. да... доктор Градов, профессор Градов, врач милостью Божией... нет, так нельзя сказать...

От Градова не ускользнуло, что несколько секунд Сталин был в странном замешательстве, однако затем он сказал своим привычным весомым тоном:

— Я считаю, профессор Градов, что вы, прежде всего, врач... хм... по призванию... вы — выдающийся знаток человека, что подтверждается вашей последней книгой «Боль и обезболивание».

Борис Никитич был поражен:

— Неужели вы знакомы с этой книгой, товарищ Сталин?

— Да, я читал, — с природной скромностью и не без удовольствия произнес Сталин. Поразить собеседника неожиданной осведомленностью — это всегда приятно.

Тут уже профессор Градов заволновался:

— Но ведь это сугубо специальная книга, сугубо медицинская, биологическая, во многих местах даже биохимическая. Широкому читателю вряд ли...

Что-то не то говорю, подумал Градов и еще больше заволновался.

Сталин улыбнулся, протянул руку, слегка притронулся к колену профессора:

— Разумеется, я не вникал в медицинские тонкости, однако общее гуманистическое направление даже и мне, широкому читателю, удалось проследить. Человек и боль — это, может быть, самый фундаментальный вопрос цивилизации. Я не удивлюсь, если узнаю, что вы удостоены за этот труд Сталинской премии первой степени. Хотя, должен признаться, мне показалось, что кое-где там звучат пессимистические нотки, но мы не будем их касаться.

Каков фрукт! Именно так, фрукт, и подумал Градов о своем собеседнике. Даже пессимистические нотки уловил в медицинском трактате. Странно начинается наш разговор. Тут, очевидно, я действительно могу и премию получить, и башки лишить- ся. Подумав об этом, он успокоился и даже повесе- лел.

— Итак, Иосиф Виссарионович, вы хотите, что- бы я сделал заключение о состоянии вашего здоро- вья. Разрешите мне, прежде всего, узнать, как вы себя чувствуете?

Каков фрукт, подумал Сталин, даже не побла- годарил за высокую оценку его книги. Как будто не понимает, что пессимистические мотивы его книги тоже могут быть взяты под прицел. Впрочем, это ведь профессор Градов, это ведь не какой-нибудь там Эттингер или Вовси, это уж врач... врач по призва- нию... С ним надо отставить в сторону весь полити- ческий аспект моего здоровья...

— Я чувствую себя, в общем, вполне... — хмуро заговорил он. Как сказать: вполне нормально? Тог- да зачем вызывал? — Вполне работоспособным, — продолжил он. — Однако возраст уже солидный, и товарищи по Политбюро...

— Простите, Иосиф Виссарионович, — мягко, в паузу, вступил Градов, — но меня сейчас как врача интересуют не мнения членов Политбюро, а ваши собственные, как моего сегодняшнего пациента, ощущения. Жалуетесь ли на что-нибудь?

Ему показалось, что Сталин в этот момент с до- садой глянул на обшитые дубовыми панелями сте- ны приемной. Неужели этот Градов заметил, что я боюсь подслушивания, подумал Сталин.

— Как ваше имя-отчество? — вдруг, неожидан- но для себя самого, спросил он профессора.

Градов даже вздрогнул: книгу «Боль и обезбо- ливание» прочел, а имени и отчества не помнит.

— Меня зовут Борис Никитич.

— Хорошо, — кивнул Сталин. — Так удобнее обращаться, Борис...

— Никитич, — еще раз подсказал Градов.

— Жалобы есть, конечно, Борис Никитич. Увеличилась утомляемость. Бывает большое раздражение. Кашель. Боли в груди, в руках и ногах. Бывает, голова кружится. Желудок не всегда идеально функционирует. Моча шалит... вот такие дела, то да се... Борис Никитич... Ну, знаете, в наших краях люди до ста лет живут... — В этот момент Градову показалось, что Сталин повысил голос. — До ста лет спокойно живут. Жалуются, но живут, — он улыбнулся, видимо вспомнив кого-то в «своих краях».

— Ну что ж, давайте работать, Иосиф Виссарионович, — сказал Градов. — Я начну с личного опроса, как мы говорим, «сбора анамнеза», и осмотра, а потом, как вы понимаете, нам понадобится оборудование и помощники.

— Оборудование, помощники... — недовольно пробормотал Сталин. Очевидно, он как-то иначе представлял себе свою встречу с профессором Градовым.

— Ну, конечно, Иосиф Виссарионович, как же иначе? Без рентгенограммы, ЭКГ, лабораторных данных я не смогу сделать заключения. В связи с этим я бы предложил, чтобы мы с вами перебрались на Грановского...

— Никакого Грановского! — оборвал его Сталин. — Все можно сделать в Кремле!

Повернувшись в кресле, он нажал кнопку на письменном столе. Почти немедленно в комнату вошли два человека в белых халатах. Оказалось, что по соседству ждет распоряжений целая группа сотрудников 4-го управления.

— Ну что ж, прекрасно, это еще удобнее, — проговорил Градов.

Он поздоровался за руку с вошедшими и попросил первым делом принести... он чуть было не сказал «историю болезни», но вовремя поправился — историю медицинских осмотров товарища Сталина. Спецврачи замялись, робко поглядывая на своего чудовищного пациента.

— Принесите! — буркнул Сталин. Он все больше мрачнел. Профессор Градов, оказывается, тоже не может обойтись без этой медицинской формалистики.

«История медицинских осмотров товарища Сталина» оказалась тоненькой папочкой с тесемками. Открыв ее с конца, Борис Никитич сразу же увидел совместное заключение профессоров Геттингера и Трувси, то есть двух исчезнувших недавно светил терапии: «Гипертоническая болезнь, артериосклероз, коронарная недостаточность, эмфизема легких, глубокий бронхит, явления легочной недостаточности, подозрение на склеротические изменения почек в сочетании с хроническим пиелонефритом...» Ну и букетик! «Диагноз подлежит уточнению после проведения цикла клинических анализов», — написано было хорошо знакомым Борису Никитичу почерком Трувси. Может быть, за это их и упекли, за этот диагноз? Может быть, и меня здесь ждет «таинственное исчезновение»?

Он попросил Сталина снять китель. Исторический, очевидно, любимый и удобный, в котором, быть может, еще и первая сталинская пятилетка зародилась, пооб ertый на обшлагах. Все тут принадлежит истории: китель, байковое нижнее белье, галифе на подтяжках, не говоря уже про шевровые сапоги. В историю, по всей вероятности, не войдет сильный запашок стариковского пота: вождь, очевидно, среди государственных дел забывает принимать ванну. А может быть, у него идиосинкразия к ваннам, чудится влетающая в разгаре омовения Шарлотта Корде? Шутки такого рода неуместны во время медицинского осмотра, профессор Градов, даже если они лишь мелькают ласточками среди ваших серьезных, как тучи России, соображений. Прежде всего перед вами пациент. Он прощупал дряблое тело вождя...

— Вы не занимаетесь физкультурой, товарищ Сталин?

— Ха-ха, что я, Ворошилов?

...Прощупал железы, в том числе и в паху, для чего попросил генсека приспустить галифе. Открылся длинный вялый шланг; говорят, что у всего старшего поколения вождей вот такие длинные шланги. Бориса Никитича очень интересовали сосуды конечностей вождя. Предположения его подтвердились: нижние части голеней и икры были изуродованы синюшными вздутиями, набухшими гематомами. Варикозное расширение вен, облитерирующий эндоартерит...

— У вас немеют ноги, Иосиф Виссарионович?

— Бывает. У вас разве не немеют, профессор Градов?

Опять забыл мое имя и отчество или раздражен? Старея, большевики, видимо, дико раздражаются против своих врачей. У Сталина явная «иатрофобия», он ненавидит врачей, потому что они разрушают миф величия.

Он сильно пристукнул Сталина сзади в области почек. Дедовский метод: нижней частью ладони сначала по одной, потом по другой. Почки больны, левая больше больна, нежели правая. Теперь вам нужно прилечь на спину, Иосиф Виссарионович. Мнем всеми чуткими, хоть и семидесятишестилетними пальцами, — в каждом 55 лет медицинской практики, считайте, все вместе 550 лет медицинской практики представляют здесь эти пальцы! — мнем ими дряблый живот, отлично ощущаем даже сквозь слежавшийся за годы нашей славы жир вождя его внутренние органы; как ни презираешь человека, а все-таки в роли пациента он вызывает у тебя сердечное сочувствие — вот его дуоденум, панкреас, мгновенная болевая реакция, печень, конечно, увеличена, уплотнена, бугриста, не исключено что-нибудь совсем нехорошее, хотя в этом возрасте это уже течет вяло, замедленно; эти органы-то его ведь в самом деле ни при чем, они ведь такие же, как у всего человечества, ей-ей, ни коллективизация, ни чистки тридцать седьмого года в этом рыхлом пузе не прощупываются; обычная печальная человеческая судьба; газы, перистальтика, изжога, вкус свинца во рту... нет-нет, это не тогда, когда стреляют в рот, а когда почки не справляются со своей очистительной функцией.

Приступим теперь к перкуссии и аускультации. Тот же несчастный Трувси — мы с ним как-то замечательно играли в шахматы после ужина в Доме ученых — не раз мне говорил, что хирург не убил во мне терапевта. Боже мой, чего мы только не слышим и не простукиваем в грудной клетке отца народов! Хрипы, сухие и влажные, выпоты экссудата в нижних частях плевры, глухие тона в верхушках легких, сердце увеличено, аритмия, шумы... Как он еще может ходить со всем этим кошачьим концертом. Ко

всему прочему, стойкая «обезглавленная гиперто-
ния», амплитуда угрожающе мала...

Сталину все меньше нравился профессор Градов, опять забыл, понимаешь, его имя-отчество. Он
задает неуместные вопросы. Такие вопросы нельзя
задавать самому главному человеку так называемо-
го человечества, даже если он твой пациент-шма-
циент. Чувствуется по рукам, что он меня не любит, в руках нет волнения, какое бывает у всех народов. А что я ему плохого сделал? Из заключенного его сына сделал маршала Советского Союза,
это плохо? По просьбе «товарищей по оружию»
выпустил в царство капитализма вдову, известную
в Москве «прости-господи». Ради гуманизма отда-
вали не худших женщин. Может, он злится на меня
за второго сына, троцкиста? Вдруг почему-то отчетливо припомнилось, как Поскребышев докладывал о письме маршала Градова в защиту брата и
как сформулировалась тогда резолюция: «Приговор оставить в силе». Нельзя было тогда помиловать троцкиста: политически это могло создать нехороший прецедент и резонанс. Вот именно: резонанс и прецедент.

— А как поживает ваш сын Кирилл Борисович
Градов? — вдруг спросил Сталин.

Профессор в этот момент был сосредоточен на
прослушивании аорты, и ему показалось на мгновение, что именно из этой кровеносной трубы, очевидно забитой холестериновыми бляшками, словно из порожистой колымской реки, донеслось до
него имя сына. Вспомнил имя! Неужели он обо всем
еще помнит с таким склерозом?

— Спасибо, Иосиф Виссарионович. Он находится в ссылке. Здоров. Работает...

— Если возникнут просьбы в связи с вашим сыном, обращайтесь, Борис Борисович, — сказал Сталин, гордо отвлекаясь взглядом в окно, за которым в весенних оптимистических струях летел над куполом не выцветающий ни при каких обстоятельствах флаг державы, надежда миролюбивых народов мира.

Он говорит «спасибо», но это вовсе не означает, что он просит, что он мой друг. Он чему-то нехорошему научился у этих умников евреев. У этих профессоров нет исторической благодарности. Мы спасли их от «черной сотни» и от Гитлера, а они все равно смотрят на нас, как на голого человека, как на учебное пособие для своих теорий. А ведь профессиональный революционер — человек особой закалки, так Троцкий говорил. Нет, Троцкий ничего не говорил. У Льва было слишком большое самомнение, и он ничего хорошего не говорил. Если бы он был скромнее, не возникло бы такое безобразное явление, как троцкизм. Теперь поздно говорить. Вовремя не выкорчевали, и вот он распространяется по всему телу, принимает форму этих безобразных диагнозов. Профессор Градов может оказаться невольным пособником международного троцкизма. Нет, не этого я от тебя ждал, генацвале! Нередко воображалось, что после разгона всех этих околокремлевских трутней приходит профессор Градов, вечный спаситель, тот, что когда-то уже разогнал излишки свинца, пробил путь в Алазанскую долину, то есть, по-мужски говоря, помог просраться, внес свою лепту в борьбу за всеобщее счастье, вот он приходит, лоб высокий, глаза ясные, руки теплые. Бережно и легко, тактично проводит осмотр, после чего говорит: «Сталин-батоно, да ты здоров, как весь СССР, и не обращай внимания

на то, что тебе говорят все эти Трувси-Вовси, Геттингеры-Эттингеры!» Вместо этого он прощупывает каждую жилку, прослушивает каждую клетку, как будто
решил узнать, от чего я умру. В том смысле, что сдох-
ну без покаяния. Странное желание, ничем не лучше
антисоветского шпионажа. Ведь его же вызывают опровергнуть, а не подтвердить, неужели он этого не понимает? Странная глухота, надо будет внимательнее
перечитать его книгу «Боль и обезболивание», там
внезапно может многое открыться. Может быть, я,
великий Сталин, как тут все вокруг кричат, уже при-
говорен и теперь остался совсем один, как в школь-
ные годы, без помощи и без покаяния? «Отпусти мне
грехи мои, Владыко», — еле слышно по-грузински
пробормотал пациент. Нет, это не то, не к тому обращаюсь...

— Вы что-то сказали, товарищ Сталин? — спросил Градов.

Сталин вынырнул из тяжелой дремоты, усмехнулся:

— Нет-нет, вы меня немножко просто усыпили
своим осмотром, профессор.

— Ну что ж, осмотр закончен, — с профессиональной бодростью сказал врач, — а теперь, Иосиф
Виссарионович, мы вместе с персоналом должны
будем снять у вас электрокардиограмму, сделать рен-
тгеновский снимок грудной клетки, анализы крови
и мочи. После этого мне понадобятся часа два для
анализа всех этих данных.

— Значит, после анализов я смогу вернуться к
делам? — спросил вождь.

— Если можно, никаких дел сегодня, Иосиф
Виссарионович. Лучше всего было бы отвлечься,
почитать что-нибудь легкое или посмотреть кино.

— Сегодня вы хозяин в Кремле, — хмурая шутка была произнесена каким-то совсем не шутливым, скорее, зловещим тоном. Градов, никак не отвечая на шутку — приглашаешь врача, изволь подчиняться, будь ты хоть трижды дракон своей страны, — открыл дверь в смежную комнату и громко сказал:

— Попрошу халат для товарища Сталина! Какой халат? Лучше всего теплый халат!

Среди персонала возникла бестолковая суета.

— Идиоты, — устало сказал Сталин.

Градов пожал плечами. Общее недовольство бестолковостью персонала как-то смягчило их взаимоотношения. Вдруг произошло одно из кремлевских чудес: явился халат. Только что не было никакого халата, и вдруг смятение и ужас родили великолепный махровый, тяжелый и длинный, почти до пола халат, никоим образом не унижающий человеческого достоинства генерального секретаря, а, напротив, даже поднимающий это достоинство. Эти длинные одежды увеличивают достоинство руководителя; почему к ним не вернуться?

Вместе со Сталиным, ведомый двумя холопами в белом, профессор Градов отправился по кремлевскому коридору в процедурные кабинеты медсанчасти. В почтительном отдалении позади тащилась целая толпа других холопов.

...На все худо-бедно ушло не менее трех часов, прежде чем Сталин и Градов снова оказались наедине.

— У меня сложилось впечатление, Иосиф Виссарионович, — начал Градов говорить любезным, но отнюдь не заискивающим, даже, пожалуй, чуть-чуть слишком не заискивающим тоном для хорошего тона, — что состояние вашего здоровья вызывает серьезные опасения. Кроме медикаментозного лечения, список которого я подготовил, я бы предложил для такого больного, как вы... — Сталин при этих словах, «больного, как вы», глянул на него подыхающим тигром... — я бы предложил более важные даже, чем медикаменты, мероприятия, а именно полную перемену образа жизни. Две ваших самых главных беды, товарищ Сталин, то есть я хотел сказать, две ваших главных заботы — это колоссальное нервное напряжение и наличие в организме избыточного количества вещества, именуемого холестерин. Мировая медицина, к сожалению, пока не может на должном уровне провести ангиографию ваших сосудов, однако я боюсь, что они сильно изменены холестерином. Есть, однако, способы уменьшить этот проклятый, забивающий артерии холестерин. Прежде всего следует немедленно и бесповоротно бросить курить. Затем категорическим образом изменить питание, то есть полностью исключить животные жиры, сосредоточиться главным образом на овощах и фруктах. Третий важнейший фактор: движение. Под руководством специального врача вам следует приступить к ежедневным физическим упражнениям, сначала очень легкого характера, потом увеличивать. Что же касается нервных перегрузок, то их надо категорически избегать, полностью устранить их из своего режима дня, иными словами, вам нельзя более работать так, как вы работаете сейчас. В принципе, вам вообще нельзя работать, Иосиф Виссарионович.

— Вы понимаете, что вы говорите, профессор Градов? — перебил его Сталин и так посмотрел на врача, как будто не Градов ему, а он Градову ставит в этот момент нехороший диагноз. — Вы понимаете, что это значит: мне перестать работать?

Градов выдержал взгляд с прохладным спокойствием. Он уже решился. Больше не запугаете. Мне семьдесят шесть лет, и больше я не потеряю ни капли своего достоинства. Может быть, даже восстановлю несколько капель. А зачем они тебе, эти капли, в семьдесят шесть лет? Вот, вообразите, генералиссимус, они мне нужны.

— Понимаю я или не понимаю, что это значит в политическом смысле, не имеет в данный момент большого значения. Меня пригласили сюда как врача, и я без всяких утаек сообщаю вам свое врачебное заключение, товарищ Сталин.

— Это любопытно, — произнес Сталин, еле сдерживая гнев и тоску: пропал, улетучился многолетний его охранительный символ, именуемый профессор Градов, перед ним сидел холодный и спокойный почти враг. — Любопытно, что заключение старого русского врача совпадает с мнением этих Геттингера и Трувси.

— Профессора Геттингер и Трувси, товарищ Сталин, крупнейшие специалисты в области кардиоваскулярной симптоматики, и я очень жалею, что не могу сейчас с ними проконсультироваться.

Градов внимательно смотрел на лицо Сталина, в котором временами, по ходу этого разговора, вдруг проявлялось что-то молодое и бандитское. Знает ли он о том, что профессора исчезли? Неужели это по его прямому приказу они исчезли? Трудно что-либо прочитать на этом лице, кроме страшной и подлой власти.

Сталин вдруг встал и пошел в дальний конец кабинета, где постоял некоторое время спиной к Градову под картиной Бродского, на которой Ленин сидел среди складок мебельных чехлов, похожих на попоны слона.

— Мне не нравится, как вы тут занимаетесь физиономистикой, профессор Градов, — сказал он, не оборачиваясь. — Скажите, а какого вы мнения о профессоре Виноградове? — С мимолетным юмором он нажал на «вино», то есть на то, отсутствие чего характеризовало фамилию его собеседника.

— О Владимире Никитиче? — Градов вдруг совершенно не к месту вспомнил, что к этому заведующему кафедрой факультетской терапии Первого меда недавно приклеилась странная кличка Куцо. Он страдал заиканием, и логопеды предписали ему в такие моменты, в порядке самогипноза, произносить слово «куцо», что он и делал весьма успешно на лекциях к великому восторгу студентов. — Владимир Никитич Виноградов тоже является большим и выдающимся терапевтом нашего времени.

— Я вас больше не задерживаю, профессор Градов, — сказал Сталин и тут же покинул кабинет.

Ну, вот и все. Борис Никитич откинулся в кресле и закрыл глаза. Увижу ли я сегодня свой дом? Это под большим вопросом. Промелькнуло выражение безграничной любви в глазах Архи-Меда. Ничего впрямую не сказав, я показал, что больше их не боюсь. Вряд ли они прощают такие демонстрации. Несколько минут он сидел с закрытыми глазами. За ним не шли. Два уборщика ввезли в комнату тяжелый агрегат — пылесос. Тогда он поднялся и пошел к выходу. Часовые в коридорах провожали его бесстрастными взглядами человекообразных следящих устройств, однако не делали ни малейших попыток остановить либо сопроводить.

В нижнем холле дежурный офицер молча показал ему на отдаленную в глубину помещения линию стульев, а сам снял телефонную трубку и что-то тихо доложил.

Градов сидел в этом пустынном холле не менее получаса. По разработанной им самим методике он старался ни о чем не думать и не менять позы, дабы смирить накатывающие дрожь и головокружение. Нечто вроде виноградовского способа преодолевать заикание, только вместо «куцо» в уме повторяется произвольная череда слов: «бом, мом, бром, гром, фром, сом, ком, флом...». Таким образом ты ограждаешь себя от внешних влияний и в то же время все-таки еще присутствуешь в мироздании на правах, скажем, маленького пруда с лилией.

Вдруг позвали: пришла машина. Что пришло? Куда пришло? Почему пришло? Зачем пришло? За кем пришло? И наконец: за мной пришла машина, вывозят из Кремля. В машине был только шофер, но профессору Градову указали на заднее сиденье. Выехали из Кремля через Боровицкие ворота и почему-то остановились возле Манежа. Подошли два мужика в черных костюмах, влезли с двух сторон на заднее сиденье, сильно сжав профессора Градова и обдав запахом лошадиного пота. «Шляпу сними!» — приказал один из них. «Простите?» — повернул к нему лицо профессор. «Шляпу сними, старый мудак!» — рявкнул второй и, не дождавшись добровольного снятия шляпы, сорвал ее с головы профессора и швырнул на переднее сиденье. После этого на глаза профессору была надета тугая, непроницаемая повязка. Машина тронулась и ехала куда-то какое-то время; покачивалось озерцо с лилией, над ним враскоряку повисли фразы, медлительно произносимые двумя мужиками: «Ну, а он чего?» — «А он ничего». — «А она-то чего?» — «А чего ей?» Помимо захвата профессора Градова у них еще были свои дела.

Машина остановилась, и с профессора сняли повязку. Вокруг был тускло освещенный, ничего не говорящий двор многоэтажного дома. Его ввели в подъезд и подняли на лифте. За дверью оказалась череда комнат с ничего не говорящей меблировкой. В одной из них вышел навстречу профессору невысокий округленный человек с ничего не говорящим лицом. Кое-что все-таки говорил его китель с генеральскими погонами.

— А, привезли это говно! — петушиным голоском приветствовал он вошедших. — Бросьте его вон там! — Он показал на диван.

Профессора взяли под микитки и в буквальном смысле бросили на диван, отчего совершенно седые, но не поредевшие волосы Бориса Никитича упали ему на глаза, словно космы пурги.

Генерал закурил длинную папиросу, приблизился и поставил ногу на валик дивана.

— Ну что, жидовский подголосок, сам будешь раскалываться или выбивать из тебя придется правду-матку?

— Простите, что это за манера обращения? — гневно поднял голос профессор Градов. — Вы знаете, что я — генерал-лейтенант медицинской службы Советской Армии? Вы ниже меня по чину, товарищ генерал-майор!

Округлый генералишка с внешностью бухгалтера домоуправления внимательно выслушал эту тираду и даже кивнул головой, после чего спросил:

— Ты скажи, срать-ссать хочешь? Давай-ка перед началом разговора прогуляйся в гальюн, старый мудак, а то начнешь тут, в чистом месте, пачкать.

Он вдруг схватил профессора Градова пятерней за галстук и рубашку, подтянул к себе, дохнул в лицо вчерашним, частично отблеванным винегретом.

— Сейчас ты, блядь, так у меня завизжишь, как ни Трувси, ни Геттингер не визжали! Мы тебе все твои ордена прямо в жопу загоним!

Не отдавая ни в чем себе отчета, Борис Никитич вдруг в ответ схватил генерала за ватные титьки кителя и тряхнул, да так сильно, что у того, то ли от изумления, то ли от самой тряски, вылупились зенки, по-петрушечьи заболталась голова. Борис Никитич отшвырнул от себя мерзопакостного генерала и упал на диван. Почему я еще жив, довольно спокойно, как бы со стороны, подумал он. Откуда берутся такие неожиданные резервы организма? Кроме адреналина тут, очевидно, еще кое-что присутствует, не изученное.

Генерал, видимо потрясенный не только в буквальном, но и в переносном смысле, пытался поймать оторванную профессором и крутящуюся по паркету пуговицу. По всей вероятности, органы госбезопасности давно уже не видели подобного афронта. Пуговица раскручивалась между ножками кресла, пока наконец не легла на бок, звездой к потолку, в северо-восточном углу. Рюмин, это был он, подобрал ее и положил в карман. Ну, что мне теперь делать с этим ебаным профессором, подумал он. Решение бить пока еще не сформулировано, высказано было лишь желание попугать. Взять на себя инициативу? Рискованно даже в моей нынешней должности. Абакумов выше сидел, а вон как покатился.

Он встал спиной к профессору и снял трубку телефона, рычажок, однако, не отпустил.

— Ну-ка, пришлите ко мне Прохезова с Попуткиным! Кое-кого тут надо поучить уму-разуму!

Наверное, это те же самые, что меня везли, подумал Борис Никитич. А может быть, и другие. Мало ли тут у них таких Прохезовых и Попуткиных. Не завизжать, очевидно, и мне не удастся. Крик, визг, стон, рыдания — это естественные реакции на боль, бессознательные. Переключить сознание с ожидания новой боли на что-то другое — вот задача. Пусть это будет моим последним экспериментом...

Дверь открылась. Вместо ожидаемых горилл в кабинет вошел человек в плаще и шляпе, Берия Лаврентий Павлович собственной персоной. Он снял шляпу, стряхнул с нее брызги дождя — где же под дождь-то попал всесильный зампредсовмина, неужто пешком сюда шел или под фонарем где-нибудь стоял, мечтал? — сбросил плащ на руки Рюмину и спросил, как бы не замечая профессора Градова:

— Ну, что тут у тебя происходит?

— Да вот, Лаврентий Павлович, не желает вступать в беседу этот... этот профессор, — будто обиженный мальчик стал жаловаться Рюмин. — Я, говорит, выше вас по званию, встать, говорит, по стойке «смирно»...

— А вот так нельзя, Борис Никитич, — милейшим тоном обратился тут Берия к Градову, — партия нас учит демократичности, товарищескому отношению к младшим по званию. Кроме того, ведь этот вот генерал-майор, — он большим пальцем показал на Рюмина, — в настоящее время занимает пост заместителя министра госбезопасности.

Рюмин обмер: что это значит, «в настоящее время»? Неужели вслед за Абакумовым покачусь? Неужели «еврейское дело» решили закрыть?

— Этот человек угрожал мне в самых грязных выражениях, — произнес Борис Никитич. Все слова этой фразы показались ему несцепленными и повисшими в безобразном перекосе.

— А кто мне пуговицу оторвал?! — вдруг по-дурацки вскрикнул Рюмин. Под внимательным взглядом Берии он вдруг почувствовал, что этот крик, может быть, самая большая ошибка в его жизни.

Берия засмеялся:

— Ну что, друзья, будете считаться, кто первый начал? Послушай, Михаил Дмитриевич, ты не можешь нас ненадолго оставить? Необходимо посекретничать с профессором.

Подрагивая подбородочком, Рюмин забрал со стола какую-то папочку и вышел. Берия проводил его взглядом — в буфет побежал Мишка, коньяком подзарядиться, — потом подтянул стул к дивану и уселся напротив Бориса Никитича.

— Вы давно не любите советскую власть, Борис Никитич? — доброжелательно спросил он.

— Лаврентий Павлович, зачем вам эти приемы? — ответил с раздражением Градов. — Мне семьдесят шесть лет, моя жизнь закончилась, вы все-таки должны это учитывать!

— Почему приемы? — Берия был как бы оскорблен в лучших чувствах. — Я просто подумал, что человек вашего происхождения и воспитания, возможно, не любит советскую власть. Чисто теоретически, да? Такое бывает, Борис Никитич. Человек верно служит советской власти, а на самом деле ее не любит. Человек бывает сложнее, чем некоторые, — он посмотрел на дверь, — думают. Для нас, например, не было секретом, что ваш сын, будучи дважды Героем Советского Союза, не любил советскую власть. То есть не всегда не любил, иногда, конечно, любил. Знаете, некоторые предпочитают блондинок, но иногда им нравятся и брюнетки, но все-таки они предпочитают, конечно, блондинок.

Нет, этот профессор не воспринимает юмора. С ним по-хорошему разговариваешь, а он даже не улыбнется. Что за туча!

— Давайте все-таки по существу, Лаврентий Павлович. На каком основании меня задержали и привезли сюда?

— Разве вам не объяснили? — удивился Берия. — Это очень странно. Вам должны были еще в Кремле объяснить, что я хочу с вами встретиться. Я проверю, почему вам не объяснили. Понимаете, мы, в правительстве, очень взволнованы вашим заключением о состоянии здоровья товарища Сталина. Скажите, вы действительно считаете, что ему нельзя работать, или это у вас, так сказать, эмоциональное, что ли, ну, как бы по отношению ко всему?

— Вы можете думать обо мне все, что вам будет угодно, товарищ Берия, — с суровостью, его самого бесконечно удивлявшей, сказал профессор Градов и вдруг даже с вызовом ударил себя ладонью по колену. — Я в ваших руках, но ничего не боюсь. И вы прекрасно знаете, что я — врач, прежде всего врач! Ничего для меня нет священнее этого звания!

Интересный человек, подумал Берия. Жаль, что слишком старый. Не боится нас. Это любопытно. Это о чем-то говорит. Жаль, что он такой старый. Если бы был хоть немного моложе! И все-таки не совсем обычный, даже интересный человек.

*Создатели фильма: продюсер Антон Бар-
щевский, автор сценария Наталья Виолина,
кастинг-директор Дарья Виолина, режиссер-
постановщик Дмитрий Барщевский, худож-
ник-постановщик Сергей Бржестовский
и оператор-постановщик Красимир Костов*

Писатель Василий Аксенов
и режиссер-постановщик Дмитрий
Барщевский

Вероника Градова (Екатерина Никитина) и Нина Градова (Ольга Будина)

Рабочий момент. Кристина Орбакайте, Илья Носков, автор сценария Наталья Виолина, продюсер картины Антон Барщевский, кастинг-директор Дарья Виолина

Вера Горда (Кристина Орбакайте)

Василий Сталин (Сергей Безруков)

Борис IV (Илья Носков) и Майка Стрепетова
(Елена Касьянова)

Мать Майки Стрепетовой (Ирина Купченко)

Магадан. Корабль с зэками.

Вася (Александр Анисимов) и Ёлка (Анна Снаткина) в кафе на Речном вокзале

Тася Пыжикова (Виктория Толстоганова)

Парторг Мединститута (Михаил Ефремов)

Лаврентий Берия (Ираклий Мачарашвили),
Елка Китайгородская (Анна Снаткина) и
Тамара (Елена Романова)

Циля Розенблюм (Марианна Шульц), Нина Градова (Ольга Будина), Елка в детстве (Маша Евенко), Агаша (Марина Яковлева), Мэри Градова (Инна Чурикова) и Вероника Градова (Екатерина Никитина)

Рабочий момент. Юрий Соломин и
Александра Соломина

Озвучание. Александр Балуев, Дмитрий Ульянов, Алексей Кортнев, Наталья Виолина, Дарья Виолина

— Борис Никитич, вот именно как с врачом разговариваю, дорогой! — взмолился Берия. — Как же иначе? Вы — большой врач, ваши заслуги во время войны титанические, понимаешь! А вашу книгу «Боль и обезболивание» каждый чекист должен изучить: ведь мы на опасном участке работы. Товарищ Сталин вам верит, как отцу родному, и вот потому, — тут вдруг Берия как бы махнул перед своим лицом темным веером и вынырнул из-за него совсем другим: лоснящиеся брыла окаменели, очки ослепли, — вот потому мы все так и обеспокоены вашим заключением. Рекомендовать великому Сталину, человеку, буквально, знаменосцу мира, уйти с работы, это, по моему мнению, слишком смелое, слишком дерзкое, профессор Градов, заявление. Ведь это же вам не Черчилль какой-нибудь. Мы, вожди, приходим в ужас — да? — что же скажет народ?

Эти медленные слова были пострашнее хулиганских криков Рюмина, однако Борис Никитич, как бы уже приняв свою участь, сохранял на удивление самому себе полное спокойствие.

— Простите, товарищ Берия, но вы не совсем понимаете суть отношений «врач — пациент». Когда я осматриваю товарища Сталина, для меня он не больше и не меньше любого Иванова-Петрова-Сидорова. Что же касается политического аспекта этого дела, я прекрасно понимаю его важность, но не могу же я толкать своего пациента к быстрейшей гибели.

— Он, что же... обречен? — совсем уже медлительно, будто брал в руки незнакомого кота, спросил Берия.

Борис Никитич усмехнулся:

— Я думаю, вы понимаете, товарищ Берия, что каждый человек обречен. А Сталин, вопреки общему мнению, это смертный человек...

Как говорит, думал Берия, как держится! Жаль, что слишком старый, и все-таки...

— Состояние его здоровья приближается к критическому, — продолжал Градов, — однако это совершенно не обязательно означает, что он скоро умрет. Он может выйти из кризиса, принимая медикаменты и полностью изменив образ жизни. Диета, физические упражнения, полное, и на довольно длительный срок, ну, скажем, год, устранение эмоциональных, психологических и интеллектуальных нагрузок, то есть отдых. Вот и все, дело проще пареной репы.

Несколько секунд царило молчание. Лицо Берии было непроницаемо. Лицо Бориса Никитича было проницаемо. Маски не наденешь, все ясно, все сказано. А чтобы еще яснее все стало, пусть заметит мое презрение. Он усмехнулся:

— А народ, ну что ж... в нынешних условиях народ может и не заметить годового отсутствия вождя...

Интереснейший человек, едва не воскликнул Берия. Оставив профессора в прежней позе на диване с высокой спинкой, он ушел к окну, там чиркнул зажигалкой и с наслаждением закурил душистую американскую сигарету. Резиденты из-за границы неизменно привозили ему запасы «Честерфилда».

— А ведь вы не всегда, Борис Никитич, были таким стойким, несгибаемым врачом, — лукаво сказал он от окна и даже погрозил гордецу пальцем. — Я вот только сейчас перелистал ваше дело и кое-что увидел, записанное нашими товарищами еще в старые времена.

Профессор Градов порывисто встал.

— Сидеть! — рявкнул Берия.

— Не сяду! — крикнул в ответ профессор: да что это со мной? — С какой стати я должен сидеть? Предъявите ордер на арест, а потом приказывайте!

Впоследствии, пытаясь анализировать свое, столь невероятное поведение в застенках Чека и стараясь по интеллигентской привычке все-таки самого себя унизить, Градов решил, что он в эти минуты, очевидно, подсознательно почувствовал, что Берии нравится его независимость, и, стало быть, эта неизвестно откуда взявшаяся отвага — совсем и не отвага вовсе, а что-то вроде упрямства любимчика ученика.

Берия улыбнулся и произнес любезнейшим тоном:

— Слушай, старый хуй собачий, если эта информация куда-нибудь просочится, блядь сраный, если кому-нибудь скажешь о нашей встрече, понял, о нашем разговоре, я тебя отдам со всеми потрохами Мишке Рюмину и ты свою гордость проглотишь вместе со своими кишками и яйцами точно так же, говно козы, как ее твои еврейские дружки, Геттингер и Трувси, проглотили. Шкуру спустим, срака, в буквальном смысле!

Он надел плащ, шляпу и протер шарфом очки. Любезнейшая улыбка все еще блуждала по его губам, у которых было какое-то странное свойство то сужаться, превращая рот в подобие акульего отверстия, то распускаться мясистым алчным цветком.

Страннейший человек в большевистском правительстве, вдруг совершенно спокойно подумал Борис Никитич. Меньше всего он похож на большевика. В нем есть что-то итальянское, что ли, такой зарубежный злодей. Он даже ругаться по-русски не научился. Итак, что же является самой страшной тайной: здоровье Сталина или его к этому интерес?

— А ведь мы с вами едва ли не родственники, Борис Никитич! — вдруг милейшим образом рассмеялся Берия. — Ведь супруга ваша Мэри Вахтанговна — моя землячка, ведь верно, а ведь все грузины немножко родственники, даже и мингрелы с картлийцами переплелись. Поищите в наших летописях «Картлис Цховреба» и наверняка найдете родственные связи между Берия и Гудиашвили. Не надо вздрагивать! Все мы люди, а племянник вашей супруги Нугзар Ламадзе — мой ближайший помощник. Видите, ха-ха-ха-ха, ха-ха-ха, мир мал, мир мал!

— Да, мир тесен, — как бы подтвердил и в то же время как бы поправил Градов.

Берия приблизился и запросто полуобнял профессора за плечи:

— Пойдемте, я провожу вас до машины. Не бойтесь, мне нравится ваша, понимаешь, приверженность клятве Гиппократа...

В ночном воздухе после дождя вокруг дома в конце жизни сильно и сладко пахли цветы — табаки. Сосны, подруги жизни, ровно и нежно шумели под ветром, который не исчезает никогда, самый молодой и самый древний обитатель всех пространств и закоулков земли. И в освещенном окне проходит силуэт старой подруги, единственной женщины, которую я любил всю свою жизнь, ну, если не считать нескольких медсестер в командировках, спина ее все еще не ссутулилась, седая коса тяжела, все с той же гордостью проплывают ее груди, которые я когда-то так упоенно ласкал и из которых левая так теперь обезображена недавней операцией.

Давайте теперь наслаждаться каждым мигом в родном доме, табаками и ветром и нежным видом старухи любви: надолго ли я отпущен назад, в жизнь? Почему же щенок не чувствует моего присутствия и не лает? Нет, он не сторож, заласкан моими женщинами, как и тот, предыдущий.

Срываю белый цветок табака, погружаю в него свой давно уже окаменевший нос, поднимаюсь по крыльцу, наслаждаясь каждой его ступенькой. Поднимаю руку, чтобы насладиться стуком в свой дом. Залаял Архи-Мед. Наконец-то! Это я, Архипчик, твой хозяин, архи-медикус Борис. Видишь, отпустили еще немножечко пожить.

Глава восьмая
Знаешь, я тебя знаю!

«Ну что, Град? — Порядок, Град? — Ребята, Град толкнул терапешку! — Что отхватил? «Пйтух»? Не верю! — А ну, Град, покажь нам свой «пйтух»! — Все чин чинарем, ребята, у Града в зачетке «пйтух»! — Ой, Боренька, ой-ой, как мы тебя поздравляем! Как мы рады, что ты с нами сдавал и «отлично» получил! Ведь ты у нас такой знаменитый! Такой красивый! Такой стильный! — Слушай, Град, ты кому сдавал, Тарееву или Вовси?..»

Студент третьего курса Первого МОЛМИ Борис IV Градов, он же чемпион Союза по мотокроссу в классе 350 кубических сантиметров, мастер спорта СССР и член спортклуба ВВС Б.Н.Градов, он же известный в Москве молодой человек Боря-Град, с наслаждением стаскивал с атлетических плеч кургузый и коротколапый белый халатишко. Амба, экзамены позади! И самое потрясающее — никаких задолженностей! Удивляюсь, как ты смог все махнуть в одну сессию, Град, сказал ему подошедший студент по кличке Плюс, боксер-перворазрядник, один из немногих однокурсников, с кем Борис держался более или менее на равных.

— «Высокие горы сдвигает советский простой человек», — пояснил Борис.

Вокруг пищали девчонки и басили, сбиваясь на фальцеты, двадцатилетние мальчишки. Град снисходительно взирал на эти телячьи радости. Народ совсем зеленый, совсем стручки. Колоссально задерживается в развитии послевоенный молодой народ. Сплошная девственность, заторможенность полового развития. Однажды, когда заглядывали друг другу через плечо, как профессор мнет живот больному, к Борису прижалась студентка Дудкина. Этой девице с ее великолепными формами давно пора было бы встать во главе передовой Москвы. Однако она трепетала при этом невольном прикосновении. Чтобы ободрить Дудкину (она к тому же еще была комсоргом потока), он положил ей руку на попку и немного даже съехал вниз, к завершению округлости. Девчонке стало плохо, черт побери! Пришлось ей дать капель Зеленина в граненом стакане. С тех пор старается его не замечать, а если вдруг перехватываешь взгляд, то в нем легко читается «письмо Татьяны». Смеху полные штаны.

И вот комсорг Дудкина как раз сейчас, после экзаменов, к нему направляется. Прямо к пожирателю птенцов.

— Боря, вы будете с нами отмечать окончание курса?

Он, будто кореш, теперь обнимает за плечи:

— Знаешь, Элька, я бы рад, да через два дня команда на Кавказ отправляется.

Губки-карамельки трогательно так задрожали.

— Через два дня... а ведь мы послезавтра... да нет, я просто так... просто тут складчина...

— По сколько складываетесь? — Он уже вытягивал из кармана свои «хрусты».

Глазенки Элеоноры Дудкиной радостно осветились.

— По пятьдесят.

— Не много ли? — заботливо спросил он. — Не перепьются ребята? — А сам сунул ей в кармашек халата сотенную бумажку.

— Не учите меня жить, мужчина! — шикарно так, хоть и не совсем к месту, ответила она.

Цитата из «Двенадцати стульев». По курсу гуляла эта полузапрещенная книженция вкупе с «Золотым теленком» в довоенном издании, и многие студенты говорили исключительно цитатами из некогда знаменитой, а сейчас почти наглухо закрытой сатиры Ильфа и Петрова. Вот, значит, и отличница-зануда Дудкина теперь перешла к лексикону Эллочки-людоедки, чтобы показать герою своих грез Борису Градову, что она тоже не лыком шита, хоть и отличница, но все-таки не зануда и что, если он придет на складчину к Саше Шабаду, его могут там ждать приятные неожиданности. Нетрудно представить это сборище стручков: цитаты из Ильфа и Петрова, радиола с довоенными пластинками плюс «джаз на костях», то есть Нат Кинг Коул и Пегги Ли, переписанные на рентгеновскую пленку, ну и, конечно, танцы с выключением света, то есть с «обжимоном».

В принципе, может быть, и мы с Сашкой Шереметьевым были бы такими же детьми к двадцати годам, если бы не оказались в «диверсионке», где нас так здорово и быстро научили убивать. Дико после тех лет начинать все сначала, вливаться в здоровый телячий коллектив, штудировать премудрости, чтобы стать специалистом по лечению, когда ты давно уже стал специалистом по убиванию. Приводить в трепет девственниц вроде Элеоноры Дудкиной после половой закалки в спортклубе ВВС. Говорить цитатами из «Золотого теленка». Участвовать в пятидесятирублевых складчинах.

В этом году, когда начались курсы пропедевтики внутренних болезней и общей хирургии, Борис IV впервые ощутил какой-то смысл в своих штудиях. Впервые он увидел, что перед ним не абстракция, а страждущее человеческое тело, которому нужно, а иногда даже и можно помочь. Вот, должно быть, просыпается генетический градовский зов, усмехался он про себя, требует продолжения прерванной династии. Дед, Борис III, который явно не рассчитывал, что Бабочка, с его мотоциклами, дотянет и до второго курса, бывал теперь несказанно польщен, когда на воскресных обедах в Серебряном Бору вдруг получал от внука снисходительный вопрос из сокровенной области.

И все-таки стаскивать халат и забрасывать его в угол до сентября было сущим наслаждением! Через два дня большим табором мотоциклисты и сопровождающий персонал понесутся в Тбилиси, к месту всесоюзных соревнований этого года. За несколько дней пробега выветрится из башки бесконечная московская пьянка. И потом эта Грузия, извечная родина, где он никогда не был...

Впрочем, приближался. Прошлогодние сборы в Сочи. Сочи — это почти Грузия. Волшебный край. Сверкающее море. Гостиница «Приморская» на высоком берегу в стиле «радостных тридцатых». ВВС там занимали целый этаж. Что-то неприятное выплывает из памяти при слове «Сочи». Что же это может быть? Ах да, те девчонки! Нечего притворяться, какие там «ах да», вот именно, те девчонки и их мальчишки, с которыми так жестоко, по-подлому, поступили супермены из ВВС.

Они сидели за ужином в ресторане, когда появилась та компания, шестеро юнцов с девчонками, на них сразу все обратили внимание. Это были не кто иные, как недавно обнаруженные в обществе стиляги. В газетах теперь то и дело появлялись фельетоны про стиляг, повсюду мелькали сатирические рисунки, на которых зловредный стиляга изображался с длинной гривой и петушиным коком на голове, в огромном клетчатом пиджаке и брюках-дудочках, с обезьяной на галстуке и в туфлях-автомобилях на толстенной каучуковой подошве. Народ быстро научился освистывать этих буржуазно-разложившихся американизированных стиляг и даже иногда применять физические методы воспитания. Может быть, поэтому стиляги предпочитали появляться группами, ну, чтобы у народа реже проявлялись воспитательные наклонности.

Пришедшая в «Приморскую» в тот вечер дюжина была стилягами высшего качества, то есть имела мало общего с карикатурными образцами. Все вроде было в стиляжном наклонении, однако не утрировано, а как бы даже подогнано со вкусом. Вэвээссовские атлеты и сами были в этом наклонении, так что никто из них и не подумал про юную компанию: «Во стиляги приперлись!» Девчонки у них были классные, вот на что все обратили внимание. Все, как на подбор, девчонки — тоненькие, коротко подстриженные, с отлично подведенными глазищами.

— Эта гопа утром приехала на трех «Победах», — сказал барьерист Чукасов.

— В общем, папина «Победа», — заметил тренер по плаванию Гаврилов, вспомнив нашумевшую крокодильскую карикатуру, бичующую нерадивых деток высокопоставленных родителей. Кажется, в точку попал. Борису показалось, что он даже встречал двух-трех юнцов из этой команды, кажется, в «Ерш-избе», кто-то говорил, что вот, мол, сыночки лауреатов гуляют, пока папы симфонии и металлургические трактаты сочиняют. Все посмеялись, после чего перестали смотреть на молодежь, занявшись сугубо спортивными разговорами. Так бы все мирно и сошло, если бы не появился в кабаке «хозяин», Василий Иосифович, ну, и если бы оркестр не стал подогревать обстановку бурным ритмом «Гольфстрима».

Васька был уже сильно пьян и зол. В клубе знали, что в этом состоянии он начинает искать приключений на собственную жопу. Любит придраться к чепухе и заехать кому-нибудь в морду. Однажды, между прочим, доигрался. Четверо обиженных при свете дня офицеров-реактивщиков ночью подождали всесильного сыночка у ангара, накрыли тулупом и поучили его втемную. Наутро весь дивизион ждал всеобщего, прямо у боевых машин, расстрела. Однако, к чести Васьки следует сказать, он даже виду не подал, что ночью с ним что-то случилось. Только постанывал, притрагиваясь к побитым бокам, да матерился больше обычного.

На пользу ему этот урок, впрочем, не пошел. Выдув бутылку коньяку, немедленно начинал выискивать новое приключение. Так и тогда в «Приморской» подошел к краю стола, по-атамански уперся кулаками, обвел всех ребят нехорошими глазами — «Ну, что вы тут, ебвашукашу, сидите, как хуесосы, котлетки жуете?» — и тут же заказал подскочившим официантам пятнадцать бутылок коньяку. Тренерам это, как всегда, не понравилось: с одной стороны, Василий Иосифович спаивает ребят, а с другой — требует высоких спортивных результатов. Давайте договоримся, товарищ генерал-лейтенант: или то, или другое — или спорт, или рыгаловка. Для него же это без разницы, все аргументы побоку.

Постепенно, по мере снижения уровней в пятнадцати бутылках, спортсмены стали проявлять больше внимания к полукруглому залу «Приморской», за высокими окнами которого колыхались кипарисы, плыла извечно вдохновляющая молодежь луна. Там был такой маленький толстенький рыжий еврей с могучим сакс-баритоном. Вот он, вкупе с барабанщиком, и накачивал ритм «Гольфстрима». Под этот ритм вновь прибывшие и выкаблучивали, поддергивали своих девчонок, подбрасывали их юбками кверху, сами подпрыгивали, и все это с очень серьезными, едва ли не драматическими лицами, как будто бросали вызов существующему порядку.

— А ну, ВВС, давайте у них девчонок уведем! — сказал вдруг Василий Иосифович. — Почему это такие девчонки с пацанами сидят, а не с настоящими мужчинами? Справедливость, я считаю, должна быть восстановлена.

Ребята, посмеиваясь, пошли приглашать девчонок на танец, а тех, что уже танцевали со своими дружками, отхлопывали. Вместе со всеми отправился и Боря IV Градов, потомственный московский интеллигент. Впоследствии он не раз себя спрашивал: что со мной случилось в те годы, почему я так легко покупался на дешевку в команде Васьки Сталина? Может быть, ловил этот привкус экстерриториальности, принадлежности к своего рода «мушкетерам короля», которые даже всесильному МГБ с его «Динамо» бросают вызов? В принципе это, должно быть, было какое-то подсознательное желание возродить дух «диверсионки», не подчиняющейся никому, кроме верховного командования. Так или иначе, в течение двух лет он был одним из ближайших сподвижников коммунистического «принца крови». Именно он, весь в коже, на ревущем мотоцикле увозил давнишнюю, еще со школьных лет, Васькину зазнобу, жену знаменитого драматурга. Именно он отбивал у динамовцев только что привезенного из Белоруссии могучего дискометателя. Именно он участвовал в идиотской шутке Васьки, когда «кирюху», заснувшего в полночный час под памятником Пушкину в Москве, реактивным самолетом перебросили под памятник Богдану Хмельницкому в Киеве, а потом потешались, глядя, как тот ничего не узнает, проснувшись. Да сколько еще такого было за эти годы, пьяного, дурного и наглого суперменства! Что же, врожденные, что ли, у меня были такие наклонности к свинству или приобретенные во время войны? Такие вопросы задавал себе Борис много лет спустя, однако в то раннее лето 1952 года он таких вопросов себе не задавал, а только лишь отмахивался от чего-то неприятного, связанного с курортом Сочи.

Из тех шестерых трое оказались самбистами неплохого класса, а один из этих трех, уже в самом разгаре драки, вдруг применил незнакомый прием и саданул Борю-Града пяткой своего «говнодава» прямо под челюсть. Такого не встречалось даже и в Польше. Борис немного «поплыл» под несмолкающий гул «Гольфстрима», в течение секунды пытаясь определить, из какого куста бьет пулемет, то есть куда надо бросать гранату... Противник, однако, не смог воспользоваться преимуществом этой секунды. В следующую секунду его собственная челюсть оказалась под ударом градовского кулака, и он через стол, сбивая бутылки и расшвыривая объедки, вывалился на балкон. Борис и еще один вэвээсовец, а именно полузащитник футбольной команды Кравец, бросились за ним, однако юноша в руки врага не отдался. Вместо этого он вспрыгнул на балюстраду, почему-то разодрал на груди рубашку, трагически взвыл и спрыгнул вниз, на клумбу. «Не ушибся?!» — крикнул сверху Борис, но парень уже драл по аллее к морю. За ним неслась милиция.

Битва продолжалась недолго. Могучий спортивный коллектив не оставил стилягам никаких шансов. Девчонок быстро растащили по номерам. Последнее, что запомнилось Борису, это когда он вытаскивал из кучи разгоряченных парней голубоглазую, беленькую, чуть-чуть сутуловатую девчонку, был истерический хохот Василия Иосифовича. «Ну дела, ну дела!» — ликовал отпрыск.

В коридоре девчонка неистово материлась и размахивала сигаретой, пытаясь прижечь Борису щеку. До начала битвы она, очевидно, уже успела основательно хватануть. В темной комнате она швырнула сигарету в умывальник, захохотала, потом зарыдала, застучала кулаками в стену, потом повернулась к Борису: «Ну, что, гад, брать меня будешь?» — «Не валяй дурака, — скривившись сказал Борис. — Что я тебе, оккупант какой-нибудь? Не хочешь, уходи на все четыре стороны. Только подожди, пока ребята разбредутся».

Он лег на кровать и стал смотреть в потолок, по которому проплывали отсветы фар милицейских машин. Из ресторана еще неслись дикие вопли. Как это всегда бывает, к концу пьяного шабаша никто уже не помнил, кто начал и по какой причине, всем просто хотелось драться. Доносился голос рыжего саксофониста:

> На рощу как-то пал туман,
> Начался дикий ураган.
> Березку милую любя,
> Клен принял вихри,
> Клен принял вихри
> На себя!

Спев куплет, он начинал гудеть в свою гнутую трубу. Он явно любил свою работу. Девчонка тихо присела на кровать и стала расстегивать Борису рубашку.

Самое замечательное произошло утром. В буфете к Борису подошли трое из вчерашних стиляг.

— Доброе утро, — сказали они.

— Доброе утро, — удивленно ответил Борис, присматриваясь, какой стул схватить для обороны.

— Ничё вчера было, правда? — спросили стиляги.

— Значит, вы не в обиде? — спросил Борис.

— Не, мы не в обиде. Вы наших чувих барали, мы ваших.

— То есть как это? — удивился он.

Стиляги охотно пояснили:

— А вот когда Вася приказал нас освободить из милиции, мы еще сюда вернулись, а тут ваши три пловчихи сметану рубали, ну, мы их к себе взяли и оттянули будь здоров. В общем, есть что вспомнить, Боря-Град! Верно, Боря-Град?

Спускаясь сейчас по ступеням факультетского здания, Борис вспоминал лица тех троих. Побитые, подмазанные йодом, распухшие, подрагивающие от подобострастия лица трех щенков. Куда пропала столь артистическая мрачноватость вчерашних чайльд-гарольдов? Набиваются в друзья и тут же выдумывают чепуху про пловчих. Дескать, мы квиты. Им бы надо тут бутылкой кефира меня по голове огреть, а не врать про сметану. Боятся враждовать с вася-сталинским ВВС и ко мне хотят подмазаться, чтобы потом врать в «Ерш-избе», как с Борькой-Градом в Сочи бардачили...

Большая Пироговская была залита солнцем и расчерчена резкими тенями зданий, будто футуристический чертеж. Пахло молодой листвой. Как Агаша говорит: «На Троицу все леса покроются». Ночью здесь орут соловьи. Их слушает мечтательная Элька Дудкина. Вдруг ему пришло в голову, что эта улица клиник не что иное, как прямая дорога на Новодевичье кладбище, и что по ней, очевидно, шла похоронная процессия с останками его отца. После прямого попадания фаустпатрона там, очевидно, немного осталось. Впереди толпы шла мать в элегантном трауре. Вместе с нашими чинами, очевидно, шествовали и американские союзники. «...Женщина! И башмаков еще не износила, в которых шла за гробом...» Мы все — говно: и те стиляги из «Приморской», и вэвээсовцы, наглая банда, и все... Никто из тех, кого я знаю, и я сам в первую очередь, не стоят и одного колеса старого «хорьха», хоть он и служил эсэсовцам.

Старый «хорьх» с сумрачной верностью поджидал его на углу переулка. Борис надел темные очки (предмет особой зависти московских стиляг, штучка, извлеченная со дна того ночного американского бумажного мешка) и тут же снял их, потому что увидел быстро направляющегося к нему высокого офицера. Вдруг его пронзило незнакомое ранее чувство дикого ускорения жизни, сродни тому, как бывает, когда поворачиваешь до отказа ручку газа на своем ГК-1, и тахометр уже показывает 170 километров в час, и ты боишься, как бы карбюратор не засосал щебенку, и уже выключаешь зажигание, чтобы не перегрелся двигатель, а мотоцикл будто все набирает, и тебе на минуту кажется, что он никогда не перестанет набирать, что все остальное уже не зависит от твоей воли.

Приближался полковник. По военной привычке Борис сначала посмотрел на его погоны и только потом на лицо. Артиллерийские эмблемы. Седые виски, седоватые, аккуратно подстриженные усы. Под глазами набухшие полукружья, статная фигура уже тронута возрастной полнотой, армейский китель, увы, только подчеркивает нависшие боковики. Под мышкой полковник Вуйнович (да, это он, тот самый, любовник моей матери!) нес толстую кожаную папку.

— Борис, мне показали вашу машину, и я тут вас поджидал. Вы меня узнаете?

— Нет, не узнаю.

— Я Вадим Георгиевич Вуйнович. В детстве вы нередко видели меня, а в последний раз мы встречались в вашей квартире на улице Горького, в сорок четвертом.

— Ах, вот что! Ну, теперь узнаю.

— Ну, здравствуйте!

— Ну, здравствуйте!

Вуйнович удивленно прищурился: отчего, мол, такая холодность, однако протянутой руки не убрал, а перенес ее на кожаное плечо молодого человека.

— Послушайте, Борис, мне нужно с вами очень срочно и очень конфиденциально поговорить.

Он, видимо, очень волновался. Вытащил из-под мышки и как-то нелепо взвесил на ладони кожаную папку. Теперь уже Борис прищурился. Юмористически и неприязненно.

— Не собираетесь ли вы мне передать какой-нибудь артиллерийский секрет?

Вуйнович хохотнул:

— Нечто в этом роде. Только гораздо серьезнее. Давайте поедем куда-нибудь, где меньше прохожих и машин. Ну, скажем, на Ленинские горы.

В машине они молчали. Пару раз покосившись, Борис ловил взгляд полковника, полный любви и печали. Какая все-таки хорошая морда у этого Вуйновича, неожиданно для себя подумал он.

— Уникальная машина, — сказал Вуйнович. — Я встречал такие на фронте, но редко.

Борис кивнул:

— Эсэсовская, — помолчал и приврал: — Я взял ее в бою.

Купола Новодевичьей лавры проплыли справа. Они проехали по мосту и вскоре выехали к смотровой площадке, повисшей над поймой Москвы-реки, то есть над всей «столицей счастья».

Борис проехал немного дальше и оставил машину возле заброшенной, потемневшей, но все еще красивой церкви, живо представляющей здесь первую половину XIX века. Так же, как полковник Вуйнович каким-то образом представляет здесь XIX век российского офицерства. Как будто приехал из своего захудалого поместья бывший кутила и дуэлянт, бывший «лишний человек», а теперь не очень-то нужный даже и для литературы.

Они пошли к балюстраде. По дороге Вуйнович говорил:

— Ваше дело, Борис, доверять мне или нет, но вы, возможно, знаете, что я всю жизнь был другом ваших родителей... и вы, наверное, догадываетесь, что я всю жизнь обожал вашу мать...

Борис посмотрел на Вуйновича. Тот, не ответив взглядом, продолжал:

— Я сейчас командую артиллерийским дивизионом, и мы расположены в Потсдаме, возле Берлина. Хотите верьте, хотите нет, но у меня там была возможность контакта с вашей матерью. Это устроил один американец, мой старый фронтовой товарищ. Он был в нашем соединении инструктором по американской технике. Несколько месяцев назад мы случайно столкнулись с ним на улице в Берлине. Все это, конечно, жутко опасно, но на фронте, вы это знаете не хуже меня, было страшнее. Словом... Боря... ну, в общем, верь не верь, но я видел твою мать всего лишь неделю назад...

— Нет! — вдруг отчаянно выкрикнул Борис и в ужасе зажал себе ладонью рот, как будто боялся, что дальше из него вылетит какое-то совсем уже непозволительное откровение детства.

— Она прилетела из Америки специально, чтобы увидеться со мной, то есть чтобы через меня передать привет тебе... Мы встретились в западной части города, в маленькой темной пивнушке. И весь наш разговор продолжался не больше двадцати минут. Ты понимаешь, Берлин наводнен шпиками, агентурой со всех сторон, в любую минуту можно ждать любых неприятностей...

— Расскажите подробнее, Вадим Георгиевич, — уже спокойно попросил Борис. Руки все-таки дрожали, пока вынимал свой «Дукат» и прикуривал.

Вуйнович кивнул:

— Этот мой друг, его зовут Брюс, то есть почти твой тезка, на фронте мы его так и звали Борис, все устроил замечательно и, как мне кажется, из чисто филантропических соображений. В условленном месте за американским КП, его там называют Чекпойнт Чарли, он ждал меня на машине. Если даже кто-то за мной пошел от КП — все-таки странно, что советский полковник так запросто направляется на Запад, хоть я и изображал полную деловую сосредоточенность, как будто по делам союзнической комиссии, — все-таки мы с Брюсом сразу оторвались от любого возможного хвоста. Он мне привез огромное какое-то пальто и шляпу. Из-под пальто, правда, торчали советские сапоги, но на темных улицах никто не обращал ни на кого особого внимания. Оставив меня в той кнайпе со стружками на полу, Брюс поехал за Вероникой. Между прочим, он весь сиял, этот Брюс Ловетт, он явно казался себе героем приключенческого фильма. Странные извивы психологии, знаешь ли: я так волновался весь этот день, глотал таблетки, а тут вдруг, в этой кнайпе, совершенно успокоился и наслаждался теплым, старым пальто, кружкой отличного пива, джазиком, доносящимся из приемника за стойкой. Помню, я умиленно смотрел, как играли среди опилок два щенка спаниеля. Видимо, армия, знаешь ли, осточертела, вдруг расслабился от иллюзии другой жизни...

Когда она появилась, я не сразу ее узнал. На ней был плащ с поясом, а голова укутана в темный платок. В Берлине в те дни было холодно, и весь этот наш маскарад казался вполне естественным. Она сразу направилась ко мне и тогда уже сняла платок. Восемь лет прошло со дня нашей последней встречи...

— Как она выглядит? — спросил Борис. Они теперь стояли, опершись на балюстраду над огромным городом, в котором так бурно шла его молодость и который в эти минуты попросту для него не существовал.

— Знаешь, ей скоро будет сорок девять, — медленно проговорил Вуйнович. — Она совсем не подурнела, но это уже какая-то другая красота. Вот, посмотри, она это передала для тебя... — Он расстегнул верхние пуговицы кителя и вынул из внутреннего кармана цветную, не раскрашенную, а именно цветную, снятую на цветную пленку «Кодак» фотографию.

Все, что приходит оттуда, с Запада, всегда кажется чем-то инопланетным, и вот на одном таком инопланетном лепестке, на цветной кодаковской карточке, он видит два самых любимых и теплых лица из своего собственного мира: мамки и Верульки.

На снимке на фоне большого старого дома из белых досок, на ярко-зеленом подстриженном газоне стояла группа премило улыбающихся персон: его мать в белых, легких и широких брюках, талия по-прежнему узка, грудь по-прежнему высока, ее муж, длинный и сухопарый, со славным лошадиным лицом, Верулька, очаровательная американская девчонка в ковбойских штанишках, повисшая у нового папы на плече, и еще некто, пожилой джент, пиджак внакидку, трубка в руке, на лице ироническое благодушие.

— А это кто? — спросил Борис.

Вуйнович засмеялся:

— Представь себе, это был и мой первый вопрос. Она объяснила, что это старый друг Тэлавера, известный журналист, год с чем-то назад он был в Москве как гость посла Кеннана, и вот с ним она отправила тебе какую-то посылку, которую ты, по каким-то ее сведениям, получил...

Бориса вдруг просвистел страх: а вдруг он от них, вдруг провоцирует? Подняв глаза на полковника, он устыдился. Все-таки не может быть у провокатора такое человеческое, такое любящее и печальное лицо. Такую маску не наденешь, это лицо без маски, оно как будто осуществляет ритуал прощания.

— Она думает только о тебе, — продолжал Вуйнович. — Вытягивала из меня все возможные сведения о своем Бабочке. Я, к сожалению, немного знал. Слышал о мединституте, читал о спортивных успехах. Для нее это все было ново. Изоляция стопроцентная. За все время она не получила ни одного письма из Союза...

— Хотя бабка ей пишет, — вставил Борис.

— Ну значит, письма перехватываются, — сказал Вуйнович. — Сама Вероника давно прекратила писать: боится повредить близким...

Еще одна предательская мысль посетила Бориса: а посылочку-то не боялась отправлять по американским шпионским каналам? Вадим Георгиевич, будто расслышав, тут же на эту мысль ответил:

— Она себя кляла, что отправила тебе посылку. Очень уж, говорит, соблазн был велик. В ужасе просыпалась по ночам, пока не узнала, что все в порядке, что ты сам забрал этот пакет и никто не видел, кроме того, кто принес. — Он замолчал, глядя куда-то поверх крыш Москвы, потом вздохнул: — Вот в таком мире мы живем. Ты знаешь, большинство женщин, вышедших во время войны замуж за союзников, оказались в лагерях...

— Если вдруг снова увидите ее... — сказал Борис.

— Маловероятно, но не исключено, — быстро вставил Вуйнович.

— Ну, если сможете ей написать, скажите ей, чтобы она за меня не волновалась. Я уже совсем не тот Бабочка, которого она знала...

Вуйнович дружески положил ему ладонь на плечо:

— Я вижу, Боря, что ты стал сильным парнем, однако...

— Не волнуйтесь, никаких «однако», — усмехнулся Борис.

Кажется, он все-таки немного тот же самый Бабочка, которого она знала, подумал полковник.

— Скажите, Вадим Георгиевич, вы были маминым любовником?

Задавая этот вопрос, Борис постарался показать Вуйновичу, что никакого особого смысла он в него не вкладывает, просто чистая информация. Не веря своим глазам, он увидел, что полковник смешался, что на его щеках даже появилось некоторое подобие румянца и сквозь морщины, седины и бородавки промелькнуло нечто юношеское.

Что ему сказать, мучился Вадим. Ведь не сказать же, как долго и как подробно я был любовником его матери в своих мечтах и как прискорбно прошла наша единственная интимная встреча...

— Нет, — сказал он. — Я никогда не был ее любовником, Борис. Я всю жизнь обожал ее, это правда. В старомодном смысле она была моей мечтой. Знаешь, во всех этих московских разговорах о Веронике не так много правды. На самом деле всю жизнь она любила только одного человека — твоего отца.

— Как у вас все было сложно, Вадим, — сказал Борис. — У нас, по-моему, все гораздо проще...

Вуйнович был рад. Он не очень-то надеялся на хороший разговор, а тут этот «Бабочка» называет его по имени без отчества, словно приятель, как будто Никита. Он и в самом деле очень похож на отца, может даже возникнуть иллюзия обратного хода времени.

— Давай, Боря, поживем еще лет десять и тогда поговорим с тобой о сложностях жизни, — улыбнулся он.

— Где вы остановились? — спросил Борис.

— Ты еще не женился? — спросил Вадим.

— С какой стати? — спросил Борис.

— Но у тебя кто-то есть? — спросил Вадим.

Борис рассмеялся:

— Так где вы остановились? Можно ведь у меня, на Горького.

— Спасибо. Был бы рад с тобой пожить под одной крышей, да некогда. — Вуйнович явно без большого удовольствия возвращался к своим собственным делам. — У меня через четыре часа самолет.

— В Германию?

— Да, в ГДР.

— Как вы думаете... — начал было Борис, но осекся.

— Что?

— Да нет, — махнул рукой Борис. Он хотел спросить: «Будет ли война с Америкой?» — но потом подумал, что это прозвучало бы неуместно в разговоре с полковником артиллерии, да еще из Германии. Да и вообще вопрос дурацкий. Что это значит, «война с Америкой»?

— Когда хотят спросить и не спрашивают, возникает какое-то болото, — после минуты молчания сказал Вуйнович.

Борис виновато усмехнулся. Он вдруг почувствовал, что ему вовсе не хочется перед Вуйновичем подчеркивать свое превосходство и выказывать снисходительность. Скорее, наоборот: хочется какие-то вопросы дурацкие задавать и с интересом ждать ответов. Вдруг совсем нечто несусветное пришло в голову: вот если бы после смерти отца мать вышла замуж за этого Вадима, мы могли бы дружно жить.

— Да нет, Вадим, вы не думайте, что я что-то утаиваю. Мне просто дурацкий вопрос в голову пришел о войне с Америкой.

Вуйнович посмотрел на часы и положил на балюстраду свою раздутую кожаную папку, вместившую явно больше того, что она могла вместить.

— О войне с Америкой мы с тобой, я надеюсь, еще поговорим, если она, не дай Бог, не разгорится. Сейчас мне уже надо спешить, и... знаешь, я взял эту папку с собой на всякий случай, я не знал, можно ли тебе довериться... Ну, а теперь вижу, что можно... знаешь, я хотел бы, чтобы ты забрал все это хозяйство... здесь мой самый, ну, так сказать, интимный архив... Снимки, записи, письма, стихи... в общем, всякие сентиментальности... Мне необходимо это где-то оставить, а кроме тебя, Борька, больше нет никого... Ну хорошо, придется, видимо, все сказать. Понимаешь, я почти уверен, что меня со дня на день снова возьмут. Нет-нет, совсем не в связи с берлинскими делами. Уверен, что они об этом ничего не знают. Просто вокруг меня сложилась такая предарестная обстановка. Я это чувствую по каким-то отрывочным разговорчикам, по взглядам особистов, по вопросам на партсобраниях. Скорее всего, кто-то из близкого круга доносит о моих настроениях, ну... и потом, дело тридцать восьмого года никуда не исчезало... там, конечно, помнят, как я держал себя на следствии... и в лагере... конечно, они бы меня там уничтожили, если бы не твой отец... Словом, моя реабилитация под вопросом, несмотря на все ордена и ранения... Что ж, от сумы и тюрьмы не зарекайся, гласит некая мудрость нашего загадочного народа, однако я не могу себе представить, что в моих бумагах, вот в этом, самом дорогом, снова будут возиться эти... — он осекся, посмотрел в глаза Борису и твердо закончил фразу: — Эти грязные крысы. Поэтому я и прошу тебя взять это.

— Конечно, возьму, — сказал Борис.

— Можешь прочитать то, что там есть, просмотреть снимки, в общем все, без стеснений. Может быть, лучше поймешь поколение своих родителей.

— Конечно, просмотрю, — пообещал Борис.

— Ну вот и прекрасно, — вздохнул полковник. — Теперь я сажусь на вон тот троллейбус и еду в центр, а оттуда на аэродром.

Какой печальной была жизнь у этого Вадима, подумал Борис. Никаких триумфов. Постоянное и безнадежное соперничество с моим отцом, безнадежная любовь...

— Послушайте, Вадим, что же так вот ехать-то на заклание? — проговорил он. — Может быть, побороться? Послушайте, хотите я поговорю с одним человеком? Он действительно может помочь.

На лице Вуйновича отразилось какое-то острое беспокойство.

— Ни в коем случае, Борька! Никому, прошу тебя, ни слова о нашей встрече! Будь что будет, я не хочу больше никаких протекций, никаких игр. Поверь мне, я честный человек, а это для меня самое главное. Жизнь проходит, амбиций никаких не осталось. Единственное, о чем я мечтаю — ладно уж, признаюсь тебе в своих мечтаниях, — это тихо стареть и видеть, хоть изредка, стареющую Веронику. Это, собственно говоря, мечта о мечте, и ее никто у меня и нигде не отнимет. Ну, я пошел. Дай-ка я тебя обниму на прощание!

Они обнялись. Запах пота и «Шипра» из-под мышек армейского полковника. Черт побери, это действительно похоже на прощание с «поколением родителей».

Вуйнович тяжело побежал к троллейбусу. Перед тем как ступить на подножку, обернулся, махнул. Китель, натянувшийся на спине, подчеркнул не только излишки, но и некоторый изъян плоти, основательную впадину под лопаткой. Черт побери, он, кажется, мне очень много сказал. Он, кажется, сказал то, о чем я даже не решаюсь подумать.

«Прощание с поколением родителей» оказалось не окончательным: Бориса в тот день поджидал еще один сюрприз. Согласитесь, читатель, так бывает ведь не только в романах. Текут ваши дни один за другим, демонстрируя одну лишь рутину, одно лишь присутствие здравого смысла (или отсутствие такового), одно лишь бытовое, подсчет денег например (или долгов), как вдруг включается какое-то ускорение — Борис IV, естественно, сравнивает это с мотоциклом, — и вдруг события начинают громоздиться одно на другое, как будто все они только и поджидали какого-то дня, чтобы явиться разом. Читатель может сказать, что реальность и роман несравнимы, что в жизни события возникают стихийно, а в романе по авторскому произволу; это и верно, и неверно. Автор, конечно, многое придумывает, однако, оказавшись в тенетах романа, он иногда ловит себя на том, что становится как бы лишь регистратором событий, что они в некоторой степени уже определяются не им, а самими персонажами. Таковы неясные ходы романа, где каждый норовит дудеть в свою собственную дуду. Говорят, что иные авторы для того, чтобы упорядочить этот бедлам, составляют картотеки персонажей, где заранее определяются, а стало быть, и основательно взвешиваются их возможные поступки, мы же еще десять страниц назад, ей-ей, не предполагали, что вот сейчас снова появится в нашем повествовании Тася Пыжикова, и не одна.

Войдя в подъезд своего дома с рюкзаком, где лежали отработанные медицинские учебники, в одной руке и с архивом Вуйновича в другой, Борис сразу же увидел миловидную провинциальную дамочку, сидевшую на стуле вечно отсутствующей лифтерши. О ее провинциальности прежде всего говорило испуганное выражение лица с ярко намазанными губками и только потом уже жакеточка в талию и с некоторыми буфиками на плечах. При виде вошедшего из солнечного света в сумрак вестибюля парня дамочка вскочила со стула, словно просительница в приемной, скажем, министра, когда уважаемый товарищ внезапно покидает кабинет. Борис удивленно посмотрел на нее и, как хорошо воспитанный бабушкой молодой человек, даже слегка кивнул: мол, добрый день, сударыня, ну, а затем уже нажал кнопку лифта. Лифт успел опуститься, когда он услышал взволнованный голос «сударыни»:

— Товарищ, вы не Борис Никитич Градов будете?

Он глянул на нее и увидел, что она едва ли не задыхается от волнения; руки ее были сжаты на груди, густо намазанные губки трепетали.

— Да, это я, — удивленно сказал Борис. — А вы, простите...

— А я вас жду весь день, — забормотала она. — Поезд пришел в шесть пятьдесят, ну мы сразу сюда, конечно, немного растерялись, не туда на трамвае заехали, но потом все ш таки... Ой, я что-то не то говорю...

— А по какому, собственно... — начал было Борис, но она не дослушала вопроса, бросилась куда-то за шахту лифта, в глубину вестибюля, восклицая: — Никита, где ты? Никитушка, ну куда ж ты заховался опять, горе мое?!

Слова ее гулко неслись вверх по лестничной клетке. Внимая им, смотрели сверху два кота, оранжевый и темно-красный. Такими их, во всяком случае, делал луч, преломляющийся в витраже. Все это немного похоже на сновидение, подумал Борис. Дамочка появилась из-за колонны, стуча высокими каблуками туфель, очевидно сделанных на заказ.

Довольно хорошая фигура. За руку она вела мальчика лет шести-семи в кофточке с пуговками, коротких штанишках и чулках на резинках.

— Ну, вот, Никита, посмотри, это дядя Боря! — говорила женщина. — Вот это и есть тот самый дядя Боря. Вот счас вы и познакомитесь!

Мальчик дичился, смотрел светло-серыми глазками из-под крутого лобика, топорщилась не очень-то аккуратно подстриженная темно-медная щетинка волос.

Еще ничего не понимая, но уже предчувствуя что-то чрезвычайно важное для себя и для всех своих, Борис открыл дверь лифта.

— Давайте поднимемся, — сказал он.

— Никита еще ни разу не ездил в лифте, — почему-то с гордостью сказала женщина.

— Мама, я не хочу, — басовито сказал мальчик.

— Не бойся, — улыбнулся ему Борис. Он протянул ему руку, и мальчик вдруг охотно подал ему свою маленькую ладошку.

В лифте она прижала к глазам платок:

— Ой, какой же вы, какой же вы, Борис Никитич...

Открывая дверь квартиры и пропуская гостей вперед, Борис сказал:

— Прежде всего, как мне вас называть?

— Тасей меня зовут, — сказала она. В голосе уже слышались сдавленные, приближающиеся рыдания. — Таисия Ивановна Пыжикова.

— Проходите вот сюда, пожалуйста, в столовую, вот на диван, прошу вас, располагайтесь, я уже почти понял, кто вы, но не могу еще во все это поверить...

Борис потащил стул для себя, на нем оказалась коробка со свечами зажигания. Поставил было ко-

робку на некогда роскошный, но давно уже заляпан-
ный и замазюканный стол и увидел на нем валяю-
щиеся кожаные штаны.

— Извините за беспорядок, — пробормотал он
и подумал, как быстро здесь все захламляется. Ко-
чующая команда гонщиков и публика с улицы
Горького чего только не оставляют за собой, однако особенно неопрятные последствия сборищ —
это открытые и неопустошенные, сразу же начи-
нающие основательно подванивать банки рыбных
консервов. Ну и окурки, черт бы их подрал, повсюду натыканы, скрюченные, гнусные, как под-
заборные бухарики, источники вони. Вон кто-то
мыльницу притащил из ванной и заполнил ее
смердящей дрянью. Вера Горда, которая в начале
их романа так ревностно взялась за очистку «Бо-
рисовых конюшен», в последнее время в связи с
некоторыми обстоятельствами ее все усложняю-
щейся личной жизни несколько утратила рвение,
да и вообще реже заглядывает. А квартира этого
как будто только и ждет, мгновенно превращается в свалку.

— Ой, как вы на него похожи! — тихо воскликнула Таисия Ивановна Пыжикова.

Она как будто немного успокоилась, хотя все
еще сжимала руки над колыханием груди. Что касается мальчика, то ему в этой квартире явно нравилось. Особенное же его внимание привлекала стоящая в коридоре на подпорках рама мотоцикла «хар-
лей» с одним, уже подвешенным колесом и с мно-
жеством разбросанных вокруг деталей.

Борис не мог оторвать глаз от мальчишки. Тот
выглядел почти точь-в-точь, как отец на детских
снимках.

— Ой, неужели же вы обо мне что-то слышали? — спросила гостья.

— Вы знаете, Тася, я сам вернулся из Польши только в сорок восьмом году, ни о чем не ведая, однако бабушка узнала что-то от штабных. Как я понимаю теперь, вы та самая женщина, с которой отец прошел всю войну?..

Она мгновенно разрыдалась:

— Да... да... это я... ну знаете, как тогда-то говорили, пэпэжэ... даже немного унизительно... а мы, ну вот, ей-богу, не вру... Борис Никитич... а мы ведь так любили друг друга... Я ведь ничего от него не хотела, только любви... только рядом быть, заботиться, чтоб все было чисто... чтобы вовремя ел горячее и вкусное... ведь такой военачальник... Ой, Боречка Никитич, никому, кроме вас, не говорила... ведь когда мне в НКВД приказали: иди к Градову, на гитаре поиграешь... ну неужто ж я думала, что так все закружится... что вся жизнь с ним, незабвенным моим, так закружится... что так мы с ним и окажемся не разлей вода... Я ведь в жены-то не просилась, понимала, что «походно-полевая», и Веронику Александровну, законную, не поверите, очень уважала... а только иногда, как видела ваши карточки у Никиты Борисовича на столе, только плакала немножко... ну вот...

— А вот этот молодой человек, стало быть, мой братик? — спросил Борис, и у него у самого ком начал гулять в горле, рука потянулась за спасительной сигаретой.

Таисия зарыдала еще пуще:

— Значит, признаете, Борисочка Никитич, признаете? Кто же он вам, если не братик, ведь я же на шестом месяце была, когда Никиту Борисыча убили...

— Иди ко мне! — сказал Борис мальчику, и тот охотно перебрался с дивана к нему на колени.

Таисия совсем уже поплыла, потекли неумело намазанные ресницы, размазался рот. Шелковым платком она пыталась вытереть все это красно-синевато-черное и выглядывала из-за кружевных каемок потрясенным личиком. Совсем еще молодая и хорошенькая бабенка, подумал Борис. Семь лет прошло с той поры, ей сейчас, должно быть, немного за тридцать. Моложе Веры Горды.

— Как твоя фамилия, Никитушка? — спросил он мальчика.

— Пыжиковы мы, — солидно ответил тот и обхватил ручонкой сплетение мощных шейных мышц всесоюзного чемпиона. — Это твой там мотоцикл? Он игрушечный?

— Ему надо нашу фамилию носить, — сказал Борис. — Он же вылитый папа в детстве. Ну, хватит, хватит уж плакать, Таисия Ивановна, дорогая. Расскажите мне теперь что к чему, а ты, братишка, — он пришлепнул мальчика по попке, — иди к мотоциклу, только смотри, как бы тебе там на ногу что-нибудь не упало.

Таисия Ивановна побежала в ванную привести себя в порядок. Борис поежился: там в ванной, в углу, еще валялся сброшенный вчера презерватив. Он смотрел, как мальчик возится, что-то сосредоточенно бормоча, вокруг мотоцикла. Незнакомое и очень теплое чувство возникло в душе: вот теперь об этом мальчишке надо будет заботиться, о брате, о младшем брате, об этом сильно младшем брате, о брате, настолько сильно младшем, что он может показаться сыном.

Таисия Ивановна вернулась. Кажется, ничего не заметила. Во всяком случае, лицо серьезное. Ну, что же рассказывать? Обыкновенная жизнь заурядной женщины. После гибели маршала Тася уехала к сестре в Краснодар, там и родила. Работала в клинике мединститута, дальневосточный опыт быстро помог восстановить квалификацию. Здесь ей встретился интересный человек Полихватов Илья Владимирович, терапевт и музыкант. Да, у него колоритный тенор, и он поет в опере Дома культуры медработников. Положительный и чистый душой человек, он никогда не предъявлял ей претензий в грустные минуты воспоминаний. Я уважаю тебя за эту память, Таисия, часто говорил он. И к Никитушке маленькому относится с полной справедливостью. В этом году Илья ушел из семьи, и они расписались. Естественно, встает вопрос жилплощади. Ждать очереди на квартиру — состаришься, не дождешься. Можно купить домик в пригороде, однако финансы поют романсы, тем более что после алиментов от оклада Ильи остается с гулькин нос. Тогда возникла идея завербоваться на Север, в частности, на Таймыр, где можно за три года заработать нужную сумму. Идея, кажется, неплохая, правда? Однако что же делать с Никитушкой? Ведь не тащить же маленького растущего ребенка в край вечной мерзлоты и полярной ночи! И тут Таисия вспомнила этот дом на улице Горького, мимо которого не раз в слезах прогуливалась после окончания войны, когда она носила мимо свой большой живот, а из дома выходила совершенно великолепная Вероника Александровна. Может быть, Борис Никитич как чемпион Советского Союза поможет устроить Никитушку в какой-нибудь

хороший интернат, если, конечно, признает в нем
своего полубратика. Она видела в «Советском
спорте» фотографию Бориса Никитича, и он ей показался очень содержательным молодым человеком...

— Гениально! — в конце рассказа воскликнул
Борис. — В самом деле, Таисия Ивановна, ничего
лучшего вы просто не могли придумать!

Он вдруг вскочил и забегал по квартире, захло-
пал дверцами шкафов, пронесся на кухню и обратно. Еще не зная, чего это он так бегает, Тася Пыжикова поняла, что из своей, в общем-то не ахти какой
восхитительной жизни ее снова, пусть ненадолго,
пусть не так, как во время войны, пусть хоть на момент, что-то подбросило на самый гребешок волны.
Слава тебе, Господи, подумала она, что увидела я ту
фотографию в «Советском спорте». Борис между тем
носился по квартире, пытаясь определить, есть ли
там хоть какие-нибудь съестные припасы. Не найдя
практически ничего, он ворвался в столовую, где,
как пай-девочка, сидела порозовевшая, повеселев-
шая Таисия Ивановна.

— Поехали! — закричал он. — Сообразим чего-
нибудь к ужину! Где ваши вещи, Таисия Ивановна?
На Курском вокзале? Ну, сейчас мы это нарисуем!
Ну где ты там, Никитушка-Китушка?

Давно уже он не испытывал такого подъема. Что
это со мной, думал он, глядя на мелькающее в зер-
калах свое возбужденное отражение. Может быть,
что-то сугубо кдановое, градовское, радость от при-
бавления семейства?

Никита выползал из-за этажерки. На шее у него
висела пара боксерских перчаток, в руке он тащил
Борисов эспандер.

— Это так отца в детстве звали, Никитушка-Китушка, — пояснил Борис счастливой Таисии.

Ну, конечно, большего подарка мальчику нельзя было придумать, чем поездка по Москве на огромной, сдержанно рычащей иностранной машине! Никитка, стоя прямо за спиной водителя, то и дело взвизгивал и бесцеремонно уже теребил шевелюру могущественного брата. В конце концов я сам его могу усыновить, думал Борис. Закон, кажется, разрешает такие формальные усыновления. Главное, чтобы пацан стал Градовым, а не каким-то там Полихватовым! Взяв вещи из камеры хранения и закупив провизии в Смоленском гастрономе — севрюга, лососина, икра, ветчина, сырокопченый рулет, цыплята, пельмени, торт «Юбилейный», конфеты «Мишка на Севере», все лучшее, что могла предложить процветающая в то время столичная торговля, — они вернулись в маршальскую квартиру.

— Пируем! Пируем! — ликовал маленький Никитка.

Тут все закипело в руках Таисии Ивановны. Она явно была в своей стихии. Вскоре уже блюдо цветной капусты дымилось рядом с адекватно дымящимся блюдом пельменей и все деликатесы были вполне изящным образом разложены на идеально промытых блюдах. Ну, а после ужина с некоторой застенчивостью Таисия Ивановна обратилась к хозяину:

— Борисочка Никитич, давайте я вам приборку тут устрою, а? Да нет, я не устала вовсе, а только лишь одно сплошное удовольствие будет убираться в этом доме.

Глазам своим не веря, Борис наблюдал, как переодевшаяся в халатик Таисия рьяно со шваброй и ведрами набрасывается на те углы квартиры, о которых Вера Горда обычно говорила «места, куда не ступала нога порядочного человека».

Повезло этому тенору-любителю Полихватову, думал Борис. Кухня, дом, щетки, мыльная пена — это же прямо ее стихия! Никитка между тем водил его за руку по комнатам и задавал вопросы. А это что? А это? Это глобус, Никита. А это такая напольная лампа, называется торшер. Это барометр, по нему определяют погоду. А это ящик с запчастями, дорогой друг. Вот это поршни, а это вкладыши, серьезное дело. Это, мой друг, ты угадал, скелет человека, по нему твой старший брат изучал анатомию костей. А это уже из животного мира, малец: шкура уссурийского тигра, подстреленного, по некоторым сведениям, твоим отцом, а по другим сведениям, его шофером Васьковым. Энциклопедия, Никита, энциклопедия, поставь ее на место. А вот сейчас смотри внимательно: это портрет твоего и моего отца маршала Советского Союза Никиты Борисовича Градова. Да-да, много орденов. Ну, сам сосчитай — сколько орденов? Только до десяти умеешь? Ну, давай считай — сколько раз по десять? Правильно, три раза и еще три иностранных креста, значит, все вместе тридцать три ордена. А это телевизор. Что такое телевизор? Ах, ты еще ни разу не видел, как работает телевизор!

Последний предмет, здоровенный ящик с маленьким экранчиком и выпуклой водяной линзой, произвел на Никитку совершенно сокрушительное впечатление. Едва только сквозь линзу проникли к нему балерины Большого театра с укороченными на японский манер ножками и несколько расплывшимися головенками, он плюхнулся на ковер и больше уже не отрывался от волшебного зрелища, пока не уснул.

Звуки энергичной уборки долго еще долетали до Бориса, пока он говорил по телефону сначала с Грингаутом, потом с Королем, потом с Черемискиным. С многочисленными деталями и с применением самых мускулистых выражений русского языка мотоциклисты обсуждали завтрашний «кавказский перегон». Решено было из города выбираться по отдельности, сборный же пункт каравана назначен был в Орле.

Отделавшись наконец от телефона, Борис уже хотел было выключить свет, когда в спальню, деликатно постучав, вошла Таисия Ивановна. Никаких следов усталости не замечалось, наоборот, дамочка вся как бы лучилась блаженством.

— Ну вот теперь, Борис Никитич, смею вас уверить, не узнаете места общего пользования, — с торжеством сказала она.

— Места общего пользования? — несколько смешался он.

Она засмеялась:

— Ну да, у вас же не коммуналка! Вы один тут сидите в таких чертогах! Ну, я имела в виду ванную, туалет, кухню, кладовки... Ну вот пойдите посмотрите, ну, пойдите же, пойдите! — Она взяла его пальчиками за запястье и слегка потянула. — Ну вот, пойдите, посмотрите, Борисочка Никитич!

Вдруг сладкая тяга прошла от руки по всему его телу. Этого еще не хватало. Он убрал руку.

— Я верю, верю, Таисия Ивановна! Сразу видно, какая вы замечательная хозяйка...

Она обвела глазами стены спальни:

— Конечно, тут за один вечер не управишься, в таких-то хоромах. Вот если бы мы так не спешили, Борис Никитич, я бы у вас тут на неделю осталась и навела бы полный блеск. Вы, наверное, читали роман «Цусима», да? Вот как там адмирал-то проверял чистоту на корабле? Вынет белоснежный платок из нагрудного кармана, — она изобразила извлечение адмиральского платка, — и к палубе прикладывает, — она нагнулась, чтобы показать, как адмирал чистоту проверял, и посмотрела на Бориса снизу.

Жар опять прошел по его телу. Ну вот, только этого не хватало. Нет уж, этого не будет, это уж слишком даже для такого скота, как я...

— Вы, наверное, устали, Таисия Ивановна? Наверное, чертовски устали после такого-то дня, да? Там в Никиткиной комнате вторая кровать, вполне удобно...

— Вовсе я не устала, Борис Никитич. Ни капельки совершенно не устала. У меня такое сегодня радостное чувство, Борис Никитич, и такая к вам благодарность, что вы Никитушку признали и меня приветили. — Рыдания снова подошли к ее горлу и, словно для того чтобы не дать им разразиться, она быстро сняла халатик и отшвырнула в сторону, оставшись лишь в лифчике и трусиках. — Я просто не знаю, как вас отблагодарить, Борисочка миленький Никитич. — Она присела на кровать спиной к нему и попросила: — Расстегните мне, пожалуйста, лифчик, Борис Никитич...

Прошло довольно продолжительное время, пока после череды всех излюбленных Борисом классических поз они наконец отпали друг от друга.

— Вот теперь-то уж я устала, Борис Никитич, — прошептала она. — Теперь уж ни рук, ни ног не поднять... Ой, давно уж я так не уставала...

Ну вот, еще одну мамочку приобрел, идиот, зло думал Борис, в то время, как нежно поглаживал спутанные светло-каштановые волосы Таисии Ивановны.

— Спасибо, Таисия Ивановна, — проговорил он. — Спасибо вам за нежность, а теперь идите, пожалуйста, к Никитке в комнату. Ну, хотите, я вас туда на руках перенесу?

— Не могу даже мечтать об этом, — пробормотала она.

Он поднял ее и пронес в другую спальню, бывшую детскую, где сейчас как раз и спало новое градовское дитя. Положив голову ему на плечо, она все бормотала слова благодарности. Когда они вступили в комнату, Никитка вдруг сел в кровати, слепо посмотрел на них и тут же рухнул башкой в подушку. Борис положил Таисию Ивановну на вторую кровать и накрыл одеялом. Она тут же заснула.

Хорошо еще, что Вера не явилась со своим ключом среди ночи, как это часто с ней бывает, подумал он, возвращаясь к себе. Опять бы разгорелось что-нибудь чрезвычайно драматическое. Ей почему-то можно ревновать, а мне полагается не спрашивать ни о ком, уж тем более о ее муже. О муже, собственно говоря, ведь она сама мне рассказала, я ее за язык не тянул.

Знаешь, он очень ранимый человек, просто огромный ребенок, как-то вдруг стала рассказывать она. Его родители в лагерях, то есть отец в лагере, а мать в ссылке, но он придумал себе фиктивную биографию, чтобы окончить МАИ. Теперь он работает в «почтовом ящике» и дрожит, что дело раскроется. Он вообще всего вокруг боится, и меня тоже. Когда мы поженились, он месяц не ложился со мной в постель, боялся своей несостоятельности. Напивался, хамил, безобразничал, ох, как он меня оскорблял, ты себе не представляешь. А вот теперь как-то стал гораздо лучше, во всех отношениях стал человечнее, добрее. Я ведь уже хотела его выбросить на помойку, а теперь мне как-то его жалко: все-таки муж. На него как-то хорошо действует дружба с этим твоим другом, ну, «лордом Байроном», ну, этим исключительным Сашей Шереметьевым.

— Позволь! — изумленно воскликнул тут Борис.

— Ну, конечно, это он, — засмущалась звезда ресторанной эстрады. — Ты же его знаешь, ну, это же Николай Уманский, они еще его зовут Николай Большущий...

После этого неожиданного признания между Борисом и Верой вдруг образовалось некоторое чужое пространство, куда вошли не только Большущий, но и Сашка Шереметьев, и все другие члены «кружка Достоевского». Борису казалось, что вовсе не теплые чувства Веры к своему незадачливому мужу отталкивают их друг от друга, а вот именно ее косвенная принадлежность к этому так называемому кружку.

За прошедший год он несколько раз бывал на их собраниях и всякий раз ощущал не очень-то прикрытую неприязнь в свой адрес. «Достоевцы» явно его не принимали всерьез, с его мотоциклами и маршальской квартирой на улице Горького. Единственный раз он пригласил компанию собраться у него (читали тогда и комментировали запрещенных «Бесов»), однако это приглашение было немедленно всеми, включая даже и Сашку, отвергнуто. Вряд ли они меня считают стукачом, однако явно не доверяют как представителю «золотой молодежи». Ну и черт с ними, думал Борис. И без них в конце концов могу освоить Достоевского: вон у деда полное собрание сочинений стоит в старом издании. Тоже мне «мудрецы и поэты», расковыряют под бутыль банку «ряпушки в томате» и машут друг на друга вилками! Огорчало только, что с Сашкой дороги пошли врозь. Не надо было, конечно, и думать, что в личных тренерах он удержится надолго, при столь гомерической гордости. Однажды он ему сказал: «Ваш ВВС, Борька, это грязная придворная конюшня, и я не хочу с ним иметь ничего общего!» Оказывается, уже сторожем устроился на книжный склад. Вас, Сашка, когда-нибудь погубит пристрастие к печатному слову, сказал другу Борис. Шереметьев расхохотался: это вы, сукин сын, очень точно в кофейную гущу заглянули!

Борису в его поспешной жизни, по правде говоря, некогда было разбираться в психологии этого человека, которого он когда-то спускал на обрывках парашютных строп из горящего, обваливающегося дома на Старом Мясте и с тех пор стал полагать своим едва ли не братом. Нынешняя Сашкина мрачная поза казалась ему наигранной ролью некоего современного варианта «лишнего», комбинацией «байронита» и «человека из подполья». Иные девушки в нем, что называется, души не чаяли, замирали, трепетали, едва появлялась на горизонте прихрамывающая фигура в резко скошенном черном берете. Иной раз он снисходительно устраивал, как он выражался, допуск к телу, однако на серьезные увлечения, вроде романа Бориса и Веры Горды, ни одна из поклонниц не могла рассчитывать: что-то было такое в Шереметьеве, что исключало романы.

Однажды он исчез из Москвы месяца на два и, вернувшись, пригласил Бориса заехать «раздавить пузырь». Первое, что заметил Борис в Сашкиной каморке, был стоящий на этажерке среди книг человеческий череп. Привыкший за последнее время к такого рода учебным пособиям, он не удивился, но потом сообразил, что Шереметьев-то не имеет к урокам анатомии никакого отношения.

— А это у вас что за новшество? — спросил он. Они по-прежнему то ли по инерции, то ли из снобизма придерживались обращения на «вы», однако для придания то ли некоторой естественности, то ли еще большего снобизма постоянно добавляли осколочки матерщины: «что, бля, за новшество?»

— Это она, — как бы между прочим заметил Шереметьев и замолчал, увлекшись откручиванием проволоки с пробки. В моду тогда вошло розовое вино «Цимлянское игристое» как отличный стимулятор основного напитка, то есть водки.

— Что это значит — «она», Сашка? — спросил Борис. — Перестаньте выебываться и рассказывайте: ведь для этого же и пригласили.

Далее последовала некоторая патологическая история, рассказанная намеренно беззвучным тоном. Это череп первой женщины Александра Шереметьева, девятнадцатилетней радистки Риты Бурэ. Они любили друг друга, как Паоло и Франческа, хоть и находились в разведывательном центре вблизи корейской границы. Именно Рита стала яблоком раздора между юным лейтенантом и полковником

Маслюковым. Старый козел начал дрочить на нее со страшной силой, каждый день вызывал к себе и требовал, чтобы она ему села на хер. Именно он загнал Шереметьева на Итуруп, а Рите запретил следовать за ним под угрозой трибунала. По всей вероятности, она сдалась, и полковник порядком над ней поиздевался со своими похотливыми фантазиями. Потом что-то между ними произошло. Тот парень, который Шереметьеву все это рассказывал уже здесь, в Москве, думает, что был какой-то колоссальный бунт со стороны Риты, попытка освободиться от ублюдка Маслюкова. Тот начал ее шантажировать, пришел однажды на комсомольское собрание и обвинил девчонку в том, что у нее родственники за границей, белогвардейская ветвь, и что она это скрывает при заполнении анкет. Ну, дальше все пошло, как по нотам: вызовы в особый отдел, допросы, ждали только из штаба округа санкции на арест. В медсанчасти также было известно, что Рита беременна. Короче говоря, она исчезла с лица земли, по официальной версии ушла в тайгу и там покончила самоубийством. Спустя время после этого ее возлюбленный Саша, сам едва не сыгравший эту дальневосточную версию Ромео и Джульетты — похоже на то, что он стрелял себе в бок именно в тот день, когда она исчезла, — появился в штабе, и вот тогда-то выяснилось, что у полковника Маслюкова слишком хрупкая челюсть.

Говорят, что все быльем порастает, но под этим «все», наверное, имеют в виду всякую чепуху. Любовь и преступления не порастают равнодушным быльем. Не было дня, чтобы Саша Шереметьев не вспомнил Риту Бурэ и полковника Маслюкова. Как будто он знал, что история на этом не закончится.

И точно: через три года перед ним появился парень, с которым вместе кончали языковую школу; тоже демобилизовался. Этот парень рассказал ему версию, которая, оказывается, бытовала еще три года назад, но осталась Шереметьеву неизвестной, потому что все бздели, как запуганные скоты. Вот такие оказались дела...

— Дальше? — спросил Борис, стараясь быть таким же хладнокровным, как и рассказчик. Череп, чистый и матовый, стоял теперь на столе между опустошенной бутылкой «Цимлянского» и почти пустой «Московской особой». Нижняя челюсть, то есть mandibula, была аккуратно прикручена проволочкой.

— Стоит ли дальше? — заглянул ему в глаза Шереметьев.

— Кому же еще вы расскажете дальше, если не мне? — усмехнулся Борис.

— Ну, хорошо, слушайте, Борька, но только потом не шипите на меня за то, что потревожил чистую душу советского спортсмена. Я выкопал из загашника свой «ТТ» и отправился на Восток. Из Благовещенска неделю лесом пробирался в запретную зону. Маслюкова я увидел утром, когда он провожал свою младшую дочку в школу. Положительный такой дядяша, образцовый отец семейства, челюсть починил, папироской попыхивает, дочку поучает... На обратном пути от школы я его и затащил в кусты. Когда он очухался, я ему сказал: «Вы, кажется, поняли, что я не шучу, а теперь вставайте и показывайте, где закопали Риту». По правде сказать, не понимаю, почему он меня так старательно вел к этому месту. Может быть, выжидал момент, чтобы сбежать или обезоружить похитителя. Много говорил патриотического, взывал к моей совести комсомольца. Мы шли почти весь день, и потом передо мной, как в бреду, среди бурелома открылось заболоченное озерцо и над ним бугор с тремя елками и с глубоким проемом в восточную сторону, к Японии. Я сразу понял, что это то самое место. И Маслюков тут сказал: «Вот здесь лежит шпионка Бурэ, и здесь я часто сижу и вспоминаю, какая она была».

Могила, Борька, вернее, эта яма была давно разрыта зверьем, так что можете не думать, что я совсем уже с резьбы сошел и копался там наподобие вурдалака. Я просто взял вот именно этот, столь знакомый вам по вашим штудиям предмет, что сейчас смотрит на нас глазницами пустыми, как весь космос. Он был почти в таком же виде, что и сейчас, я только лишь хорошенько протер его плащ-палаткой...

— А что же Маслюков? — спросил Борис.

— Его больше нет, — пробормотал, свесив волосы над пепельницей, Александр и вдруг грянул кулаком по столу: — Что же вы хотите? Чтобы я разыграл сцену христианского всепрощения? Чтобы вместе с убийцей пролил слезы над объектом общей любви?!

— Перестаньте орать! — в свою очередь шарахнул кулаком по столу Борис. — Вы что, не понимаете, что об этом нельзя орать?!

Два этих мощных удара нарушили гармонию стола. Темная бутылка покатилась и упала вниз, на коврик, не разбившись. Прозрачная бутылка тоже покатилась, но была вовремя подхвачена и опорожнена в стакан, после чего заброшена на стоящее почти вплотную лежбище Шереметьева с зеркальцем в изголовье и с декадентской Ледой, вырезанной по дубу.

— Хотел бы я знать, сколько в этой истории правды, — сердито сказал Борис.

— Не знаю, — хитро сощурился Шереметьев. — Иногда я кладу руки на этот череп, и мне кажется, что это именно те бугорки, которые я ощущал, когда гладил ее такое прекрасное лицо. Я в этом просто уверен, что это именно те самые бугорки... Значит, она всегда со мной. Хотя бы это я могу сделать: посреди полной беспомощности и заброшенности соединить ее прах со своим...

— Слушайте, Сашка, а вы не заигрываетесь, а? — В Борисе почему-то нарастало раздражение. — Вам не кажется, что вы тут стараетесь перещеголять всех героев Достоевского? Я боюсь, как бы вы, ребята, вообще не заигрались вкрутую с этим вашим кружком. Знаете, я недавно у деда прочел, что самого Достоевского за такой же вот кружок к смертной казни присудили и уже мешок на голову надели, а ведь время тогда не такое было, как сейчас. Вы слышали об этом?

— А как вы думаете? — надменно, с черепом в ладонях, вопросил Шереметьев. — Неужели вы думаете, что мы не знали об имитации расстрела на Семеновском плацу? К вашему сведению, мы именно и начали с петрашевцев, и все поклялись на этом мешке, что не струсим.

— Ах вот как! — воскликнул Борис. — Я вижу, что этот кружок у вас не только для самообразования!

— Идите на хуй, Борька, — отмахнулся Шереметьев. — У вас все еще какой-то школьный подход к действительности. Поэтому ребята вас и чурают-

ся. Вам на мотоциклах гоняться, а не... а не Достоевского читать...

Проклиная себя за столь неуместное раздражение — чем оно было вызвано, странной завистью ли
к Шереметьеву, злостью ли на себя за отсутствие таких глубоких и страшных провалов в подсознание, —
Борис встал и сделал шаг к выходу. Вдруг положил
руку Шереметьеву на плечо:

— Простите, Сашка, что я не совсем поверил в
ваш рассказ. Может быть, вы правы, у меня развивается какое-то спортивное, безобразное легкомыслие, какая-то наглость от причастности к ВВС. Однако я хотел вас спросить: помните вы хоть один
случай, когда я струсил или предал?

— Нет, не помню, — мрачно ответил Шереметьев.

На этом они и расстались. Дружба вроде бы была
подтверждена, однако оба начали ловить себя на
том, что к новым встречам не очень-то тянет.

...Вспоминая сейчас, в ночь перед выездом на Кавказ, эти недавние разговоры, Борис совсем разгулял-
ся. Сна не было ни в одном глазу. Он ходил по спальне, прислушивался к доносящемуся издалека похра-
пыванию своих милых гостей и вдруг увидел в углу
раздутую папку, полученную утром от Вуйновича.
Он бросил ее на кровать, сам плюхнулся рядом, отщелкнул застежки и вдруг мгновенно, щекой к этой
папке, заснул.

Сад в тумане, а сверху уже наступает солнце.
«Встану я в утро туманное, солнце ударит в лицо» —
вот именно о таком утре было сказано. Мэри Вахтанговна подстригала садовыми ножницами кусты,
подвязывала к забору тяжелеющие розы. Архи-Мед

сидел на крыльце террасы, иногда провожая взглядом пролетающих тяжелых шмелей.

Мэри вдруг посетило ощущение, что вот так она уже пятьдесят с лишним лет подстригает кусты, а может быть, и все сто. Женщина, подстригающая кусты и подвязывающая розы, — таков постоянный сюжет художника-импрессиониста. L'impression de vie, лучше уж сказать: l'impression d'existance. Издалека, сквозь повисший солнечный туман и шумно присутствующий повсюду грай грачей, доносились звонки конки. Быть может, Бо любимый уже возвращается с практики. Позвольте, какой конки? Это все фокусы барометрического давления. А также прошедшей жизни. На самом деле, чем крики гимназистов, гоняющих на велосипедах по аллее Серебряного Бора, отличаются от... Позвольте, каких гимназистов, уж давно нет никаких гимназистов. Сейчас поднимется туман, и все встанет на свое место.

За забором, всхрапнув, остановился автомобиль. Приехали за Бо из наркомата? Боже мой, уже и наркоматов ведь нет, вернулись министры... Калитка открылась, и на аллее появился молодой человек: Никита Второй ли, Борис ли Третий, да нет, это Бабочка — наш Четвертый, неподражаемый!

— Мэричка, я тебе привез сюрприз! — крикнул внук. Архи-Мед уже был тут как тут, крутился, напрыгивая на любимого молодого человека. Тот взял его за ошейник, и пес застыл в фигуре вполне человеческого, двуногого удивления.

В калитку между тем проникала нежным бедром миловидная белошвейка; в том смысле, что появилась незнакомая женщина, принадлежащая к тому типу, что когда-то назывался белошвейкой. За руку она тянула... да-да-да, и вот уже подтянула, и вот, чуть подталкивая, выставляет вперед маленького, лобастенького, сероглазенького ежика-мальчика, моего мальчика...

— Китушка! — ахнула Мэри Вахтанговна. И мальчик тотчас же побежал к ней.

Архи-Мед от этой картины взвизгнул, что прозвучало даже неприлично в устах остроухого сторожевого пса, размерами не уступающего легендарной собаке Индус, что вместе с пограничником Карацупой так бдительно охраняла границы Советского Союза.

— Ну вот вам и интернат для Китушки, Таисия Ивановна! — смеялся Борис. — Лучшего интерната, поверьте, не найдете. Засим разрешите откланяться. Времени у меня в обрез, потому что сегодня уезжаю на соревнования, в Грузию. Я надеюсь, мы с вами еще увидимся, и не раз.

— Вы меня смущаете, Борис Никитич, — зарделась она.

— Я очень хорошо теперь понимаю своего отца, — чуть понизив голос, сказал он.

— Вы меня совсем уж смущаете, Борис Никитич, — весело шепнула она.

На этом они расстались.

Он вернулся на Горького и начал — в темпе! в темпе! — сваливать в рюкзаки барахло. Рюкзаки до Орла поедут в коляске, там их перебросят в автобус спортклуба, а в коляске и на заднем сиденье пристроится кто-нибудь из ребят, их тех, что любят скорость. Надо выбраться из Москвы пораньше: впереди, за Орлом, почти три тысячи километров дороги, да еще какой дороги! Постой, постой, да ведь тебя же вечером однокурсники ждут на свою складчину. Элеонора Дудкина с утра уже, наверное, обмирает. Ну, хватит, довольно, вполне достаточно, и даже немного с перебором, всех этих женщин и девушек! Начинаются соревнования, объявляю обет безбрачия!

Он пошел в спальню, чтобы взять трусы и майки, и тут увидел на кровати кожаную папку Вуйновича. Взять с собой? Нет, нельзя: черт знает, где там придется обретаться, черт знает, какие любопытствующие рыла полезут с вопросами. Он открыл папку, вытащил из одного ее кармана черный пакет для фотобумаги, вывалил снимки на покрывало и сразу забыл о соревнованиях, о мотоциклах и о дороге, той самой дороге, по которой когда-то пылил Александр Пушкин, стараясь догнать экспедицию графа Паскевича до начала штурма турецких твердынь.

Боже, Вероника — с толстой косой, переброшенной из-за спины на грудь! Ей тут не больше восемнадцати, височки затянуты и все-таки кудрявятся, взгляд восторженный, ожидание волшебной жизни. Снимок, скорее всего, был сделан еще до встречи с юным красным командиром. Так и есть, на обороте полустертая и все-таки сохранившаяся (!) карандашная скоропись: июнь 1921-го... Тридцать один год назад! А они, кажется, познакомились в 1922-м, в Крыму. Любопытно, каким же образом добыл этот снимок Вадим? Наверное, просматривал альбом, небрежно ронял комплименты, а потом, когда хозяйка зазевалась, взял и притырил. Тут много следов подобного воровства. Или, может быть, сам снимал красавицу? Трудно представить командира с фотоящиком той поры. Вот один и крымский снимок: компания отдыхающих в бухточке, на галечном пляже, загорелые телеса, а мать почему-то в белом платье. Должно быть, был ветер, она придерживает рвущуюся юбку, хотя чего ее придерживать, когда вокруг все голышом? Какая была девчонка! Я бы от нее не отошел, если бы в те времена родился от другой женщины. То есть если бы я в момент этого снимка был таким, как вот этот парень, смеющийся, голый по пояс, в мешковатых армейских штанах, босой, — мой отец.

А вот этот снимок Вадим приобрел законным порядком, потому что они на нем втроем. Здесь, очевидно, зона учения: в глубине стоит тогдашний танк безобразной конструкции, марширует взвод красноармейцев. На переднем плане Вероника, откинувшаяся на плечи двух комбатов, Никиты и Вадима. Тут она уже коротко подстрижена, изображает из себя кинозвезду. Она всегда, и в шутку, и всерьез, немного играла какую-то свою кинозвезду...

Борис стал засовывать карточки обратно в пакет: нет, если начать все это хозяйство рассматривать, еще три дня никуда не уедешь. Надо оставить все это дома и по возвращении внимательно разобраться, может быть, действительно удастся что-то извлечь из этих уроков разрушения любви. Пока засовывал пакет обратно, вывалился толстый блокнот, распахнулась страница в полоску, мелькнула стихотворная строфа:

> Забудь о ней, не тот момент,
> Шептал он в дебрях медсанбата:
> Любовь — не лучший инструмент
> Из амуниции солдата.

Это, кажется, дневник. Стихи перемежаются с записями, мелькают даты конца войны. К одной из страниц скрепкой приторочено треугольное письмецо с почти размытым адресом, написанным чернильным карандашом. Здесь на странице запись апреля 1944 года: «Пишу в воздухе по дороге на фронт. Какая горечь от этой нежданной и такой, казалось бы, счастливой встречи! Опять не занес по адресу это злосчастное письмо. Еще один груз ложится на душу. Сколько лет этот, скорее всего, последний привет несчастного блуждает вслед за мной после Хабаровска. Впрочем, все-таки лучше, что треугольничек уехал тогда со мной, а не был захвачен на квартире Н.Г. С моим-то опытом нетрудно себе представить, как несчастный парень по дороге на Колыму бросал этот треугольничек сквозь решетку вагона, не имея почти никакой надежды, что оно дойдет. И все-таки это «почти» в данном случае является решающим фактором, он подползает по телам товарищей к крохотному окошечку и бросает. Какая разница, большая у него надежда или маленькая? Надежда, может быть, не измеряется в обычных параметрах. И вот опять не довез, и через день забуду об этом письме. И так мы во всем: сражаемся храбро и кажемся себе великолепными, а там, где пули не свищут, оказываемся говном собачьим...»

Борис покрутил пожелтевший треугольник, свернутый из листа тетради для арифметики, то есть в клеточку. Адрес еще можно было разобрать: Москва, Ордынка, 8, кв. 18, Стрепетовым. Он посмотрел на часы: ну что ж, крюк небольшой, надо хоть что-нибудь сделать не для себя, хоть самую малость...

В подъезде большого желтого дома, естественно, пахло кошками, естественно, лифт не работал, и кафель из мозаики на полу, естественно, выкрошился. Одинокий ребенок играл на площадке третьего этажа, что-то строил из всяческого хлама: коробки «монпансье», бигуди, руины примуса, катушки... «Ты не из Стрепетовых?» — спросил Борис. «Пятый этаж», — равнодушно ответил ребенок.

«Стрепетовым 2 длинных, 1 короткий», — гласила узкая полосочка бумаги среди десятка таких же. Борису всегда было совестно бывать в коммунальных квартирах: ведь он один занимал площадь, на которой по московским условиям поместилось бы не менее 15 — 20 душ. В конце концов, успокаивал он себя, квартира не моя, а министерская. Меня оттуда могут выставить в любой момент, если решат наконец там делать музей маршала или, что более вероятно, дадут ее какому-нибудь шишке; ну, а пока почему не жить?

Дверь приоткрылась сначала на цепочке. Хриповатый женский голос из темноты спросил:

— По какому вопросу?

— Добрый день, — сказал Борис. — Я к Стрепетовым.

— А по какому вопросу? — повторил голос. Ближе к цепочке придвинулось лицо с папиросой. Неожиданно выглядели на нем глаза свежей голубизны.

— Да ни по какому вопросу, — пожал плечами Борис. — Просто письмо принес.

Его, очевидно, внимательно рассматривали. Потом цепочку откинули, и дверь открылась. Сутуловатая «еще-не-старуха» отступила в сторону.

— Проходите, но Майки дома нет.

— Я не знаю, кто такая Майка, но у меня письмо к Стрепетовым. Вы Стрепетова, сударыня?

— Как вы сказали? — изумилась курильщица.

— У меня письмо...

— Нет, вы сказали «сударыня»?

— Ну да, я сказал «сударыня»...

— Вот вы иронизируете, молодой человек, а между тем это очень хорошее, вежливое обращение.

— Я не иронизирую, — засмеялся Борис. — Просто у меня письмо к Стрепетовым.

Несколько физиономий выглянуло из дверей. Мальчишка лет четырнадцати застыл, раскрыв рот при виде моторыцаря: весь в коже, связанные перчатки переброшены через плечо, очки-консервы сдвинуты на макушку.

— Проходите, проходите, товарищ, — засуетилась «еще-не-старуха», будто стараясь заслонить Бориса от любопытных глаз. — Маечка сейчас придет. — Дернула за рукав мальчишку: — Марат, ну что стоишь, проводи товарища!

Борис вошел в довольно большую комнату, разгороженную хлипкими стенками, не доходящими до потолка. Все предметы мебели — шифоньер, трюмо, круглый стол, оттоманка, этажерка, стулья, ширма — были поставлены почти вплотную друг к другу, все говорило о другой жизни, в которой, возможно, было больше простора. Окно этого, очевидно, главного отсека комнаты, так сказать, гостиной, выходило в проулок. За ним ничего не было видно, кроме кирпичного брандмауэра. Две капитальных стены и три фанерных были завешаны репродукциями картин, в основном морскими и среднерусскими пейзажами. Бросились в глаза общеизвестная «Княжна Тараканова» и увеличенная, в рамке, фотография приветливого и холеного молодого человека в светло-сером, явно очень хорошем костюме, возможно, автора злополучного треугольничка.

— Садитесь, пожалуйста, — сказала хозяйка и сделала паузу, чтобы дать возможность гостю представиться.

— Меня зовут Борис, — сказал Борис.

Женщина удовлетворенно улыбнулась:

— А я — Калерия Ивановна Урусова, мать Александры Тарасовны Стрепетовой.

Круглый стол, покрытый истертой «ковровой» скатертью, опасно накренился под локтем мотогонщика. Марат, подросток с восточными чертами лица и уже пробивающимися усиками, стоял в дверях и глазел на гостя.

— Хотите чаю?

— Нет-нет, благодарю вас, Калерия Ивановна, я очень спешу. Я, знаете ли, просто хотел передать письмо многолетней давности и в двух словах объяснить обстоятельства...

За перегородкой что-то сильно скрипнуло и потом что-то упало и разбилось. Калерия Ивановна метнула в ту сторону панический взгляд, а Марат весь напружинился, словно пинчер.

— Маечка должна прийти с минуты на минуту. Если вы соблаговолите ее подождать, Борис, — с фальшивой светскостью произнесла хозяйка, не отрывая глаз от перегородки.

— Бабушка, можно я посмотрю, что с ней? — со страданием в голосе спросил Марат.

— Стой на месте! — резко скомандовала Калерия Ивановна.

— Простите, я, может быть, не вовремя. — Борис приподнялся и достал из кармана куртки треугольничек. — Простите, я вашей Маечки не знаю, я только лишь принес вот это письмо...

Что-то еще грохнулось за перегородкой, отлетела шторка, и из закутка вышла дочь Калерии Ивановны в обвисшем зеленом плюшевом халате, из-под которого видна была ночная рубашка. Нельзя было усомниться в степени их родства: те же глаза, те же черты лица, с поправкой на возрастную разницу в двадцать с чем-нибудь лет. Впрочем...

— Какое письмо? — вдруг страшным голосом вопросила вошедшая. Рывком она протянула руку к письму, волосы распались в космы, показалось, что карга какая-то вошла, шекспировская ведьма.

— Подожди, Александра! Ты должна сейчас спать! — волевым, как бы гипнотизирующим голосом скомандовала Калерия Ивановна. Марат уже тихонечко приближался, как бы готовясь схватить вошедшую Александру.

Она успела все-таки выхватить треугольничек из рук Бориса, взглянула на адрес и вдруг испустила совершенно безумный, ошеломляющий и испепеляющий все вокруг вопль.

В коридоре тут же зашумели:

— Что тут творится?! Безобразие какое! Опять психиатричку развели!

Входная дверь распахнулась, на пороге появилась тоненькая девчонка, в синем платьишке, со спутанной гривой, будто бы выгоревших, хотя как они могли так выгореть в начале лета, волос. Откинув волосы, девчонка пролаяла себе за спину, в коридор:

— Перестаньте базлать, Алла Олеговна! На себя бы посмотрели! — и только после этого бросилась ко все еще вопящей, но уже на угасающих нотах

Александре. — Мамочка, успокойся! Ну, что теперь случилось?

Александра совсем перестала кричать при виде дочери, ее теперь только терзала крупная дрожь, сестра судороги. Калерия Ивановна между тем со свежей папиросой во рту щелкала пальцами, чтобы кто-нибудь ей дал прикурить, но на нее никто не обращал внимания. Борис сделал еще один осторожный шаг к выходу.

— Он жив! — горячечным свистящим шепотом заговорила Александра. — Майка, посмотри! Письмо от него! Папа жив! Ну! Ну! Мне никто не верил, а он жив! Маратка! — Она повернулась к мальчику. — Видишь, твой папочка жив!

При этих словах и на лице подростка промелькнуло нечто сродни метнувшейся лягушке.

— Жив! — торжествующе и страшно опять завопила Александра.

На этот раз ответа из коридора от Аллы Олеговны не последовало.

— А где гонец? — вдруг совершенно милым, оживленным и светским тоном спросила Александра и повернулась к Борису.

Ах, значит, я гонец, подумал тот, однако ничего не оставалось, как только поклониться: гонец к вашим услугам, сударыня. Только лишь после этого и вбежавшая Майка увидела гонца. Вдруг вспыхнула и изумленно вытаращила стрепетовское, еще более усиленное синим платьишком, синеглазие. Все женщины этой семьи светились синевою, в то время как мальчик Марат излучал кавказский агат. Майка держала безумную мать за плечи, а сама была вся повернута, радостно и изумленно повернута к гонцу. Запоминающаяся картинка, подумал Борис и сделал еще один шаг к выходу.

— Это письмо попало ко мне случайно. Как я понимаю, ему не менее пятнадцати лет... — проговорил он.

— Значит, вы совсем недавно видели Андрея, молодой человек? — тем же светским тоном продолжила разговор Александра. — Вы, кажется, спортсмен, не так ли? У вас, наверное, много с ним общих интересов? Ах, как он делал утреннюю зарядку! Какие подбрасывал гири! Я не могла ни одной из них даже оторвать от земли!

Майка взяла из ее рук письмо, быстро развернула его и отвернулась, закрыв локтем глаза. Чернильный карандаш внутри совсем размазался.

Борис, еще больше приблизившись к двери, огорченно развел руками:

— Простите, я не знал... Только сегодня утром я нашел это письмо в бумагах... друга нашей семьи... Как я понимаю, его бросили из вагона еще в тридцать седьмом... Ну, знаете, из этих спецвагонов... а потом наш друг... ну, сам... ну, вот, и я подумал...

— Ну, давайте теперь читать, — мирно и торжественно провозгласила Александра. — Дети, мама, все к столу! Вы, молодой гонец, тоже! Любопытно, что пишет Андрей? Знаете, я не отказалась бы от бокала вина!

Майка вдруг рванулась, резко обогнула, как будто он был не круглый, а квадратный, стол, схватила за руку Бориса и вытащила его в коридор.

— Пойдем! Пойдем! Ей больше ничего не нужно знать! Спасибо тебе за письмо и забудь о нем! Знаешь, я тебя знаю! Знаешь, знаю! Я как тебя увидела, так и обалдела! Ёкалэмэнэ, вот он и явился!

Из туалета выглянуло непривлекательное, как коровья лепешка, лицо Аллы Олеговны. Майка, сверкая зубами и глазами, тащила мотоциклиста вон из пропотевшей бедами квартиры. Какая тоненькая, подумал Борис, можно сомкнуть пальцы у нее на талии.

— Откуда же ты меня знаешь? — спросил он уже на лестнице.

— А я тебя видела в Первой градской. Я там медсестрой работаю на госпитальной терапии. Как увидела тебя, так и ахнула: ну вот и он!

— Что значит «ну вот и он»? — недоумевал Борис.

— Ну, то есть мой, — пояснила Майка.

— Что это значит, «ну то есть мой»? — улыбался Борис.

Они спускались по лестнице, Майка все не отцеплялась от кожаного рукава. Обладатель этого рукава, то есть руки, засунутой в этот рукав, чувствовал цепкие пальчики. Внутренний смрад коммуналки быстро испарялся.

— Ну то есть такой, о каком мечтала, — пояснила Майка с некоторой досадой, как непонимающему. — Ну, в общем, мой парень.

— Вот так прямо? — покосился на нее Борис.

— А чего же косить? — рассмеялась она. — Я тогда замешкалась в Первой градской, потом хватилась, ну, рванула, а ты уже уехал на мотоцикле, так и дунул по Большой Калужской и пропал. Ну всё, думаю, никогда больше этого моего не встречу. И вдруг сегодня, ну и ну, ёкалэмэнэ, мамка кричит, бегу, вбегаю, а дома он сидит, мой, вот это да!

— А что это мама твоя... давно она такая странная?.. — осторожно спросил он.

— Бабушка говорит, с того времени, как папа... ну, пропал... Ей то лучше, то хуже, но последнее время все хуже. Соседи требуют, чтобы мы ее в психушку сдали, но мы не хотим. И я, и бабка, и Маратка, ну братик, за ней ухаживаем, ну... — Она резко оборвала свои пояснения, как бы показывая, что совсем не об этом ей сейчас хочется говорить.

Они уже были в подъезде дома. Борис в последний раз бросил взгляд наверх. Там через перила, словно бронзовый апельсин с черной шевелюрой, свисало взволнованное лицо Марата. Вот этот, кажется, узнал меня по «Советскому спорту», подумал Борис.

— Этот Марат, он что же, приемный тебе брат? Или по матери?

— Нет, родной, и по отцу, и по матери.

— Позволь, как же родной? Сколько ему лет?

— Тринадцать с чем-то, скоро четырнадцать...

— Ну, а письму-то этому пятнадцать.

— Ну так что же?

— Ну ты же медсестра, правда?

— Ну да, так что же?

— Ну как же он может быть тебе родной, без твоего отца?

— Ну мать говорит, что родной, и бабка говорит, что родной.

— Ну понятно.

— Ну хватит об этом! Мы сейчас куда пойдем?

Они уже стояли на улице. По Ордынке летел сильный теплый ветер. Майка одной рукой придерживала волосы, другой — юбку. Ветер разбередил даже набриолиненный кок Бориса.

— Я не знаю, куда ты сейчас пойдешь, а я сейчас уезжаю на Кавказ.

— Ой, я с тобой поеду! Подождешь десять минут?

— Перестань дурака валять!

Он подошел к мотоциклу. Коляска была плотно зачехлена брезентом.

— Ой, это тот же самый?! — радостно вскричала она.

Он пожал плечами:

— Откуда я знаю, что ты имеешь в виду?

Ситуация стала его уже немного раздражать. Точно так же бывает, когда какая-нибудь хорошенькая и несчастненькая собачонка увязывается. Не отгонять же ее палкой.

Он сел в седло, снял противоугонный крюк, вставил ключ в замок, завел машину. Собственными руками доведенный до совершенства ГК-1 заворчал со сдержанной мощью.

— Ну, до свиданья, Майя. Я зайду, когда вернусь.

— Нет, ты не зайдешь! — с отчаянием воскликнула она. — Я с тобой поеду! Подожди!

Но он уже тронулся.

Отъехав метров десять вниз по Ордынке, он оглянулся и увидел, что Майка бежит за ним. Платье облепилось вокруг девчоночьей фигуры, волосы летят назад, мелькают кулачки. Инстинктивно он чуть прибавил газу и снова оглянулся. Она, естественно, отстала, но темпа не сбавляла, наоборот, кажется, еще прибавила оборотов, чаще мелькают кулачки. Э, да она теперь босая бежит, сбросила на ходу свои копеечные босоножки. Что же делать, что за дурацкая ситуация? Плюнуть на нее и газануть? Через десять секунд она исчезнет из виду. И останется на душе тяжелым грузом, как тот треугольничек у Вуйновича. В конце концов что она для меня? Семнадцатилетняя девчонка, каких тут десятки тысяч по Москве шатаются со своими целочками... Ну, спасибо, Вадим Георгиевич, удружил! Вдруг отчетливо прорезалась совершенно идиотская мысль: раз она говорит, что я «ее парень», значит, я и есть «ее парень», значит, я не могу ее бросить, это будет предательство... Он стал тормозить и смотрел через плечо. Майка домчалась, прыгнула, будто в школе на уроке гимнастики через козла, с разбегу на заднее сиденье, задыхаясь, уткнулась носом и губами ему в спину, руками обхватила его за талию вокруг той самой «сталинской» кожаной куртки, с которой по случаю июня была снята теплая подкладка. Теперь за городской чертой придется останавливаться, рассупонивать коляску и вытаскивать для нее стеганый комбинезон. Иначе вместо Майки привезу в Орел дохлую синюю курицу...

Глава девятая
Античный курс

В тот же самый день, когда Борис IV Градов с неожиданной пассажиркой на заднем сиденье отчалил в южные края, в жизни его кузины Ёлки Китайгородской тоже произошли неожиданные встречи; отнесите это за счет прихоти романиста или за счет каникулярного времени. В начале лета восемнадцатилетние, то есть почти девятнадцатилетние девицы, скажем мы в свое оправдание, излучают нечто, что способствует возникновению неожиданных ситуаций в любом многомиллионном городе, даже и в столице, как тогда начали говорить, «мирового социалистического содружества». Ну что ж, содружество отчаянно сражается за мир во всем мире, особенно на Корейском полуострове, а жизнь все равно идет своим упрямым античным курсом. Изничтожили всяких там бергельсонов, маркишей, феферов, зускиных, квитко, пробравшихся в Еврейский антифашистский комитет для выполнения заданий сионистской организации «Джойнт», посадили в тюрьму некую Жемчужину, случайно оказавшуюся женой заместителя Председателя Совета Министров Молотова, известного в кругах пресловутых и предательских Объединенных наций с их проамериканской машиной голосования под провокационной кличкой «Мистер Ноу», а жизнь тем не менее идет, в принципе не очень даже и отличаясь от тех ее форм, что сложились несколько тысячелетий назад в бассейне Средиземного моря. Уж если, как мы недавно видели, даже и в зоне магаданского карантинного ОЛПа находятся субъекты, склонные подражать сюжетам мифологии, то что говорить об огромной массе людей, не охваченных конвоем, то есть о населении Москвы, великого города, лежащего на так называемой русской плите верхнего протерозоя? Здесь жизнь идет вовсю, и, в частности, идет, вернее, спешит с нотной папкой в руке и с теннисной ракеткой под мышкой указанная выше кузина мотоциклиста, студентка Мерзляковки и подающая надежды теннисистка, игрок сборной Москвы по разряду девушек Елена Саввична Китайгородская.

В тот день, в час пополудни, она играла четвертьфинал на кортах парка ЦДКА. Играла без азарта, потому что слишком многое отвлекало от «большого спорта», и в первую очередь, конечно, музыка. Мерзляковка уже окончена, теперь надо держать экзамены в Гнесинку, то есть и на лето никуда не уедешь: придется штудировать фортепианные пьесы, да и не только классиков, но и занудных советских композиторов. Сама виновата, поддалась бабкиным уговорам — «Ленок, поверь, ты можешь стать пианисткой мирового класса» — и лести отчима Сандро — «Ёлка, не льщу, душа воспаряет, когда слышу твоего Моцарта» — и вот запряглась в каторгу, теперь будет не до тенниса.

К тому же и возраст. Ведь это же наверняка мои последние соревнования по разряду девушек, а в разряд женщин мне, наверное, уже никогда не перейти. Почему не введут в спорте разряд старых дев? Так думала спартаковка Китайгородская, без всякого энтузиазма сражаясь с динамовкой Лукиной. Длинноножие, впрочем, помогало: там, где коренастая Лукина пробегала два шага, Ёлке требовался только один. «Можешь стать теннисисткой мирового класса», — говорил ей тренер Пармезанов, который недавно, хлебнув для храбрости коньяку, предпринял в раздевалке попытку перевода ее в разряд женщин. Еле вырвалась. Ну и зря вырвалась. Далеко не самый противный этот Толик Пармезанов. Все меня хотят видеть в мировом классе, а я так и останусь мирового класса идиоткой со своей мембраной.

Эта проблема, то есть полное отсутствие любовного опыта, стала для Ёлки наваждением. В ванной она внимательно себя рассматривала и радовалась: что ни говорите, а большой класс, мировой класс! А потом вдруг мысль о мужчине повергла ее в полнейший ужас: ну это же невозможно, ну это же просто немыслимо, чтобы какой-нибудь Пармезанов или любой другой, пусть хоть Аполлон Бельведерский, нет, это просто невообразимо, чтобы их штуки входили ко мне, вот сюда!

Однажды она спросила у матери: «Нина, а ты в моем возрасте уже?..» Та с юмором на нее посмотрела: «Увы, увы...»

Вот гадина мамка, подумала Ёлка, нет чтобы попросту рассказать, как это у нее было, а то выпендривается: увы, увы...

Нине тоже было неловко. Ёлка просто хочет, чтобы я рассказала, как это делается, а я не могу. Этот социализм нас всех сделал ханжами. Нет, я должна ей все-таки рассказать, какие вольные и дурацкие были времена, полная противоположность нынешнему пуританству, хотя тоже противные, потому что все опять же на идеологию завязывалось, на эти нудные утопии. Как я тоже мучилась точно такими же страданиями, и как ячейка решила соединить меня с этим долбоебом Стройло, и как я потом стала из него лепить миф победоносного и лучезарного пролетария. Ей нужно все это рассказать, включая самое первичное, даже анатомию. Почему же мне трудно это сделать? Неужели оттого, что это сейчас не принято? Или, может быть, оттого, что ее время неудержимо подступает, а мое так неудержимо утекает?.. Так думала Нина, но Ёлка, увы, не могла прочесть эти мамины мысли.

Зрителей на теннисном стадионе ЦДКА было мало, да и кого загонишь на четвертьфинал Москвы ранним пополуднем в конце июня? Длинными свингами гоняя коротконожку Лукину из одного угла площадки в другой, Ёлка бросала иной раз взгляды на чахлую трибуну, не появится ли обиженный тренер, и вдруг вместо Пармезанова заметила там другого парня, лет на десять моложе, то есть ее собственного возраста. Парень сидел нога на ногу, обхватив колено руками, и, не отрываясь, восхищенно смотрел на нее. Волосы у него были с намеком на стиляжные прически, но, к счастью, без бриолина. Темно-синий пиджачок внакидку, плечи торчат вверх. Похож на молодого Джека Лондона. Лукина в этот момент неожиданно вышла к сетке и мощно загасила мяч прямо перед носом Китайгородской. Раздались жиденькие аплодисменты, и паренек зааплодировал. Ах ты, гад такой, ты что же, против своей девушки болеешь? Пройдя вдоль сетки, Ёлка сердито на него посмотрела. Влюбленность и восторг были написаны на его лице со впалыми щеками и выпуклым подбородком. Да он просто не видит никакой игры, он просто следит, как двигается тут его девушка; поэтому и аплодировал невпопад.

Матч закончился. При всей сегодняшней паршивости Ёлка все-таки обыграла Лукину. По дороге в душевую она остановилась возле трибуны прямо напротив обожателя и посмотрела на него. Поймав ее взгляд, он дико перепугался и сделал вид, что так, вообще озирает панораму и потная, раскрасневшаяся девица не представляет для него большего интереса, чем, скажем, деревья или лозунг: «Да здравствует великий Сталин, лучший друг советских физкультурников!» Да он совсем мальчишка, этот типус! Никогда сам не решится ни подойти, ни заговорить.

— У тебя там не занято? — спросила она, показывая на совершенно пустую в обе стороны скамейку.

— Что? — встрепенулся он, растерянно глянул вправо, влево, посмотрел за спину, может, кого другого спрашивают, там никого, по-дурацки как-то хохотнул, наконец, выдавил из себя: — Нет, не занято.

— Придержи для меня одно место, — сказала она и величественно проследовала мимо.

В душевой она подумала: вот этот пусть и переведет меня из разряда девушек в разряд женщин. И сам, соответственно, к мужчинам присоединится. Если, конечно, еще не убежал без оглядки.

Ну что ж, внешность у нас «мирового класса», хотя какие там бывают внешности в мировом классе, нам неведомо. Во всяком случае, не хуже, чем в странах народной демократии, если судить по знакомым студенткам из Польши и Чехословакии. Волося мокрые, но через полчаса они высохнут и начнут летать, сводя с ума всех этих мальчишек-провинциалишек. Она почему-то была уверена, что он не москвич, хоть и в узких брюках щеголяет.

Провинциалишка не убежал. Напротив, действительно забронировал для нее место своим пиджаком. Она прошла вдоль пустой скамьи и села рядом. Пиджак, словно тюлень, поспешно, всеми фалдами, ретировался.

Она удивилась, почему он не спрашивает, как ее зовут. Он сказал, что и так знает, в программке написано: Елена Китайгородская. В свою очередь, надо представиться, сэр, если занимаете даме место на пустой скамейке. Оказывается, его зовут Вася, ну, в общем, Василий. Вот так имя! А что такое? Ну, вокруг одни Валерики и Эдики, а тут старорусский Василий. Впрочем, и у нас тут есть один, хм, Вася такой, хм, таковский. Он должен признаться, что ему его имя осточертело, а вот Елена Китайгородская — это здорово звучит. В семье меня Ёлкой называют, а ты откуда? Из Казани, был ответ. Фью, она разочарованно присвистнула, вот уж небось медвежья дыра! Вот уж ошибаешься, он воспламенился, у нас там университет старинный, баскетбольная сборная второе место в РСФСР держит, ну и джаз, как всем известно, лучший в Союзе. Джаз? В Казани джаз? Ну, умора! Ну, знаешь, ты не знаешь, а смеешься, знаешь, как будто знаешь! У нас в Казани шанхайский джаз Лундстрема... вот помнишь, во время войны такая картина была, «Серенада Солнечной долины»? Вот они в такой манере играют! Он погудел немного в нос и пошлепал паршивой сандалетой. Еще недавно в Шанхае играли, в клубе русских миллионеров. Ой-ой, ну вот, как расфантазировались казанские мальчики! Ёлка, ты меня заводишь, а сама не знаешь, что Лундстрем входит в мировую десятку, между Гарри Джимом и Гуди Шерманом; его Клэн Диллер называл королем свинга восточных стран! Хо-хо-хо, вот это демонстрируется эрудиция! Там, в Казани, когда шанхайцы играют, знаешь, когда они втихаря от начальства играют, все балдеют: и москвичи, и даже ребята из Праги, из Будапешта, Варшавы варежки разевают, никогда такого живьем не слышали! Она еще больше рассмеялась и хлопнула его ладошкой по плечу, от чего вдоль обтянутого шелковой «бобочкой» позвоночника прошла волна. В общем, Казан б-а-ал-шой, Москва м-а-аленький, да? Весьма к месту припомнила фразу из фильма «Иван Грозный», от которой миллионы кинозрителей хохочут до икоты. А ты где учишься-то, Василий? Он поежился: вот сейчас она совсем разочаруется, если бы он хотя в КАИ учился, или в КХТИ, или в университете имени Ульянова-Ленина, а то... Да ну, в меде я учусь. В медицинском?! Вот здорово! По учебнику Градова занимался? На следующий год по нему будем заниматься, а что? А то, что это мой дедушка. Ну, кончай заливать! Слушай, Вася, откуда у тебя такие манеры, как будто не в Казани воспитывался! В натуре, Градов — твой дедушка? В натуре, в натуре — что это за выражение такое, в натуре, — а моя мать, между прочим, поэтесса Нина Градова. Вот уж, действительно, произвела впечатление: мальчик, очевидно, литературой интересуется. Что за странное хвастовство? Не хватает, что ли, своих собственных качеств, чтобы произвести впечатление? И далее благовоспитанная московская девушка, что называется, из хорошей семьи задает незнакомому Васе абсолютно неуместный вопрос: ну, а твои кто родители? Он почему-то набычивается, смотрит сбоку и исподлобья; некий волк. Ну, если уж задала неуместный вопрос, придется его повторить: так кто же твои родители? Служащие, неохотно отвечает он и переводит разговор на спортивные рельсы. Здорово ты обыграла Лукину, а у меня больших талантов к спорту нет, только вот в высоту неплохо, тренер говорил: развивай свою природную прыгучесть! Ну, в общем, вот, попробую этим летом. Не, я сейчас на Юг еду, в Сочи, там уже наша кодла собралась, а я вот в Москве решил на несколько дней... Кодла собралась, ну, значит, гоп-компания; никогда такого слова не слышала? Странно.

Странно, что мне все твои слова знакомы, а тебе некоторые мои слова незнакомы. Мне это нравится, ты, я вижу, не прост. А кто сказал, что я прост? Ого, да ты совсем не прост! Ты в Сочи был раньше? Ёлка снова чувствует какую-то неловкость от своего вполне невинного вопроса: спрашиваю, видно, чтобы похвастаться, дескать, я-то там уже два раза была, в том смысле, что, мол, все-таки знай свое место, провинциал и сын «служащих», когда говоришь с аристократкой из семьи Градовых. Я в том смысле, что если ты еще не видел моря... Что? Ну, как ты говоришь, обалдеть можно. Оказывается, он уже видел море. Там, в Казани, как видно и море самое большое или, по крайней мере, входит в мировую десятку. Василий вдруг начинает проявлять снисходительность, напускать джек-лондоновского туману. Он, оказывается, жил возле моря. Два года жил на берегу моря, только не Черного, а другого. Интересно, а какого? Магелланова или Лигурийского? Охотского. Вот те раз! А это что за выражение такое «вот те раз», Елена Китайгородская? Он жил два года в Магадане и, в общем, там как раз и среднюю школу окончил. Почему же невозможно? У нас там школа была получше любой московской, с прекрасным спортзалом.

Но как же он там оказался, вот что любопытно. Если ты не фантазируешь, то как ты в этом Магадане оказался? В лице у любителя джаза снова появляется нечто неприрученное, как бы вдруг обнаруживается какая-то другая, не казанская, порода. Ну, там... просто... ну, мама моя живет... вот я к ней приехал и школу там окончил... Между прочим, Ёлка, вон тот толстый игрок, это что же, неужели тот самый знаменитый радиокомментатор Николай Озеров? Как бы он ни переводил разговор на другую тему, становится понятно, почему он сразу переводит разговор на другую тему при упоминании родителей. Ах вот в чем дело: он из этих... Она смотрела на него теперь с двойным интересом: оказывается, не просто какой-то симпатичный провинциалишка, он, оказывается, из этих... А знаешь, Вася, видно, правильно говорят, что мир тесен: у меня ведь в Магадане дядя живет... Да-да, родной брат мамы... он... он тоже из служащих...

Между тем народу на скамейках прибавилось: начался главный матч дня, Озеров играл с Корбутом. Знаменитый человек своего времени, комментатор, заслуженный мастер спорта и артист Николай Николаевич Озеров, сын другого Николая Николаевича Озерова, певца, был, очевидно, самым жирным теннисным чемпионом в мире. Между тем, носясь с исключительной подвижностью и непринужденностью по площадке, он довольно легко обыгрывал стройного и мускулистого Корбута.

Василий больше смотрел на публику, чем на игру. Среди зрителей большинство было, очевидно, людьми одного круга, теннисная столица, загорелые женщины и мужчины в легких светлых одеждах и парусиновых туфлях. Ни в Магадане, ни в Казани таких не увидишь, почти заграница. Многие перекликались, смеялись. Ёлочка тоже то и дело помахивала кому-то ладошкой. Ну и девчонка! Василий, с его почти нулевым опытом по части девиц, был совершенно очарован. Это же надо, сама взяла и подошла к нему. Мало похожа на наших телок с лечфака. А как хороша, какая фигура, какие глазки, веселые, насмешливые и немного грустные, и гриву свою все время отбрасывает назад. Одно это движение рукой, гриву назад, незабываемо. Даже если случится самое страшное, если вдруг встанет и скажет «ну, пока!», все равно уже никогда не забудется. Этот день на двадцатом году жизни, конечно, никогда уже не забудется.

Мимо прошел какой-то пожилой красавец со знакомой внешностью, наверное, из кино, серьезно посмотрел на Ёлку, спросил: «Как мать?» — и кивнул в ответ на ее «все в порядке». Внучка автора учебника по хирургии, дочь знаменитой поэтессы, о которой даже мама в Магадане говорила: одаренная.

Неподалеку втиснулся между двумя спортсменами некий тип в тренировочном костюме с засученными рукавами. Тип с длинными волосами, зачесанными назад и обтянутыми сеткой для укладки прически; эдакая гладкость головы и в то же время павианья волосистость предплечий. Он мрачно смотрел на Китайгородскую.

— Что же вы, Пармезанов, даже не приходите, когда ваша подопечная играет? — Ну и девка, ядовито так обращается к человеку в два раза старше.

— Не мог, — ответил трагический тип Пармезанов.

— Что же случилось? Жена, детки? — продолжала ехидничать Китайгородская.

— Не надо, — сурово сказал Пармезанов, отвернулся и тут же оглянулся.

Ёлка встала и громко сказала:

— Ну, пошли, Вася. Здесь все ясно. Озеров выигрывает.

Василий тут же встал с чрезмерной радостной готовностью.

Да она меня просто себе подчинила. Просто поработала. Я уже себе не принадлежу. Что она скажет, то и сделаю, и все вокруг будут смотреть и говорить: «Смотрите, Ёлка Китайгородская совсем уже себе этого Васю подчинила!» Вот счастье!

Тип Пармезанов провожал их нехорошим взглядом, пока они пробирались среди любопытствующей публики.

В парке на пруду меж медлительных лодок резво плавали современники динозавров — сытые селезни. Куски бывших французских, ныне переименованных в городские булок висели в воде, словно маленькие медузы. В центральной аллее высилась похожая на удлиненный стог сена скульптура пограничника в тулупе до пьедестала. Под этой надежной охраной в павильоне разливали коньяк, нередко по прихоти товарищей офицеров смешивая его с шампанским. Вася извлек из брючного кармана солидный рулончик сталинских денег.

— А что, если коньяку выпить с шампанским?

— Хорошая идея, чувствуется Магадан, — восхитилась Ёлка.

— В Магадане мы пили девяностошестиградусный спирт. — Он начал рассказывать обычную колымскую спиртовую чепуху, как в рот набирали спирту, и спичкой поджигали, и так вот и бегали с огнем во рту. Вот на выпускном вечере так балдели, даже перепугали почетного гостя, генерала Цареградского.

Пока сидели на трибуне, он боялся, что Ёлка окажется выше него, однако теперь, к великому счастью, выяснилось, что они просто под стать, он даже сантиметров на пять повыше.

— Залпом пьем? — спросила она.

— А вы совершеннолетние? — спохватилась буфетчица сорокалетней сливочной выдержки.

Бухнули залпом. У Васи сразу расширились горизонты. Вернулся Билл из Северной Канады.

— Твоя мама — одаренный поэт, — сказал он Ёлке.

— А ты откуда знаешь? Она сейчас не печатает ничего, кроме переводов.

— А мне моя мама ее стихи читала, помнит еще с тридцатых годов.

— А можно я тебя на ухо спрошу, Вася? Твоя мама — враг народа?

— Подставляй теперь свое ухо. Мои родители — жертвы ежовщины, а я — пария в этом обществе.

Ёлка вдруг с жалостью сморщилась:

— Не надо, не нужно так, Вася, никакой ты не пария. Родители одно, а дети ведь другое.

— На самом деле — это одно и то же, — сказал он. — Яблоко от яблони...

— Ну, давай переменим пластинку. Каких ты еще поэтов любишь?

— Бориса Пастернака.

— Ну, Вася, ты меня просто удивляешь. Сейчас все студенты Сергея Смирнова любят, а ты Бориса Пастернака.

«Он, у меня уже голова кружится. Больше ни капли!»

— Откуда же ты Пастернака взял?

— А мать читает Пастернака на память, просто километрами. «Годами когда-нибудь в зале концертной / Мне Брамса сыграют, — тоской изойду. / Я вздрогну, я вспомню союз шестисердный, / Прогулки, купанье и клумбы в саду».

— «Художницы робкой, как сон, крутолобость, / С беззлобной улыбкой, улыбкой взахлеб», — немедленно продолжила она.

Они посмотрели друг на друга с неожиданно откровенной нежностью. Ладони соединились и тут же отдернулись, как будто слишком много в этих подвижных лопаточках с хватательными отростками собралось электричества.

— Ты знаешь, утки не видоизменились со времен динозавров, — сказал он.

Они шли вдоль пруда. Ёлка раскачивала своей сумкой, из которой торчала ручка ракетки.

— К Брамсу вообще-то я довольно равнодушна, — так она отреагировала на его сообщение об утках.

— А кто твой композитор?

— Вивальди.

— Я даже и не слышал такого. — Василий впервые признался в некоторых своих несовершенствах.

— Хочешь послушать переложение Вивальди на старом пианино?

— А где?

Она внимательно на него посмотрела, как бы оценивая, потом пришла к решению:

— У моей мамы сегодня вечером, ну, вернее, у ее мужа, вернее, друга, он художник, они живут на чердаке, ну, в общем, я буду играть...

— А ты еще и на фортепьяно?

— Что значит «еще»? Да я будущая пианистка мирового класса! Когда-нибудь услышишь меня в зале концертном, тоской изойдешь!

Он даже помрачнел от этого сообщения. Это уже слишком: теннис, происхождение, пианизм! Слишком много для парии в этом обществе.

Она, должно быть, уловила это мимолетное изменение настроения, засмеялась и — о боги! — поцеловала Василия в щеку. Ну что, пойдешь? Еще бы не пойти! Конечно, пойду! Ты где остановился в Москве? Нигде. То есть как? На вокзале вчера спал, на газете «Культура и жизнь». Понимаешь, я собирался в общаге МИСИ прокемариться, у друга, а его там нет, вахтерша не пустила... Ее вдруг осенило: будешь у меня сегодня спать на Большом Гнездниковском. Не волнуйся, я одна живу. То есть как это одна? Ну, мама бывает иногда, но вообще-то она у своего художника живет, у Сандро Певзнера. Василию, который всю жизнь свою на раскладушке обретался в теснейшем соседстве с родственниками, трудно было даже представить себе, что девчонка его лет живет одна, в квартире с отдельным входом. Некая тучка опять опустилась на его чело: может быть, это «особа свободных нравов», «тигрица» любви? Ночами на раскладушке этот Василий иногда казался себе победителем таких «тигриц», увы, при свете дня победоносное копье предпочитало отстаиваться в кулуарах. Тучка пролетела. Черт знает что в голову придет! Такую девчонку вообразить «тигрицей»! Послушай, Ёлка, а твои родители в разводе? Их война развела, грустно сказала она. Отец пропал. Погиб? Ну да, пропал. Он был хирург. Как бы ты сказал, Вася, он был мощный хирург. И вот такой мощный хирург, мой красавец папа, мощага, как бы ты сказал, пропал на фронте, ну то есть погиб. Она вовсе не так уж счастлива, эта девочка, в которую я так по-страшному влюбился, подумал Василий, и вовсе не так безмятежна, и уж совсем не похожа на «тигриц» из моего воображения.

Договорились, что он поедет на вокзал за своим рюкзаком, а она через два часа придет к метро «Маяковская», чтобы отвести его к себе в Большой Гнездниковский. Ну, а потом они вдвоем отправятся в Кривоарбатский, на суарэ. На чем, переспросил Василий. Не на чем, а куда, рассмеялась она. Суарэ — это не трамвай, мой друг из блестящей Казани. Это что-то вроде плиссе-гофре, как я понимаю, нашелся он, вспомнив часто попадающуюся в Москве вывеску. На этом они расстались у ворот парка ЦДКА, который на всю жизнь обоим запомнится как место юношеского щемящего очарования.

Первый час разлуки Ёлка провела, размышляя о том, что надеть. Время было тревожное: перелом в моде. От подставных крутых плечиков все более переходили к так называемому женственному силуэту. Прежде всего, разумеется, надо надеть узкую юбку с разрезом, ту, что маме не нравится, ну а жакетку, которая ей уже три года так нравится, выбросить к чертям! Итак, низовой вопрос решен, теперь подходим к верхам. Блузки летели из шкафа на кровать будто флаги фестиваля молодежи и студентов. Дело не в цвете, а в линиях. Увы, все они не придавали данной девице достаточно современных очертаний. Одна была какая-то слишком детская, другая какая-то слишком солидная. Все плохо монтировались с юбкой, с которой, ну, в общем, вопрос был решен.

Вдруг пришла блестящая идея: с этой шикарной, стильной юбкой надену простую студенческую ковбойку; вот и все, вот и все дела; звучит просто гениально! А свитер будет переброшен через плечо! Василий, ты не видел таких девушек ни в Казани, ни в Магадане! Затем началась проблема прически. Подкрутить ли щипцами концы волос, чтобы получилось нечто напоминающее последний крик, «венчик мира»? Поднять ли все вверх, чтобы открылась лебединая шея, или расчесать на стороны, или зажать назад? Вот мамка здорово придумала: подстриглась под мальчишку и сразу столько сомнений ликвидировала, да еще и помолодела на десять лет. С проблемой волос непосредственно связана проблема губ. Подмазывать или не подмазывать? Распущенные волосы и помада... Хм... пардон-пардон, сюда еще присоединяется юбка с разрезом... как бы этот Вася не испугался такой московской тигрицы... к тому же ковбойка в таком ансамбле выглядит просто по-идиотски... На помощь опять приходит природный гений: губы подмажем, а волосы заплетем в косищу! Блеск! Итак, за пятнадцать минут до встречи, то есть без четверти шесть, на улице Горького появляется интригующая юная особа, то ли студенточка, то ли девица полусвета. Полусвет, демимонд... из той же оперы, что любимые стишки Толика Пармезанова, которыми он пытался охмурить свою подопечную: «...Я хочу с перламутровым стеком проходить по вечерней Москве...» Экая пошлятина! Поменьше надо думать обо всей этой чепухе: что надела, то надела, небрежность — непременный элемент хорошего вкуса. Можно записать это изречение? Мужчины, разумеется, оборачивались почти без исключения. От двадцати до сорока, во всяком случае, без исключения. Некоторые столбенели. Вот, например, один невысокий, хромой, но удивительно интересный мужчина остолбенел, потом потряс головою, поиграл дьявольскими глазами, произнес знакомым голосом «Батюшки-матушки!» и остался позади по правому борту, у афишной тумбы с названием кукольного спектакля «Под шорох твоих ресниц».

У метро вовсю торговали пирожками и мороженым. Возле газировщицы лежал большой задумчивый пес. Василия в хаотическом кружении толпы пока не определялось. Интересно, кто кого должен ждать? Впрочем, еще и нет шести часов. Без пяти шесть. Если так буду стоять, обязательно привяжутся. Встану в очередь к киоску «Мосгорсправка». Какому-то человеку чистильщик, зазевавшись, провел ваксой по белым брюкам. Газировщица показывала через улицу на магазин колбас: «Эй, замазанный, поди там у грузчиков спирту попроси!» Из толпы вдруг выдвинулся и направился прямо к Ёлке статный мужчина кавказской внешности. Хороший серый костюм в полоску. Одной рукой притрагивается к шляпе, другой показывает красную книжечку с тремя золотыми буквами МГБ: «Простите, девушка, с вами хочет познакомиться один из государственных мужей Советского Союза». Инстинктивно она оглядывается и видит за своей спиной двух офицеров: погоны, пуговицы, зажим авторучки, орденские планочки, комсомольский значок... Один на двоих, один на двоих...

Никто в суматошной толпе часа пик не обратил особого внимания на посадку стройненькой девушки в брюхатый черный лимузин, никто, кроме трех баб: газировщицы, пирожницы и справочницы из

«Мосгорсправки». Эти три постоянных мойры «Маяковки» переглянулись с улыбочками, но, конечно, ничего друг дружке не сказали.

Через минуту появился Василий с рюкзаком. Ему предстояло здесь провести несколько часов в бесплодном ожидании.

В студии на Кривоарбатском между тем Сандро Певзнер мастерил подрамник для нового холста. Холсты с готовыми работами, подсыхающими и не законченными, стояли повсюду. Сандро сладко мычал. У него уже несколько месяцев протекал новый, как он его называл, «оранжерейный» период. Цветы стали его главными героями. Можно сказать, большими друзьями. Если только не членами семьи. Детьми. Лепестками любви. Выражением Нины в ее самой сокровенной части. Он писал цветы. Иногда сильно увеличивал. Иногда значительно уменьшал, словно в перевернутом бинокле. Иногда в натуральную величину. Иногда это был холстенок размером с почтовую открытку. Иногда метр на метр. Но не больше. Пока, к сожалению, не больше. Задуман был гигантский холст с апофеозом цветов. Он немного боялся его начинать: могут неправильно понять. Боишься не боишься, но все равно начнешь, смеялась Нина. Пожалуй, ты права, моя дорогая. Пока что скромно трудился над своей скромной оранжереей. Иногда, вспоминая Вермеера и прочих малых голландцев, выписывал каждую прожилку, каждую каплю росы, жука или пчелу в гуще букета. В другой раз размашистыми мазками создавал импрессионистские отражения. Пионы, хризантемы, розы, конечно, гвоздики, тюльпаны, всякая мелочь: лютики и васильки, анютины глазки — и фаллически неотразимые гладиолусы, шепот герани, воплощение сирени, что-то с натуры, а что-то из памяти, почти из ночи, может быть, из сновидений.

— Этот Певзнер, — говорила Нина, прогуливаясь среди цветов, — чем-то не тем занимается. Создает мнимо красивый мир, сознательно противопоставляет его нашей действительности. Не стоит ли присмотреться, товарищи, к этим псевдоневинным квазиботаническим упражнениям?

Он хохотал:

— Перестань, дорогая. Канэчно, харошая ымытацыя, но не по существу. Своими цветами художник Певзнер как раз подчеркивает красоту нашей социалистической действительности, выдающиеся успехи нашего советского цветоводства, глубокую справедливость нашего образа жизни, в котором объект красоты принадлежит не обожравшемуся буржуазному эстету, а простому труженику. Художник Певзнер демонстрирует, что он извлек хороший урок из принципиальной партийной критики.

Она снимала с одной из манекенных голов, расставленных по студии, чеховское пенсне, внимательно приглядывалась к мазкам, потом к личности самого ваятеля с седеющими усами.

— Доиграетесь, Певзнер, ох, доиграетесь, Соломонович!

И впрямь доигрался. Крошечная выставка в Доме культуры Пролетарского района, на которую он прорвался с полудюжиной полотен, вдруг привлекла всеобщее внимание. Народ съезжался смотреть на странные цветы, вызывающие какую-то непонятную, хотя почему-то как бы знакомую, будто из прежней жизни, жажду. Приезжали даже ленинградцы специально на выставку в ДК Пролетарского района столицы. На ступенях обменивались мнениями, мелькали нехорошие слова: импрессионизм, постимпрессионизм и даже символизм. В конце концов «Московская правда» разразилась статьей «Сомнительная оранжерея», в которой, среди прочего, говорилось, что «Певзнер (употребление неблагозвучной фамилии в печати даже без инициалов считалось вполне зловещим признаком) пытается создать внешне невинный, как бы старомодный, безобидный эстетизм, который на деле подрывает основные принципы социалистического реализма. Оранжерея этого художника нехорошо пахнет...»

— Почти твоими словами, дорогая! — хохотал Сандро. С бокалом красного «Мукузани» он отмечал свой успех. Вызвать шум в столице бесконфликтного искусства, написать взрывоопасные цветы!

— А что же ты думал, Певзнер Соломонович, нас плохо учат в Союзе писателей? Каждый из нас в любую минуту готов дать отпор зарвавшимся декадентам по призыву... ммм... ну, в общем, по призыву... ммм... в общем и целом, по зову сердца!

Этот юмор висельников напоминал Нине тридцатые годы на Большом Гнездниковском. Все эти объявления на кухне: «Если за тобой придут раньше, не забудь проверить газ и выключить электричество», все то ерничество, что помогало им с Савкой не свихнуться. Тогда, впрочем, было некоторое парадоксальное преимущество: метла мела без разбора, что-то вроде стихийного бедствия. Теперь же партийный критик через газету «Московская правда» обращается к органам с верноподданническим сигналом, призывает любимые органы обратить внимание на «внешне невинного» художника. А мы все шутим. Не слишком ли затянулась наша ирония? Не пора ли ей пройти вместе с молодостью? Однако без нее-то уж совсем конец, мрак и маразм.

Ну что ж, будем жить и шутить, авось кривая вывезет, как тогда вдруг вывезла, несмотря на довольно широко известное троцкистское прошлое. Больше ничего не остается — жить и писать свои цветы.

Что они будут делать со всем этим хозяйством, если придут с обыском, арестом и последующей конфискацией? Любопытно было бы увидеть чекистскую опись этого имущества. Последнее пристрастие Сандрика к раскрашиванию магазинных манекенов может вызвать неразбериху в инвентарных списках МГБ. Самое опасное, однако, не на стенах и не вдоль стен, а вон в том дряхлом письменном столике на антресолях, за которым член Союза писателей СССР Нина Борисовна Градова иной раз проводит часы, свободные от переводов с каракалпакского. Стихи и проза, которым никогда не увидеть свет. Кому у нас лучше, художнику или писателю? Это зависит от того, что считать конечным результатом творческого процесса: рукопись или книгу? Художник так или иначе видит результат своего труда, завершенную картину. Можно ли считать рукопись конечным результатом, рукопись, что никогда не станет книгой?

Таким не очень-то вдохновляющим мыслям предавалась Нина, пока тащила сумки с вином и продуктами. Вопрос «кому у нас лучше» элементарно переводится в «кому у нас хуже». Обидно, что вся жизнь прошла под этим свирепым жульем. И никакого просвета не предвидится. Подумать, ни разу в жизни не побывать за границей! Отец и мать в молодые годы все каникулы проводили в Европе, добирались и до Египта, бродили среди пирамид! Жулье запечатало все наши двери, и навсегда. Есть только один способ пересечь границу — включиться в эту их жульническую борьбу за мир, то есть продаться сразу и с потрохами, как Фадеев, Сурков, Полевой, Симонов, как, увы, и Илья... Начать выступать на собраниях, страстно обличать Уолл-стрит и Пентагон, втирать очки заезжим европейским и американским простакам, вот и сама в конце концов войдешь в делегацию доверенных лиц на конгресс мира. Женщина еще не старая, хорошенькая, вдохновенная поэтесса... усвоить этот идиотский пафос... на этот крючок можно зацепить каких-нибудь фредериков жолио-кюри... Вот придет же в голову такая мерзость. Это из-за того, что приходится тащить тяжесть, да еще будучи на высоких каблуках. Этот «далеко не безвредный художник» совсем меня поработил! Сидит себе там на верхотуре, пластиночки прослушивает, кисточками и красочками балуется, а Женщина, то есть существо, которое всегда в Тбилиси как бы с большой буквы произносится, но за стол не всегда приглашается, разумеется, должна таскать эти сумки. Представляю усатую физиономию избранника, когда я вдруг включусь в борьбу за мир и уеду с делегацией в Вальпараисо.

Почему-то в последнее время она стала часто думать о Западе. Нередко вспоминала свое «максимальное» приближение к Западу, когда во время воздушной тревоги в сорок первом, в глубинах метрополитена, с ней рядом спиной к спине оказался американский журналист с трубкой, торчавшей из кармана твидового пиджака. От него пахло чем-то исключительно западным, тем, что долго держится, очевидно даже в пропотевших бомбоубежищах, — смесью хорошего мыла, хорошего табака, хорошего алкоголя, то есть всего хорошего. Они разговаривали, и ей казалось, что она опознает этот космополитический тип человека прессы, который имеет какое-то отношение к тому, что имел в виду Мандельштам: «Я пью за военные астры, за все, чем корили меня... / За музыку сосен савойских, полей Елисейских бензин... / За рыжую спесь англичанок и дальних колоний хинин...» Ей тогда показалось, что он предлагает ей какой-то выход, какое-то головокружительное бегство, однако вскоре в метро началась паника, и они навсегда потеряли друг друга. Веронике больше повезло: вот стреканула от всех и от всего — и от лагерей, и от могил. Живет себе в каком-то там штате с игрушечным названием Коннектикут. Впрочем, что я знаю сейчас о ее жизни? Может быть, воет там от тоски. От тоски по сыну или по своим сногсшибательным появлениям на улице Горького... Может быть, весь свой Коннектикут променяла бы на мой чердак с художником и «небезвредными» цветами? В бегстве, как таковом, всегда есть мотив беды, недаром говорят: от себя не убежишь.

Она поднялась на лифте на шестой этаж, еще два марша пешком и, наконец, открыла дверь чердачного логова, которое ей все чаще вообще не хотелось покидать ни для чего. Пластинка, конечно, крутилась: концерт Баха для двух скрипок. Сандро сидел в дальнем углу с очередным цветком, совсем уже неподвластным никакой классификации. Недавно он сделал там себе треугольный просвет в небо и возлюбил сидеть в трехгранном световом столбе, то есть как бы отгороженный от презренного быта, где какие-то там бабцы таскают сумки с провизией. Гумилевские «Романтические цветы». Нина вдруг почувствовала ревность к возникающему очередному шедевру, полураспустившемуся бутону с почти калейдоскопической сердцевиной. Вот сейчас подойду, и начну целовать его в шею, и руками скользить вниз, и отниму его у тебя. Странное что-то происходит с этим художником. С тех пор как он начал эту серию или, если угодно, «период», его интерес к натуре — а ведь он явно все время пишет ее цветок — несколько увял. Стены разгораются все большим огнем, а его собственные полыхания побледнели. Вдруг ее поразила одна мысль: а ведь этот «оранжерейный» период начался у него как раз тогда, когда она познакомилась с Игорем. Он, конечно, ничего не знал и сейчас не знает о ее связи с юнцом, откуда ему знать, он почти не спускается с чердака, никакая сплетня до него не могла дойти — он просто что-то почувствовал, руками, кожей, членом почувствовал ее «новый период» и подсознательно ответил на него своими цветами, то есть памятью о том времени, когда у нее никого, кроме него, не было.

Не показав даже самой себе виду, что ее что-то поразило, она поставила сумки в выгородке, которая им заменяла кухню, и крикнула через всю студию:

— Ёлка не звонила?

— Пока нет, — ответил он и пошел помогать ей выгружаться.

— Послушай, Сандро, — сказала она, не глядя на него, занимаясь баклажанами, — тебе не кажется, что ты с этими своими цветами... немного преувеличиваешь?..

Теперь они посмотрели друг на друга. Он улыбнулся и подставил ей свою плешь, и, как было у них заведено, она приласкала эту плешь несколькими шлепками, будто ребенка.

После семи стали появляться гости. Любопытно, что молодые музыканты, друзья Ёлки, вместо того чтобы опоздать, явились раньше всех. Пришла, например, флейтистка Калашникова, которую не очень-то и ждали. Интересно, она-то откуда сюда дорогу знает, подумала Нина, глядя, как непринужденно разгуливает бойкая барышня среди певзнеровских цветов. Может быть, я несколько заблуждаюсь насчет затворничества Сандро? Ревность пронзила ее, словно мгновенная почечная колика.

— Как у вас замечательно здесь, Нина Борисовна, — сказала флейтистка. — Я так благодарна Ёлке, что она мне работы Александра Соломоновича показала и сегодня пригласила.

Ах да, она преподает в Мерзляковке. Ваши колики немного смешны, почтенная Нина Борисовна Градова, заслуженный деятель искусств Адыгейской АО. Ведь мы все-таки для них уже отжившее старичье. Игорь не в счет, он поэт.

Вбежал, таща футляр с виолончелью, молодой гений Слава Ростропович, о котором говорили в Москве, что он второй, если не первый, Пабло Казальс. Сразу же полез со всеми целоваться. Облобызал как старого друга флейтистку Калашникову, хотя явно видел ее впервые. Сжал в объятиях Сандро, целовал его в щеки, в губы, в нос, в лоб, в промежутках между поцелуями успевая выкрикнуть слово «сногсшибательно!», которое, по всей вероятности, относилось к картинам, а не к целуемым объектам. Помчался на кухню, взялся за общеловывание поэтессы.

— Ниночка, ты просто потрясающе выглядишь! Ты просто какая-то чудо-женщина! Ты должна ко мне прийти! Или я к тебе приду!

— Да ты ведь уже ко мне пришел, Слава! — улыбалась Нина, пытаясь вспомнить, когда же они перешли на «ты», если не только сейчас.

— А где Ёлочка? — спросил Ростропович, выпячивая свой кашалотский подбородок, тряся белокурым хохолком, оглядывая кухню таким образом, будто искомое, то есть Ёлочка, могло присесть за плиту или под стулом как-то примоститься. — Где она, где она, где она? Я ее просто обожаю, просто боготворю! Нинка, хочешь честно? Я, когда тебя увидел, подумал: вот это женщина, она должна ко мне прийти, я ей должен играть наедине, знаешь, глаза в глаза, а потом, когда с Ёлочкой познакомился, ну, ты не представляешь, все просто перевернулось — она, она, играть с ней вместе, глаза в глаза! Где же она?

Какой славный Слава, думала Нина. Вот если бы они на самом деле сыгрались, лучшего не придумаешь.

Несколько раз она набирала номер телефона на Большом Гнездниковском. Ёлки дома не было. За Славой появился Стасик Нейгауз, сын знаменитого Генриха Нейгауза и сам пианист. Замысел Ёлки прояснился. Трио должно было составиться из Ростроповича, Калашниковой и нее. Стасик Нейгауз, красавец и тоняга (не стиляга!), — соло на закуску. И вот все явились, не было лишь зачинщицы.

Стасик чинно подошел к ручке, попросил рюмку водки, чтобы понять, какое тысячелетье на дворе, и сказал, что отец, возможно, приедет вместе с дядей Борей, то есть с Пастернаком.

Последний, однако, вскоре явился один и сразу же уселся возле телефона. Все присутствующие и вновь появляющиеся — всего набралось гостей не более десяти — благоговейно посматривали, как классик разговаривает с возлюбленной. Им всем как людям одного круга было, разумеется, известно, что в жизни гениального и загнанного теперь на задворки литературы поэта имеется незаконный и прекрасный источник вдохновения, сродни Арарату, который, как известно, стоит за пределами Армении. Пастернак, очевидно, ощущал всеобщее внимание и немного работал на публику: чуть-чуть артистичнее, чем нужно, играл ладонью, чуть-чуть сильнее хмурился, чуть-чуть романтичнее, чем требовали обстоятельства, рокотал невнятицей. Присутствующий среди гостей двадцатилетний студент Литинститута, «талантливый-начинающий», розовощекий, со щедрым развалом лишь слегка засаленных волос, Игорь Остроумов взирал на мэтра в состоянии, близком к столбняку: неужели это он, сам, и я с ним под одной крышей?

Нина между тем беспокойно ходила вокруг, бросала на Пастернака красноречивые взгляды — сколько же можно бубнить одно и то же? — которых он явно не улавливал или не понимал, и, как только он отошел от телефона, бросилась снова звонить. Б.Гнездниковский молчал вглухую. Тогда она нашла телефон теннисного тренера Пармезанова. «Послушайте, Толя, вы, конечно, видели Ёлку на игре, как она?» — «Все в порядке, — недовольно ответил Пармезанов, — выиграла у Лукиной». — «А куда она потом отправилась, она вам ничего не говорила?» — «А с какой стати, Нина Борисовна, ей мне что-нибудь говорить? — почти возмутился Пармезанов. —

Ушла с каким-то стиляжкой. Да нет, чего там опасного, молокосос».

Ну что же, не с милицией же искать взрослую, девятнадцатилетнюю девицу, если она уходит куда-то со «стиляжкой» и не является на вечер, который сама же в свою честь и затеяла. Ну что же, к столу, товарищи? Ей-ей, нельзя же столько людей томить. Начнем ужинать, а потом и Ёлка, негодяйка, прибежит, тогда и концерт, так, что ли?

— Нет, уж, давайте сначала поиграем, потом к столу, — предложил Стасик.

— Правильно! — вскричал Слава. — Сначала поиграем, потом поужинаем, а потом, когда Ёлочка придет, опять поиграем! Стаська, садись за этот маленький рояльчик! Ох, как я, ребята, люблю эти маленькие воронцовские рояльчики! Почти как свою бандуру! — С плотоядной улыбкой он лапал рояльчик за черные бока, казалось, высматривая, куда бы его поцеловать, и наконец вполне резонно поцеловал в клавиши.

— Ну, а мне все равно, когда играть, — сказала флейтистка. — Я не пью.

Начали играть и играли не меньше часа. Струилась, временами взмывая к поднебесному вдохновению, старая итальянская музыка — «Времена года» Антонио Вивальди. Играли свободно, иногда сбиваясь и останавливаясь, смеясь, начиная снова. «Недурно получается, ей-ей, неплохо сварганили, ребята. Давайте еще раз «Примаверу», — иногда бормотал Ростропович, словно выныривал из воды, потом снова поднимал к потолку залепленное вдохновением лицо и снова погружался. Не дойдя еще до широкой публики, музыка «барокко» властвовала в консерваторских кругах.

Ёлка не появилась ни во время концерта, ни даже тогда, когда после ужина Слава и Стасик, дурачась, «лабали», то есть играли что-то танцевальное и джазовое. Нина глазами спрашивала Сандро: что делать? Сандро руками ей отвечал: что поделаешь, вспомни себя в девятнадцать лет.

Все гости разошлись около полуночи, один только Остроумов Игорь все колготился вокруг Нины, помогая убирать со стола и подпевая Сандро, который ходил с бокалом по студии, пел грузинскую песню и смотрел на свои цветы.

— Вы, кажется, в родственники тут собираетесь записаться? — тихо спросила Нина юнца. — А ну-ка, немедленно шапку в руки и откланивайтесь!

— Значит, до завтра, Нина Борисовна, да? — еле слышно шептал Игорь. — В то же время, да? Как обычно?

Наверное, уже предвкушает свою любимую и так вначале поразившую его позицию.

— Старая идиотка, — бормотала она себе под нос. — Вот с Ёлкой что-нибудь случится, вот будет тебе награда за все твои штучки!

Оставшись одни, они сели к длинному столу, на котором еще остались бутылки с вином и сыр.

— Жду еще полчаса, после этого звоню в милицию, — сказала Нина.

— Давай все-таки до утра подождем, — предложил Сандро.

Тут она разразилась:

— Тебе, конечно, наплевать на мою единственную дочь! Холодный и пустой человек! Тебе лишь бы писать свои цветы, эти дыры, дыры, дыры! Дыры в несуществующий рай! К чертовой матери, сейчас все соберу и уйду в Гнездниковский! Больше сюда никогда!

Тут он так округлил глаза и стал так смешон в своем ужасе, что она едва не расхохоталась.

— Нинуля, дорогая, если ты уйдешь, я все тут сожгу! Устрою тут аутодафе! Без тебя меня нет! Это все для тебя, о тебе, из-за тебя! Все пройдет, Нинуля, только ты от меня не уходи!

Чарли Чаплин дурацкий, любую драму своим внешним видом превращает в комедию. Ее стало трясти.

— Но ты пойми, что нет буквально никакой причины, по какой она не могла бы позвонить! Ну влюбилась, ну в постель пошла с кем-нибудь, но не могла же она забыть, что мы ее ждем, что это ее вечер в честь окончания училища!

В этот момент зазвонил телефон. Паршивая девчонка! Нина полетела через студию. Сейчас наору на нее, а потом выпью целую бутылку, стакан за стаканом, и спать! Вместо Ёлкиного в трубке прозвучал густой мужской голос:

— Простите за поздний звонок, Нина Борисовна...

За полчаса до этого звонка генерал-майор Ламадзе приехал в свой кабинет в канцелярии зампреда Совета Министров СССР, что занимала едва ли не целый этаж огромного здания в Охотном ряду. Так обычно он поступал, когда маршалу (приближенные чекисты обычно называли своего столь партикулярного в шляпенке и пенсне шефа маршалом) снова приходил в голову каприз «снять» девчонку с улицы. Необходимо было установить личность очередной счастливицы во избежание недоразумений и непредвиденных обстоятельств. Разумеется, из гуманных соображений надо было предупредить родителей. В общем, за одни только эти ночные хлопоты грязная жаба заслужила пулю в пасть!

Ночной дежурный по канцелярии капитан Громовой доложил обстановку, «объект» в настоящее время находится там же, куда был доставлен, то есть в особняке на улице Качалова. Нугзар нередко думал, почему Лаврентий почти всегда привозит девчонок в свой семейный дом, при неограниченном количестве других вариантов. Может быть, хочет лишний раз над супругой из почтенного рода Гегечкори поиздеваться или это просто входит у него в понятие «отдохнуть у себя дома»? Капитан Громовой продолжал: в сумочке «объекта» обнаружен студенческий билет музыкального училища. Вот первые данные: Китайгородская Елена Саввична, 1933 года рождения, по классу фортепиано. Сейчас на Лубянке уточняют эти данные, с минуты на минуту должны привезти дополнительную информацию. Вот как раз звонок, должно быть, курьер приехал. Поправив кобуру пистолета на поясе, капитан отправился открывать курьеру.

Эта девушка, за которой они ехали от Пушкинской до Маяковской, просто потрясла воображение маршала. «Она, она... — бормотал он, не отрываясь от бинокля. — Нугзар, вот она, моя мечта!» Нугзар нарочито фыркал: «А мне кажется, Лаврентий, она не в твоем вкусе». Берия похохатывал, постанывал: «Ты лучше знаешь, мой вкус, да? Ты думаешь, мне только парикмахерши годятся, да? А такие аристократочки не для меня, да? Эх, старый друг, ты так и не понял Лаврентия Берию!» Влажные губы шевелились, нос лоснился полной непристойностью. Издевается или говорит серьезно?

Оба лимузина остановились в середине площади, напротив выхода из метро. «Ну, Нугзар, не в службу, а в дружбу! Видишь, она в очереди стоит. Удобный момент!» Нугзар томился от нехорошего чувства. Опять разыгрывается пошлый фарс, как будто мы просто два товарища на Головинском проспекте в Тифлисе. «Мне почему-то не хочется, Лаврентий». Берия вдруг прильнул к нему, зашептал в ухо: «Ты не понимаешь, скоро начинаем всеобщую войну, может быть, все погибнем. Знаешь, дорогой, не время миндальничать!»

Шагая к метро, Нугзар бесился. Что за вздор он несет, грязный шакал? Какая еще всеобщая война, если в Корее не можем справиться с америкашками, которые вообще воевать не умеют. Пора его убить или... или... выйти каким-нибудь образом на товарища Сталина, сигнализировать, что его ближайший соратник готовит реставрацию капитализма... Показав ошеломленной девице книжечку МГБ и произнеся сакраментальную фразу, он повернулся и пошел прочь, предоставив сопровождающим запихивать ее в немедленно приблизившийся лимузин.

И вот перед ним на столе рапортичка с Лубянки: Елена Саввична Китайгородская, 1933 г.р., русская, место рождения г. Москва, прописана в г. Москве, Б. Гнездниковский пер., 11, кв. 48, студентка музыкального училища. Отец погиб на фронте. Мать Градова Нина Борисовна, 1907 г.р., прописана там же, член Союза писателей СССР...

— Что с вами, товарищ генерал-майор?! — крикнул дежурный. — «Скорую» вызвать?

Нугзар рвал крючки на воротнике кителя. Из клубящегося тумана вдруг на него уставились два кровавых глаза. Все, только что прочитанное, надо хорошенько промокнуть, чтобы не размазалось. Чтобы ни в коем случае не слилось в одно неразборчивое. Дышать каждой возможной трубочкой тела... Уф-ф-ф-ф...

— Не надо «скорую». Налейте коньяку! — скомандовал он.

Капитан Громовой не заставил себя ждать. После коньяку Нугзар подумал спокойно и даже как-то приподнято: ну вот, кажется, все подходит к концу. Дочку Нины, единственной женщины, в которую был по-человечески, по-юношески влюблен, то есть ребенка, который мог бы быть и моим, отдал на изнасилование нездоровому чудовищу! Постой, нечего примазываться к людскому племени, ты, черт! Ты — наемный убийца, насильник, заплечных дел мастер, нечего тебе в обмороки падать от человеческой ерунды. Но нет, нет, я все-таки не такой, ведь я же не чудовище, я ее действительно любил, и дядю Галактиона любил, и семью свою люблю, спасите и простите меня! А если и мучил людей, то ведь только из идейных соображений, а вовсе не из-за приверженности к сильной банде. Так или иначе, но все подходит к концу. Представить себе Нинину дочку под Лаврентием — не по силам! «Машину и одного сопровождающего к четвертому подъезду!» — распорядился он. Недопитую бутылку «Греми» сунул в карман. Собрал все бумаги со стола в папку. Вдруг остановился — лицом в угол кабинета и не менее минуты стоял там — ждал, когда придет какая-нибудь мысль. Наконец она пришла: что я собираюсь делать? Вслед за этой мыслью покатились другие. Надо немедленно увидеть Нину. Она может сделать что-то страшное, непоправимый шаг. Надо ее остановить. Далее поплыли быстрой чередой некоторые шкурные соображения. В отчаянии люди могут неожиданно выходить на высшие уровни. Случай будет предан огласке. Поползут слухи, что чекисты изнасиловали дочь поэтессы, внучку академика, племянницу легендарного полководца... О нем, конечно, никто не осмелится говорить, покатят бочки, конечно, на более низкий уровень, есть и козел отпущения: ведь именно он, генерал Ламадзе, подходит к девушкам на улицах... Лучше всего было бы прямо сейчас увезти Елену с улицы Качалова. Может быть, отпустит?

Он набрал одному ему в этом доме известный телефон. Берия снял трубку: «Что случилось?» Голос мрачнейший, страшнейший. От волнения у Нугзара перехватило дыхание: «Лаврентий Павлович, считаю своим долгом сообщить. Получилась неприятная накладка. Эта девушка... она из семьи Градовых... внучка академика... ну, вы знаете...» — «Дзыхнеры, — прорычал маршал, — я тебя спрашиваю, гамохлэбуло, что случилось, почему, хлэ, звонишь по ночам?» — «Никаких распоряжений в этой связи не будет? — спросил Нугзар. — Может быть, отвезти ее домой?» Берия выматерился уже по-русски и швырнул трубку. Нашел чем пугать всесильного сатрапа, какими-то Градовыми! Какие могут быть «накладки», когда речь идет о прихоти члена Политбюро, зампредсовмина, шефа всех внутренних органов? Непогрешимый, неприкосновенный, всесильный, пока не войдет какой-нибудь храбрый офицер и прямо с порога, как когда-то в Ладо Кахабидзе, не всадит ему в лоб каленую пулю.

Нугзар спустился на лифте и вышел в Охотный ряд. Москва была пуста. Только пьяные шумели на другой стороне широкого, как Волга, проспекта у выхода из ресторана, да проносились мимо такси, будто сущие черти. Счастливые пьяницы, счастливые таксисты, счастлив даже шофер моего подлого автомобиля, даже сопровождающий громила-старлей, все счастливы, кто не сидит этой ночью в шкуре генерала Ламадзе!

Поехали на Арбат, точнее, на Кривоарбат, в студию того тифлисского недоноска Сандро, за которой уже давно ведется пристальное наблюдение. Надо все-таки позвонить, предупредить. Народ все-таки нервничает, когда ночью приходят военные в форме МГБ. Он позвонил из углового телефона-автомата в ста метрах от дома. По-джентльменски: «Простите, Нина Борисовна... Нугзар Ламадзе... нет, ничего страшного не случилось... необходимо увидеться... буду через пять минут...»

Она уже стояла в дверях, когда они поднялись на чертову верхотуру. Время ее не берет, что за загадка в этой женщине!

— Послушай, Нина, клянусь Арагвой, время тебя не берет, что за загадка в этой женщине!

Сильно расширенными от страха глазами Нина смотрела, как он приближается со своим дуболомом. Абрека теперь почти уже не видно в этом большом теле, скорее, какой-нибудь левантийский купец. С чем он пришел? О Боже, ускорь бег минут, если ничего страшного! Если купец шутит, значит, все-таки не так уж страшно, правда?

Оставив дуболома у дверей, Нугзар прошел в глубину студии.

— Гамарджоба, Нина! Гамарджоба, Сандро-батоно! Вот извивы судьбы, а? Звезда Тифлиса, Наша Девушка теперь принадлежит такому... — очевидно, едва не сказал «еврейчику», но вовремя поправился: — Такому Сандрику!

Он уселся к столу. Как приятно попасть вдруг в грузинский дом! В центре Москвы такой кахетинский стол! Ей-ей, не откажусь от стакана вина...

Вино дрожало в его руке. Нина заметила это и покрылась испариной.

— Ну, что случилось, Нугзар? Ёлку... ваши... арестовали?

Он добродушно рассмеялся, осушил стакан:

— Напротив, напротив, она сама арестовала одного из наших, и какого!

Схрумкал редис, отрезал ломтик сыра, еще раз, как бы изумленно, оглядел Нину:

— Ах, Нина, клянусь Рионом, как хорошо, что ты худенькая. Одна англичанка сказала: нельзя быть слишком богатой, как нельзя быть слишком стройной, или наоборот...

Нина яростно ударила ладонью по столу:

— Перестань фиглярничать! Говори, в чем дело!

— Ну хорошо, друзья, давайте по существу.

Нугзар отодвинул бутылку, сел прямо. Фуражка с овальной кокардой МГБ лежала на столе, словно некое отдельное идолище, так автоматически отметил Сандро.

— Считайте, друзья, что на вас свалился главный выигрыш по трехпроцентному займу. Дело в том, что Ёлка произвела огромное впечатление на одного из ведущих государственных мужей Советского Союза, а именно на моего шефа и личного друга, человека, которого я уважаю всеми фибрами моей души, Лаврентия Павловича Берию. Поверьте мне, это человек сложный и интересный, человек большой эрудиции и художественного вкуса, мудрый и щедрый, словом, выдающийся человек. Я мог бы вам обо всем этом деле вообще ничего не говорить, меня никто сюда не посылал, однако я счел своим дружеским долгом к вам прийти и оповестить вас об этом событии, чтобы у вас не создалось об этом событии превратного впечатления как о нехорошем тривиальном событии, тогда как это событие является глубоко гуманистическим событием, хотя и эмоциональным событием. Я прошу меня не перебивать! Прежде всего, давайте поговорим о том, что это событие сулит нашей Ёлке, которую я хоть и не имею чести знать, но люблю, как дочь. В результате этого события она получит самую могущественную поддержку, о которой может только мечтать юная девушка-пианистка. Блестящее окончание консерватории, турне за границу и победы на конкурсах, вот какие события ждут ее впереди после этого события. Всякие мелочи-шмелочи, такие, как лучшие кремлевские ателье и магазины, полнейшее материальное обеспечение, великолепная просторная квартира, путевки в санатории-люкс на Черном море, назовите все, о чем может мечтать человек, все будет предоставлено ей в знак благодарности за это событие. Я знаю, о чем я говорю, потому что я знаю этого человека, как самого себя. Он сумеет отблагодарить за глубоко эмоциональное событие. Больше того, он уже и о вас, друзья, будет теперь думать, как о своих людях. Я знаю, что он неравнодушен к поэзии, и, безусловно, после сегодняшнего волнующего события любая книжка твоих стихов, если, конечно, не антипартийного, не оппозиционного, как тут нам некоторые товарищи из Союза писателей сообщают, содержания, во что я лично не верил, нельзя всегда помнить за человеком юношеские грешки, любая книжка, даже сложная по форме, сможет увидеть свет. И твоя «оранжерея», Сандрик, дорогой, получит должное признание, и весь ваш этот фантастический дом будет в полной безопасности после этого события, хотя к нам и поступали сведения о вашем доме, как будто тут читаются подозрительные стихи под церковную музыку. Теперь, друзья, вы будете в безопасности после этого хорошего волнующего события, о котором только злые языки могут болтать грязные глупости, а злые языки мы будем отсекать!

По лицу его точным зигзагом, начиная с левого угла лба, кончая правым углом подбородка, прошла судорога, и он наконец замолчал.

Пока он все это выговаривал, Нина сидела со сцепленными под столом пальцами, не отрывала взгляда от преступного, синеватого на выбритых поверхностях лица и поражалась своей тупости: она не понимала, о чем он говорит, о каком событии? Она беспомощно повернулась к Сандро:

— О чем он говорит? Сандрик, ты понимаешь, о чем он говорит?

Сандро обхватил ее за плечи, грозно полыхнул всем лицом в сторону страшного генерала:

— Он говорит о том, дорогая, что нашу Ёлку увезли к Берии!

Тут наконец все соединилось в Нинином сознании, отчетливо выплыла фраза «после сегодняшнего волнующего события», и она поняла, что все уже свершилось, ничего уже не вернешь, ее дочь, ее единственный, взлелеянный в искусстве ребенок, дитя ее любви, опоганена, и сейчас ее за милую душу употребляет государственный муж Советского Союза Берия. Взвизгнув, схватила со стола нож и бросилась на Нугзара. Изумленный генерал, остолбенев, смотрел, как к его горлу летит довольно остро заточенный предмет, которым он только что отрезал себе кусочек сулугуни. Сандро в последний момент успел перехватить Нинину руку. На шум прибежал из прихожей дуболом с пистолетом.

— Стоять на месте! Стрелять буду! — взвыл он, очевидно, и сам перепугался. Бледный, синюшный Нугзар одной рукой придерживал дуролома — «Спокойно, Юрченко, спрячь пистолет!» — другую простирал к Нине, которая в беспамятстве и ярости выглядела не то что на все свои, но и еще на десяток лет старше, обнаруживая и «базедку», и мешки под глазами, дряблость щек.

— Как можно так трактовать события?! — взывал Нугзар. — Давайте поговорим, друзья, я еще раз вам все объясню!

— Где она?! — страшным голосом завопила Нина.

— Она в полной безопасности, — пробормотал Нугзар.

— Отдавайте ее немедленно!

— Друзья, друзья, что за шекспировские страсти?! — увещевал Нугзар. — Вы просто еще не понимаете, как вам повезло. В наше серьезное время...

Сандро усадил трясущуюся Нину в глубокое кресло, решительно подошел к Нугзару, протянул ему его идолище, фуражку с кокардой:

— Убирайся из моего дома, подонок! И идиота своего уводи!

— Какое мещанство! — скривился Нугзар. — Послушай, ты, Певзнер, у тебя-то хоть должен быть практический ум...

Фуражка, пущенная рукой художника, полетела к дверям.

— А вот за это ты поплатишься, — проговорил Нугзар, и из купеческих щек выглянул прежний остролицый тифлисский бандит.

К утру Берия уже знал все о своей случайной «гостье». Среди ночи даже поднимали директора Мерзляковки, чтобы собрать нужную информацию. Отличница, большой музыкальный талант, успехи в спорте, однако заносчива, избалована семьей, слишком высокого о себе мнения... Черт дернул связаться с этой целкой, думал вождь. Не тот у меня уже возраст, чтобы возиться с целками. Вообще, нахлебался таких унижений! Визжала и с таким ужасом смотрела, как будто к ней крокодил прикасается, а не мужчина средних лет. Мы неправильно воспитываем молодежь, в этом вся проблема. Красивые девушки вырастают без малейшего понятия об эротике. Целое фригидное поколение. В будущем обществе этому следует уделить особое внимание. Даже одурманенная, после того бокальчика «Боржоми», она все еще старалась защищать свою щель. Большое сокровище, ха-ха! Даже гордые нации в конце концов сдаются и отдают свои щели под напором превосходящих сил. К сожалению, и настоящего напора не получилось. Последнее обстоятельство повергает в уныние. Это что же получается, неужели импотенция подобралась? Почему такое напряжение и психологическое препятствие? Держа в руке своего огорченного, он долго смотрел на забывшуюся наконец в дурмане Елену. Обнаженная красавица только вздрагивала и беззвучно плакала во сне. Как хороша, однако! Из-за такой Елены можно начать войну!

Быть может, в будущем меня осудят за некоторую бесцеремонность с девушками, однако неужели не постараются понять? Конечно, во мне живет Дон-Жуан, но я вынужден руководить огромным государством, так распорядилась судьба. Не могу же я ухаживать за девушками, находясь среди этого мужичья, среди большевиков, и притворяясь одним из них. Никто, конечно, мне слова не осмелится сказать, пока это, как сейчас, под покровом секретности, однако попробуй я открыто приблизить к себе этих девушек, как тут же припишут буржуазное разложение. В будущем государстве глава правительства будет всегда окружен группой выдающихся девушек страны, вроде вот этой Елены.

Если бы я мог ее сейчас открыто приблизить к себе, не было бы никаких истерик в градовском клане. Что теперь делать с этим кланом? Уничтожить надо весь этот клан до основания. Поручить Ламадзе полное искоренение этого клана. Оставшись одна, эта Елена будет держаться только за меня. Старый дурак профессор — такой смелый, понимаешь ли, — пойдет по «делу врачей». Присутствие русского в преступной шайке евреев будет политически верным шагом. Его грузинская старуха явно зажилась, ей легко помочь, чтобы поскорее переселиться в мир иной. Поэтесса отправится на Таймыр, если только доедет до места назначения. Художником, кажется, хочет заняться сам Нугзар, он знает, как это делается. Дядю моей красавицы засунем в урановую шахту, через полгода от него и куска не останется. Есть еще этот мальчишка, сын маршала, мотогонщик. Его Васька прикрывает, однако он занимается опасным спортом, вообще любит опасности, пусть пеняет на себя. Его мать, шпионку в Америке, тоже могут подстерегать такого же рода опасности, дочка, увы, разделит ее участь. Необходимо проверить ·

все их корни в Грузии: от моих земляков любой гадости можно ждать, любой вендетты. Ну, а когда все будет закончено, придется попрощаться и с Нугзаром, он ведь тоже их родственник. Фу, черт, какие только мысли не приходят из-за бессонницы! У Берии к утру уже начали проявляться признаки черного похмелья, но он все еще не мог оторвать взгляда от спящей Елены. Если бы я был ее ровесником, я бы влюбился в нее на всю жизнь. Луч солнца вдруг мягко, словно поглаживающий палец, выпростался из-за высокой трубы дома напротив, лег на лицо девушки, на ее голую грудь с торчащим набухшим соском, на живот и на внутреннюю поверхность бедра, где запеклись несколько красных пятнышек: то ли остатки недавней менструации, то ли он что-то ей повредил во время бесплодной борьбы. Она улыбнулась во сне и кокетливо махнула кистью руки, как будто хотела кому-то сказать: перестань болтать глупости! Огорченный между тем не проявлял никаких признаков активности. Этот рассвет — это мой закат, гнуснейшим образом подумал Берия. Жена, скотина, не спит всю ночь, прислушивается к звукам из моей половины. Он вытащил блокнот и стал писать записку спящей нимфе.

«Прелестное созданье! Наша встреча перевернула меня всего, как соната Апассионата Людвига ван Бетховена. Вы моя последняя любов! Любов стареющего бойца. Темные силы вокруг, их много, нужна борьба, а я думаю только о вас, моя любов. А пока отдыхайте и чувствуйте себя в полной комфорте и безопасности. Мы скоро увидимся. Благодарю за любов. Л.Берия».

«Любовь» в его правописании не имела мягкого знака. Оставив записку на столе, где была брошена одежда пленницы, он предпринял еще одну попытку поправить свое настроение, присел на кровати, стал гладить и целовать Еленины волшебные груди. Увы, огорченный опять не проявлял достаточной энергии, а ведь было бы совсем неплохо начать день с хорошего почина. Дзыхнери, выругался он и оставил спящую в покое.

Предстоял тяжелый день. Он должен был председательствовать на коллегии Совета Министров по вопросу перемещения рабочей силы в район Дальнего Востока, где, севернее Амура, прокладывался трубопровод и строилась железная дорога важнейшего стратегического значения. Час или два зампредсовмина приводил себя в порядок водными процедурами, то ли кофе, то ли рюмочкой столетнего коньяку. Наконец вышел в приемную. Там, среди прочих, уже сидел мрачный и опухший Ламадзе. Поздоровавшись вполне вежливо, маршал приказал отвезти товарища Елену Китайгородскую на одну из секретных дач, обеспечить полный комфорт, включая плавательный бассейн, теннисный корт и рояль; особенно важен рояль. К телефону не подпускать. До особого распоряжения — полная секретность. Засим Л.П.Берия отбыл на совещание.

Проезжая по улице Горького, он вдруг вспомнил, что вот в этом переулке, за Моссоветом, проживает уже три года одна из его подопечных, некая Люда Сорокина, и даже нянчит его ребенка, он не помнил, девочку или мальчика. При воспоминании о ней огорченный вдруг мощно воспрял, сбросил все афронты прошедшей ночи, то есть стал победоносным. Он заехал к Сорокиной и полчаса драл ошеломленную и счастливую красотку в ванной комнате, то есть там, где ее и нашел. Что все это значит, думал он, продолжая путь в Совет Министров. Нет, Чарльз Дарвин, ты не во всем прав.

Люда Сорокина весьма поспособствовала в то утро тому, что коллегия прошла под знаком исторического оптимизма, а иначе это могло бы плохо кончиться для некоторых ее, коллегии, членов.

Во второй половине того же дня Нина и Сандро подъехали на такси к самому зловещему зданию Москвы на площади Дзержинского. Водитель никак не хотел останавливаться у главного подъезда МГБ, где прогуливались два старшины с пистолетами, приподнятыми крутыми ягодицами. Под напором полнотелых ног, казалось, вот-вот лопнут тонкие сапожки. «Еще засекут! Давайте я лучше на Сретенке вас высажу». Нина, однако, настояла, чтоб высадил именно там, куда сказано было приехать, — у подъезда № 1. Шофер нервничал, пока она уговаривала мужа ее не ждать, а отправляться сразу в студию, на Кривоарбатский. Сандро отказывался: он должен быть рядом с ней. Она наконец едва ли не закричала, потрясая кулачками перед его носом: «Немедленно убирайся!» Особенного смысла в ее настойчивости не было, за исключением того, что ей хотелось почему-то всю эту страшную беду принять одной. Ни с кем не делиться ценностью этой беды, сокровищем немыслимого унижения! С утра она обивала пороги писательского начальства и сейчас с отвращением вспоминала, как мгновенно менялись все эти фадеевы, тихоновы, сурковы при упоминании МГБ, как они на ее глазах впадали в паническую суету, когда в связи с исчезновением дочери называлось имя Берии. У генерального секретаря СП СССР, чьи голубые глаза не раз останавливались на поэтессе Градовой с откровенным мужским интересом, едва только он понял суть дела, руки заплясали по письменному столу, словно пара подстреленных вальдшнепов, и он едва унял их агонию, схватившись за ручки кресла и произнеся: «Это уж, Нина Борисовна, совсем не в нашей компетенции».

Боясь за своих стариков, она решила пока ничего им не говорить, хотя, может быть, единственным человеком, который мог реально помочь, был отец. Бросилась к Борису IV, оказалось, его нет в городе, только что укатил на Кавказ. Впрочем, что он может сделать, этот спортсмен и бывший десантник? Грузинские гены, наверное, сразу толкнут его к оружию, только уж не к столовому ножику, а к чему-то посерьезнее. Это может погубить нас всех, и Ёлку в первую очередь. Вечером, если ничего не произойдет, придется отправиться в Серебряный Бор, поднимать отца.

Вдруг явился до смерти перепуганный управдом, передал доставленную нарочным из МГБ повестку на прием к генерал-майору Н.Ламадзе. На гнусной бумажке в скобках было написано: «По личному вопросу».

Вестибюль, куда она вошла, отвергал какую бы то ни было малейшую идейку о том, что сюда может кто-нибудь войти «по личному вопросу», в том смысле что по собственному желанию. Царил установившийся в конце сороковых и утвердившийся в пятидесятые, как будто бы навсегда, тяжелый государственный стиль: бархатные портьеры, массивные люстры, медные дверные ручки. Висел большой портрет Сталина с золотыми погонами. В глубине на лестнице стоял Ленин черного камня, некий «негр преклонных годов». Шутит еще, подумала о себе Нина, сурово предъявляя повестку и удостоверение личности, писательский билет. Страж в стеклянной будке бесстрастно взялся за телефонную трубку, однако исподволь метнул на нее любопытный жирненький взглядик. Вспомнил, наверное, «Тучи в голубом», подумала она. Очень скоро спустился молодой офицер. «Генерал Ламадзе вас ждет, товарищ Градова». Нугзар пошел ей навстречу, дружески, но все-таки с намеком на прошлые, более чем дружеские отношения, притронулся к локоткам, усадил в кресло, сел напротив. Последний раз они были наедине тогда, когда она уже была беременна Ёлкой, то есть двадцать лет назад.

— Ну, успокоилась? — ласково спросил он, потом добродушно рассмеялся: — Нет, ты все-таки больше наша, Нинка, чем русская! «Владеть кинжалом я умею, я близ Кавказа рождена!» Хочешь «Боржоми»?

— Я ничего не хочу, кроме своей дочери, — сказала она, подчеркивая голосом, что никакой интимный тон и шуточки не принимаются. — Я требую, чтобы мне была немедленно возвращена моя дочь!

Он слегка поморщился, как будто от привычной мигрени:

— Послушай, не надо поднимать волны. Зачем ты обращаешься к этим людишкам? Ведь они немедленно бросаются к нам и обо всем докладывают, да еще и подвирают в свою пользу. Никуда она не денется, твоя дочь, поверь мне, с ней ничего плохого не произойдет. Вернется еще более красивая, чем раньше.

Нина еле-еле сопротивлялась своей ярости. Еще миг — и мог бы повториться ночной невменяемый поступок. Ножа здесь не видно, но вот можно схватить мраморное пресс-папье и расколоть этот подлый лоб, на который с висков столь жеманно наползают седоватые кулисы. Ламадзе беспокойно проследил ее взгляд и вздрогнул, остановившись на пресс-папье.

Она пригнулась в своем кресле и тихо произнесла, глядя ему прямо в глаза:

— Мы что же тут, все крепостные, если наших дочерей могут в любой момент увезти на растление?

Страх и отчаяние. Это идиотка. Конец. Она идет на самоуничтожение. И тянет за собой, и тянет за собой...

— Ну, знаете ли, Нина Борисовна, это уже посерьезнее столового ножичка! Это уже идеологический терроризм! — почти рявкнул он, но тут же добавил: — Я, разумеется, преувеличиваю, но только для того, чтобы вы выбирали слова. — Еще одна попытка (последняя!) свернуть ее с гибельного курса. — Давай отбросим этот официальный тон. Почему ты не веришь мне? Ведь я вам, Градовым, не чужой.

Последняя попытка провалилась. Плюют в протянутую руку. Ничем уже не остановить взбесившуюся бабу.

— Если в течение этого вечера моя дочь не будет возвращена, я... я... Нечего щуриться и издевательски подхихикивать! Подонок! Ты всегда был подонком, а сейчас стал совсем жалким подонком, Нугзар! Не думай, что твой хозяин всесилен! Я пойду в Министерство обороны к друзьям брата! Я выйду на Молотова, мы лично знакомы! Ворошилов мне вручал орден! Отец, в конце концов, не последний человек в стране! Мы найдем возможность известить Сталина! — Она кричала, захлебывалась, превращаясь на мгновения то в страшную фурию, то в жалкую до слез девочку.

Он вылез из своего кресла. В облаке мрака, пронизанном лишь благосклонными нечеловеческими взглядами Ленина, Сталина и Дзержинского с инвентарных портретов, пошел к дверям кабинета. Тоска выжигала весь кислород из его некогда столь живого тела. Все кончено, теперь никого уже не спасти. Он приоткрыл дверь кабинета и приказал:

— Вызовите конвой!

Из полукруглого окна студии в Кривоарбатском открывался вид на необозримое становище Москвы. Сегодняшний ветреный вечер создавал впечатление старинной подкрашенной гравюры. Под закатным солнцем отсвечивали купола и окна верхних этажей. Совсем не было видно никакой власти, кроме временного благоволения стихий. Ниже, над колодцем внутреннего двора, трепетал, будто королевский флаг, вывешенный на просушку цветастый пододеяльник. Еще ниже, сквозь пересечения городских контррельефов, виден был кусок залитого солнцем асфальта с афишной тумбой, прижавшись к которой спиной и подошвой левой ступни стояла девочка с эскимо.

Сандро нестерпимо хотелось присесть к холсту. Однако он стыдил себя: не имею права, жена там, у них, а я работаю, нет, не имею права. Он ходил по студии, перекладывал кисти с места на место. Уже целый день не работаю из-за этого страшного происшествия, думал он. Вчера весь вечер не работал из-за приятной компании, а потом началось это страшное происшествие. Наверное, еще несколько дней будет потеряно. Надо быть вместе с Ниной, поддерживать ее, у нас нет выбора, надо бороться за девушку, никуда не убежишь с красками и холстом.

Считается, что пианист должен каждый день разрабатывать кисти, однако никто не говорит, что художник должен работать ежедневно, если не ежечасно. Однако, если я сейчас возьмусь за кисть, буду сам себя презирать как бездушного эгоиста. Он присел к приемнику «Балтика», который, быстро нагревшись, стал ободрять его зеленым, флюктуирующим глазом свободных стихий. «Не спи, не спи, художник, не предавайся сну...» Иногда нужно не только с кисточкой сидеть. Многие переживания помогают живописной работе. Радио Монте-Карло передавало волнующий вальс «Домино». Виднелись темно-зеленые аллеи подстриженных деревьев, яркое пятно домино, мотивы Сомова... Как далеко летит сигнал этого радио: из «Мира искусства» в социалистический реализм! Скользнув дальше, в диапазоне коротких волн он поймал еще один вальс, на этот раз Хачатуряна к драме Лермонтова «Маскарад». Вечер вальсов. Лермонтов, любимый герой, поэт своих собственных поступков, еще не успевший практически сесть за работу, сильно прошампаненный юноша; шампанское дули даже в партизанском отряде, без шампанского не взяли бы Кавказа, кто лучше выразил Кавказ, чем этот шотландец с испанскими глазами; мы все современники — Лермонтов, Певзнер, Хачатурян, радио Монте-Карло, земляне тех времен, когда росли цветы... Скользнув еще по волне, он услышал вой глушилки, а рядом с ней мужской спокойный голос: «...вот с тех пор я и стал работать хирургом в Hospital Saint Luis». Не поворачиваясь от приемника, он почувствовал, что в студию вошли трое.

Повернулся и увидел этих троих, одетых по-марьинорощински — крошечные кепарики со срезанными козырьками, флотские тельняшки из-под рубах, прохаря в гармошку, — но явно не марьинорощинских. Как они попали сюда? Не слышно было ни стука, ни поворота ключа в массивном замке. Трое могучих мужланов приближались с кривыми улыбками, словно перед расправой.

— Вам что тут нужно?! — храбро, как Лермонтов, закричал Сандро. — Кто такие?! А ну, убирайтесь!

— Встать! — тихо сказал один из мужланов, приблизившись вплотную.

— Не встану! — воскликнул художник. — Вон отсюда!

— Не встанешь, так ляжешь! — сказал мужлан и чем-то железным, зажатым в кулаке, страшно ударил Сандро прямо в глаза.

Этого удара, собственно говоря, было достаточно. С залитым кровью лицом художник рухнул на пол бессильно и почти бессознательно, однако переодетые оперативники еще долго ломали ему ребра коваными башмаками и, стащив одежду, оттягивали по спине резиновыми палками, быть может, теми же самыми, которыми их папаши в 1938 году добивали Мейерхольда.

— Вот тебе, жидок пархатый, за невежливость!

Все это продолжалось минут десять, а когда прекратилось, до увядающего сознания Сандро долетело из все работающей «Балтики»: «Говорит радиостанция «Освобождение», мы передавали беседу с доктором Мещерским, бывшим московским хирургом, ныне главным врачом известной парижской больницы».

В одиночной камере внутренней тюрьмы МГБ, куда отконвоировали Нину, под высоким потолком горела яркая лампочка, глазок в дверях приоткрывался каждые десять минут, давая возможность видеть всеобъемлющий зрак надзирателя. Каждый раз хочется плюнуть в этот зрак, каждые десять минут. Я им теперь не сдамся никогда, твердила Нина. Им все кажется, что они со слабой женщиной имеют дело, с жалким человеком, а я теперь и не женщина, и не человек вообще. Я им никогда теперь не поддамся, что бы они ни делали со мной. Все, что накопилось во мне с той поры еще, когда нас избивали в Бумажном проезде, когда дядю Ладо застрелили, когда дядю Галактиона в тюрьме сгноили, когда братьев пытали в камерах и рудниках, когда Митю расстреляли в овраге, все то, что накопилось во мне, теперь, когда и дочь мою единственную похитили и растлили, все это поможет мне не сдаться им, любую пытку выдержать, испугать даже их непреодолимой яростью.

Камера эта, очевидно, была предназначена лишь для предварительного задержания, и, видимо, поэтому Нину даже не подвергли санобработке и не отобрали у нее сумочки с личными вещичками, среди которых был даже блокнот, в который она нет-нет да записывала какие-то строчки или словечки для стихов. Все еще дрожа от ярости, Нина стала вырывать из блокнота странички, не глядя на записи, измельчать их на кусочки, швырять в мусорную корзину. Я им больше не поэт! Нельзя быть поэтом в этой стране! Мелькнула строчка «...ветер-чеканщик в лунную смену»... Это когда в апреле Игоря ждала на гагринском волноломе. К черту! Какой позор, чем всю жизнь занималась: стишки, любовники, «Тучи в голубом»... Да разве можно так жить в гигантском лагере, в необозримом лепрозории, где все обречены на окончательное искажение черт?! Почему мы им никогда практически не сопротивлялись после двадцать седьмого? Надо было в подполье уходить, выбивать их террором. Погибнуть, конечно, погибнуть, но не вальсировать же, глядя, как вокруг работает убойная кувалда! Надо было, как та девушка, как та единственная героиня, как Фаня Каплан, стрелять по бесам!

Ужас потряс ее словно свирепый озноб! Договориться до такого, до Фанни Каплан! Надеюсь, что хоть не вслух прокричала! Инстинктивно она зажала себе рот рукой и тут сообразила, что ей нестерпимо хочется в уборную, что еще миг, и вся ее ярость превратится в вонючее посмешище.

Здесь же должна быть эта, как называется, ну, параша! В тюремной камере должна быть параша! В той комнате, где она сидела на железной койке, не было унитаза, только умывальник. Если она даже при помощи стула залезет задницей в умывальник, вряд ли что-нибудь получится, кроме посмешища, а ведь за ней наверняка сейчас из какой-нибудь дырки наблюдает Нугзар, ее когдатошний стремительный абрек, убийца и ублюдок.

Дверь отворилась, вошла толстая равнодушная баба в гимнастерке с сержантскими погонами. Поставила на столик поднос с ужином: заливной судак, битки с гречкой и даже бутылка «Вишневого напитка».

— Мне нужно в уборную! — грозно выкрикнула Нина.

— А пошли, — вяло и даже не без некоторого добродушия пробормотала баба.

Вдоль коридора тянулась зеленая ковровая дорожка. В какой-то нише, под портретом того же самого милейшего Ильича с газеткой, сидели два офицера и курили. Оба взглядами знатоков проводили постукивающую каблучками особу, подвергнутую предварительному задержанию.

Облегчившись, Нина снова продефилировала мимо Ильича. Вместо тех двух молодых офицеров в нише теперь сидел один, пожилой, с обвисшим ужасным лицом.

— Вы если ночью сикать или по-большому захотите, стучите мне лучше в стенку, — сказала сержантиха.

Нина поймала себя на том, что даже этот замкнутый мир чекистского узилища после удачного облегчения несколько преобразился в положительную сторону. В частности, она совсем не против того, чтобы съесть заливного судака, биточки с гречневой кашей, выпить вишневого и закурить свою албанскую сигарету. Боже, какие же мы жалкие! Что же это за создание такое со всеми его вливаниями и излияниями, подумала она. Что же это такое — человече?

Глава десятая
Архитектор Табуладзе

— Ой, луна-то какая висит, ёкалэмэнэ! — вскричала Майка Стрепетова. — Ну прямо, как... ну прямо... прямо, как Татьяна какая-то!

— Ну что ты, Майка, несешь! — засмеялся Борис. — Ну какая еще тебе Татьяна?

Их спутник, Отар Николаевич Табуладзе, местный, тбилисский архитектор, улыбнулся:

— А знаете, это неплохо! Луна, как Татьяна. Это вам из «Евгения Онегина» вспомнилось?

— Может быть, — сказала Майка.

Отар Николаевич еще раз улыбнулся:

— Тут важно, что не Татьяна, а Татьяна какая-то... В этом весь сок. Луну все время с чемто сравнивают. Один мой друг, поэт, в старые времена называл ее «корзинкой с гнилью». А Пушкин, конечно, Татьяну с луной сравнивал, а не наоборот...

Они медленно шли по горбатой, мощенной булыжником улочке старого Тифлиса. Майка то и дело повисала у Бориса на плече, хныкала, как будто устала. На самом деле, уж он-то знал, она могла все эти холмы облететь, как крылатая кобылка. Отар Николаевич, крепкий, элегантный, что называется, представительный мужчина, шел чуть-чуть впереди, как бы в роли гида.

— А вы, я вижу, поэзией увлекаетесь, Отар Николаевич? — не без кокетства обратилась к нему Майка.

Гадина какая, с нежностью подумал о ней Борис. Уже с тертыми мужиками кокетничает. Что означает это «уже», было известно только им двоим.

— Когда-то и сам ходил в поэтах, — сказал Отар Николаевич. — Когда-то, вот в вашем возрасте, мы все тут по этим старым улочкам бродили, поэты. С вашей тетей, Борис, с Ниной, и с ее первым мужем мы были одна компания...

— С первым мужем тетки Нинки? — удивился Борис.

— Ну да, разве вы не слышали — Степан Калистратов? Это был известный имажинист.

— Я никогда о нем не слышал, — сказал Борис.

— Печально, — проговорил Отар Николаевич так, что нельзя было понять, к чему это относится: к забвению ли известного поэта или вообще к ушедшим годам.

Он остановился под старым чугунным фонарем возле какого-то подвала, откуда слышались пьяные голоса и тянуло сильным сухим жаром.

— Между прочим, Борис, я ведь с вами тоже в родстве, может быть, не в меньшем, чем дядя Ладо Гудиашвили. Моя мать Диана — родная сестра вашей бабушки. Вы обо мне не слышали, возможно, по той же причине, что и о Степане... О нас было не принято говорить. Он потом вообще пропал, а меня спасло только чудо, но обо мне по-прежнему было не принято говорить...

С симпатичным архитектором они познакомились пару часов назад в доме знаменитого художника Ладо Давидовича Гудиашвили, с которым бабушка Мэри состояла в отдаленном родстве и в весьма близкой дружбе и переписке, чем гордилась. Соревнования в колхидской долине уже закончились, Борис подтвердил свое звание чемпиона по кроссу в классе машин до 350 кубиков и занял третье место в абсолютном зачете. Команда ВВС, разумеется, опередила все клубы. Триумф усилился еще тем, что к концу соревнований через Кавказский хребет лично за штурвалом реактивного МиГа перелетел «Васька» с новой пассией, молодой пловчихой, чьи формы отличались поистине дельфиньей гладкостью. На спортсменов посыпались царские дары: всем были заказаны и почти немедленно сшиты костюмы из ткани бостон-ударник, каждый получил золотые часы с золотым же браслетом и по плотному пакету с ассигнациями. Назначен был огромный ночной банкет в ресторане на горе Давида, где когда-то еще пировали поэты из группы «Голубые роги», о чем, разумеется, в эти дни никто не знал и не хотел знать.

Перед банкетом Борис решил выполнить просьбу бабушки и зайти к маленькому Ладо, как она выражалась. Я могу так называть своего кузена, поскольку я старше него на пятнадцать лет, хотя он большой, самый большой в Грузии художник, так говорила Мэри. А тебе, Бабочка, необходимо с ним познакомиться, хотя бы для того, чтобы увидеть, что в мире существует еще кое-что, кроме твоих трескучих и вонючих, ах, таких опасных самокатов.

Он ожидал найти в старом особняке на тенистой, пропахшей нагретой листвой улице признаки прозябания и упадка — как еще иначе мог жить художник, которого критиковали за формализм, — а попал на шумный пир. Длинный стол был завален свежими овощами, ягодами и сушеными фруктами, заставлен блюдами с дымящейся едой, бутылками и кувшинами с вином. Не менее тридцати гостей, мужчины все в галстуках, иные в бабочках, дамы в вечерних платьях, иные декольте, энергично занимались главным грузинским делом: пировали. Майка в панике рванула назад. Куда ей в такое общество, в ее наспех купленном на базаре сарафанчике?! А ну, стой, паршивка! Он ухватил ее под руку. Такой уже у них установился стиль взаимоотношений: он как бы строгий папаша, она как бы непослушная девчонка. Нет, она туда не пойдет, она никогда в таких местах не бывала. «Иди, Борька, я тебя тут подожду, посижу в садике». — «Молчать, дикарка! Тебе не только это тут приходится делать впервые!» Она вспыхнула от радостного стыда и так вошла в особняк; комбинация ярких красок, от которой хозяин-художник пришел в еще больший восторг, чем от неожиданной встречи с племянником. Оказалось, что чуть ли не половина гостей в разное время встречалась с Мэри Вахтанговной, а многие были даже немного родственниками. Многие, если не все, знали «тетку Нинку», и, уж конечно, каждый почитал погибшего героя, маршала Градова, в подвигах которого сыграло важную роль одно немаловажное обстоятельство: он был полугрузин! «По матери грузин, это значит вообще грузин, — заявил самый важный гость, народный писатель, живой классик Константин Гамсахурдия. — Мать — это стержень Грузии. Грузия — это мать!» Очень удивило Бориса то, что никто из присутствующих не был в курсе основного события сезона, то есть только что прошедших мотоциклетных соревнований, то есть, таким образом, никто не знал, что молодой Градов подтвердил свое звание чемпиона СССР по мотокроссу в классе 350 кубических сантиметров.

Хозяин настаивал, чтобы он звал его дядя Ладо. Маленький, длинноволосый, в раздувшемся, как пион, фуляре под подбородком, настоящий парижский художник, он потащил молодых гостей вдоль стен с картинами, показывал им свою недавнюю серию, названную «Прогулка Серафиты». То и дело он оглядывался на Майку и бормотал:

— Я хочу писать этого ребенка! У этого ребенка мои краски! Я хочу его писать!

Приоткрыл дверь в смежную комнату, зажег свет, мелькнуло некое живописное буйство, тут же погасил свет и притворил дверь.

— А там что? — спросил Борис.

— Ничего, ничего, просто юношеские глупости, — как-то странно, обоими глазами, Гудиашвили подмигнул ему и «этому ребенку».

Вдруг громко застучали вилкой по вазе. Во главе стола в позе памятника стоял Константин Гамсахурдия. В позе памятника, если можно представить памятник с рогом вина в правой руке.

— Дорогие друзья, говорю по-русски, чтобы все понимали. Мы уже пили за великого Сталина и советское правительство. Теперь я предлагаю выпить за одного из выдающихся членов этого правительства, нашего земляка, Лаврентия Павловича Берию. Я лично не раз встречался с Лаврентием Павловичем и всегда находил в его лице большого патриота, знатока нашей национальной культуры и настоящего читателя литературы. Лаврентий Павлович поддержал мой престиж в годы ежовщины, что дало мне возможность создать ряд новых произведений. Он поддержал мой роман «Похищение луны», когда на него стали наползать тучи недобросовестной критики, а недавно... — здесь Константин Симонович сделал паузу и величаво повел вытянутой рукой с рогом по всему полупериметру с некоторым даже заносом за правое плечо, — а недавно он дал на прочтение «Десницу великого мастера» самому Иосифу Виссарионовичу Сталину, и тот...

В паузе Борис заметил, что все присутствующие просто ошеломлены этим, очевидно, неожиданным тостом. Никто не переглядывался, все не отрывали взглядов от писателя.

Гамсахурдия продолжал:

— ...И тот выразил свое удовлетворение прочитанным. Товарищи и друзья! В древней истории нашей соседки Греции был золотой век Перикла, когда поощрялись литература и искусства. Я пью за то, чтобы Лаврентий Павлович Берия стал Периклом грузинской литературы и грузинского искусства! Алаверды к тебе...

Он отыскал взглядом хозяина дома, застигнутого тостом у стены под большой картиной, изображающей сборщиков чая в процессе их вдохновенного труда. Борис увидел, как на висках художника стали мгновенно проступать крупные капли пота. Гамсахурдия с легкой улыбкой перевел взгляд с Гудиашвили на одного из гостей, чья спина была слишком плотно обтянута чесучовым кителем, и по ней было видно, что гость несколько раздражен то ли теснотой одежды, то ли чем-то еще, может быть, даже и тостом живого классика...

— Алаверды к моему другу Чичико Рапава! — торжествующе закончил Гамсахурдия и, закинув голову, стал пить кахетинскую влагу.

Все зашумели:

— За Берию! За Лаврентия Павловича! За нашего Перикла!

Кто-то стал передавать бокалы с вином стоявшим у стены Борису, Майке и дяде Ладо.

— Ой, я тут надерусь совсем, — захохотала девчонка.

— Мне за Берию пить, все равно что за «Динамо», — шепнул ей на ухо Борис. Та еще больше прыснула. Все-таки оба выпили до дна.

Ладо, выпив свой бокал, приложил на мгновение руку ко лбу и прошептал:

— Что он творит, что он творит?

— Кто этот Рапава? — спросил Борис. Он старался побольше запомнить, чтобы потом рассказать бабке.

— МГБ, — сказал ему на ухо художник. — Пойдемте за стол, ребята!

Спереди китель еще больше обтягивал Чичико Рапаву. Сильно просвечивала голубая майка. Орденские планки скособочились над карманом, из которого торчали три авторучки. Со своими «шверниковскими» усиками Чичико Рапава строго выдерживал стиль зари социализма, золотых тридцатых.

— От всей души поддерживаю тост нашего тамады, пью за человека, который дал мне... — после паузы он вдруг заорал страшным голосом: — ВСЕ!

Который дал мне ВСЮ мою жизнь! За Лаврентия Павловича Берию!

Выдув свой рог и взяв закуски, Рапава не сел, но немедленно, еще жуя кусочек сациви, снова наполнил рог и поднял над головой:

— А теперь, товарищи, пришла пора выпить за нашего тамаду, за живого классика грузинской СОВЕТСКОЙ (некоторые слова в речи этого человека имели свойство обращаться в оглушительный вой) литературы, моего друга Константина Гамсахурдиа! И если он, опираясь на мифологию — да? — сравнил нашего Лаврентия Павловича с Периклом, я сравню его с Язоном — да? — который всю жизнь плыл за ЗОЛОТЫМ руном! Алаверды к Иосифу Нонешвили!

Гости опять зашумели. Мелькало перепуганное круглое лицо молодого поэта Нонешвили. Он прикладывал руки к груди, умоляюще бормотал:

— Почему такая честь, товарищ Рапава?

Хозяин-художник в отчаянии махнул рукой:

— Вах, просто не знаю, чем все это кончится!

Борис потянул Майку к выходу:

— Давай-ка, детка, делаем ноги! Тут какой-то скандал назревает!

Один из гостей вышел вместе с ними:

— Куда сейчас направляетесь, молодые люди? Хотите, я вам покажу старый город?

Это был как раз тот архитектор Отар Николаевич Табуладзе.

— Я вам хотел вот эту старую пекарню показать, — сказал Отар Николаевич. — Мы здесь много времени проводили нашей поэтической компанией. Она нисколько не изменилась с тех лет, хоть и принадлежит горпищеторгу.

Они спустились по узким и неровным ступеням в какую-то преисподнюю, где в глубине исходила жаром огромная печь, и там взбухало, превращаясь в пахучий хлеб, пшеничное с примесью кукурузы тесто. Два мужика в белых фартуках, с голыми волосатыми плечами и руками, вынимали готовый хлеб и задвигали в печь новые противни с тестом. Один из них, отвлекшись, бросил горячий, почти обжигающий круглый чурек вновь прибывшим и поставил кувшин с вином и три жестяных кружки. Вино оказалось холодным.

Они сидели на завалинке, что тянулась вдоль стен. Вокруг возбужденно клокотали грузинские голоса. Зарево хлебной печи освещало лица и руки, остальное скрывалось во мраке.

— Здесь и сейчас обретаются поэты, — пояснил Отар Николаевич. — И старики, и молодые... вон там в углу талантливые юноши спорят, Арчил Салакаури, Джансуг Чарквиани, братья Чиладзе, Томаз и Отар, это новое поколение...

Вдруг кто-то мощно и мрачно запел, перекрывая все голоса. Борис не понимал ни одного слова, однако наполнялся неведомым ему раньше вдохновением. Ему казалось, что он приближается к какому-то пределу, за которым сразу и безгранично все поймет.

— Это древняя песня о храме Светицховели, — шепнул архитектор. — Я слышу ее второй раз в жизни. — Он явно тоже разволновался, рука его с куском чурека висела в воздухе, будто обращенная к алтарю. — Нет, Грузия все еще жива, — пробормотал он.

Все это, очевидно, имеет ко мне самое прямое отношение, подумал Борис. Эта жизнь, которая мне на первый взгляд кажется такой экзотической и далекой, на самом деле проходит через какую-то мою неосознанную глубину, как будто я не мотоциклист, а всадник. Как будто конь мой летит без дорог, то есть по пересеченной местности, как будто вслед мне каркает ворон злоокий: «Тебе не уцелеть, десантник спецназначения», как будто все мои мысли скоро смешаются с ревом бури и с прошлыми веками, как будто я погибну в бою за родину, но не за ту, за которую я «действовал» в Польше, а за малую родину, как ее ни назови, Грузией, или Россией, или даже вот этой девчонкой, что так доверчиво теперь влепилась мне в плечо.

Он с нежностью погладил Майку Стрепетову по пышноволосой голове. Девчонка благодарно сверкнула на него глазищами. Рука его ушла вниз по ее тощей спине. Ее пальчики вдруг съехали в темноту, к нему в промежность. Страсть и желание без конца ее, ну, скажем так, терзать сочетаются с такой нежностью, о которой он никогда и не подозревал, что она выпадет на его долю. В самом деле, нечто почти отцовское, как будто он вводит девчонку в новый мир, знакомит ее с ошеломляюще новыми субъектами мира: вот это я, Борис Градов, мужчина двадцати пяти лет, а это мой член, мужской член Бориса Градова, ему тоже двадцать пять лет. Потрясенная, она знакомится и с тем, и с другим, и ей, видно, стоит труда понять, что это части одного целого.

Сегодня и она, Майка Стрепетова, женщина восемнадцати лет, со всем, что ей принадлежит, тоже вводит его в новый, неведомый ему ранее мир, в мир вот этой ошеломляющей нежности. Такая вот вдруг приклеилась дурища.

Когда они выбрались из поэтической пекарни, ночь показалась им прохладной. Ветер порывами взвихривал и серебрил листья каштанов. Борис набросил на Майкины плечики свой новый пиджак. За углом дряхлого дома с покосившейся террасой вдруг открылась панорама Тбилиси с подсвеченными на высоких склонах руинами цитадели Нарикала и храмом Метехи. За следующим поворотом вся панорама исчезла, и они начали спускаться по узкой улочке в сторону маленькой уютной площади с чинарой посредине и со светящимися шарами аптеки; замкнутый мир старого, тихого быта.

Отар Николаевич по дороге говорил:

— Я вас прошу, Борис, расскажите Мэри Вахтанговне о нашей встрече и передайте ей, что в моей жизни уже давно все самым решительным образом переменилось. Я работаю в городском управлении архитектуры, защитил кандидатскую диссертацию, у меня семья и двое детей... — Помолчав, он добавил: — Я бы хотел, чтобы и Нина узнала об этом. — Еще помолчав, он полуобернулся к Борису: — Не забудете, жена, двое детей?

— Постараюсь не забыть, — пообещал Борис и подумал, что наверняка забудет. Трудно не забыть о каком-то Отаре Николаевиче, когда к тебе все время пристает такая девчонка, как Майка Стрепетова.

— Ой, как мне хорошо с тобой! Ой, как тут здорово! — жарко шептала она ему на ухо.

За окном аптеки, под лампой, с книгой сидела носатая женщина, дежурный фармацевт. Плечи ее были покрыты отнюдь не аптечной шалью с цветами. Портрет Сталина и часы на стене, атрибуты надежности: время течет и в то же время, вот именно, время в то же время стоит.

— Здесь когда-то работал мой самый любимый человек, дядя Галактион, — сказал Отар Николаевич. — Вы когда-нибудь слышали о нем?

— Еще бы! — улыбнулся Борис. — И бабушка, и Бо, ну, то есть дед, столько о нем рассказывал! Вулканического темперамента был человек, правда? Мне иногда кажется, что я его помню.

— Вполне возможно, — сказал Табуладзе. — Ведь вам было уже одиннадцать лет, когда он был убит.

— Убит?! — вскричал Борис. — Бабушка говорила, что он умер в тюрьме. Его оклеветали во время ежовщины и...

Табуладзе прервал его резким движением ладони, как будто рассек воздух перед собственным носом:

— Он был убит! Самое большее, что ему грозило, семь лет лагерей, однако его убил человек, который хотел выслужиться, и мы здесь, в Тбилиси, знаем имя этого человека!

Видит Бог, я не хочу знать имя этого человека, подумал Борис и тут же спросил:

— Кто этот человек?

Отар Николаевич глазами повел в сторону Майки: можно ли при ней? Майка заметила и вся сжалась. Борис кивнул: при ней все можно. Майка тут же расслабилась и запульсировала благодарными токами: экая чуткая ботаника!

— Пойдем, сядем там, под чинарой, — Табуладзе вдруг перешел на «ты», — прости, я волнуюсь. Не могу об этом говорить спокойно, может быть, потому, что это недавно выяснилось. Одна женщина, которая там работала, хотела отомстить и рассказала, как было дело. Дядю Галактиона убили ударом пресс-папье прямо в висок. Сильной рукой молодого человека, понимаешь, нет, эх, проклятье! Его убил мой двоюродный брат и, значит, его родной племянник Нугзар Ламадзе! Ты знаешь о таком?

— Я слышал, — проговорил Борис. — Моя мать говорила как-то о нем. Он крупный чин там, да?

Табуладзе кивнул:

— Ну да, он генерал-майор, но это его не спасет!

Видит Бог, я не хочу говорить об этом, думал Борис. Зачем мне все это сейчас, под луной, в старом Тбилиси, после победы в чемпионате, с Майкой в обнимку?

— Что это значит? — спросил он. — Что можно сделать с таким чином?

Отар Табуладзе вдруг усмехнулся совсем не в духе кандидата наук и почтенного архитектора:

— Понимаешь, Борис, здесь все-таки еще живы кавказские нравы. Ламадзе не только дядю Галактиона убил, на его совести немало других грузин. Он и начинал-то свою карьеру как наемный ствол. В конце концов это все накапливается. Даже сейчас кое-где родственники таких вещей не прощают. Я не о себе в данном случае говорю, понимаешь? Кроме меня появляются еще и другие. То один, то другой появляются. Слухи идут, многое подтверждается. Этому злодею лучше бы самому уйти, чем ждать...

Порывы ветра проходили сквозь листву над их головами, шевелили Майкину гриву. Луна, склонившись, как «какая-то Татьяна», светя сама себе, смотрела на дворы старого Тифлиса. На крутой улочке остановилось такси, слышно было, как шофер затягивает ручной тормоз. Грузный человек позвонил у двери аптеки. Дежурная сняла цветастую шаль и пошла открывать. Неужели эти тихие малыши могут творить столько безобразий, думала Луна. Сколько бы я ни отгонял от себя эту тему, она всегда меня догоняет, думал Борис. В конце концов после всего, через что пришлось пройти, надо раз и навсегда понять, где, с кем и когда ты живешь свою жизнь.

Глава одиннадцатая
Воздух и ярость

Виражи на трассе Бориса IV Градова между тем становились все круче, и времени для размышлений, для осмысления, «где, когда, с кем», не оставалось; приходилось полагаться на интуицию гонщика. Вернувшись в Москву, он сразу же отправился с Майкой Стрепетовой в Серебряный Бор. Он предвкушал, как Мэри, наслаждающаяся обществом нового Китушки, будет счастлива теперь увидеть новую Вероникушку. Почему-то он не сомневался, что Майка понравится старикам. Увы, обычные радости снова отлетели от градовского гнезда. Непостижимые новости все из «той же оперы» поджидали мотоциклиста: Ёлка похищена людьми Берии, Нина арестована, Сандро зверски избит, ослеп после двустороннего отслоения сетчатки, мастерская в Кривоарбатском разгромлена, многие картины распороты ножами.

Потрясенный, он рухнул в дедовское кресло и закрыл лицо руками. В тишине слышались только всхлипывания ошеломленной Майки да из сада доносились птичьи рулады. Первая мысль, что пришла ему в голову, была: «Как это все выдерживают старики?» Он открыл глаза и увидел, что Майка сидит на ковре, уткнувшись лицом в колени Мэри, а та с окаменевшим, как это у нее всегда бывало в моменты несчастья, лицом гладит ее по голове. В глубине дома прошла старая Агаша, провела Китушку на прогулку в сад.

В саду, между прочим, в полосатых пижамах прогуливались два отцовских сослуживца из штаба Резервного фронта, Слабопетуховский и Шершавый: по приглашению тетушки Агаши, то есть породственному, явились отдохнуть на несколько дней, подышать чистым воздухом. Не забыли, конечно, прихватить именное оружие, ну чтобы похвастаться боевым прошлым.

Дед в парадном костюме с орденскими планками, бледный, но совершенно прямой и даже как будто помолодевший, стоял у телефона. До Бориса донеслось как будто из приглушенного телевизора: «С вами говорит академик Градов. Меня интересует состояние больного Александра Соломоновича Певзнера. Да, немедленно доложите главному врачу. Я жду на проводе».

Только тут он почувствовал, что к нему возвращаются силы, и вместе с ними или опережая их очень быстрым, но спокойным потоком его начинает заливать ярость. Холодный поток, стремительно и беззвучно вытесняя воздух, заполнял все его пространство. Вскоре ничего из старого вокруг не осталось, все тело было теперь окружено и заполнено яростью. Что ж, несмотря на леденящий холод, в ней можно жить, действовать и даже кое-что соображать. Хевра думает, что ей все позволено, даже изнасиловать сестренку Бориса Градова? Ошибается!

— В какой больнице лежит Сандро? — спокойно спросил он.

— В больнице Гельмгольца, — сказала Мэри. — Куда ты собрался, Борис?

— Ну вот что, — сказал он, — Майка, ты останешься здесь. Я заеду на Ордынку и скажу твоим, что с тобой все в порядке. За меня не беспокойтесь. Вернусь поздно или очень поздно. Буду периодически звонить.

Майка сквозь слезы радостно кивала. Можешь не сомневаться, Борька, милый, здесь все будет в порядке, ведь я же медработник! Ее, видно, просто почти до перехвата дыхания захлестывало чувство причастности, собственной нужности, полезности, своей уже почти окончательной неотрывности от этого Бори Градова. Мэри, при всей ее окаменелости, любовно оглаживала соломенную голову: она явно была в восторге от нового члена только что разрушенной семьи. Дед, ожидая соединения с главврачом, махнул внуку: подойди!

— Прежде всего, Борька, ни в коем случае не появляйся у себя на Горького, это небезопасно, — сказал он ему, зажав рукой трубку. — Во-вторых, ты можешь мне сказать, куда направляешься?

— Туда, где я еще состою на учете, — ответил Четвертый, — это, может быть, единственное место, где могут помочь или дать совет. Во всяком случае, там я могу говорить без обиняков.

— Очень правильное решение, — кивнул Третий и внимательно заглянул Четвертому в глаза: — Будь осторожен, не лезь на рожон!

Он вдруг переложил трубку из правой руки в левую и правой, чуть дрогнувшей, перекрестил внука.

Борис, по правде сказать, направлялся совсем не туда, где «все еще состоял на учете», то есть вовсе не в ГРУ. При всей таинственности и независимости этой организации он сомневался, что там найдется хоть один человек, который осмелился бы пойти против члена Политбюро и зампредсовмина. У него был несколько иной — он усмехался, — не столь громоздкий, вот именно более изящный, план действий. Прежде всего, он углубился на мотоцикле в глубину серебряноборской рощи и нашел там один из своих тайников, сохранившихся еще со времен детских игр в компании Митьки Сапунова. Здесь он после возвращения из Польши закопал один из своих пистолетов, безотказный девятимиллиметровый «вальтер». Оружие оказалось на прежнем месте, смазанное и готовое к действию. Он и себя чувствовал на манер этой штучки — смазанным и готовым к действию. Он был почти уверен, что осечки не будет.

Сначала он дунул во всю прыть своего «коня» в больницу Гельмгольца. Ехал четко, останавливался перед всеми светофорами и делал правильные повороты. Многие постовые узнавали героическую фигуру и салютовали: с победой, Град! В больнице без всяких проволочек, несмотря на солидную очередь посетителей, он получил халат и отправился на второй этаж в послеоперационное отделение. Его никто не останавливал: персонал, очевидно, думал, что молодой человек с такой внешностью зря не явится. Сандро он узнал по кончику носа и по усам. Подняв забинтованное лицо к потолку, художник плашмя лежал на кровати. Медленно приблизившись, Борис тихо позвал:

— Сандро!

Художник ответил совершенно обычным голосом:

— А, это ты, Борис! — Свесив ноги с кровати, он нащупал ногами шлепанцы, похожие на музейные лапти, и встал. — Дай мне руку и пойдем на лестницу, покурим... — Боль уже почти прошла, — сказал он на лестнице. — Могу тебе все рассказать по порядку. — И начал по порядку рассказывать, как ждали Ёлку, и как вместо нее после полуночи явился Нугзар Ламадзе с рассказом об «эмоциональном событии», и что было дальше...

— Ты так спокойно об этом говоришь, Сандро, — сказал Борис. Он давно уже привык обращаться на «ты», как к приятелю, к этому художнику, который был старше его в два раза.

— У меня против них нет другого оружия, — проговорил художник.

Это неплохое оружие, подумал Борис, особенно если все-таки есть еще кое-какое оружие.

— Вчера ко мне приходил какой-то человек, как будто из милиции, — тем же спокойным тоном продолжал Сандро. — Он сказал, что ему поручено расследовать нападение на студию. На самом деле он был, конечно, от них. Когда я впрямую спросил его, где Ёлка и Нина, он сказал, что, хотя он лично совсем не в курсе дела, он все-таки предполагает, что с ними все будет в порядке, если семья не будет, ну, ты знаешь эти выражения, поднимать волну. В общем, в общем... — только тут голос Сандро задрожал, — мне всю войну надо было пройти... все эти бомбежки... все это... а сейчас вот... такая шальная пуля... и всем моим милым конец... и моим цветам конец...

Борис на секунду вынырнул из своей холодной ярости: не удержался, обнял этого смешного, милого, такого родного человека.

— Пойдем я отведу тебя в палату, Сандро. Лежи спокойно, выздоравливай. Теперь можешь не волноваться, я здесь.

— Что ты можешь сделать, Борька? — пробормотал Сандро. — Кто может что-то сделать против них?

— Я знаю, что делать, — ответил Борис и снова нырнул в свою обжигающую арктическим холодом среду.

Может быть, она слишком жжет? Может быть, слишком большой риск? Может быть, после этого они просто искоренят нас всех? Несколько жалких попыток глотнуть обыкновенного воздуха. Нет, этим не надышишься. Дыши яростью и делай то, что решил, это твой единственный шанс. Где-то он вычитал, что кобру нельзя победить, не сунув ее башку в темный мешок. Он даже помнил, как это называется на языке буров: крангдадигкайт.

В киоске возле метро «Красные ворота» он купил несколько шоколадных батончиков и сунул их в карман все той же «сталинской» куртки. Понадобятся, если придется сутки напролет лежать на крыше. Солнце уже подбиралось к зениту. Откуда-то с верхнего этажа доносился фортепианный урок. Его вдруг посетило ощущение колоссальной всемирной скуки. Бесконечный повтор, сольфеджио скуки. Не очень подходящий гость в данный момент. Бросить все к черту, все бессмысленно. Он побрел к мотоциклу и тут увидел дюжину гладких больших морд, полукругом расположенных на выходе из метро, чтобы каждый мог полюбоваться: вожди, хозяева. И он среди них на первом месте: отшлифованная ряшка, лысина выглядит так убедительно, словно каждый должен быть лыс. Снова примчалось спасительное облако ярости, и с этим облаком за плечами Борис помчался вниз по Садовому кольцу, через Самотеку и Маяковку, к площади Восстания, свернул на улицу Воровского, потом в проходной двор возле Дома кино, где под раскидистым вязом, рядом с каким-то полуразвалившимся грузовичком, в патриархальном московском углу, оставил мотоцикл и приступил к выполнению своей не очень-то патриархальной операции, в том смысле, что она была направлена против одного из патриархов отечества.

Он знал, где находится массивный, серого камня, особняк Берии, окруженный высоким глухим забором в два человеческих роста. Задача состояла в том, чтобы незаметно подобраться поближе и занять удобное положение на какой-нибудь из ближних крыш. Как ни странно, одну такую крышу он присмотрел заранее. Однажды, лунной ночью, ехали в машине с шефом ВВС. Васька, как обычно, к этому часу был пьян. Мотнув подбородком в сторону особняка, он хохотнул: «Вот тут Берия окопался со своей хеврой!» Он не любил Берию как шефа своего главного соперника, «Динамо», и как человека, слишком приближенного к отцу. В тот момент Борис, тоже нетрезвый, окинул взглядом диверсанта окрестности и почти немедленно присмотрел себе крышу, откуда можно было бы вести наблюдение и стрелять. Ну, теоретически, конечно.

Практически сначала надо было пройти по тихой Воровского, пересечь более оживленную Герцена, потом углубиться в проходные дворы, ведущие к той крыше, причем пройти, пересечь и углубиться так, чтобы никому из прохожих не броситься в глаза, тем более милиционерам у подъездов иностранных посольств. Призываем на помощь польский опыт. В Дом кино направляются два знакомых биллиардиста. Шаг в сторону, в тень афишной тумбы. Биллиардисты проходят мимо. Монотонная прогулка толстопузого сержанта (у которого, очевидно, дома лежат майорские погоны) мимо ворот шведского посольства. Бесшумное и молниеносное скольжение по теневой стороне. Сержант, профессионально натренированный на запоминание лиц, задницей ничего не увидел. Теперь по улице Герцена мимо остановки троллейбуса идешь как обыкновенный прохожий, как будто у тебя нет шести шоколадных батончиков в кармане и девятимиллиметрового «вальтера» за пазухой. Спокойно заворачиваешь в подворотню и сразу за аркой сливаешься с поверхностью стены, отмечаешь все выступы в кирпичной кладке, железные прутья балкончиков (Варшава!), дряхлость или устойчивость водосточных труб, все желобы стоков, ветви старого вяза, на которых в крайнем случае можно повиснуть, превратившись в помесь ленивца и хамелеона, то есть слившись с ветвями и листвой, перепады высоты, все скаты и коньки крыш, по которым ты в конце концов достигнешь вон той высокой трубы, из-за которой, по твоим расчетам, перед тобой откроется часть внутренней территории подлого поместья на улице Качалова, бывшей Малой Никитской.

Мимо Бориса, почти вплотную, в сторону Герцена, то есть Большой Никитской, прошли две тетки. Одна из них говорила: «Хоть бы скорей его в армию забрали, паразита...» Прошли, не заметили. Он снял свои тяжелые ботинки и спрятал их за железной бочкой с дождевой водой. Приноровившись, пополз вверх по стене. Нет, навыки еще не утрачены, пальцы рук и ног отлично используют все шероховатости. Он почти уже дотянулся до водосточного желоба, когда справа на уровне его колена распахнулось окошко и из квартиры вылетел сладкий голос певца: «За городом Горьким, где ясные зорьки, в рабочем поселке подружка живет...» Высунулась шестимесячная завивка, просипела в листву: «Никого, ни хуя, там нету...» Окно закрылось. Он подтянулся, перебросился на крышу, залег в желобе, ощупывая ладонями жестяную кровлю, пытаясь определить, где она может прогнуться или выгнуться, а потом распрямиться с ненужным хлопком. По гребню крыши прошел большой кот в темно-бурой шубе, хвост трубой, белые гамаши, жабо и подусники, похожий на английского генерала. Кажется, не заметил, а может быть, продемонстрировал полнейшую нейтральность. Так или иначе, но через четверть часа офицер запаса оперативного резерва ГРУ, студент третьего курса Первого московского ордена Ленина медицинского института, мастер спорта СССР, чемпион страны по мотокроссу в классе 350 куб.см и третий призер в абсолютном зачете, Борис IV Никитич Градов лежал за высокой, облицованной дореволюционным, то есть отличным, кафелем трубой и обозревал внутренний двор городского особняка зампредсовмина, члена Политбюро ВКП(б), маршала Лаврентия Павловича Берии. Прежде всего, он заметил удивительную малочисленность и небрежность охраны. Видимо, ничего не боятся. Очевидно, давно уже решили, что в этом городе некого бояться. У ворот в будке сидит один чекист, второй прогуливается вокруг дома, третий подстригает кусты, вроде бы садовник в фартуке, но на заднице пистолет в кобуре. Больше никого снаружи не обнаруживается. В дом можно попасть двумя путями: через калитку с железной дверью, выходящую в переулок, и через главный вход, к которому ведет асфальтовое полукружие. Будет трудно или почти невозможно достать его, если он войдет или выйдет через калитку. Здесь он мелькнет на какую-нибудь секунду. Этой секунды было бы достаточно, если постоянно держать калитку под прицелом, однако в этом случае несколько драгоценных секунд будет упущено, появись он в главном входе. Все окна в доме плотно зашторены. Живут, как сычи, света белого не видят. Людей не боятся, а света белого боятся. В доме, должно быть, не меньше тридцати комнат, и в одной из них, возможно, находится пленница этого гада, сестренка Ёлка, избалованная всей семьей красоточка, музыкантша, пижонка, милейшая и чудеснейшая подружка. Он ее превратил в наложницу. Ебет нашего, градовского, ребенка. Выпивает, должно быть, коньяку для долгого сухостоя и тянет, и тянет свое скотское удовольствие, растлевает девчонку, вытягивает из нее всю ее юность, всю ее суть, вливает в нее свой тлен. Да будь ты хоть самим Сталиным, заслуживаешь за это пули в пасть или под подбородок!

Солнце было уже в зените, прямо над трубой. Через час на стрелка ляжет тень трубы, но пока печет невыносимо, и жесть накалилась вокруг, хоть пироги пеки, и нельзя пошевелиться: нужно занимать вот эту выбранную изначально позицию. Нужно поддерживать уровень ярости, чтобы самому тут не размазаться по раскаленной кровле. Он тут растлевает не только Ёлочку, но в ее лице, в ее теле и всех моих женщин: мамочку мою, заокеанскую Веронику, и Верку Горду, и тетку Нинку, и, уж конечно, Майку Стрепетову, избравшую меня для себя раз

и навсегда, и даже всех наших околовэвээсовских
блядей, и всех студенток моего потока, и даже бабушку Мэри, и даже Агашеньку, и Таисию Ивановну Пыжикову, мать моего нового братишки Китушки... Все продумал, только кепку забыл в мотоцикле, нечем башку накрыть; теперь мой котелок тут по
всем швам расплавится, нечего будет пожертвовать
для анатомического музея. А ведь человек должен
не только потреблять, но чем-то жертвовать для бу-
дущих поколений. Есть ли в этом какой-нибудь
смысл? Может быть, есть, может быть, и нет. Есть
ли в этом какая-нибудь разница? Может быть, есть,
а может быть, и нет. Ну вот и тупичок, поздравляю с
прибытием. Начитавшийся Шопенгауэра Сашка
Шереметьев скажет, что все это вообще никуда не
течет, а все это единовременно стоит в бесконечном
количестве копий, все прошлое и все будущее, не
говоря уже о настоящем, где так вот бесконечно и
лежит на раскаленной крыше расплавляющийся
болван-мститель с обжигающим пальцы пистолетом. В бесконечном повороте существуют и кафель-
ная труба, и солнце на выжженном, без единого об-
лачка, небе, и долетающая ария из оперетты Стрель-
никова «Сердце поэта»:

«Под-осень-я-сказал-Адели-прощай-дитя-не-
помни-зла-расстались-мирно-но-в-апреле-она-
сама-ко-мне-пришла-бутылку-рома-открывая-я-
понял-смысл-волшебных-слов-прощай-вино-в-на-
чале-мая-а-в-октябре-прощай-любовь!», и истерический женский крик, перекрывающий арию в московском сослагательном наклонении: «А пошел бы
ты на хуй!»

Сантиметр за сантиметром, он вытащил из кармана штанов носовой платок, завязал узелки на че-

тырех углах и натянул на голову. Как будто бы стало немного полегче. Сквозь выявленную жарой субстанцию воздуха он еще раз внимательно осмотрел внутренний сад городского поместья. Теперь там совсем никого не было, исчез и садовник с кобурой на заднице, только в затененном углу на клумбе, словно абстрактная скульптура, белели кости большого животного: позвонки, лопатки, ребра, твердыня таза, будто бы слоновьи, ну да, вот и бивни, все вместе довольно красиво — останки слона, расстрелянного из противотанковой пушки; апофеоз масонской вольной оды. Впрочем, вон там кто-то движется и живой: мягкими шлепками плоского пуза по увлажненному травяному ковру передвигается большая жаба, студенистыми глазами взирает на зашторенные окна с почти осмысленной укоризной: за что же, мол, меня-то так, ведь ничего же не жаждала на самом деле, кроме непогрешимости.

Вдруг весь двор и сад наполнился людьми. К воротам пробежали два холуя в штатском. Из парадных дверей вышло еще несколько, кто в форме, в фуражках с ярко-синим верхом, кто в пиджаках с тяжелыми карманами и в плоских кепках с подвешенными к ним морковными носами, к которым в свою очередь подвешены были пучочки грачиных перьев, то бишь кавказские усы. Ворота открылись, и по асфальтовому полукружию подъехали два черных лимузина с кремовыми шторками. Из них вышло еще некоторое количество соответствующих людей. Многие переговаривались, некоторые похохатывали, упираясь кулаками в бока. Может быть, над Ёлкой смеются? Борис поднял пистолет, и в этот момент все лишнее исчезло из его сознания, как и солнце перестало жечь. Остались только те десять метров, которые его цель должна была пройти от непроницаемого дома до пуленепробиваемого лимузина. За эти десять метров он должен его по крайней мере три раза убить. Удар, другой, третий, и распадутся все звенья заклятья.

Вся свора, собравшаяся на дворе, подобралась. Некоторое подобие стойки «смирно». Из дверей на крыльцо вышел Берия в светлом костюме и соломенной шляпе. Одно из стекол его пенсне послало Борису приветственный лучик. Давай, нажимай гашетку, накрышный стрелок! В тот же момент траекторию неосуществившегося выстрела пересекла немолодая женщина в шелковом платье с лилово-синими цветами, прямо под стать общему настроению в преддверии неосуществившегося теракта. Хитрый Берия остановился: теперь он был под ее защитой. Она стояла боком к пистолету, но бок ее был достаточно объемист, чтобы прикрыть гада. Она что-то говорила ему, мягко жестикулируя обнаженной до локтя рукой, как бы приводя мягкие, но неопровержимые аргументы. В лад с рукой покачивалась приятная голова с уложенной на макушке косой самоварного золота. Плешь Берии все-таки чуть-чуть высовывалась из-за этой латунной змеи. Что тут церемониться, надо бить! При таких ситуациях нередко гибнут невинные люди. Если первая пуля заденет жену, вторая-то уж точно найдет свою мишень. Все последующие мгновения стояли перед Борисом, как мишени на стрельбище. Берия что-то сказал, отчего голова женщины дернулась назад, словно от пощечины. Борис отвел ствол, он не мог выстрелить сквозь эту женщину. Берия шагнул к лимузину, ну, вот ему конец, в тот же миг и женщина шагнула к лимузину, умоляюще простирая руки. Еще три такта они прошли, как в балете, шаг в шаг. Стеклышко пенсне метнуло в сторону накрышного стрелка издевательский лучик: ага, не можешь, кишка тонка! По обеим сторонам лимузинной двери стояли два холуя, один в форме, другой в штатском. Сцена сгустилась до предельной тесноты. Берия грубо оттолкнул свою супругу и тут же нырнул в пуленепробиваемый мрак. Можно было еще попасть в подтягиваемую ногу, но в этом не было никакого смысла: злодей с раненой конечностью страшнее злодея, у которого ноги в порядке. Дверцы захлопнулись, лимузин тут же тронулся. Почти мгновенно двор и сад опустели. Проплюхала и скрылась в кустах укоризненная жаба, кости в углу станцевали фигуру печального матлота и застыли, женщина плюхнулась цветастым задом на мрамор крыльца, змея упала с ее головы на плечи... «Прощай, дитя, не помни зла-ла-ла-ла-ла-ла-ла-ла», — буксовала по соседству пластинка. Неудавшийся Гаврила Принцип стал сползать с крыши. От его ладоней пахло жареным. Здесь нечего больше было делать: злодей, по всей вероятности, уехал надолго.

Он не нашел за бочкой своих ботинок. Его бросило в жар, если так еще можно сказать о человеке, пролежавшем два часа на раскаленной крыше. Неужели кто-то заметил, что он прячет там свои могучие «гэдэ»? Если нет, то кого, черт возьми, угораздило именно в это время заглянуть за бочку с зацветшей дождевой водой? Так или иначе, но ботинок нет. Во всяком случае не искать же их, не требовать же их у судьбы обратно! Смываться немедленно!

Он вышел на улицу Герцена. Сначала никто из прохожих не обращал никакого внимания на некоторую незавершенность в туалете весьма заметного молодого человека, хотя москвичи обычно почти немедленно оценивают туалеты встречных: стоит ли посторониться или можно пихнуть в бок. Потом какая-то восхищенная девчонка смерила его взглядом, чтобы запомнить, и разинула рот при виде ног в носках с двумя солидными дырками, постоянно возникающими из-за отсутствия привычки стричь когтистые ногти. Потом еще распахнулся чей-то рот, потом еще, и вскоре весь его путь превратился в череду розоватых пещерок. Что же касается пузатого болвана у шведского посольства, то тот, как тренированный на все самое неожиданное, в том числе и на молодых людей, прогуливающихся в носках, мигом бросился в свою будку к телефону: тревога, высылайте кавалерийский взвод!

Мотоцикл, в отличие от ботинок, стоял на своем месте. Без всяких дальнейших размышлений, как будто это входило в разработанный заранее план, Борис помчался на Плющиху к Сашке Шереметьеву. Продуваемый — наконец-то! — встречным ветром, он вдруг сообразил, что вернулся из своей плотнейшей ярости в обычную воздушную среду. Теперь нужно к Сашке, думал он, больше я не могу в одиночку, немедленно найти Александра, этот что-нибудь придумает!

Шереметьев, к счастью, оказался дома. Лежал на тахте, разумеется, с нехорошей книжкой в руках. Протез, как часовой, стоял рядом. Три липких ленты с прилипшими мухами свисали с люстры. В соседней комнате тоже шла эта извечная война двух видов жизни: доносились хлопки мухобойки.

Увидев вошедшего друга и, конечно, сразу же заметив ноги в носках, Шереметьев иронически улыбнулся:

— Это как прикажете понимать?

Борис сел к столу, жадно потянулся за албанской сигаретой. Только что появившийся в продаже крепчайший «Диамант» немедленно стал любимой маркой крепчайших молодых людей Москвы. Некоторые называли его «Диаматом», то есть диалектическим материализмом.

— Прежде всего, Сашка, я бы предложил отбросить это дурацкое обращение на «вы», — сказал он после первой глубокой затяжки.

— Что у тебя случилось? — тут же спросил Шереметьев, садясь и откладывая книгу.

— Горе опять обрушилось на нашу семью, — сказал Борис.

Он начал рассказывать, что произошло здесь, пока он гонял свой ГК-1 по кавказским холмам. Внимательно слушая, Шереметьев надевал протез. Вдруг, не защелкнув еще все застежки, он побелел, закусил губы и с закрытыми глазами отвалился к стене. Продолжалось это не больше полуминуты, потом краски вернулись к его лицу.

— Продолжай! — В глазах его теперь стояло какое-то новое, непонятное, интенсивное выражение. — Итак, — сказал он, когда Борис кончил, — что мы имеем на данный момент? Сандро ослеп, Нина в тюрьме, Ёлка неизвестно где... Ну что же, за такие дела надо четырехглазую кобру... — Три раза он ткнул большим пальцем себе за правое плечо.

— Уже пробовал, — сказал Борис и подумал: мы все-таки с этим типом звери одной крови. Он рассказал Сашке и о своем накрышном бдении.

— Ну, Боб! — только и сказал Шереметьев в ответ на этот рассказ.

Встал, скрипнули и протез, и все половицы, прошагал мимо, на мгновение сильно нажал Борису ладонью на плечо, исчез за шторкой, отделявшей от комнаты кладовку. Тут же оттуда вылетели армейские сапоги: «Надевай, они тебе впору!» — а потом появился и он сам с пистолетом в руках.

— Надо было ту бабу убирать, которая тебе мешала, — деловито сказал он. — Ну да ладно. Сейчас давай делом займемся. Из всего, что ты рассказал, я делаю вывод, что нам нужно как можно скорее поговорить по душам с товарищем Ламадзе.

На лестнице Саша Шереметьев пришел вдруг в веселое возбуждение, стал еще и еще раз выспрашивать у Бориса, как тот целился, где кто стоял, как там вообще все выглядит.

— Сашка, отчего ты недавно так побледнел? — спросил Борис.

Шереметьев остановился. Он смотрел прямо перед собой на обшарпанную стену лестничной клетки. Снова что-то похожее на прежнюю бледность, только мгновенное, будто махнули белым полотенцем, прошло по его лицу.

— От ненависти, — коротко ответил он и захромал дальше.

Уже на улице, по пути к мотоциклу, он вдруг взял Бориса под руку: жест совершенно не свойственный современному байрониту.

— Я тебе должен признаться, Боб. В последнее время я очень часто думал о твоей Ёлке. Нет, не то что я был в нее уже влюблен, но... наверное, очень близок к этому. Она как-то воплощала весь мой идеал юной женщины, понимаешь? Конечно, я не сделал никаких попыток и, может быть, никогда не сделаю. Ты это учти, о'кей? Никому ни слова, о'кей? Я только стал замечать за собой, что слишком часто болтаюсь по Горького в районе Большого Гнездниковского, и вообще весь центр Москвы для меня как-то окрасился иначе... Я уже и не думал, что такое может повториться в моей жизни после дальневосточного урока...

Напоминание о «дальневосточном уроке», то есть о всем том гиньоле, о котором Сашка откровенничал по пьяной лавочке, неприятно резануло Бориса: Ёлка для него как-то не соединялась с «дальневосточным уроком». Шереметьев, кажется, заметил, что друга покоробило.

— Ну, в общем-то я, конечно, понимал, что я ей не пара, — сказал он.

— Почему же ты ей не пара? — хмуро спросил Борис.

— А ты не понимаешь, почему я ей не пара? — вопросом на вопрос, и не без злости, ответил Шереметьев. Он уже жалел, что разоткровенничался. Однако перед кем еще ему откровенничать, если не перед Борькой Градовым? — Давай-ка эту тему оставим. Твоя кузина — моя мечта, и только...

— Фраза почти лермонтовская, — улыбнулся Борис. Мимолетное раздражение отхлынуло. Он был счастлив, что рядом с ним Сашка: все стало казаться почти естественным — два парня с пистолетами за пазухой, чего проще. Город большой, почему в нем двум таким не ходить, двум мстителям?

— Ты знаешь, сукин сын, что я всегда боюсь твоей иронии, — вдруг сказал Шереметьев.

— А я твоей, — сказал Градов.

Они толкнули друг друга локтями и стали говорить о деле. Прежде всего надо было узнать, где живет генерал Ламадзе, наш почтенный жандармский дядюшка. Борис был почти уверен, что в одном из трех новых домов на Кутузовском проспекте. В Москве говорили, что эти двенадцатиэтажные массивные терема с мраморными цоколями почти целиком населены «органами». На всякий случай обратились в киоск «Мосгорсправка». Там, разумеется, ответили, что человек с таким именем среди жителей Москвы не значится. Есть почти такие, но все-таки не совсем тот, о котором вы спрашиваете, молодые люди. Есть, например, Ломанадзе Элиазар Ушангиевич или вот, Нугзария Тенгиз Тимурович, а вот вашего родственника, молодые интересные, у нас нет. Обращайтесь в милицию. Александр предложил спросить в ресторане «Арагви»: уж там-то наверняка слышали об именитом земляке. Эта идея была им же самим немедленно отвергнута: хмыри из «Арагви» тут же стукнут куда надо, что двое парней ищут генерала. Вдруг Бориса осенило: надо Горду спросить! Он вспомнил, что она как-то упоминала генерала Ламадзе, который, в отличие от многих других представителей, настоящий джентльмен.

Вера сама ответила на звонок:

— Ой, Боренька, ну, что совсем пропал?

Да, она, конечно, случайно знает, где живет Нугзар Сергеевич. Как-то раз ехали компанией, и вот он пригласил к себе помузицировать. Извинился за беспорядок, семья где-то была, на даче, что ли, однако предложил вина, фруктов, немного шоколада, и рояль, рояль!.. Ну, у тебя, конечно, одно на уме, Борька, вздор какой! Борис сказал ей, что привез посылку из Тбилиси, а адрес потерял. Нет, она адреса не знает, с какой стати, но дом запомнился, да-да, на Кутузовском, там внизу большой гастроном. Кажется, пятый этаж или восьмой, а ты, Боренька, говорят, влюблен? Откуда я знаю? Она печально засмеялась. Южные ветры принесли... Уже повесив трубку, Борис сообразил, что дома на Кутузовском достроили уже после начала их бурной и беззаветной любви. Верочка Гордочка...

В доме с гастрономом было три подъезда. Борис наугад зашел в № 1. Там, зевая, расчесывая бока, сидел над кроссвордом «Вечерки» бульдожистый мильтон. Не снимая мотоциклетных очков, крепко стуча по кафелю армейскими прохарями, Борис приблизился.

— Генерал Ламадзе у себя?

— По какому вопросу? — с некоторым перепугом спросил мильтон.

— У меня к нему пакет.

— Откуда?

Борис усмехнулся:

— Много вопросов задаете, сержант.

В это время спустился лифт, и из него вышел сам генерал Ламадзе в костюме нежнейшего габардина и темно-синей бабочке. Сержант открыл было рот, но ничего не произнес: язык, видно, прилип к нёбу. Рукой лишь только показал в спину проходящему в подъезд генералу: вот, мол, кому ваш пакет предназначается, многоуважаемый секретный товарищ.

Удобней ситуации не придумаешь. Ламадзе стоит под молодой липкой, посматривает на часы, видимо, поджидает машину. Сзади ему под лопатку через две тонких ткани упирается до чрезвычайности знакомый и все-таки всегда удивляющий своей категоричностью предмет. Одновременно перед ним возникает с серьезной понимающей улыбкой молодой человек в беретике. На мгновение распахнув пиджак, он показывает ему торчащую из внутреннего кармана рукоять другого категорического предмета. Из-за плеча прямо в ухо генералу слышится приказание:

— Идите вперед и поворачивайте за угол здания!

Значит, все-таки он предал меня, думал генерал, идя вперед и поворачивая за угол. Чем я ему не угодил? Что он, мысли мои читает, что ли? Или слишком большая преданность уже не нужна? Кто меня сдал, Кобулов, Мешик?.. Из какого подразделения эти двое? Не похожи на наших. Из внешней разведки? Странная плотная группа из трех лиц, никем не замеченная в общей сутолоке часа пик, прошла мимо лесов строящегося дома в боковую улицу. Здесь генерал Ламадзе ожидал увидеть привычный черный автомобиль, который отвезет его куда-то на избиение и позор, то есть почти прямиком на свалку, однако ничего похожего на такой автомобиль в переулке не обнаруживалось. Как-то нетипично все это выглядит, вдруг сообразил он. А вдруг обыкновенные грабители? — радостно заволновался он. Снимут костюм, там бумажник с тысячей... Хороший юмор, генерал госбезопасности ограблен возле собственного дома!

Он еще не успел бросить взгляд на того, кто угрожал ему сзади и справа, тыча под последнее ребро твердым рыльцем «категорической штуки», однако едва лишь он попытался вывернуть шею, этот сзади жестко сказал:

— Не крутитесь под пистолетом, идиот!

Из переулка открывался вид на зады высотной гостиницы «Украина», там заканчивалась разбивка обширного сквера, стояли скамейки с львиным изгибом и урны в виде античных ваз. Несколько нянек уже пасли там высокопоставленных деток.

— Куда вы меня ведете? — с некоторым намеком на угрозу вопросил Ламадзе. — Кто вы такие? Вам что, деньги нужны?

— Это не ограбление, Нугзар Сергеевич, — усмехнулся первый, прихрамывающий негодяй. — Вот здесь, садитесь на эту скамью!

Сердце заколотилось у Ламадзе по всему телу. В руках, в ногах, в голове, в груди и по всему животу тяжело бухало пойманное сердце. «Знают меня по имени, действуют с таким профессионализмом, какой нашим ублюдкам и не снился! Да что же это за наваждение!» На гудящих, бухающих ногах он еле добрался до скамьи, упал на нее и тогда увидел первого похитителя, парня в кожаной куртке и в мотоциклетных очках, сдвинутых на лоб. Медные волосы, загорелое лицо, почти кавказская внешность и большие светлые глаза; что-то очень знакомое, нечто сродни...

— Я Борис Градов, — сказал похититель.

Нугзар вдруг разразился рыданиями.

— Боря, Боря, — сквозь рыдания и всхлипыванья, а потом и сквозь носовой платок, бормотал он. — Ты с ума сошел, Боря! Умоляю тебя, прекрати это! Неужели ты не понимаешь, что с вас за это в буквальном смысле стянут кожу?! В буквальном смысле, в буквальном, Боря, за нападение на генерала МГБ в буквальном смысле обдерут! Боря, Боря, я же с твоим папой дружил, я же твою ма-маму в Америку провожал...

— Заткнись! — тихо рявкнул Борис. — Ни слова о маме! Что за истерика, генерал? Не понимаете, что мы всерьез?! Не поняли, по какому делу?

Нугзар высморкался в платок, несколько секунд не открывал лица, потом заговорил совсем иным, жестким тоном:

— Самое лучшее, что я могу сделать для вас, молодые люди, это не доложить куда следует о случившемся. А теперь идите по своим делам, а меня оставьте в покое.

Борис сел на скамью рядом с Ламадзе и сказал Александру Шереметьеву:

— Видишь, какие перепады настроения.

— Генерал в депрессии, — кивнул друг. — Однако до сих пор не все понимает. Придется кое-что прояснить.

Он вдруг схватил Нугзара правой рукой за горло и на мгновение пережал артерию каротис. В этом мгновении оказалось бесконечное количество долей мгновения. Бесконечные доли мгновения мерк закат, вернее, его отражения в окнах исполинской гостиницы, и в этих отражениях проявлялась квинтэссенция нугзаровского детства, то есть нежнейшая суть будущего убийцы. Вдруг вырос и все собой затмил октябрьский вечер двадцать пятого года на градовской даче в Серебряном Бору, сосны и звезды оказались воплощением лезгинки, лезгинка раскрутилась той дорогой, какой он мог бы пойти, но не пошел. И так, по мере прекращения доступа свежей крови к артериям головного мозга, в течение этого мгновения Нугзар головой вперед, словно катер, поднимающий в темноте белые буруны, уходил все дальше к подлинному смыслу вещей, пока Шереметьев не разжал зажима, и тогда кровь хлынула, куда ей надлежит, и восстановились жизнь и действительность, и вместо подлинного смысла возник один лишь сплошной и непрекращающийся ужас.

После этого он поклялся молодым людям рассказать все, что знает, и сразу же начал врать. Нет, он не в курсе этого дела, вообще. Вообще, совсем не в курсе деталей, только в общих очертаниях, вообще. Просто товарищи попросили успокоить родителей, ну, вообще. И сейчас, ни вообще, ни в частности, он не знает, где находится Елена Китайгородская. Но может попытаться узнать. Если угодно вам, Борис, и вам, товарищ, который сейчас чуть-чуть не убил, он попытается узнать. В общих чертах попытается выяснить, в городе или на даче и каковы перспективы на воссоединение, ну, вообще, с семьей. Завтра в это же время можно встретиться на этом месте. Безопасность гарантируется, ну, конечно, вообще, под честное слово офицера. Как еще он мог говорить с этими безумцами, как он мог не врать?

— Ну, вот и отлично, — сказал Борис. — Завтра в это же время, то есть без четверти восемь, вы придете сюда с моей двоюродной сестрой. Если явитесь без нее, будете убиты, сучий потрох. Ты разоблачен, скот и гад! Мне известно, как ты дядю Галактиона убил мраморным пресс-папье. И не только мне это известно, подонок и ублюдок! Ты изуродовал, ослепил художника Сандро, за одно это тебе нет пощады! Ты же кавказец, ты знаешь, чем это все кончается, но в данном случае будешь размазан об стенку без промедления. Единственное, чем ты можешь спасти свою гнусную жизнь, это тем, что завтра привезешь сюда Ёлку. Дальше должна быть освобождена ее мать, и ты сделаешь для этого все, что можешь, потому что Нина тоже будет на тебе «висеть». Мы ее не забудем! Да, и вот еще что: ты нас пытками не пугай, мы знаем, как от них избавиться. Ну, а если с нами что-то случится, найдутся еще двое, которые за нас...

И снова грозный генерал разразился истерическими рыданиями, затыкая себе уши, не желая слушать жестоких слов.

— Ты ничего не знаешь, Боря, — бормотал он, — ничего не знаешь, как было на самом деле...

— Давай закурим, товарищ, по одной, — пропел тут Саша Шереметьев, вынимая свою плоскую коробочку с темным силуэтом чего-то восточного, то ли дворца, то ли мечети.

Приближался медлительный, слегка любопытствующий милиционер. Все трое разобрали по сигарете. «Крепкая», — закашлялся Нугзар Сергеевич, как раз вовремя: мильтон улыбнулся, проходя мимо. И впрямь было чему: прилично одетый гражданин явно злоупотребил алкоголем, еще не дожидаясь темноты.

— Обещаю вам узнать как можно больше, — сказал Борис, возвращаясь к вежливому тону. — А теперь возвращайтесь домой, Нугзар Сергеевич, и не забудьте, что часы тикают.

Несколько минут они смотрели на уходящего шаткой походкой, действительно как будто сильно подвыпившего Ламадзе.

— Этот малый весь в говне, — как бы даже с некоторым сочувствием проговорил Шереметьев. — На него можно не рассчитывать.

— У меня есть еще один вариант, — сказал Борис. — Ты, наверное, догадываешься какой.

— Черт, — пробормотал Шереметьев. — Этот вариант еще опасней твоей крыши. Может быть, подождем до завтра? Вдруг они все-таки привезут Ёлку? Технически, как ближайший к Берии человек, он мог бы...

— Мне нужно выпить, — вдруг сказал Борис. — У меня, кажется, тоже нервы пошли ходуном. Прости, но я просто не в силах сидеть и ждать, пока они там... Понимаешь, я сейчас как бы становлюсь главным в градовском клане, а у меня все трясется внутри. Руки еще не трясутся, стрелять еще могу, но что толку в этом. Сашка, Сашка, как нас всех употребили! Мы совсем не в тех стреляли после конца войны...

Шереметьев резко встал, чуть поморщился от привычной боли ниже колена:

— Пойдем, я знаю, где тут неподалеку разливают коньяк.

В тот вечер клуб ВВС гулял на всю катушку. Сняли целиком Дом культуры завода «Каучук». Из Казани привезли десяток джазистов Олега Лундстрема. Сбежались лучшие девчонки Москвы. Столы ломились от коньяка и шампанского. Рядом с шашлыками из «Арагви» тут же, навалом, громоздились коробки с тортами. Гуляй, дружина! Хочешь мясного, жуй! Хочешь сладкого, влипай в крем! Заместитель командующего Московским военным округом генерал-лейтенант авиации Вася Сталин показывал свой размах.

У него были причины веселиться. ВВС уверенно становился ведущей спортивной силой страны, подминал под себя и ЦДКА, и «Динамо», не говоря уже о жалких профсоюзниках — «Спартаке». В составе олимпийской команды, отправляющейся через две недели в Хельсинки, было множество вэвэээсовцев — и футболисты, и баскетболисты, и волейболисты, и боксеры, и борцы, и гимнасты, и легкоатлеты, и ватерполисты, и пловцы, и стрелки, и т.д., и т.п.; словом, не зря работали, есть кому поддержать славу родины.

Предстоящее это неслыханное событие, первое в истории участие СССР в Олимпийских играх, будоражило всю Москву. Еще вчера газеты называли олимпиады позорным извращением физической культуры трудящихся масс, буржуазным, империалистическим псевдосоревнованием, направленным на одурачивание пролетариата, на отвлечение его от насущных задач классовой борьбы. В противовес этим мерзостям еще с двадцатых годов в стране гордо шествовали спартакиады, то есть подлинные праздники физической культуры и нравственного здоровья. Слово «спорт» вообще не очень-то поощрялось, оно было каким-то слишком английским, то есть каким-то в принципе не советским, и только после войны все больше стало внедряться в обиход, пока наконец не грянула сенсация: СССР вступает в олимпийское движение! И вот уже разбитной американец, председатель Всемирного олимпийского комитета Эвери Брэндидж, которого еще вчера иначе как лакеем Уолл-стрита не называли, прилетает в Москву, и собирается огромная команда по всем видам, чтобы дать бой на стадионах, чтобы доказать на деле, а не на словах преимущество советского спорта и нашего образа жизни. Досужим и падким до сенсации западным журналистам остается только гадать, что означает таинственный ход дяди Джо: разборка «железного занавеса» или репетиция третьей мировой войны? Советским людям, быть может, было бы резонно представить разговор Сталина-отца со Сталиным-сыном. «А ты уверен, что не проиграем, Василий?» — спросил отец. «Уверен, что победим, папа!» — пылко воскликнул юный генерал-лейтенант. «И Америки не боишься?» — лукаво сощурился вождь. «Да нам ли ее бояться, отец!» Затем начинается знаменитое сталинское маятниковое хождение по кабинету. Думает ли он или просто что-то выхаживает, некую основную эмоцию? А пусть поиграют, вдруг выходил старый пахан. Почему им наконец не поиграть с другими? Пусть Василий будет доволен, в конце концов. Он лучше Яшки, он в плен не попал. Он на ту девчонку похож, которую я однажды на подпольной квартире в Сестрорецке прижал, ну да, на мать свою. Пусть поиграет этот генерал-лейтенант... Такая сцена иной раз может представиться советскому человеку, и самое смешное состоит в том, что так, очевидно, и было на самом деле. Помешанный на спорте, Васька под хорошее настроение вытянул из отца согласие на участие в Олимпийских играх. Чем еще прикажете объяснить это невероятное решение, принятое в разгар «холодной войны» против американского империализма и югославского ревизионизма, когда уже и раскаленными сковородками шарашили друг друга на Корейском полуострове?

Борис и Майка Стрепетова подъехали к «Каучуку» в одиннадцатом часу вечера, когда бал был в полном разгаре. Выписанные из казанского захолустья джазисты за милую душу «лабали» запрещенные ритмы, в частности, к моменту прибытия наших героев «The Woodchopper's Ball», или, как объявил гладкопричесанный, с тоненькими усиками, король свинга стран Востока, «Бал дровосеков», прогрессивного композитора Вуди Германа! Спортсмены и их подружки отплясывали кто во что горазд. Несколько пробравшихся и сюда стиляжек показывали, как это надо делать, по образцам американских фильмов тридцатых годов.

Борис посмотрел на себя и на Майку в зеркало. Морда у меня — на море и обратно, а вот ты, дорогая, ярко представляешь здесь пшеничные поля нашей родины с сорняками васильков и незабудок. Когда он, уже в темноте, весь почти обуглившийся, с ободранными ладонями, вдруг явился в Серебряный Бор и потащил ее на какой-то таинственный ночной бал, она едва успела натянуть тбилисское платьишко, зачесать вверх и сколоть шпильками свою скирду. Общее впечатление, однако, получилось неплохое: вот именно, пшеница с сорняками. Борис же в мятом костюме и в скошенном галстуке выглядел по-дикарски, то есть в общем-то в унисон с ней.

У Града новая девчонка! — прошел слух по всему залу. Град явился с новым кадром! Ватерполист Гриша Гольд, воплощение восточнобалтийской элегантности, поцеловал Майке руку, что заставило ее, то есть руку, дернуться, будто лягушку под током.

— У вас такой вид, друзья, как будто вы из сено вылезать этот момент, — очаровательно улыбнувшись, Гольд отплыл в поисках своей партнерши.

— Он на Тарзана похож, — восхитилась Майка. — Такой Тарзан в стильном костюме!

Они присели к дальнему концу огромного П-образного стола, и Борис сразу налил себе и немедленно выпил «тонкий», то есть двухсотпятидесятиграммовый, стакан коньяку. Простодушная Майка на это даже глазом не моргнула: ей и в голову не приходило, чем все это может кончиться. Она была переполнена недавними событиями в ее жизни: явление принца и бегство на Кавказ, первые эротические откровения, вхождение в градовский клан и немедленная, с первого взгляда, влюбленность в бабушку Мэри. Толком она еще не понимала, что за несчастье свалилось на семью, но, конечно же, уже любила заочно и жалела и тетю Нину, и дядю Сандро, и похищенную кем-то Ёлочку. Самое же главное состояло в том, что она оказалась в Серебряном Бору в самый подходящий момент, что она нужна этим людям и как новый член семьи, и даже, не в последнюю очередь, как медработник. Вот, например, когда сегодня пополудни любезнейшей Агашеньке на нервной почве стало плохо, она немедленно ей сделала укол камфоры монобромата.

И вот теперь она на этом странном балу, где открыто буржуазными инструментами, саксофонами, исполняется эллингтоновский «Караван», где тоненькие девчонки с кукольными личиками без стеснения прижимаются к могучим парням, где все на нее посматривают со странным любопытством. И как же это здорово — сидеть рядом с любимым и быть центром всеобщего внимания!

Борис вдруг потащил ее танцевать, сильно обнял, чтобы не сказать облапил, тоненькую спинку и целеустремленно начал разрезать толпу по направлению к отдельно стоящему в нише столу, где расположились явно не любители потанцевать, а любители поговорить.

— Привет начальству! — довольно нахально крикнул Борис, выкаблучивая возле этого стола со своим «стогом сена».

— А, Борька, хер моржовый! — Кто-то в центре стола помахал рукой. — Ты где пропадал? Давай садись к нам, выпьем!

Миг — и Майка уже сидит среди солидной публики; иные в погонах, другие в галстуках строгого направления. В центре, рядом с розовощекой сильной женщиной, — молодой человек в темном френчике, черты лица не отталкивающего характера; это он как раз и крикнул Борису, употребив не вполне светское обращение. Сейчас он по-свойски ему подмигивает и кивает на Майку:

— Ты, я вижу, с новым товарищем? — Оглядывает Майку, будто приценивается. — Вполне подходящий товарищ. — Теперь уже ей подмигивает: — Тебя как зовут?

— Майя Стрепетова. А тебя?

За столом оглушительно грохнули. Молодой человек тоже расхохотался.

— Зови меня Васей, — сказал он и налил ей шампанского.

Разговор за столом возобновился. Речь шла, как ни странно, не о спорте, а о легендарном в узких кругах бомбардировщике ТБ-7. Вокруг В.И.Сталина в тот вечер сидели конструкторы и ведущие летчики-испытатели. Один из конструкторов, бритоголовый носастый Александр Микулин, в пиджаке с двумя лауреатскими медалями, утверждал, что по всем характеристикам этот бомбардировщик бил американскую «летающую крепость» и даже «суперкрепость». Потолок у него был 12 тысяч метров, а скорость выше, чем у немецких истребителей. Уже это делало его неуязвимым, вот спросите Пуссепа, он столько раз водил эту махину над Германией...

Подполковник Пуссеп, скромно улыбаясь, кивал:

— На самом деле, зенитные снаряды к этой высоте подходили на излете, а истребитель-перехватчик плавал там, как сонная муха, становился просто мишенью для моих пушек. Что касается полетов с Молотовым в Англию, вот Василий Иосифович не даст соврать, по последним расшифровкам выясняется, что германская ПВО даже не могла нас засечь, просто не знали, что мы над ними катаемся. Верно, Василий Иосифович?

Молодой Сталин кивал и немедленно поднимал бокал: давайте выпьем за скромнягу Пуссепа! Кто-то из присутствующих спросил Микулина насчет пятого, скрытого, двигателя. А вы откуда знаете об этом двигателе, прищурился над своим «шнобелем» Микулин. А все знают об этом двигателе, был ответ. А вроде бы никто не должен знать об этом двигателе. А все равно все знают... Все начали хохотать и толкать друг друга локтями. А вот любопытно, вступил тут в беседу чемпион СССР по мотокроссу в классе 350 куб.см, теоретически, знаете ли, любопытно: если у нас уже к началу войны был такой бомбардировщик, какого же черта мы не разбомбили Берлин? Тут вдруг все перестали смеяться, потому что чемпион по наивности, конечно, коснулся действительно запретной темы — о срыве серийного выпуска ТБ-7. Выпуск же этот был отменен, как всем присутствующим было отлично известно, на самом высшем уровне, то есть данная тема обсуждению не подлежала.

— Ты, Борька, лучше в стратегические высоты не забирайся, — с некоторым добродушием, которое нередко, как все знали, переходило у него во взрывы невменяемой брани и маханье кулаками, проговорил Васька. — Нечего хуевничать. Ты великий мотогонщик, и за это тебе честь и хвала! Давайте выпьем за Борьку Градова! Эх, жаль, на Олимпийских играх нет мотосоревнований, ты бы стал чемпионом!

— А стрельба там есть в программе, Василий Иосифович? — Боря Градов, упершись локтем в край стола, склонился плечом в сторону шефа. — Почему бы вам меня туда не взять как стрелка? Вы же знаете, что в этом деле я не посрамлю ВВС. Вы же знаете, правда, видели ведь, кажется, как я из полуавтомата сажал, верно? А из маленьких штучек я тоже умею, любой парень в «диверсионке» вам это бы подтвердил... — Он сунул руку во внутренний карман пиджака.

Народ за столом как-то забеспокоился. Чемпион нависал над хорошим комплектом закусок, галстук его плавал в бокале с «Боржоми», сквозь волосы, упавшие на лицо, пьяным холодным огнем светили на шефа градовские глаза.

— Ты что хуевничаешь?! — визгливо закричал через стол Васька. — А ну, вынимай, что у тебя в кармане!

Борис с улыбкой достал и показал всем свой пистолет.

— «Вальтер», девять миллиметров, — шепотом определил Пуссеп.

— А ну, клади свою пушку на стол! — Продолжая визжать, сын СССР ударил кулаком по столу: — Разоружайся!

— Разоружусь, если вы мне ответите на один вопрос. Могу я вас считать своим другом?

— Разоружайся без всяких условий, мудак пьяный! — Василий Иосифович встал и отшвырнул стул.

Боря Градов тоже встал и даже отступил на шаг от стола. Он одновременно производил три действия: левой рукой — мягкие, тормозящие, ну, стало быть, успокаивающие движения в сторону совершенно обалдевшей Майки, лицом — пьяное странное сияние в адрес шефа и, наконец, правой рукой с пистолетом — предостерегающие, из стороны в сторону покачивания в адрес всей остальной компании: не двигаться! Часть танцующего зала, что видела эту сцену, остолбенела, большинство, однако, продолжало томно кружиться.

— Условие остается, Василий Иосифович. Могу я считать вас своим другом? — проговорил Борис.

Это продолжалось несколько секунд. Из толпы за спиной Бориса стали уже выделяться несколько боксеров и похожий на мухинский символ рабочего класса декатлонист. Сын СССР и сам был, признаться, уже основательно пьян. В нем закипало бешенство, но совсем не в адрес Градова, напротив, к этому идиоту он даже чувствовал некую ухмыльчивую симпатию, как к части своего собственного бешенства, направленного не на кого-то и не на что-то определенное, а во всех направлениях. Уже почти пустившись под откос, он вдруг зацепился за мысль, что теперь тут все зависит от него, что только он один может спасти ситуацию, и весь этот вшивый народ, и всю эту хуевую авиацию, и весь этот расхуевейший спорт. Тогда он подавил закипающее. Обогнул стол и двинулся прямо к Борьке:

— Ну, допустим, мы друзья, прячь пушку, хуй моржовый! Пойдем поговорим!

«Вальтер» немедленно исчез. Борис застегивал пиджак и ладонями забрасывал назад волосы. Василий Иосифович, очень довольный, жестом остановил предлагавших свои услуги боксеров. Конструктор моторов Микулин громогласно подмазался:

— Вот у кого поучиться выдержке!

В кабинете директора ДК Борис сказал своему «другу», что его двоюродная сестра похищена Берией. Васька расхохотался:

— Ты не одинок в этом городе, ей-ей, не одинок! У Лаврентия дымится на всех хорошеньких девчонок.

Борис возразил, что ему плевать на всех хорошеньких девчонок, речь сейчас идет о его двоюродной сестре. Василий Иосифович, должно быть, знает, чем он, Борис, занимался в Польше, и, если Ёлку немедленно не вернут, он готов повторить кое-какие подвиги. Сын вождя еще пуще развеселился. Воображаю твою встречу с Лаврентием! Вот уж не знал, что ты такой наивный парень, Борька! Из-за чего вообще-то весь сыр-бор? Ну, потеряла целочку твоя сестренка, ну и что? А может быть, ей сейчас хорошо с нашим очкастым старпером, откуда ты знаешь? Лаврентий у нас по этому делу чемпион во всем правительстве! Борис шарахнул по директорскому столу, стекло под его кулаком образовало звезду-дикобраза. Как-то иначе он представлял разговор с другом!

— Боюсь, что мне сейчас придется покинуть помещение. Через данное окно на заданную улицу, как в школе проходили. Уйти с концами в джунгли большого города.

Сын вождя в ответ шарахнул кулаком по звез-де-дикобразу. Осколки стекла разлетелись, обнажая шулерские записки директора клуба.

— Ты на кого, ебена мать, Град позорный, кулаком стучишь? Кто тебя чемпионом сделал?

Они глядели друг на друга в упор, в глаза.

— Родина меня чемпионом сделала, Коммунистическая партия, великий Сталин, а мне это все сейчас пу херу!

— Пу херу тебе все? На Колыму, сука, захотел?

— Живым не дамся, Василий-как-вас-по-батюшке... — Свирепый пьяный хохот с обеих сторон, лицо в лицо. — Не зря меня кое-чему в «диверсионке» научили!..

Сын вождя вдруг выскочил из-за стола, распахнул одно за другим все три окна в кабинете.

— Ну, давай трезветь, Борис! Давай выкладывай все по порядку.

Неслыханной молодой благодатью вошел внутрь мерзости ночной воздух со звездами. Через пять минут сын вождя прервал своего чемпиона:

— Все ясно. Ты, конечно, понимаешь, Борька, что я — твой единственный шанс. Давай руку, сучонок, обещаю тебе помочь! Мои условия такие: сдаешь лично мне свою пушку и из этой комнаты не выходишь до моего возвращения. С тобой тут посидят три парня. Понятно? Не принимаешь условий, вызываю патруль и вычеркиваю твое имя на веки вечные из славных дружин ВВС. Понятно?

Условия были приняты. Василий Иосифович Сталин четким, трезвым, то есть почти непьяным, шагом прошел через банкетный зал.

— Приеду через час, — сказал он своей компании. — Вместе с Борькой, — добавил он, бросив взгляд на перепуганное Майкино синеглазие.

Жена Василия Иосифовича, пловчиха, в обтягивающем ее дельфинье тело шелковом платье, бросилась вслед за ним:

— Вася, я с тобой!

Он сначала было оттолкнул этот порыв верности, но потом, хохотнув, подхватил супружницу под руку. Два телохранителя из команды самбистов уже двигались вслед за ними.

— Кто же такой этот Вася? — приложив ладони к щекам, спросила Майка.

— Сын Сталина, — ответил кто-то.

— Ёкалэмэнэ! — ахнула она.

В этом было нечто несоразмерное. Сыном Сталина является весь народ, гигантское море голов, но есть, оказывается, еще одна голова, стоящая отдельно, личный сын Сталина, плод его любовных утех. Да разве мог когда-нибудь Сталин заниматься этим? Майка Стрепетова отняла руки от своих ланит, которые полыхали. За столом все, или, во всяком случае, все мужчины, смотрели на нее. «Они так все смотрят на меня, — подумала она, — как будто я имею к ним какое-то самое прямое отношение. А ведь среди них есть самые настоящие старики, не моложе пятидесяти лет. Вот одна из странностей жизни: старухи пятидесяти лет не имеют к мальчикам моего возраста никакого отношения, в то время как старики пятидесяти лет почему-то имеют к восемнадцатилетним девочкам какое-то основательное отношение. Во всяком случае, они так смотрят на нас, как будто приглашают куда-то. Экое старичье! Во всяком случае, вот эти все так смотрят на меня, как будто поиграть хотят. И даже как бы уверены, что и я не против».

Один из этих стариков, основательный дядька с оттопыренными ушами, выпяченными губами, набухшим выдвинутым носом и крошечными, похожими на капельки подсолнечного масла глазками, подсел к ней:

— А мы ведь с вами так еще и не познакомились, красавица.

— Майя, — пробормотала она.

— Миша, — представился старик и добавил: — Академик. Генерал.

Затем он осторожно, ну, скажем, как какую-нибудь рыбу, поднял за локоть и за кисть ее руку.

— Послушайте, пойдемте танцевать, Майя!

Они танцевали под медленную сладкую музыку из кукольного спектакля «Под шорох твоих ресниц». При поворотах старик сильно прижимал к себе полыхающую тремя цветами спектра девчонку. У него был круглый, но очень твердый живот и еще некий каменный сгусток ниже. Слегка заплетающимся, экающим и мекающим, языком он рассказывал, какая у него шикарная дача в Ялте, куда хочется иногда, девочка моя, э-э-э, м-э-э, убежать. Майка вдруг оттолкнулась от футбольного пуза и выскользнула из-под жадной руки.

— А пошел ты! — каким-то скандальным голосом, будто Алла Олеговна на кухне, закричала она. — Где мой Борька?! Куда моего Борьку упрятали? — Работая локтями и плечами и даже иногда бодаясь, девчонка пробивалась через танцующую толпу.

Сын вождя направился прямо на так называемую ближнюю дачу своего отца, что располагалась по дороге на Кунцево, в Матвеевской. Он сам вел открытый «бьюик». Женщина-дельфин любовно раскинулась рядом. На заднем сиденье располагались адъютант и два самбиста. Машина, не обращая внимания на светофоры, неслась по осевой. Регулировщики вытягивались по стойке «смирно»: сын едет! Не прошло и десяти минут, как «бьюик» подъехал к воротам, за которыми невидимая охрана немедленно взяла под прицел всех присутствующих.

Пока летели со свистом по ночной Москве, сын вождя совсем отрезвел. На мгновение в просвистанной башке мелькнула мысль: «Зачем я это делаю? Отец может прийти в ярость». Мысль эта, однако, как влетела, так и вылетела. Ходу! Он оставил машину с пассажирами на площадке у ворот и направился к даче. «Вася, причешись!» — сказала вслед жена. Между прочим, она права. Причесаться необходимо. Охрана его сразу узнала. Дверь рядом с воротами открылась, и он прошел на территорию. Сразу же увидел, что в огромном кабинете отца горит свет. Не только настольная лампа, но все люстры. Так бывает, когда собирается узкий круг Политбюро: Берия, Молотов, Каганович, Маленков, Хрущев, Ворошилов, Микоян. Ну и вляпался: иду стучать на Берию, а четырехглазый сам у отца сидит. Власик и Поскребышев подбежали еще на крыльце:

— Василий Иосифович, что случилось?

— Мне нужно повидать отца, — сказал он, интонацией не давая никаких шансов на отказ.

— Да ведь у нас же заседание Политбюро, Василий Иосифович!

Он отстранил нажратое на семге и икре пузо генерала:

— Ничего, я на минутку!

Проходя по комнатам все ближе к кабинету, он увидел отражающийся в зеркале ряд стульев, на них сидел ожидающий вызова чиновный народ, в том числе Деканозов, Кобулов и Игнатьев — бериевская хевра, «динамовцы». Поскребышев забежал вперед и встал в дверях кабинета:

— Да ведь нельзя же прерывать, Василий Иосифович!

Сын вождя нахмурился, произнес с отцовской интонацией:

— Перестаньте дурака валять, товарищ Поскребышев!

Верный страж в ужасе качнулся под волной перегара.

В кабинете между тем обсуждался довольно важный вопрос — о поголовном переселении евреев в дальневосточную автономную республику со столицей в Биробиджане. В частности, обсуждались проблемы транспортировки. Лазарю Моисеевичу Кагановичу как ответственному за пути сообщения — недаром ведь в свое время народ назвал его «железным наркомом» — был задан вопрос: достаточно ли будет накоплено к определенному сроку подвижного состава, речь ведь все-таки идет о почти одномоментной переброске двух миллионов душ. Лазарь Моисеевич заверил Политбюро, что к определенному сроку будет высвобождено достаточное количество вагонов и паровозов.

— Ну, а дальше? — прищурился на него Сталин. — Какие перспективы развития этого края тебе представляются, Лазарь?

Он посасывал пустую трубку: проклятые врачи все-таки настаивают на прекращении курения. Массивная физиономия Кагановича мелко задрожала, как будто он сидел не у старого друга на даче, а в купе поезда на полном ходу.

— Я думаю, Иосиф, что трудовые силы еврейского народа сделают все, чтобы превратить свою автономную республику в цветущий советский край.

Сталин хмыкнул:

— А что, если они тебя там выберут своим еврейским президентом?

Все вожди хохотнули, в том числе и Молотов, которому лучше бы помолчать: у всех ведь на памяти, как его евреечка Полина крутила шашни с Голдой Меир и с разоблаченными сейчас членами Антифашистского комитета, как она по указке «Джойнта» ратовала за то, чтобы в Крыму был создан новый Израиль. Каганович дернулся вперед, как будто его вагон внезапно остановился.

— Ты что, Лазарь, уже шуток не понимаешь? — упрекнул его Сталин и повернулся к Берии: — А как, Лаврентий Павлович, по вашему мнению, воспримут эту акцию наши друзья в капиталистическом мире?

Зампредсовмина и куратор органов безопасности был, очевидно, готов к такому вопросу, ответил бодро и шибко:

— Уверен, товарищ Сталин, что подлинные друзья Советского Союза правильно поймут действия советского правительства. В свете приближающегося раскрытия зловещей группы заговорщиков эта акция будет воспринята как меры по защите трудовых слоев еврейского народа от вполне объяснимого гнева советских людей. Таким образом, эта акция будет еще одним подтверждением незыблемой интернационалистской позиции нашей партии.

Хорошо, подумал Сталин, очень хорошо размышляет мингрел.

— Ну а какие меры вы примете для разъяснения подлинной сути этой интернационалистской акции?

Берия и к этому вопросу оказался готов.

— Мы сейчас прорабатываем целую серию мероприятий, товарищ Сталин. Есть мнение начать с коллективного письма выдающихся советских деятелей еврейской национальности, которые одобрят...

В этот как раз момент в кабинет в буквальном смысле на полусогнутых вошел Поскребышев. Всем своим телом выражая благоговение ко всем присутствующим, он прошел к Хозяину и стал ему что-то нашептывать на ухо. Напрягшись до предела своих немалых возможностей, Берия смог уловить только «...крайне срочно... на несколько минут...». Он почувствовал почти непреодолимую потребность выйти из кабинета и выяснить, кто или что осмеливается прерывать историческую сессию, однако все-таки сумел обуздать эту потребность, и правильно сделал, потому что Сам вдруг встал и вместе с Поскребышевым вышел из кабинета. Даже не извинился, подумал Берия, даже не посмотрел на ведущих деятелей государства. Какая бесцеремонность! Какой все-таки недостаток воспитания у этого картлийца!

Сталин вышел в столовую и увидел стоявшего у окна Василия. В последнее время стали поступать сигналы — безусловно, идущие через Берию или с ведома Берии — о непомерном пьянстве сына. Якобы частенько голову теряет, дерется, шляется в непотребном виде. Сейчас Сталин с удовольствием увидел, что слухи, очевидно, преувеличены. Василий был трезв и строг, застегнут на все пуговицы, волосы гладко причесаны; в общем и целом, неплохой парень. Он любил сына — не того, а этого, то есть того, который не тот, а другой, вот именно этот — и нередко жалел, что марксистское мировоззрение мешает ему передать власть по наследству.

— Ну, что у тебя стряслось? — довольно добродушно спросил он.

В последнее время под давлением проклятых врачей, среди которых, к счастью, становилось все меньше евреев, он бросил курить и увеличил прогулки. В результате стало меньше раздражительности, четче обрисовывается историческая перспектива.

— Отец, я знаю, что тебе сигналят про меня, — сказал Василий, — а между тем я вот сегодня сам пришел к тебе с важным сигналом о нездоровой обстановке...

Через десять минут Сталин вернулся в кабинет. Вожди за время его отсутствия не сказали друг другу ни одного слова: в оцепенении ждали, чья откроется шкода. Он сел на свое место, минуту или две копался в бумагах... будто стайка пойманных птиц трепетали в тишине сердчишки вождей... потом вдруг отодвинул все бумаги, вперился страшным взглядом в залоснившуюся физиономию Лаврентия, свирепо заговорил по-грузински:

— Чучхиани прочи, что ты творишь, подонок?! Работаем над историческими решениями, от которых счастье человеческое зависит, а ты, дзыхнера, не можешь свой, хлэ, грязный шланг завязать, гамохлэбуло! А ну, сними очки, нечего на меня стеклами блестеть! Немедленно отпусти эту девчонку и оставь всех этих Градовых в покое, дзыхнериани чатлахи!

Из всех присутствующих только Микоян немного понимал что к чему. Он обменялся взглядами с Хрущевым и прикрыл глаза: дескать, объясню потом. Нам всем надо было грузинский учить, подумал Никита. Эх, лень российская...

Обратно летели по той же осевой, на виражах дико раскрывались московские панорамы. Васька скалился, гордился собой: недавний разговор с отцом был почище любого испытательного полета. Пловчиха нежно шептала в джугашвилиевское ухо:

— Какой ты смелый, как ты ценишь дружбу!

Он захохотал:

— При чем тут дружба? Кого я вместо Борьки Градова выставлю на осенний кросс?

На второй день после только что описанных событий в своем кабинете на площади Дзержинского был найден генерал-майор Нугзар Сергеевич Ламадзе. Простреленной головою он лежал на письменном столе. Вся правая половина обширного зеленого сукна была залита кровью; посреди стоял стаканчик с великолепно отточенными карандашами. На левой, чистой стороне зеленого сукна притиснутая тяжелым мраморным пресс-папье лежала записка с тремя словами: «Больше не могу». Пистолет, из которого предположительно был произведен фатальный выстрел, со странной аккуратностью лежал в мертвой ладони, что, конечно, могло навести на мысль, что он был в ладонь эту вложен постфактум. Экспертиза, впрочем, не проводилась. Случай был хоть и нетипичный, но нередкий на площади Дзержинского.

Антракт V. Пресса

ОЛИМПИЙСКАЯ ХРОНИКА

«Тайм», 18 февраля 1952 г.
На прошлой неделе президент Олимпийского комитета Эвери Брэндидж согласился с олимпийскими лидерами других стран — лучше сказать, они согласились с ним — в том, что советские спортсмены должны быть допущены к соревнованиям в Хельсинки. «Для ребят будет неплохо выбраться из-за «железного занавеса», — сказал он. — Иногда при таких обстоятельствах они не возвращаются домой...»

«Тайм», 28 июля 1952 г.
Президент Финляндии Паасикиви объявил открытыми XV Олимпийские игры нашей эры. Знаменитый финский атлет Пааво Нурми зажег олимпийский огонь. Русские участвуют в соревнованиях впервые после Олимпийских игр 1912 года в Стокгольме.

Двукратный чемпион Олимпиады, капитан чехословацкой армии Эмиль Затопек, бежит свою дистанцию с искаженным лицом и руками, вцепившимися в живот, как будто пытаясь побороть извержение кислых яблок...

Американские и русские яхты пришвартованы в яхт-клубе Ниландсак. Вчера две команды встретились на пирсе.

Русские уставились на американцев, те на них. Разошлись в полном молчании...

Русские официальные лица презрели олимпийскую деревню. Они расквартировали своих спортсменов и спортсменов стран-сателлитов в 12 милях от их западных соперников, неподалеку от своей военно-морской базы в Поркала...

«Лайф»

На удивление всем, русские спортсмены вдруг начали демонстрировать дружелюбие и веселый нрав: смеются, дурачатся, объясняются на пальцах. Один советский пловец так сказал об этих странностях: «Мы здесь с миссией мира».

«Советский спорт»

XV Олимпийские игры. Триумф советских гимнастов. Абсолютный чемпион Олимпиады В.Чукарин сказал: «Победа наших гимнастов убедительно доказала превосходство советской школы. Советский стиль, строгий и четкий, с тщательно отработанными элементами, оказался наиболее прогрессивным».

Руководитель советской делегации Н.Романов рассказал о массовости советского спорта, о его основной цели — укреплении здоровья трудящихся, об исключительной заботе партии и правительства.

Три алых флага Страны Советов одновременно поднимаются на мачтах в честь знаменательной победы трех советских спортсменок. Нина Ромашкова, Елизавета Багрянина и Нина Думбадзе стали сильнейшими в метании диска. Одержанные победы радуют и наполняют гордостью сердца советских людей.

«Лайф»

По сравнению с советской мускульной машиной нацистские усилия по подготовке спортсменов при Гитлере были лишь мягкими каплями дождя в сравнении с ревом Волги...

Похожая на танк Тамара Тышкевич толкает ядро. Вместе с дискоболкой Ниной Думбадзе могучие женщины составляют главную олимпийскую надежду Советского Союза...

Встреча спортсменов на территории советского лагеря. Братание проходит со сравнительной элегантностью под бдительным наблюдением официальных представителей и под портретами Сталина...

Одному американцу, обменявшемуся значками со своим русским соперником, советский чиновник сказал: «Тебя посадят на электрический стул, если ты с этим значком пройдешь по Бродвею».

«Нью-Йорк таймс»

Русские внезапно становятся дружелюбными. Их лагерь открывает ворота для гостей. Очевидно официальное изменение политики...

Гребец Клиффорд Гоэс говорит: «Мы у них были вчера. Я думал, мне тут уши отгрызут, а вместо этого все было просто здорово, отличная компания».

Русские подкузьмили американского прыгуна в воду майора Сэмми Ли. Ему подарили значок с «голубем мира» Пабло Пикассо и тут же сфотографировали его с этим значком. Бросовый значочек с голубком нынче стал таким же коммунистическим символом, как серп и молот. Когда кореец по происхождению Сэмми Ли понял, что происходит, он сказал советскому корреспонденту: «Э-э, браток, что ты делаешь, я ведь тоже в армии служу».

«Правда»
ВЫДАЮЩИЙСЯ УСПЕХ СОВЕТСКИХ СПОРТСМЕНОВ
Всеобщее восхищение в мире вызывают мастерство советских спортсменов, их моральные и волевые качества, дисциплинированность, дружеское отношение к соперникам.

«Советский спорт»
Демонстрируя высокие достижения, советская команда добивается общего первенства. По мнению западных журналистов, американской команде уже не удастся догнать советскую.

«Нью-Йорк таймс»
Олимпийский дух одержал хоть и небольшую, но победу, показав, что «холодная война» может уступить дорогу дружелюбию, если мистер Сталин и другие узколобые жестяные божки в Москве разрешат проявления человеческой натуры.

Русские пригласили американцев на ужин в свой лагерь. Подготовка была тщательная: специально привезенные шеф-повара, официанты в униформе, огромное количество великолепной еды. Портреты Сталина и членов Политбюро свисали со стен большого обеденного зала. Бокалы наполнялись крепким коньяком и водкой. «Джи, — воскликнул пловец Стивенс, — я никогда такого и не пробовал! Потенциирующая штука!» — «Ну, а бифштекс?! — сказал впечатленный бегун Филдс. — Какова говядина!» — «Жалко, что мы даже не можем пригласить их в наш кафетерий», — вздохнул гребец Симмонс.

«Советский спорт»
Во втором среднем весе золотую медаль получил негр С.Паттерсон (США). В полутяжелом весе победителем стал негр Н.Ли (США). В тяжелом весе олимпийским чемпионом стал негр Ч.Сандерс (США).

Руководитель советской делегации Н.Романов подчеркнул многочисленные факты необъективного судейства, особенно в последние дни соревнований. Судьи незаслуженно присуждали победу некоторым американским спортсменам.

Никакая ложь продажной буржуазной прессы не помогла идеологам поджигателей войны скрыть правду о советских людях, о миролюбии советского народа, о желании всех честных спортсменов мира стойко бороться за мир во всем мире.

«Нью-Йорк таймс»
Главным событием только что закончившихся в Хельсинки XV Олимпийских игр оказалось участие в них огромной советской команды. Несмотря на оторванность от мира современного спорта, русским удалось занять общее второе место, ненамного отстав от американской команды.

«Правда»
Выдающаяся победа советской команды закономерна. Это естественный итог огромного внимания и заботы партии о физическом воспитании советского народа. Олимпийская победа стала еще одной победой нашего советского строя.

Антракт VI. Соловьиная ночь

К середине лета жаба доплюхала с улицы Качалова до Царицынских прудов. Передвигалась она в основном по ночам, чтобы не быть раздавленной уличным движением. Чем-чем, а инстинктом самосохранения была наделена недюжинным. Иной раз проскальзывали картинки несуществующих воспоминаний: чистейший снег вокруг желтого ампира, прочищенная спецдворником аллея — физкультурные упражнения необходимы для поддержания тонуса упитанного отца даже осажденного, подыхающего города. По ночам улицы Москвы казались ей испаряющейся поверхностью чего-то ноздреватого. К утру она пристраивалась за какой-нибудь противопожарной бочкой под подошвами кем-то забытых сапог или в свалке металлолома и открывала ротовое отверстие. Приглашением, разумеется, тут же начинало пользоваться московское, довольно жирное, комарье. Накушавшееся за ночь чего-то из жильцов комарье само становилось кушаньем жабы. Однажды перед ней открылась перспектива больших достижений: нарастающие зубцы диаграмм, крупные маховики, колеса различных диаметров, уступы сверкающих зданий со шпилями, металлические и фанерные фигуры — все несъедобное, неживое, то есть в том смысле, что небелковое, но тревожащее какой-то другой, прошлой сутью. Среди предметов перспективы то там то сям мелькали лица величиной с дом, макушками вровень со шпилями. К ним жабе хотелось обратить большой и существенный упрек: зачем вы меня так, зачем так насильственно, не по-товарищески? Ведь я ничего не хотел, кроме идеологической чистоты. Быть может, и сами когда-нибудь прошлепаете, прожужжите по Москве в жабьем ли, в комарином ли виде, быть может, поймете хоть что-нибудь из рептильных, илистых истин. Я мог бы остаться с вашими лицами, думала жаба, но меня тянет к соловьям. Нетрудно понять, почему ее тянуло к соловьям, если ознакомиться с партийными документами послевоенного периода.

Итак, она продолжала свой путь, влекомая через весь огромный город, через испарения булочных, столовок, моргов, живодерен, автобаз и красилен, запахом гнили Царицынских прудов.

Однажды ночью в развалинах чего-то старинного жаба встретилась с крысиндой. Последняя лет пятьдесят уже дремала в глубинах этих развалин, слегка питаясь плесенью, то есть почти чистым пенициллином, и уплывая в дремах иной раз очень далеко от этих развалин, в некие блеклые пространства над северным немецким морем, над которым когда-то в подтверждение материалистической модели мира был развеян прах, почему-то имеющий к этой добродушной крысинде самое прямое отношение. Потревоженная работающим в ночную смену бульдозером, крысинда вылезла из своей дремотной щели и вдруг увидела сразу три плана бытия: отдаленное созвездие, не очень далекую, перегруженную цветением ветку сирени с высовывающейся из этой кипени головкой птицы и близкую жабу, буровато-пеговатое существо с прозрачными укоризненными глазами. Какая странная форма существования белковых тел, промелькнуло впервые за 51 год в голове у крысинды, никогда не думала, что такие вещи могут соединиться в столь волшебную комбинацию. Почему-то и созвездие показалось ей в этот момент воплощением белковой молекулы. Бульдозер затих, и тут послышалось сильное, настойчивое, абсолютно уверенное в своем праве на самовыражение пение соловья. Жаба поняла тогда, что она достигла своей цели и что развалины располагаются на берегу большого, водяного, илистого, заросшего по краям осокой, подернутого ряской, немного загрязненного городом, но все еще очаровательного пространства. Попрощавшись с крысиндой, то есть подышав в ее сторону раздувающимися и опадающими боками и грудью, авось еще увидимся среди этой фантасмагории, она поплюхала вниз по осколкам двухсотлетнего кирпича, упала в первый же маленький, отражающий многозначительную комбинацию звезд заливчик, тут же непроизвольно нажралась ряски вкупе с личинками все того же комарья и приготовилась внимать.

Собственно говоря, никакой подготовки не требовалось. Сильное, уверенное и филигранное пение не прекращалось ни на минуту вне всякой зависимости от перемещений жабы. Жабе, однако, казалось, что именно к ней обращено это пение, что она наконец достигла цели своего существования. Не в упреке же товарищам по Политбюро она состояла, в самом деле, а в покаянии соловьям. Вот они заливаются, думалось ему теперь, вот и ее слышится царскосельский голос, исполненный вечной страсти и жажды пения, вот и его руладится пересмешничество рядом, а вместе — какое гармониё! Простите мне, соловьи, все вольные и невольные оскорбления. Отчасти ведь почти искренне думал я тогда: почему же не вместе со всеми поют? Нелегко было сразу понять, что все-то не поют, а ревут. Вот и обмишулился, хоть и полагал себя довольно образованным... кем? чем?.. ну то есть, членом, конечно. Когда-то вот, откинув фалды, изумляя всех иных членов промелькнувшими округлостями, присаживался к чему-то черному и белозубому, мельканием десяти отростков извлекал из данного некоторые «Картинки с выставки». Полагал себя среди гадов первым, чтобы судить соловьев. Гады воздали должное полным стаканом яду. Жалоб в принципе нет: не воздали бы должное, все еще сидел бы в секретариате, оскорбляя соловьев, а теперь вот лежу в темной и сытной воде, рядом с колеблющимся отражением звезды, гляжу на ряд колышущихся вдоль развалин стены сиреневых кустов, вот они, понимаете ли, товарищи, ожившие «Картинки с выставки», внимаю переливам соловьев, всем холоднокровным, но все-таки не снабженным подлостью телом прошу у них прощения за нечто прежнее, округлое, отрыгивающее, постоянно выпиравшее из штанов.

Жаба, между прочим, ошибалась, адресуясь в соловьиной ночи Царицынских прудов к тем двум, что шесть лет назад попали под партийные сапоги. Во-первых, те двое пребывали еще в своем прежнем обличии и пели не глотками, а скрипучими пушкинскими перьями. Ну, а во-вторых, к тому, что пел в ту ночь над отраженным небом и над развалинами замка, наша жаба не имела никакого отношения или, если учесть, что нет в этом мироздании ничего, что не имело бы ко всему прочему какого-либо отношения, весьма отдаленное, весьма-весьма, почти совсем уже космическое, едва ли не внегалактическое отношение. Впрочем, тот, кто пел в ту ночь соловьиной глоткой, а именно бывший хозяин этих мест поэт Антиох Кантемир, смотрел из сирени на жабу и думал: «Слушай меня, ты, жаба, слушай!»

Глава двенадцатая
Итээровский костер

В комнате Кирилла и Цецилии было три окна, чем они очень гордились. Три полноценных окна с прочными рамами плюс великолепная форточка. Одно из этих светилищ смотрело на полноценную советскую Советскую улицу с трансформаторной будкой, другое, торцевое, взирало на сопку, что плоской и ровной своей вершиной запирала западные склоны магаданского неба, напоминая «железный занавес», и, наконец, третье светилище охватывало огромную южную перспективу, пространство неба, пологий подъем с некоторой коростой крыш, за которыми не видно было, но угадывалось море, то есть бухта Нагаево. «У вас тут иногда возникает ощущение юга, едва ли не Италии», — улыбался инженер Девеккио, отсидевший на Колыме десятку по коминтерновской линии. «Хороша Италия! — усмехалась парижанка Татьяна Ивановна Плотникова, сотрудница городской прачечной и бывший лингвист Института восточных языков Сорбонны. — Иногда тут так воет в этих трех окнах, что кажется, будто все ведьмы Колымы беснуются. Три таких больших стеклянных окна слишком жирно для нашего колымского брата».

Медбрат Стасис блаженствовал, вырисовывая свои могучие плечи на фоне «морского» градовского окна. «Каждое окно — это икона, — говорил он. — Если вы не имеете иконы, но имеете три окна, значит, вы имеете три иконы». Освободившись из лагеря, медбрат Стасис работал теперь фельдшером в Сеймчане и в Магадане бывал наездами, каждый раз привозя с собой ощущение устойчивости, благоразумия, здравого смысла, как будто там, в Сейчане, была не лагерная, шакалья земля, а какая-то Швейцария.

«Ну что это за глупости, Стасис Альгердасович, — обычно реагировала на подобные высказывания Цецилия. — Источники света не имеют никакого отношения к вашим иконам». Обычно она делала вид, что не принимает участия в беседах бывших зеков, сидела в своем «кабинете», то есть за шторкой возле супружеской кровати, готовилась к лекциям, погрузившись в свои первоисточники, однако не выдерживала, то и дело подавала реплики, которые, по ее мнению, сразу все ставили на свое место.

Вот и сегодня, в погожий январский вечер, а такие, как это ни покажется странным, выпадали даже среди шабаша зимних ведьм, итак, в погожий январский вечер 1953 года у Кирилла Борисовича Градова, истопника горбольницы, собралась компания: автомеханик Луиджи Карлович Девеккио, прачка Татьяна Ивановна Плотникова, фельдшер Стасис Альгердасович, чьей фамилии никто никогда правильно не мог выговорить, а звучала она между тем совсем просто: Грундзискаускас. Заглянул на огонек также и сторож авторемонтного завода Степан Степанович Калистратов, который в свободное от вахты время прогуливался по улицам Магадана, будто член лондонского артистического кружка Блумсбери. Разговор шел на весьма уютную тему кремации. Вольно раскинувшись на так называемом диване, то есть на шаткой кушетке с подушками, Калистратов весело говорил, что кремация, по его мнению, это лучший способ отправки бренной плоти в круговорот веществ.

— Меня еще в юности увлекала поэтическая сторона кремации. — Он отхлебывал чаю, полной ложкой зачерпывал засахаренной брусники: фармакологические эксперименты отнюдь не уменьшили у него вкуса к сладкому. — Никогда не забуду впечатления от истории сожжения тела Перси Шелли. Он утонул, Луиджи Карлович, в вашей благословенной Италии, точнее, в заливе Леричи, то есть, собственно говоря, в лирической воде, не так ли? И извлеченное «из лирики» тело предано было сожжению там же, на берегу, в присутствии группы друзей, включая и Байрона. Как это великолепно: все жаворонки мира, как писала Анна, раскалывают небо, море и холмы Италии вокруг, лорд Джордж с факелом в руке, возгонка в небеса почти всего телесного состава, и серебристая кучка пепла вместо отвратного гниения, превращения в кучу костей... Нет-нет, товарищи, кремация — это великолепно!

Кирилл задумчиво возражал:

— Ты, может быть, и прав как поэт, Степан, — с поэтом не поспоришь! — однако я не уверен, что мы можем принять кремацию с точки зрения христианской религии. Телам ведь предстоит воскресать не в переносном, а в буквальном смысле. Правильно, Стасис?

— Истинно, — улыбался медбрат.

— Послушай, Кирилл! — восклицал тут Степан. — Неужели ты думаешь, что для чуда воскресения необходима куча костей?

Тут, естественно, все начинали говорить разом. Татьяна Ивановна «прорвалась», сказала, что еще в Париже она читала «Философию общего дела» Федорова, и если говорить о научном «воскрешении отцов», то тогда останки, возможно, и понадобятся.

— Это научное воскрешение, если оно и возможно, не может быть не чем иным, как именно великим божественным чудом, — сказал Кирилл. — В этом смысле Степан, может быть, и прав, говоря, что наличие останков в могиле вряд ли ускорит процесс воскрешения и что рассеянный в мироздании пепел или даже какие-то еще неведомые нам первичные элементы человеческих сутей, ну... вы понимаете, что я хочу сказать...

Стасис Альгердасович тут постучал ложечкой о чашечку:

— Я все-таки имею буквальный взгляд на постулаты веры, а вы, Луиджи Карлович?

Итальянец, или, как он часто поправлял, венецианец, хлопнул в ладоши и сильно потер руки, как будто и в лагере никогда не сидел:

— Эх, гони кота на мыло, я люблю, етит меня по шву, все проявления утопии!

Камарадо Девеккио обогатился на Колыме не меньше чем тысячей пролетарских междометий. Тут из-за занавески выскочила Цецилия с «Анти-Дюрингом» в левой руке и с грозно потрясаемыми очками в правой:

— О чем вы тут говорите, несчастные?! Кремация, воскрешение! Что за вздор вы несете?! Нет, не зря, не зря...

Она не успела договорить, когда страшный взрыв едва не оторвал все их прибежище, то есть шестнадцатиквартирный дом, от земли. Небо в «морском» окне мгновенно озарилось ослепляющей латунью. Они не успели еще посмотреть друг на друга и на осколки посуды, когда грянул второй, еще более страшный, по всей вероятности, еще более неожиданный, чем первый, потому что, очевидно, после первого неожиданного, раздирающего невинные небеса, второй кажется еще более неожиданным, совершенно ошеломляющим, взрыв. Третьего уже ждешь.

— На колени! — крикнул медбрат Стасис и сам рухнул среди осколков посуды на колени, поднял лицо и ладони к дикому свечению окна. И все участники мирной беседы упали на колени в ожидании третьего, может быть уже окончательного, апокалиптического. Даже и Цилечка оказалась на коленях со своим «Анти-Дюрингом».

Третьего, однако, не последовало. Через пару минут за близким горизонтом, то есть над бухтой Нагаево, стали вздыматься гигантские, сначала белые, бурлящие, грибообразные, а потом стремительно багровеющие облака. Дом огласился криками жильцов, по улице в сторону порта промчались машины.

— Неужели война? — промолвил Кирилл. — Атомная бомба?

Все начали смущенно вставать с колен. Атомная война казалась уже хоть и страшным, но вполне нормальным, едва ли не бытовым явлением по сравнению с тем, что вдруг их всех так стремительно озарило.

— Чепуха, будут они атомную бомбу тратить на говенный порт Нагаево, — сказал Степан.

Кирилл включил радио. «Голос Америки» передавал джазовую программу. Вскоре выяснилось, что в порту просто-напросто взорвались котлы на каком-то большом танкере. Вместе с танкером взлетели на воздух еще два стоявших рядом судна и много построек на берегу. Повсюду полыхают пожары, масса убитых и покалеченных, однако до Судного дня еще далеко, то есть в том смысле, что не далеко и не близко, ибо сказал Спаситель: «...как молния исходит от востока и видна бывает даже до запада, так будет пришествие Сына Человеческого... О дне же том и часе никто не знает, ни Ангелы небесные, а только Отец Мой один...» Так прочитано было Кириллом в подпольном лагерном Евангелии, что привез медбрат Стасис.

За час до этих взрывов на противоположном конце магаданского поселения, на Карантинке, царила мертвящая сука-скука. Фома-Ростовчанин, он же Запруднев, он же Шаповалов Георгий Михайлович, он же носитель полсотни имен, не исключая и изначального, кровного имечка, то есть Мити Сапунова, врубелевским демоном сидел на ящиках во дворе инструменталки и смотрел за зону, то есть на бесконечные каменные волны Колымы. Такого давно уже с ним не было — оказаться запертым в зоне без малейшей надежды в ближайшем будущем на свободный проход. Не надо было возвращаться на Карантинку месяц назад из Сусумана. Вместо этого, может быть, следовало опять сквозануть на материк и, может быть, даже с концами. Если уж и здесь, на Карантинке, «чистяги» дали себя согнать в стадо под командой «сук», то хули тут еще делать: все рушится. В мрачнейшем настроении взирал Ростовчанин на ближний распадок, где балдохо, то есть солнце, висело в дымке низко над горой, будто зрачок вертухая.

Как раз чуть больше месяца назад режим начал на Карантинке кампанию оздоровления. Самое страшное, что инициатива исходила не от вохровца, а от затруханного лепилы, капитана медицинской службы Стерлядьева. Сначала этот морж с усами в три волоса призывал на партсобраниях к борьбе с коррупцией. Агентура доносила в «По уходу за территорией», что капитан кричит на партсобраниях, как истеричка, дескать, все куплены и запуганы, дескать, хозяином в УСВИТЛе стал Полтора-Ивана, дескать, нельзя позорить благородные цели исправительно-трудовой службы СССР! Сержантишка Журьев, дрожа, как профурсет, докладывал Ростовчанину, что Стерлядьев совсем поехал. Озверел товарищ врач. Чуть ли уже не имена называет тех, кто куплены и запуганы. От него баба ушла, вот в чем дело. Ушла к бывшему зеку, артисту оперетты, и забрюхатела от него большим ребенком. Вот таким образом, значит, капитан неприятности в личной жизни вымещает на всем личном составе. Требует инспекции, рапорты строчит. Ростовчанин сразу понял, что дело серьезное. Однажды подождал Стерлядьева в проходе за медсанчастью. Крикнул вслед моржовой фигуре на тонких, будто не своих, ножках: «Капитан Стерлядьев!» Доктор весь передернулся, заскользил по зассанному льду в своих сапожках, рукой за кобуру хватается: «Кто тут?! Кто зовет?! В чем дело?» Ростовчанин с чувством юмора пробасил из темноты: «Все в порядке, капитан. Проверка слуха». От растерянности Стерлядьев, видимо, никак не мог понять, откуда идет голос. Ростовчанин тогда спросил его почти в упор: «Тебе что, Стерлядьев, больше всех надо? Спокойно жить не хочешь? Жмурика сыграть хочешь?» И тут же растворился, слился с джунглями Карантинки, со всеми этими сотнями тварей с заточенными рашпилями в штанах.

Предупреждение не подействовало. В один прекрасный день и впрямь приехала комиссия. Отсортировали по баракам сразу почти треть контингента, потом притормозили по причине банкета с собственным офицерским мордобоем и блевотиной. Через три дня опохмелки сортировка возобновилась, хоть и не такими штурмовыми темпами, но упорно и настойчиво. Лучшие люди, «чистяги», отправлялись с этапами на прииски, а самое главное, в одночасье была распущена «По уходу за территорией». Костяк группы все ж таки удалось сохранить, в частности, сам Фомка-Ростовчанин зацепился на должности табельщика в инструменталке, однако было ясно, что организация доживает последние дни: в любой момент можно было ждать общелагерной облавы и разоблачения. Новый начальник по режиму майор Глазурин, подражая всем большевистским мусорам, ходил по лагерю перетянутый ремнями в сопровождении трех автоматчиков. Рядом с ним нередко чимчиковал и тот, кому «больше всех надо», капитан медслужбы МВД Стерлядьев. У последнего вроде бы что-то наподобие базедки наметилось: потемнение кожи, дрожь конечностей, выпуклость глазных яблок. После ухода жены капитан начал часто пить по-черному, в одиночку, закусывая лишь пятерней в недельной свежести щах. Заброшены были книги, как медицинские, так и художественные. Прежде капитан был известен как знаток текущего литературного процесса, теперь он прямо с порога швырял все эти «Новые миры» в угол комнаты, где они и накапливались в нелепейших позах. О приближении к Дому культуры, где когда-то так мило, в интеллигентных одеждах, прогуливались по фойе с Евдокией, не могло быть и речи, ибо именно в этом капище греха благоверная и познакомилась с троцкистом-опереточником, который блеял арию Стэнли из «Одиннадцати неизвестных»: «По утрам все кричат об этом: и экран, радио, газеты. Популярность, право, неплоха!»

Одна лишь оставалась у капитана Стерлядьева потеха: онанизм. Всю стенку слева от кровати покрыл откровениями, а иной раз в фантазиях достигал и потолка. Начиная же запой, после первого стакана Стерлядьев писал письма И.В.Сталину: «Родной Иосиф Виссарионович! Под Вашим гениальным руководством советский народ во время Великой Отечественной войны преподал хороший урок прислужнику мирового империализма Адольфу (иногда получалось Альберту) Гитлеру. Однако Германия дала нам не только Гитлера. Она дала нам также Карла Маркса, Энгельса, Ленина, Вильгельма Пика. Она накопила также хороший и плодотворный опыт в деле оздоровления человечества. Как сотрудник МВД СССР и как представитель самой гуманной профессии, я считаю, что нам следует использовать наиболее позитивные черты германского опыта в деле сортировки контингента заключенных Управления северо-восточных исправительно-трудовых лагерей Дальстроя. Иначе, родной товарищ Сталин, нам предстоит в недалеком будущем встретиться с неумолимым законом диалектики, когда количество переходит в качество...»

Отправляя эти письма, он твердо знал, что когда-нибудь получит ответ. Кстати, и не ошибался: не будь бунта, его бы вскоре арестовали как автора провокационных посланий в адрес вождя. Пока что ходил по территории, сопровождая майора Глазурина, вращал выпуклыми желудевыми гляделками, отдавал приказания о санобработке целых бараков, то есть о потрошении всего барачного хозяйства и о сожжении тюфяков, в которых лагерные любители фехтования прятали самодельные хорошо отточенные пики. Зеки молча наблюдали за непонятной активностью мусоров. Всех, конечно, интересовало: чего же это Полтора-Ивана молчит?

Вот такие события предшествовали данному моменту в романе, в котором нам ничего не остается, как экспонировать вожака некогда могущественной «По уходу за территорией» в позе врубелевского демона в секретном местечке инструментального двора. «Не надо было возвращаться на Карантинку, — мрачно зевал Митя, — ничего меня здесь не держит». Думая так в этот вечерний час, он, кажется, прежде всего имел в виду отсутствие Маринки Шмидт С-Пяти-Углов. Маруха уже больше года назад ушла по этапу на Талый, где и родила в лагерном роддоме Митино дитя, которое сейчас (неизвестно, девочка, или мальчик, или вообще какое-нибудь чудо таежное) пребывает в лагерных яслях, где и маруха умудрилась пристроиться санитаркой. Так и не добрался до нее Ростовчанин во время последнего блуждания по лагерям, а жаль: теперь уж вряд ли скоро доберешься. Хорошая была маруха, эта Маринка Шмидт. Введешь в нее и как будто снова себя человеком чувствуешь. Он научил ее звать его Мить-Мить, и она с тех пор иначе его и не называла, как будто догадывалась, что это не просто какое-то ебальное журчание, а его собственное имя. Увы, как говорили предки, одних уж нет, а те далече, а самое паршивое состоит в том, что никакую другую маруху теперь из женской зоны не вызовешь: по наводке стукачей майор Глазурин забил все ходы, а некоторые даже залил цементом. Со стукачами придется разбираться, Полтора-Ивана не может уже третью неделю отмалчиваться, и вот тогда все покатится к окончательной резне, которая в нынешних условиях превратится в последний бой «Варяга».

Последний раз, когда подрезали «сучат» в большом Сеймчанском лагере, Митя с группой товарищей попал под внутренний суд и получил еще один четвертак на имя Савича Андрея Платоновича, давно уже упокоившегося в вечной мерзлоте. И хоть все — и судьи, и подсудимые, и вохра — прекрасно знали, как мало значит для этого страшноватого красивого парня очередной четвертак на явно подставное имя, сам Митя в момент вынесения приговора почувствовал сильное, исподтишка, рукопожатие своей судьбы-тоски. Сколько уже набралось этих четвертаков на разные имена? Не меньше чем на пятьсот лет. Эй, не слишком ли много для одного крестьянина? Не слишком ли много всей этой жути для одного мальчика: сожжение Сапуновки, с голоду подыхание, а потом, после градовского санатория, опять все эти дела XX столетия — «юнкерсы», танки, огнеметы, плен, власовщина, партизанщина, все эти бесконечные подыхания и выживания, расстрелы и убийства, и Фомочка Запруднев с его одиннадцатью папиросками, и дальше уголовщина до упора, и ...«привет из дальних лагерей от всех товарищей-друзей, целую крепко, крепко, твой Андрей»... и хоть ты и стал тут «королем говна и пара», а все-таки не слишком ли много? Вот уже тридцать второй год подходит, и значит, не выбраться никогда из блатной, атаманской шкуры. В ней и сдохнуть, благодаря судьбу за увлекательное путешествие? А может, по-мичурински попробовать, то есть не ждать милостей от природы, а взять их? Выбраться из Карантинки, увезти Маринку с родным выблядком, выехать на «материк» в виде счастливого семейства отработавших по контракту специалистов... Технически нетрудно: денег и ксив рассовано по разным хавирам и на Колыме, и на «материке» вполне достаточно. Там, на необъятном, густонаселенном материке, с отличными эмвэдэшными документами, партбилетом и характеристиками устраиваемся на работу по административной линии. Если уж здесь весь УСВИТЛ держал в кулаке, с тамошними щипачами как-нибудь управлюсь. Главное — взбодриться, ощетиниться, поверить опять в свои недюжинные. Поселимся в Москве и в Серебряный Бор будем ездить к дедушке и бабушке чай пить, Шопена слушать. Маринку отучу матом ругаться и ценные вещи пиздить. Он вообразил себе вечер в Серебряном Бору, рояль, разгуливающего в кабинете с книгой под носом деда, и себя, вводящего в дом взрослую девушку в шелковом платье, неотразимую воровку с Пяти Углов. Устроившись в Москве, пишем письмо в Магадан, на Советскую улицу. Здравствуйте, дорогие приемные родители Цецилия Наумовна и Кирилл Борисович! Вы, возможно, думали, что меня уже давно волки сожрали, а я между тем жив и здоров, чего и вам вместе с моей молодой семьей от всей души желаю...

И никогда вас не забывал, дорогие дураки. И никогда вас не переставал любить, дорогие мои два дурака... Ну, этого-то, конечно, не напишу, тут споткнусь. А вообще-то лучше не в Москве, а на Северном Кавказе поселиться. Там больше жулья, вкус к длинным рублям, да и горы близко: если засветят, можно уйти с винтом и долго скрываться.

Бабушка Мэри, может быть, уже и не играет на рояле, ведь ей уже за семьдесят, а дедушка Борис, может быть, и не разгуливает так со своими томами, читая их на ходу, может быть, и вообще свалил уже туда, где к святым не надо ксив... Двенадцать лет ведь уже прошло с тех пор, как я ушел из того дома, подумал Митя и, подумав так, немедленно покатился со сверкающих горизонтов новой жизни вниз, в свою нынешнюю непролазную клоаку. Если уйду, не сделав того, ради чего сюда из Казахстана вся гопа пробиралась, мне не жить. Тогда пиздец придет всему этому Полтора-Ивану. Тогда меня наше шакалье и минуты не пожалеет, найдут повсюду, кишки выпустят и намотают на кулак. Размечтался, фраер! Нет у тебя никакого другого пути, кроме кровавого и подлого...

Тут кто-то рядом шумно вздохнул:

— Эх, Митя-Митя.

Вслед за шумным вздохом долетел потаенный, еле слышный голосок. Рядом на ящике сидел Вова Желябов, он же Гошка Круткин, известный в лагере, как ни странно, под той же старой, фронтовой кличкой Шибздо. Митя схватил его за загривок:

— Ты как меня тут нашел, падла?!

Гошка закрутил башкой, как бы наслаждаясь под Митиной рукой:

— Да случайно, случайно, Митяша, родной ты мой! Просто ходил, грустил и вдруг тебя увидел в грустях. У нас ведь с тобой сродство душ. — Запустив лапу в глубины своего многослойного тряпья, Гошка вдруг вытащил патентованный, толстого стекла флакон ректификата. — Давай, друг, захорошеем, как бывалоча-то, в Дебендорфе-то, а? В кинцо-то там, помнишь, ходили?

Он хохотнул и сделал свободной лапой дрочильные движения, напомнив многое.

— Ты где ж такое добро достал? — подозрительно удивился Митя.

— А нас сегодня в город на малярные работы водили, — охотно пояснил Гошка. — Ну, ты ж меня знаешь. — Он подмигнул, как бы желая еще что-нибудь напомнить товарищу по оружию, может быть, вообще все, что когда-то вместе хлебали. — Ну, вот давай, дуй!

— Нет уж, ты первый дуй!

— Ха-ха, не бойся, Митяй, не отравленная! — Он сделал большой глоток и весь содрогнулся. — Чистый огонь! Красота!

Митя последовал за ним. И впрямь, оказалось, красота, огонь, эхма, молодость в жидком виде. Прекрасно понимая фальшивость этой бодрости, он тем не менее взбадривался, глоток за глотком хорошел и даже к сидящему рядом стукачу и педриле преисполнялся хорошим. Даже обнял его за плечи, тряхнул:

— Эх, Шибздо ты мое шибздиковское!

Все-таки единственная ведь душа из всех тут присутствующих, что знала меня чистым мальчиком. Гошка в ответ вдруг лизнул его в губы, сильно и страстно. Сумерки собирались в тени сопки. Вдруг мощно и неудержимо замаячило.

Гошка Круткин взялся за рубильник не хуже Маринки Шмидт, совсем манеры дамские. Да ты что, охерел? Митя, Митя, мальчик мой родной, я ведь тебя не замочил, а ведь мог бы, да? Утомленное солнце нежно с морем прощалось. Небо, бля, такое, как будто убежал в Италию. Еще бы ты меня замочил, из тебя бы тут котлет нарезали. Эх, Митя-Митя, глупый мальчик мой любимый, ой-е-ей, какой дурачок! Отпусти елду, Шибздо, подавишься! Эх, Митенька, ты мой сладенький, да ведь я же тебя двенадцать лет люблю, год тринадцатый! Диалог превращается в монолог: ссученный Гошка, падла ты заразная, что ты знаешь о любви, кроме отсоса, зубы-то чистишь, паскуда окаянная?! Глоток за глотком огонь вливается, проходит во все, вплоть до капиллярных кровеносных сосудов, току в теле, как в будке с черепом, высокое напряжение, а снизу земля какая-то в тебя впилась, по принципу сообщающихся сосудов, круговорот огня и сахара, в такие минуты он не догадывается, что снова предан, что политически раскрыт под страхом уранового этапа, что разработка началась и что скоро... штаны опадают, пьеса продолжается, ну, ладно уж, ну, залупи уж, я ведь чистая, что скоро по политической он пойдет, может, и на уран, вот хоть выпало счастье по-настоящему, по-человечески попрощаться, эх, очко игривое, а откуда, Шибздо, она у тебя такая нежная, а это для тебя, Ростов-папа, ох-ох-ой, она такая, как всегда, о тебе...

Вот в этот как раз момент два взрыва, один за другим, потрясли вечереющий свод небес и уже потемневшую землю. Гошка и Митя отлетели друг от друга в полной уверенности, что это им наказание за грех «сообщающихся сосудов». Гром небесный еще несколько минут прогуливался по распадкам. Над горизонтом, там, над воротами Колымы, через которые эта земля столько уже лет всасывала сталинское человеческое удобрение, поднимались столбы с клубящимися шапками, за ними повалил черный дым, возникло зарево пожаров.

Гошка, подтягивая штаны, полз уже к тайному лазу. Оглядываясь на Митю, беззвучно хохотал. В нескольких местах сразу завыли сирены. С вышки у проходной слышались выстрелы. Топот ног. Панические вопли. Митя рванул к своему тайнику, сорвал доски, вышвырнул кирпичи, вытащил друга удалого — автомат. Гошка визжал:

— Это вы, да, да? Скажи, Митька, ваших рук дело, да? Восстание, да? Анархия — мать порядка, что ли?! Говори!

Митя вогнал в автомат рожок, три других рожка рассовал по карманам и за пазуху. Мало что соображал. Одно было ясно — началось, и теперь вали, раскручивай на всю катушку. Гошка стал уже вползать грешной задницей в свой хитрый лаз. Рожа его то расплывалась идиотским сальным блином, то моченым грибом скукоживалась.

— Ну, отвечай же, Сапунов, ваши, «чистые», бомбы рвут? Ну что, в молчанку играть будем? Ну, отвечай, фашистская гадина!

Митя поднял автомат:

— Сам себя выдаешь, стукач! Пули хочешь?!

В последний миг не нажал спуск, дал этому другу с сахарной жопой в последний миг улизнуть. Друг этот миг подаренный не принимает, сучонок, наоборот, попер из своего лаза назад, выкрикивает тайные слова, клички, которые никому, кроме Ростовчанина, вместе не встречались, даже в «По уходу за территорией».

— Ну, говори, кто там, в порту сработал? Ишак, Концентрат, Стахановец, Голый, Морошка, Сом, ЮБК?.. Ну, видишь, я всех твоих волков знаю, давай, раскалывайся, Полтора...

— Пули выпрашиваешь, шпион, ну, получай три!

Короткая очередь разнесла вдребезги пульсирующую физиономию Крупкина. Теперь плачь по Шибздику, плачь по своей увлекательной молодости! Некогда плакать, все разваливается.

Он выбежал со двора инструменталки. Мимо, неизвестно куда, неслась толпа зеков.

— Эй, стой, Полтора-Ивана приказал!..

Никто его уже не слушал. Куда бегут? Он бежал вместе со всеми. Мелькнуло окно медсанчасти, там ЮБК и Ишак резали капитана Стерлядьева. Толпа вокруг потрясала самодельными, напиленными из железных кроватей пиками. Неслись валить вышки, выдирать у вохры огнестрельное оружие, а главное, замки сбивать, до спирта добраться... Племя колымского мумбо-юмбо, выродки вечной мерзлоты, все уже были и без спирта бухие, от одного лишь великого хипежа, от взрывов, пожаров, воя сирен, трескотни выстрелов, и всем только одного хотелось — не терять этот кайф, подлить в него спирту, резать, колоть, стрелять. Весь тщательно разработанный план Полтора-Ивана — одномоментное уничтожение всех «сук», разоружение охраны и затем стремительный захват ключевых точек Магадана, — все это полетело в тартарары. Теперь уже и сам инициатор этого плана, пропитанный влитым спиртом и не излитым сахаром, не понимал, куда его несет в этой толпе, где все смешались: и «суки», и «чистяги», и спецконтингент, и СО, и СВ, все придурки, и обреченный рабочий скот — все неслись на проходную, на вышки, на пулеметы.

Вот вам и железные объятия МВД — немедленно распадаются под ударом народных масс. Ворота уже трещат. Распахиваются. Прут зековские массы. На одной из двух основных вышек у вахты врубили прожектора, заработал пулемет.

— Эй, Ростовчанин! — крикнули в толпе. — Где твое кривое ружье?

Митя, не думая ни о чем, побежал, с ходу врубил веером по прожекторам и пулеметам. Толпа опять свободно повалила за зону. Кто-то уже захватывал грузовики и «козлы», вышвыривал тела вохровцев. Орда понеслась к охваченному паникой Магадану. Рев, вой, свист, гости едут в твои теплые хавиры, милый городок! В этом порыве, конечно, забыли про начальника режима майора Глазурина, к тому же основательно оглушенного кирпичом по голове. Забыли и телефонные провода в его конторе перерезать. Оглушенный майор, верный чекистскому долгу, позвонил в Дальстрой генералу Цареградскому. Последний, тоже порядком оглушенный, только не кирпичом, а разворотом событий в порту, успел в последнюю минуту выслать стрелковую роту, а та в последнюю минуту заняла позицию поперек Колымского шоссе у самого входа в город. Так в одну ночь взорвался монотонный быт тюремной колымской столицы, чтобы, отбушевав, вернуться к привычному дремотному перекачиванию живой силы и техники.

Мимо градовских окон ночью везли грузовиками из порта раненых и обожженных. Выстрелы, а иногда что-то похожее на залпы, то есть как бы раз-

дирание тугого полотна, неслись с противополож-
ной стороны, с северной окраины. Циля и Кирилл
вытаскивали из рам осколки стекла, пытались за-
делать зияющие дырки фанерками, дощечками,
заткнуть подушками. Несмотря на жаркие дела,
стеклянная стынь затягивала всю приморскую рав-
нину, обещая по крайней мере неделю стойких мо-
розов. То и дело являлась соседка Ксаверия Олимпиевна, солидная дама, билетерша Дома культуры.
Женщины советовались, что можно сделать, чтобы защититься от холода, и к кому первым делом
надо завтра обращаться в домоуправлении. Цецилии доставляло большое удовольствие беседовать
с Ксаверией Олимпиевной. Возникало ощущение
совершенно нормальной жизни в совершенно нор-
мальном городе. Иногда Цецилия пыталась обиня-
ком выяснить, каким образом такая типично московская дама оказалась на Колыме: может быть, у
нее все-таки какие-нибудь родственники в лагерях
или, напротив, в охране. Ксаверия Олимпиевна
вроде бы даже не понимала, о чем идет речь. Ее занимали только новые оперетты, покупки, интриги
в штате Дома культуры, планы на отпускной период. Только впоследствии, под бутылочку матери-
ковского ликерчика «Какао-Шуа», выяснилось, что
дама приехала в Магадан, как и Цецилия, к выходу
из заключения мужа. Возникла, правда, несколько
пикантная, хотя и тоже вполне как бы нормаль-
ная — не политическая, не антисоветская — сугубо житейская ситуация: муж умудрился выйти из
отдаленного лагеря, уже имея новую, якутскую
жену и двоих детей. Вот такая пикантная ситуация,
моя дорогая. Се ля ви, моя дорогая. Вот именно,
она такова, ля ви, такая пикантная крепкая штука,

и не важно, где она происходит, на Арбате или в тайге под сенью сторожевых вышек: ля ви!

Наконец все как-то утряслось, заткнулось, закупорилось. Страшные взрывы с апокалиптическими озарениями отъехали в страну свежих воспоминаний, чтобы потом отправиться еще дальше. К трескотне выстрелов на периферии зоны «вечного поселения», как выяснилось, вскоре можно и привыкнуть. Кирилл включил радио и сразу оказался в середине сводки новостей «Голоса Америки»:

«Странное происшествие в Берлине. Сегодня утром в американский сектор на военной машине прибыл командир артиллерийского дивизиона Советской Армии полковник Воинов. Он обратился к американским властям с просьбой о политическом убежище. Советская администрация выступила с заявлением, в котором утверждается, что полковник Воинов был похищен западными разведслужбами, и потребовала немедленного возвращения этого офицера.

На корейском театре военных действий временное затишье. Так называемые китайские народные добровольцы подтягивают новые бронетанковые части в район Панмынджонга. Авиация Соединенных Штатов продолжает налеты на цели в тылу противника...»

Из комнаты Ксаверии Олимпиевны донеслась пластинка: «Под осень я сказал Адели: «Прощай, дитя, не помни зла...»

В городе у Фомочки-Ростовчанина было три тайных хавиры. К одной из них он доковылял, цепляясь за обвисшие заборы и за слеги, подпиравшие стенки завальных бараков, плача, хохоча, слюнявясь, сопливясь, истекая кровью и лимфой из раны в верхней части живота. Там, в животе, в царстве кишечника, по соседству с могучими склонами печени, поселился ебаный-разъебанный-хуевейший-наихуевейший зверек трихомонада, наподобие металлического ерша. Пока он спал, минуту-другую можно было еще идти, когда же просыпался, грязная ссученная мандавошка позорная, немедленно начинал танком утюжить внутреннее беззащитное царство, рвать кишечные своды, жечь фашистским, то есть большевистским, огнем. Что же там, партизанщины, что ли, нет, чтобы мину заложить, покончить с этими бесчинствами к хуям собачьим?

Дверь в хавиру оказалась заколоченной досками, и в довершение еще на ней висел родной брат того внутреннего гада — пудовый замок. Попробуй проберись сквозь весь этот металл, попробуй свои кишочки протащить сквозь эти металлические зажимы! Улица закрутилась к тупику, тупик встречал ковыляющего, роняющего блямбы густой крови, волокущего автомат стройным рядом хорошо заостренных пик; каждая предназначена для полного и окончательного разрыва сраки любому нарушителю. Митя пополз вдоль железного забора. Шапки у него на голове давно уже не было. Шапочкой-кожаночкой он еще пытался заткнуть свой столь неуместно расплющенный, развороченный живот. Башка между тем, покрытая замерзшими выделениями, превратилась в своего рода глазированный ананас-хуй-в-глаз. Вдруг за забором, под строем этих пик, в снегу обнаружился подкоп, и он перекатился на ту сторону, в благодатный мир шикарно обарахленных снеговыми шубами лиственниц. В такую бы шубу обратиться и затихнуть. Стоять и тихо ветвями разговаривать с невинной, остывающей пулькой-хуюлькой внутри. Пошел под лиственницами, проваливаясь в снегах, грязня снега своим разъебанным присутствием. Похоже, приближаюсь к детству, уже звучит рояль, бабуля моя дорогая. Вдруг впереди увидел человека с ружьем. Немедленно шмальнув в него, перекосил человека. Оказалось, это не человек с ружьем, а ребенок-пионер с горном. Куда иду? Неподалеку от перекошенного пионера стояли другие фигуры: пионерка с салютом над головой, девушка с веслом, дискобол. В отдалении спиной к присутствующим маячил с вытянутой к городу лебедкой руки главный хмырь на пьедестале. Вот этому в сраку надо влепить пару зарядов: пусть знает, как стоять с пулей в кишках!

— Эй, Ростовчанин! — позвал кто-то с веселой шумной улыбкой. — Хлопцы, гляньте, Фомка-то наш еще жив!

Стахановец, Морошка и Сом, отборные ряхи из «По уходу за территорией», сидели под большим кайфом в беседке с колоннами, держали костерок на листе железа, вынимали из ящика склянки вроде той, что Митя сам недавно с вонючим дружком сосал.

— Итээровский костер! — хохотало мудачье. — Ну, лафа тут в парке Горького! И горького целый ящик, и колбасы до хуя! Греби к шалашу, Фома, устроим тут мусорам «оборону Севастополя»! Эй, глянь, Фома, что мы тут главной бляди на кумпол надели!

На башке у скульптуры и впрямь, закрывая историческую перспективу, надето было помойное ведро. Смутно улыбаясь, Митя проковылял мимо сподвижников. «Какой я вам Фома? Фома-то, живой мальчик, мимо шел, покуривал да песенку насвистывал, а я был расстрелянный труп...» Вежливо отодвинув предложенный стакан, он прошел по сугробам на главную, расчищенную аллею парка и встал лицом к скульптуре с поганым ведром на голове. Ведро, между прочим, придавало скульптуре еще более незыблемые черты.

— Ну, вот получай, картавый, получай за все, — пробормотал он и, забыв даже о железном ерше в кишках, начал расстреливать скульптуру из своего автомата.

В эти моменты пальбы ему казалось, что он уже перестал соединяться с землей, что какая-то горячая струя оторвала его от земли и держит в подвешенном великолепном состоянии. Классные пули тульского закала прошивали алебастровое говно. В беседке хохотали над фартовым театром Морошка и Сом. Стахановец закемарил, прислонившись спиной к колонне ротонды. Пули кончились, и Митя рухнул из своего восторга прямо на все точки своей боли. Ну, пиздец же, пиздец, ну, где ж ты, пиздец?! Бросив на снег, туда, где стоял и напачкал, автомат, он потащился к выходу из парка, туда, где под фонарями в морозной радуге мирно лежала Советская улица с домами телесного цвета и с трансформаторной будкой. Вот, оказывается, я куда тащусь: к трансформаторной будке. Вот, оказывается, каково мое направление: к тем самым окнам.

Дотащившись до будки, хотел сесть спиной к ней, лицом к окнам, однако ноги поехали по наледи, и он растянулся плашмя, не в силах уже встать. Теперь лежал он под фонарем, красивый и молодой, почти такой же, каким Фомочка Запруднев лежал, только малость сочащийся, малость к тому же подмороженный, глазированный. Сил еще хватило позвать: «Циля! Кирилл! — однако кто же услышит сквозь заткнутые подушками окна... — Все-таки рядом коньки отбрасываю, — еще смог подумать он, — все-таки к родному рядом...» Он уже не слышал, как захлопали двери, не видел, как выскочили две темные фигуры, и только в самый последний миг осознал, что над ним склонились два любимых лица. «Все-таки, кажись, узнали», — прошелестело тамбовской листвой в голове, после чего из него мощно стал выходить какой-то горячий поток, и этот же поток, как бы изливаясь из него, тут же и вздымал его ввысь, и он уходил все выше, оставляя под собой географию колымского скованного льдом побережья.

Глава тринадцатая
Митинг в МОЛМИ

Экое, право, чудо эти новые долгоиграющие пластинки: на одной стороне двадцать пять минут Сороковой симфонии Моцарта! Блаженный моцартовский час царил на чердаке в Кривоарбатском переулке. Сандро сидел у холста, интенсивно, почти как дирижер, работал кистью. В эти минуты он забывал о том, что почти слеп, и ясно впечатлял новое и ярчайшее, хотя слегка все-таки по краям размазанное воплощение Нининого цветка. «Ну что ж, он теперь хотя бы не видит, как я старею, — говорила Нина Ёлке в такие вот минуты, когда они вдвоем лежали с сигаретами на антресолях. — Или, скажем так, почти не видит». Лежание с сигаретами на широченной, застеленной тифлисским ковром тахте стало любимым времяпрепровождением сдружившихся после несчастий прошлого года женщин. Часами они теперь могли беседовать, повернувшись друг к другу, поставив между собой пепельницу, телефон, чашки с кофе, а нередко и пару отменных «наполеонов» из «Праги». Если Нине звонили, Ёлка брала книгу и читала, краем уха прислушиваясь к саркастическим интонациям матери. Эти интонации немедленно появлялись у Нины, как только звонил кто-нибудь из братьев писателей. На какую бы тему ни шел разговор, голосом она невольно как бы старалась передать одну кардинальную идею: все мы не что иное, как полное говно, уважаемый коллега.

Полгода уже прошло после того, как Ёлку привезли в черном автомобиле с Николиной горы, и вот только сегодня, под январскую серую и ветреную погоду с налетающими по крышам к окнам мастерской снежными вихрями, она заговорила о Берии.

— Если ты думаешь, что он там меня терзал, то очень ошибаешься, — вдруг сказала Ёлка матери. — Он мне все время в любви объяснялся, знаешь ли. Включал свою американскую радиолу и под классическую музыку читал стихи, часто Степана Щипачева...

— Пытка, пострашнее многих, — вставляла тут Нина.

— Брал мою руку, целовал от ладони до локтя, — продолжала Ёлка, — и читал: «Любовью дорожить умейте, с годами дорожить вдвойне...» Иногда что-то по-грузински также читал, и это звучало даже красиво. Когда выпивал, пускался в какие-то туманные откровения: «Ты моя последняя любовь, Елена! Я скоро умру! Меня убьют, у меня столько врагов! Я имел тысячи женщин, но никого до тебя не любил!» Вот в таком духе, воображаешь? — Голос Елены дрогнул, ладонью она прикрыла глаза и губы.

— Крошка моя, — прошептала Нина и стала ее гладить по голове. — Ну, расскажи, расскажи мне все. Тебе будет легче.

— Знаешь, я была там, на этой даче, все время в каком-то странном состоянии, — успокоившись, продолжала бывшая пленница. — Какая-то апатия, заторможенность. В теннис охотно поигрывала, пьесы начинала и бросала, днями бродила в каком-то полубессмысленном состоянии по саду под присмотром любезнейшей сволочи... Могли бы и не присматривать, между прочим: мне ни разу в голову не пришло убежать. И на него я совсем не злилась. Мерзость, но я даже стала ждать его приездов. Он мне говорил: «Елена — то есть он произносил «Элена», — ты уж извини, что я тебя увез. Посмотри на меня и сама реши: разве могу я, как нормальные люди, ухаживать за девушками?» В такие минуты я даже смеялась: он был забавен, лысый, круглый, очкастый, такой комический персонаж из иностранного фильма...

— Боже мой, — прошептала Нина, — они тебе там, очевидно, что-то подмешивали в пищу, что-то расслабляющее волю.

Ёлка вздохнула, закусила губу, опять попыталась спрятаться за собственной ладонью.

— Наверное, наверное, — пробормотала она. — Ой, мама, почему же мне самой это ни разу в голову не приходило?

Нина опять ласкала свою единственную, длинноногую «крошку», гладила по волосам, щекотала затылок, даже целовала в нежнейшую, как известно, никогда не стареющую тряпочку тела, то есть в мочку уха.

— Послушай, колючка, — сказала она, — давай поговорим на самую интимную тему. Насколько я понимаю, до этого ты была невинной, да? Скажи, он... ну... он, ну, спал с тобой, то есть, ну, прости за грубое слово, он ебал тебя?

Задав этот вопрос, Нина вся окаменела: вопреки всему, она отказывалась верить, что первым мужчиной ее «крошки колючки» оказался монстр. Ёлка уткнулась ей носом в грудь, разрыдалась. Вот наконец и подошло то, к чему обе женщины так осторожно подбирались все эти месяцы во время лежаний с кофе и сигаретами на антресолях. Обе понимали, что без этого разговора им не преодолеть отчуждения, возникшего еще несколько лет назад, когда Ёлка только лишь начала подходить к «возрасту любви».

— Ну, мамочка, я же ничего не понимаю в этом, — бормотала Ёлка. — Я до сих пор не понимаю, что у меня там... Я многого не помню, ну, просто не помню совсем... В первое утро я проснулась совсем голая, белье было порвано, и там как-то жгло, а потом, на даче, он как бы со мной играл, ну, как с котенком, гладил, залезал в лифчик, в трусы, потом уходил, почему-то очень мрачный, даже как бы трагический. Однажды, пьяный, набросился, затыкал ладонью рот, обмусолил всю губами... невыносимый, совершенно кошмарный запах чеснока... начал ноги раздирать, совал туда руки, может быть, и еще что-то, но у меня тогда была, ну, ну, в общем, ну...

— Ну, менструация, детка моя, — сказала Нина.

«Боже мой, — подумала она, — если бы она знала, какой я была в ее возрасте, какими мы все были, паршивки, со всем этим нашим коллонтаевским вздором, с антропософией и «стаканом воды». Почему я ей никогда не рассказывала об этом? Почему я просто-напросто не нарисовала ей всю эту анатомию на бумаге: вот член, вот влагалище, клитор, плева?.. Все так просто и все так... все как?.. Я сама ни черта не понимаю, как все это... Что нам с этим со всем делать...»

— Ну да, менструация, — продолжала Ёлка. — В общем... потеки, пятна, все вокруг заляпалось, меня затошнило, когда эта жаба из себя исторгла... там все перемешалось, запахи просто рвотные, и он уперся, что-то гнусное вопя по-грузински... я только запомнила «чучхиани, чучхиани»... Вот так это было, мамулечка, а на следующий день меня уже отвезли домой... Так что я так ничего и не поняла, и никогда не пойму, потому что больше никогда в моей жизни не будет ни одного мужчины.

— Да ты с ума сошла, дуреха! — воскликнула Нина.

— Ничего мне не говори больше об этом, — решительно, как прежде, сказала Ёлка, — это уже решено раз и навсегда. Знаешь, в тот день я ушла с тенниса с одним мальчишкой. Он мне колоссально понравился, я, может быть, даже влюбилась. Я как раз его ждала у метро, когда меня поволокли к машине. Знаешь, я такую испытывала радость, когда его ждала, вся жизнь вокруг как будто трепетала для меня и для него, все ощущалось с такой остротой: солнце, тени, ветер, листва, камни домов... Ну, словом, теперь я понимаю, что такое со мной больше никогда в жизни не повторится, потому что я «чучхиани», что, как ты знаешь, по-грузински означает «грязная»...

Вдруг что-то грохнуло внизу, и раздался жуткий голос Сандро:

— Слушайте! Сообщение ТАСС!

Он прибавил громкости, и по всему чердаку начал разноситься драматический голос диктора: «Некоторое время тому назад органами государственной безопасности была раскрыта террористическая группа врачей, ставивших своей целью путем вредительского лечения сократить жизнь деятелям Советского Союза. В числе участников этой террористической группы оказались профессор Вовси, врач-терапевт, профессор Виноградов, врач-терапевт, профессор Коган М.Б., врач-терапевт, профессор Коган Б.Б., врач-терапевт, профессор Егоров, врач-терапевт, профессор Фельдман, врач-отоларинголог, профессор Эттингер, врач-терапевт, профессор Гринштейн, врач-невропатолог...

...Преступники признались, что они, воспользовавшись болезнью товарища Жданова, неправильно диагностировали его заболевание, скрыв имеющийся у него инфаркт миокарда, назначили противопоказанный этому тяжелому заболеванию режим и тем самым умертвили товарища Жданова. Преступники также сократили жизнь товарища Щербакова.

Врачи-преступники старались в первую очередь подорвать здоровье советских руководящих военных кадров и ослабить оборону страны, вывести из строя маршала Василевского, маршала Говорова, маршала Конева, генерала армии Штеменко, адмирала Левченко...

Арест расстроил их злодейские планы.

Врачи-убийцы, ставшие извергами человеческого рода, растоптавшие священное знамя науки, состояли в наемных агентах у иностранной разведки. Большинство участников террористической группы (Вовси, Коган, Фельдман, Гринштейн, Эттингер и другие) были связаны с международной еврейской буржуазно-националистической организацией «Джойнт», созданной американской разведкой... Арестованный Вовси заявил следствию, что он получил директиву «об истреблении руководящих кадров СССР» из США от организации «Джойнт» через врача Шимелиовича и известного еврейского буржуазного националиста Михоэлса.

Следствие будет закончено в ближайшее время».

Наступила тишина. Ёлка и Нина свесились с антресолей. Сандро стоял посреди студии в перепачканном красками халате.

— Это все? — спросила Нина.

— Кажется, все, — сказал Сандро.

— Какая-то странно долгая пауза, — сказала она.

Он пожал плечами:

— Ну, что ты говоришь, Нина? Обыкновенная пауза.

— Нет, слишком долгая, — настойчиво она возразила.

Он махнул рукой, будто пингвин с крылом орла:

— Да ну!

Наконец зазвучал знакомый сладкий голос дикторши Всесоюзного радио: «Мы передавали сообщение ТАСС. Продолжаем передачу концерта по заявкам. «Песня индийского гостя» из оперы Римского-Корсакова «Садко»...»

— Выключи! — закричала Ёлка.

— Спокойно, спокойно, ребята! — начала командовать Нина. — Ну, собирайтесь все! Едем в Серебряный Бор!

По прошествии трех дней после заявления ТАСС в актовом зале Первого мединститута было назначено общее собрание преподавателей и студенческого актива. Пурга мела поперек Хорошевского шоссе. Видимость приближалась к невидимости. Два Бориса Градовых, Третий и Четвертый, в трофейном «хорьхе» плыли сквозь снежную муть к следующему повороту в их судьбе. Судьба, впрочем, предлагала некоторые варианты. Можно было, например, не плыть к ее повороту. Остановить машину посреди шоссе; осторожно поворачивая крякающую уже, несмотря на все смазки, баранку, врубая взад-вперед скрежещущую уже кулису скоростей, развернуться в обратном направлении; отобедать всей семьей борщом и пожарскими котлетами, подкрепиться при этом водкой; вечером, когда пурга утихнет, отправиться на Курский вокзал и отчалить в южные края на заслуженный отдых. От имени судьбы эти варианты предлагались деду внуком. От ее же имени дед осекал внука:

— Перестань болтать! Двигайся!

— Не дури, дед! Зачем тебе это собрание говенное? — Борис с тревогой поглядывал на благородный профиль Бориса Никитича. — Ну, вот видишь, что на шоссе творится?

Судьба явно принимала его аргументацию. Впереди на обледенелом шоссе случилось ЧП: какая-то машина съехала в кювет, скопились грузовики, ворочался кран, каждую минуту все залеплялось налетающими эшелонами снега.

— Ну, вот видишь, дед, — говорил Борис IV, — пока не поздно, давай разворачиваться.

Борис Никитич III уже не без некоторого раздражения отмахнулся от внука. Вскоре и за ними скопились грузовичье и фургоны, и развернуться стало невозможно.

Простояв в пробке не менее сорока минут, они прибыли с опозданием. Борис Никитич сразу прошел в президиум. Боря же, за неимением свободных мест, сел в проходе на ступеньку. Он ловил на себе озадаченные взгляды студенческого актива, в том числе тревожный и влюбленный взгляд комсорга потока Элеоноры Дудкиной. С какой это стати чемпион явился на собрание по осуждению «убийц в белых халатах»? Стараясь не обращать внимания на эти взгляды, он смотрел на бледное лицо деда во втором ряду президиума. «Бабка права, — думал он, — с ним происходит что-то особенное. Этот мрак может стоить ему жизни».

Майка, ставшая теперь частой гостьей в Серебряном Бору, заметила вчера, как дед, раскрыв газету, увидел там свою подпись под письмом академиков, осуждающих клику вредителей и заговорщиков из еврейского «Джойнта». С газетой Борис Никитич немедленно прошел к себе в кабинет и позвал туда Мэри. Очень долго они были вдвоем за закрытыми дверьми. Майка успела уже погулять с маленьким Никитушкой и Архи-Медом, а разговор старых супругов все еще продолжался, временами на высоких тонах, но неразборчиво. Она еще долго помогала тете Агаше с бельем и с готовкой, а старики все не выходили. Часто звонил телефон, глухо слышался официальный голос Бориса Никитича. Тетя Агаша в сердцах бросала полотенце, стучала кулачком по столу: «Зачем он трубку берет?! Ну зачем он трубку берет?!» Наконец двери открылись, и бабушка Мэри вышла с громкой фразой: «А вот этого уж совсем не надо делать!» Потом появился Борис Никитич, он был, как ни странно, в полном порядке и даже оживлен. Спросил у Майки, где, по ее мнению, может сейчас пребывать его внук. Майка сказала, что, по всей вероятности, легендарный спортсмен находится сейчас в своей резиденции на улице Горького, готовится к экзамену в обществе Элеоноры

Дудкиной и других влюбленных в него студенток. Борис Никитич рассмеялся: «Вам ли, Маечка, ревновать его к каким-то студенткам!» — то есть поджентльменски сделал замечательный комплимент. И тут вдруг ты явился на своей фашистской колымаге, Борька-Град, и мы все вместе ужинали, и это было так замечательно, хотя у Мэри и у Агаши очень дрожали пальцы, чего ты, конечно, не заметил. Ну, а потом, хочу напомнить, ты меня долго-долго мучил вот здесь, в комнате своей матери, дурачина таковский, совсем замучил своим этим самым; я, по-моему, забеременела. Вот только этого еще не хватало, подумал Борис и тогда еще немного, по-утреннему, как бы вместо гимнастики, помучил свою любимую.

За завтраком разбирались разные варианты неявки Бориса Никитича на общеинститутский митинг. Вдруг старик, решительно вытерев салфеткой рот, заявил, что он непременно туда направится, «хотя бы для того, чтобы все увидеть своими глазами». Мэри и Агаша немедленно бросились из-за стола в разные стороны, а Боря побежал одновременно за обеими, то есть сначала потрепал по плечу кухонную даму, а потом устремился к фортепианной, нимало не подозревая, что в точности повторяет движения своего отца за несколько месяцев до собственного рождения. «С ним что-то особенное происходит, — сквозь увлажнившийся платок твердила Мэри. — Этот мрак может стоить ему жизни. Неужели недостаточно подписи, которую они поставили, даже его не спросив? Теперь еще этот митинг! Можно ли пережить такой позор?»

Двигаясь сквозь вьюгу, то есть то и дело выкручивая руль «в сторону заноса» и тормозя, Борис заметил, как по мере приближения к институту отливалась кровь от дедовского лица, то есть как мертвело, как каменело это лицо. Ну что его несет на митинг? Уехал бы на юг, снял бы комнату в Сочи, гулял бы там по набережной... может быть, это звучит наивно, но все-таки здесь есть хоть какой-то шанс. Речами на митингах сейчас, похоже, не защитишься. Хевра опять вроде собралась разгуляться, как в 1937 году. Сашка Шереметьев прав: вооружаться в конце концов придется на последний и решительный бой. Только кто будет вооружаться? Пятнадцать человек из «кружка Достоевского»?

Профессора Градова в президиуме собрания, очевидно, уже и не ждали. Президиум иллюминировался улыбками. Уцелевшие столпы медицинской науки нееврейской национальности переглядывались. Председатель хотел было потесниться, чтобы посадить его рядом с собой, однако Борис Никитич скромно стушевался во втором ряду стульев. На трибуне между тем заканчивал выступление член бюро парткома, доцент кафедры топографической анатомии и оперативной хирургии Удальцов: «...а тем, кто запятнал нашу благородную профессию, мы говорим: вечный позор!» Последние слова взлетели к люстре едва ли не церковным дискантиком, претендуя на серьезный реверберанс как в хрустале, так и в сердцах присутствующих. Среди аплодисментов Удальцов пошел было с трибуны, как вдруг в третьем ряду встала студенточка; Борис узнал ее — третьекурсница Мика Бажанова.

— Товарищ Удальцов, скажите, а что нам с учебниками делать? — прозвучал Микин совершенно детский голосок.

— С какими учебниками? — опешил доцент.

— Ну все-таки, — сказала Мика. — Ведь эти вот врачи-вредители, они большие ученые и преподаватели. Мы по их учебникам занимаемся. Что же нам теперь с этими учебниками делать?

Удальцов левой рукой схватился за трибуну, а правой как-то странно стал шарить справа от себя. В зале кто-то хихикнул, неосторожный. Удальцов вдруг выхватил то, что искал, длинную академическую указку, которую он, очевидно, подсознательно заметил на столе справа от трибуны; скорее всего, предмет остался здесь от прошлых заседаний, на которых, возможно, использовался по назначению, то есть для демонстрации экспозиций.

— Книги их?! — жутким виевским голосом возопил доцент и тут показал, для чего ему понадобилась указка: рубанул ею поперек трибуны, словно буденновец. — Книги их смрадные сожжем и пепел развеем по ветру! — Еще один удар по трибуне, еще один; указка, на удивление, все это выдерживала. — Малейшее упоминание позорных имен, всех этих коганов, вышвырнем из истории советской медицины! Пусть кости этих убийц поскорее сгниют в русской земле, чтобы от них никаких следов не осталось!

Перепуганная Мика всхлипывала. Доцент и сам трясся в конвульсиях: у него был явный истерический срыв. Приблизившись осторожно под взмахами карающей указки, два члена парткома с большим сочувствием и товарищеской теплотой свели Удальцова с трибуны.

— Ну и ну, каков разряд эмоций, — сказал Боря-Град в притихшем смущенном зале.

И тут вдруг предоставили слово его деду, заслуженному профессору, действительному члену Академии медицинских наук. Давая слово сразу после Удальцова Градову, председательствующий, сам весьма почтенный, профессор Смирнов явно хотел показать солидность собрания; дескать, не только молодые доценты, о которых кое-кто может сказать, что не благородный гнев, а болезненный карьеризм доводит их до истерики, но также и славные представители старой школы, увенчанные уже всеми возможными титулами и наградами, участвуют в патриотической акции: нет-нет, уважаемые, советская медицина вовсе не обезглавлена, отнюдь, отнюдь, и как это славно со стороны Бориса Никитича, что он, несмотря на неважное самочувствие, счел возможным... Как часто бывает в подобных случаях, профессор Смирнов лукавил сам с собой, перекидывая удальцовскую истерику на «болезненный карьеризм». На самом деле он, конечно, понимал, что вовсе не в карьеризме тут дело, а в чудовищном, парализующем всю нервную деятельность страхе, страхе, который и всех присутствующих тут сковал, который и старика Градова сюда притащил и сейчас тянет на трибуну, который и его самого, председательствующего, заставляет столь неестественно, каким-то предельным растягиванием рта, улыбаться.

Борис Никитич, поднявшись на трибуну, поправил галстук и пощелкал третьим пальцем правой руки по микрофону. Все вдруг обратили внимание, что семидесятисемилетний академик отнюдь еще не дряхл. Напротив: собран, строг, чрезвычайно отчетлив в лице, посадке, движениях, в глазах живой свет, на щеках легкий румянец, отлично оттеняющий красивую седину.

— Товарищи, — сказал он ровным, спокойным голосом, в обертонах которого, казалось, за «товарищами» стояли «милостивые государи», — мы все потрясены случившимся. Теперь стало ясно, что означали исчезновения ведущих специалистов нашей медицины. Кто может поверить в нелепейшие сказки о террористической деятельности профессоров Вовси, Виноградова, Когана, Егорова, Фельдмана, Эттингера, Гринштейна, а также многих других, названных в заявлении ТАСС? Бок о бок с большинством из этих людей я работал всю мою жизнь, многих из них я считаю своими друзьями и совершенно не собираюсь из-за нелепейших и постыдных — да-да, товарищи, я подчеркиваю, постыдных! — обвинений отказываться от этой дружбы и от высокой оценки безупречной профессиональной деятельности этих людей. Без исключения, все названные самоотверженно трудились на фронтах Великой Отечественной войны — чего стоит лишь одно организованное Мироном Семеновичем Вовси впервые в истории терапевтическое обслуживание действующей армии! Все они были удостоены воинских званий и наград, а сейчас на их головы сваливается такой позор! Мне совершенно ясно, что наши коллеги стали жертвами какой-то мутной политической игры. Люди, санкционировавшие эту акцию, выбившие из жизни выдающихся врачей и ученых, видимо, не думают о судьбе советской медицины, не думают даже и о своем собственном здоровье. Хочу еще сказать, что я совершенно потрясен откровенно антисемитским характером газетной кампании в связи с этим делом. Для меня нет сомнения, что кто-то пытается спровоцировать наш народ, нашу партию и нашу советскую, верную идеалам научного коммунизма интеллигенцию. Как старый русский врач, сын врача, внук врача и правнук полкового лекаря в

суворовской армии, я заявляю протест против издевательства над моими коллегами!

Зал был настолько ошарашен выступлением
профессора Градова, что позволил ему договорить до
конца и даже спуститься с трибуны при полном молчании. И только когда уже сошел и на секунду при-
тормозил, не зная, куда двинуться — на прежнее ли
место в президиуме или к выходу, — раздался панический, как будто стремящийся наверстать опозда-
ние, вопль: «Позор профессору Градову!» Сразу же
прорвалась плотина. От сатанинского рева, казалось, задрожали портреты корифеев. «Позор! Позор!
Долой сионистов, космополитов, убийц! Долой по-
собников реакции!»; далее все слилось в сплошной
вой, сквозь который в один момент прорезалось
звонкое, комсомольское: «Долой еврейского при-
хлебателя Градова!» Комсомольский и студенческий
актив вскочил на ноги, потрясая кулаками: «Но па-
саран!» Ассистенты и доценты тоже старались вовсю, профессора резкими движениями ладоней от-
рекались от отщепенца. Пробегая по проходу к сцене, Борис заметил, что и Мика Бажанова, задавшая
незадачливый вопрос об учебниках, машет возмущенно ручонкой. Увы, даже и влюбленная Элеонора Дудкина, кажется, в общем строю. Сильным
прыжком взлетев на сцену, он обнял деда, потом взял
его под руку и повел к выходу. Через минуту они оказались в пустом коридоре и стали удаляться от все
еще ревущего зала.

— Дед, ты герой, — сказал Борис IV.

— Оставь, — сказал Борис III, — я просто сделал то, что мне подсказывало...

— Ладно, ладно, — перебил его Борис IV, — все
ясно, хватит риторики.

Борис III слегка задохнулся от какой-то сильной эмоции, кажется, от счастья.

— Сделано! — почти воскликнул он и пошел четким, молодым шагом, как бы даже поигрывая своей тростью, на которую еще недавно тяжело опирался.

— Вот это верно, — сказал Борис IV. Всеми силами он старался не расчувствоваться, не прижать любимого деда к груди, не разрыдаться. — Дело сделано, а теперь надо подумать, как рвать когти. Предлагаю сразу махнуть на юг. Сразу едем вдвоем в Грузию, или в Сочи, или в Крым... — Он вспомнил о женщинах и поправился: — Вернее, ты едешь один, а я к тебе присоединяюсь после экзаменов. Связь будем держать через Майку.

— Перестань, Бабочка, — легко сказал Борис III. — Неужели ты думаешь, что от них можно спрятаться?

— И можно, и нужно, — сказал Борис IV. — Не сидеть же, не ждать же!

Они вышли на крыльцо и увидели, что, пока внутри бушевали страсти, снаружи вьюга улеглась. Густо подсиненные тучи, скопившиеся в дальней перспективе над крышами Москвы, как бы обещали возможность побега. Дворники бодро расчищали снег широкими фанерными лопатами.

— Бегство? Ну что ж, можно и это попробовать, — усмехнулся Борис III. — Завтра отвезешь меня на вокзал.

— Нужно сегодня, немедленно. Поверь чутью разведчика, — возразил Борис IV.

— Ну-ну. — Борис III похлопал внука по плечу своей меховой, девятьсот тринадцатого года, варежкой. — Не нужно преувеличивать. Решения об аресте таких людей, как я, проходят по инстанциям. Это занимает время. Уж по крайней мере два дня. Они ведь не спешат, потому что никто никогда не убегает. Никто никогда от них, никогда, никто...

Вдруг вся эйфория вышла, испарилась, и Борис Никитич сразу осел на палку. Ему вдруг показалось, что дворники только делают вид, что собрались на перекур, а на самом деле смотрят на него. В окнах клиники по соседству маячили некоторые лица — соглядатаи? Пара полковников выпросталась из троллейбуса; полковники — оттуда? Группа дошколят прошествовала по свежевытоптанной тропинке, держась за пояса впереди идущих; никто из детей не улыбнулся деду, воспитательница посмотрела в упор с исключительной враждебностью.

— Никто никогда от них не убегал...

— Никто никогда так и не выступал против них, как ты, — тихо сказал Борис IV. — Никто никогда, может быть, так и не выступит... — Намеренно рассмеялся: — Так что надо создавать прецедент.

Борис Никитич с нежностью, почти прощальной, посмотрел на внука. «Надо сделать так, чтобы меня взяли в его отсутствие. Иначе мальчишка еще начнет сопротивляться, устроит стрельбу — не секрет, что у него есть оружие, — и погибнет».

— Давай сделаем так, — предложил он. — Я пойду сейчас на кафедру и разберу там свои бумаги: мне многое надо будет взять с собой. А ты отправляйся к себе и жди моего звонка. За это время узнай расписание поездов. Вечером вернемся в Серебряный Бор и там все решим.

Они разошлись, две таких разных фигуры: Четвертый в своей кожанке и волчьей шапке и Третий в черном длинном пальто с шалевым каракулевым воротником и в типично профессорском, в тон воротнику, «пирожке». Один из дворников тут же весело закосолапил к телефонной будке — докладывать.

Подъезжая к улице Горького, Борис все думал о деде. Ну, дал! Все думали, что он из малодушия едет на этот гнусный митинг, а оказалось, из великодушия, если правильно понимать это слово. Еще неизвестно, способен ли я на такое. Над Берией, на крыше, висел, но это было нечто сугубо личное, нечто вроде кавказской вендетты. Дед совершил колоссальный общественный акт. Лет через сорок, вспоминая эти времена, скажут: единственным, кто поднял голос против лжи, оказался профессор Градов. Вот нам наши снисходительные похлопывания по плечу, говно — молодое поколение. Мы думаем, что на семьдесят восьмом году уже ни о чем, кроме теплых кальсон, не думают, а в человеке тем временем кипят страсти. У деда явно кипели страсти, когда он принимал решение вмазать по поганым чушкам. У него, кажется, что-то было на совести, что-то с давних времен, еще до моего рождения, что-то смутное доходило, какой-то компромисс, какое-то малодушие... Он, может быть, всю жизнь мечтал об искуплении, и вот его мечта сбылась: он уходит по-рыцарски. Они ему не простят великодушия. Они и сотой доли подобного никому не прощают, они и невиновным не прощают их невиновности. Деду — конец, что бы я ни фантазировал о бегстве на юг. Может, конечно, произойти чудо, но вероятность равна «минус единице». А этот дед — мой любимейший человек. Он мне, может быть, больше отец, чем дед. Отец всегда был в каком-то отдалении, пока не отбыл по окончательной дистанции, а дед был близок. Он, между прочим, меня и плавать научил, не отец, а дед. Прекрасно помню этот момент в затончике на Москве-реке. Мне лет пять, и я вдруг поплыл, а дед стоит по пояс в воде, веселый, и капли летят с его козлиной бородки, как из водосточной трубы... Что делать? Проклятье, ведь это же закон природы, мощные внуки должны помогать слабеющим дедам, а я ничего не могу сделать для своего старика в этом проклятом обществе. В этот момент Борю Градова посетила предательская мысль. Лучше бы его взяли в мое отсутствие. Если придут при мне, я наверняка не выдержу, перестреляю гадов и погублю всех, всех наших женщин и самого себя. Лучше бы без меня. Он с силой отбросил гадкую мысль. В конце концов я тоже должен бросить им вызов. Сашка Шереметьев прав: гонять тут мотоцикл на соревнованиях и получать кубки, может быть, аморально...

Жизнь тянется как привычный монотон, а события тем временем скапливаются и приближаются, чтобы вдруг свалиться на тебя, как сброшенная с крыши лопата снега. Открыв дверь в квартиру, Борис даже не особенно удивился, увидев выходящую ему навстречу из кабинета Веру Горда. У нее был ключ, но она сюда уже год как не захаживала. Что-то случилось, это ясно, ну, что ж, прошу вас, события, вваливайтесь.

— Весь «кружок Достоевского» арестован, — сказала Вера. Она стояла, положив руку на притолоку, платье плотно облегало фигуру. Яркие губы, светящиеся глаза. Казалось, что происходит сцена из иностранного фильма.

— И Сашка тоже? — спросил он.

Она скривила губы:

— А ты как думал? И Николай, и Саша, все... Ах, Боря! — разрыдалась. В рыданиях простучала каблучками, бросилась к нему на грудь. — Боря, Боря, я не могу, я просто умираю, я каждую минуту умираю, Боря...

Он усадил ее на диван, сел рядом, пытаясь сохранить хотя бы маленькую дистанцию: поднималось совершенно неуместное желание.

— Ну, расскажи все, что знаешь.

По мнению Веры, во всем был виноват этот румынский еврей Илюша Вернер. Прогуливаясь по улице Горького, неподалеку от памятника Юрию Долгорукому, он познакомился с молодой мамашей привлекательной наружности. Ну, разумеется, началось с комплиментов ребенку, а перешло к комплиментам мамочке. Потом он стал к этой красотке захаживать. Она жила почему-то одна, на удивление в хорошей квартире, неподалеку от места их первой встречи. Ну, в общем, разгорелся, как ты понимаешь, сумасшедший роман. Вернер бегает, сияет, все героини Достоевского у него на уме: и Полина, и Грушенька, и Настасья Филипповна. Вдруг однажды его в подъезде встречают двое квадратных, ну, в общем, сотрудники, сильно его трясут и предупреждают: жить хочешь, больше сюда не заходи! Оказалось, что красоточка в содержанках состоит при каком-то члене правительства. Представляешь?

Эту историю, сначала со смехом, рассказал Вере ее муж, Николай Большущий. Вскоре, однако, стало уже не до смеха. То один, то другой, «достоевцы» стали обнаруживать за собой слежку. Вполне возможно, Илюша не прекратил своих встреч, и его можно понять: в любовной горячке человек забывает о благоразумии, не правда ли? Видимо, органы начали копать, что, мол, за человече, и в конце концов вышли на кружок.

В течение трех дней всех арестовали. Шереметьева одним из первых. Там что-то было ужасное, чуть ли не перестрелка. Вера с Николаем метались по городу, как загнанные, думали убежать, но куда убежишь? Сегодня утром и за ним пришли. Теперь конец, всей моей жизни конец! Конечно, я к тебе помчалась, Боренька, к кому же еще мне бежать, ведь ты мой самый близкий, самый любимый друг... а тебя не было весь день... я просто в отчаянии тут металась... прости, выпила полбутылки коньяку... ну, я, конечно, знаю, что у тебя теперь эта девочка, ну, я вам только счастья желаю... я ее, между прочим, видела, довольно мила... Ну, я не знаю, Боря, что мне теперь делать, что делать, все рушится, все рассыпается, меня и из оркестра теперь могут выгнать как жену врага народа...

Она снова упала к нему на грудь, обвилась руками вокруг шеи, рыдала в плечо. Он сидел, боясь пошевелиться, заливаемый мраком и все нарастающим «неуместным желанием». Наконец смог с достаточной деликатностью освободиться от ее рук.

— Вера, а тебя-то они не вызывали? — спросил он, даже и не представляя, какую сильную реакцию вызовет этот вопрос.

Горда сжала свое лицо в ладонях и издала какой-то дикий крик, сродни пронзительному кличу монгольского всадника. Все тело ее потрясла конвульсия. Борис бросился за коньяком. Выпив, она сказала почти спокойно:

— Ой, какой ужас, все мои глаза потекли, все размазалось! Не смотри на меня. Я знаю, что ты подумал. Это неправда, Боря! Я не доносила. Конечно, они меня вызывали, я же тебе откровенно еще тогда, в начале нашей недолгой любви, сказала, что они на меня выходят. Ну а как еще могло быть иначе, конечно, они меня и в этот раз вызвали, этот гад, Нефедов, сопляк, орал, как на холопку, а Константин Аверьянович, скотина, проявлял, видите ли, суровую сдержанность. Однако они уже всех и все знали к этому моменту, такими сведениями ошарашивали, о которых я даже и понятия не имела. Например, ты слышал когда-нибудь, что «кружок Достоевского» планировал теракт?..

— Перестань, Вера, — поморщился Борис. Он думал о Сашке. Если не расстреляют, каково ему придется в лагерях с его протезом?

Вера опять стала виснуть на нем, прижималась грудью, коленом, может быть, не нарочно, может быть, все еще как к «лучшему другу», но почти уже невыносимо. Голос ее перешел на шепот:

— Они и о тебе, конечно, спрашивали, Боренька. Дай ухо. Ты знаешь, я всегда боюсь, что тут подслушивают. Они, конечно, спрашивали, ходил ли ты в «кружок Достоевского». И я им сказала, что, по-моему, ты эту компанию терпеть не мог, даже чуть не подрался с ними, когда за мной ухаживал. Ну, для них, конечно, не секрет, что мы встречались. Ну, Боря, ну, скажи, — она захныкала, как маленькая девочка, — ну, ты меня доносчицей не считаешь? Ну, скажи прямо, умоляю тебя. Не считаешь, нет? Поверь, я ни на кого не донесла, ни на единого человека! Может быть, они что-то из меня, дуры, вытягивали, но я ни на кого, никогда... Может, даже наоборот... выгораживала некоторых... ты веришь? Ну скажи, веришь? Ну, неужели я тебе больше не нравлюсь? Ну выеби меня, мой дорогой!..

На диване было мало места, и они легли на ковер, благо, недавно пропылесосенный Майкой Стрепетовой. Глядя на блуждающую под ним улыбку Горды, Борис подумал: «Может быть, только в этом она и освобождается. От «них», да и вообще от всех, даже от своих ебарей, и от всего; единственные минуты свободы».

— Спасибо тебе, дорогой, — прошептала она, отдышавшись. — Теперь я вижу, что ты мне веришь.

— С каких это пор ебля стала символом веры? — мрачно пробормотал он. Он хотел было еще кое-что добавить, нечто совсем уже жестокое, «может быть, я тебя сейчас барал как раз как стукачку», однако не сказал этой жестокой и, в общем, лживой гадости, а, напротив, поцеловал бывшую любовницу в щеку и в мочку уха:

— Я тебе и без этого верю.

Так и есть, она почувствовала себя оскорбленной, резко встала с ковра, подошла к столу, хлебнула прямо из горлышка коньяку, закурила, сказала с вызовом:

— А я без этого никому не верю.

— Ну, хорошо, — он тоже поднялся, — пока что прошу тебя, дорогая, приведи себя побыстрее в порядок. Дело в том, что в ответ на твои замечательные новости, я тебе должен рассказать свои. События, похоже, начинают раскручиваться как на ледяной гонке...

В ответ на его «замечательные новости» она воскликнула:

— О, Боже мой! Чем все это кончится!

Прозвучало это с усталостью и даже как бы без интереса. Он тут подумал, что если бы вот так воскликнула Майка, то в этом был бы только один смысл, и именно тот, что и выражен в восклицании, в то время как у Веры, как всегда, лежат еще несколько каких-то, может быть, ей самой не совсем ведомых смыслов. Может быть, и у Майки к этому возрасту накопится этих смыслов немало. Было уже половина шестого, за окном стемнело, только сияла оставшаяся после новогодних празднеств иллюминация телеграфа. Собственно говоря, она могла бы там и всегда сиять: в ней не было ничего новогоднего, одно лишь агитационное величие. Борис позвонил деду в клинику. Гудки, молчание. Может быть, он едет сюда? А может быть... уже? Да нет, это невозможно! Вера сидела на диване с сигаретой. Отворачивала лицо, показывая оскорбленное достоинство.

— Скажи, официально тебе уже сообщили, какие обвинения предъявляются Николаю? — спросил он.

Она усмехнулась:

— Официально? Нет, официально не сообщали! — Слово «официально» подрагивало всеми филигранями обиды.

— Мне нужно обязательно увидеть сегодня мать Сашки, — проговорил он.

— Обязательно? — переспросила она. Теперь уже «обязательно», будто искусственный алмаз, испустило лучики какой-то непонятной издевки.

«А тебе обязательно надо сейчас уйти», — подумал Борис. Он чувствовал себя едва ли не в западне. Дед почему-то не звонит. Не исключено, что сюда без звонка, по ее обыкновению, может влететь Майка. Без малейшего промедления, только взглянув на Веру, она поймет, что здесь происходило на ковре. Между тем надо что-то делать, искать деда, ехать к Сашкиной матери, может быть, опять пробиться к Ваське, ведь все-таки Шереметьев работал тренером в ВВС... А, бред! При чем тут ВВС и все прочее? Разве непонятно, что начинается новый тридцать седьмой год, что скоро все мы окажемся в лагерях?

Он поцеловал Веру в щеку, тряхнул ее за плечи как бы по-приятельски, сказал с фальшивой дружеской интонацией:

— Давай держать связь, Вера. А пока пойдем, я провожу тебя до такси.

У Веры была роскошная лисья шуба, в которой она выглядела едва ли не величественно, словно жена какого-нибудь сталинского лауреата. На улице Горького огромный термометр со славянскими завитушками показывал минус 18°C. Светились вечно вращающийся глобус над входом в телеграф, диаграммы достижений, вывески «Сыр» и «Российские вина», озарялся лучами портрет Сталина. «Вот кого надо было бы убрать, — вдруг с полной отчетливостью подумал о Сталине Борис Градов, офицер резерва ГРУ МО СССР. — Вот этот давно уже на девять граммов напрашивается».

Они стояли на краю тротуара и ловили такси, когда из толпы вдруг вылетела Майка. В распахнутой шубейке (старенькая, но хорошенькая шубейка была ей недавно подарена теткой Нинкой), с выбившимися из-под платка щедрыми патлами, оставляя по обоим бортам столбенеющих мужчин, девчонка неслась к подъезду.

— Майка! — крикнул Борис.

Она резко затормозила, увидела Бориса и Веру и медленно пошла к ним, глаза расширены, приоткрытые губы как бы что-то бормотали.

— Майка, Майка, что ты, — забормотал Борис. — Вот познакомься, это Вера, мой старый друг. У нее большая беда, арестован муж...

— А у нас, Борька, дедушка арестован! — выкрикнула тут Майка, будто на всю Москву, и в слезах бросилась к нему на шею.

Глава четырнадцатая
Боль и обезболивание

Зачем я тогда, на том митинге, все-таки произнес эти жалкие слова о своей советской принадлежности, о нашей советской, верной идеалам научного коммунизма интеллигенции? Ведь все было ясно, я знал, на что иду, все было продумано, я сам себе подписал арест и приговор о расстреле, а самое главное, санкцию на пытки. Ничего нет страшнее этого: пытки! Они не расстрелами всех запугали, а пытками. Все население знает, или догадывается, или подозревает, или не знает, не догадывается, не подозревает, но понимает, что там, за этими дверями, больно, очень больно, невыносимо больно и снова больно. Анестезии нет. Ее уже нет, хотя человек не может не думать об анестезии. Мои фальшивые, советские слова были не чем иным, как попыткой анестезии. Дяденьки, пожалуйста, ведь я же все-таки свой, пожалуйста, не делайте мне больно, ну, хотя бы не так больно, ну, хотя бы хоть немножечко не так больно, пусть очень больно, но хотя бы уж не так невы-ы-ы-ыносимо: ведь советский же человек, ведь верный же идеалам научного коммунизма! Вместо этого надо было сказать: «Презираю бандитскую власть! Отказываюсь от вашего научного коммунизма!» Наивная попытка в мире, где идея обезболивания отвергается как таковая. Сказано: «Претерпевший же до конца спасется». В этом, как ни странно, заключается антитеза пыткам. Боль — это мука, с другой стороны — это сигнальная система. Давая анестезию больному на операционном столе, мы отключаем его сигнальную систему: она нам не нужна, и так все ясно. Снимаем муку. Если же мука не снимается, остается только терпение, переход к другим сигналам, к святому слову. «Претерпевший же до конца спасется». Претерпеть до конца и выйти за пределы боли. То есть за пределы жизни, так ли это? Боль и жизнь не обязательно синонимы, так ли это? Уход за пределы боли не обязательно смерть, так ли это? Они мне все время грозят болью, мне, семидесятисемилетнему борцу против боли. «Или давай показания, старый хуй, жидовский хуесос, или перейдем к другим методам!» Их хари, гойевские кошмарные хари. Один только Нефедов в этой толпе — вот это самое гнусное, когда вместо одного следователя входит целая толпа ублюдков, — лишь один только этот молодой капитан сохранил в лице что-то человеческое, хотя, возможно, ему сказали: «А ты, Нефедов, сохраняй в лице как бы такую, вроде бы, ебена мать, жалость к этому жидовскому подголоску. Мы его, бля, доведем до кондиции, а потом твоей жалостью его, как пизду, расколем!» Таков их лексикон. Очевидно, не только с подследственными, но и между собой они так говорят. Почему же не начинают свою хирургию? Может быть, ждут какого-нибудь высочайшего распоряжения? Ведь сорвалось же у Самкова: «Сам товарищ Сталин контролирует следствие!» Трудно представить, что они этим именем пугают заключенного, что это просто прием.

Для большинства людей в нашей стране Сталин — это воплощение власти, а не пахан банды, это последняя инстанция, последняя надежда. Все дрожат перед ним как перед держателем скипетра, повелителем гор и морей и стад людских, но уж никак не перед человеком, который приказывает пытать. Его именем пугать не будут. Между тем не исключаю, что именно он, сам лично, входит во все детали моих допросов, тем более что я для него не был пустым звуком в течение стольких лет и он, конечно, помнит не только нашу первую, такую благостную встречу, но и последнюю, такую неприятную. Вся эта антимедицинская истерия, без сомнения, продумана и приведена в действие именно им самим. У него, очевидно, на почве артериосклероза развивается паранойя. Ходили слухи, что еще Бехтерев в двадцать седьмом году заметил ее проявления, что и стоило ему жизни. Вполне возможно, что именно Сталин сам и приказал надеть на меня наручники. Ну, это уж слишком! Не развивается ли и у меня самого какая-то паранойя? Смешно, не правда ли, семидесятисемилетний узник в одиночке, с изощренными, впивающимися в тело наручниками на запястьях, боится, как бы у него не развилась паранойя. Эти наручники — никогда не думал, что такое существует в природе. Самое ужасное, что в них нельзя почесаться. Иными словами, ты лишен блага прикосновений кончиков собственных пальцев. Какое огромное благо, оказывается, в этих мимолетных самолечениях. Невозможность притронуться к самому себе напоминает некий самый страшный кошмар — очнуться в гробу. Наручники сконструированы большим специалистом — пытки ведь это тоже наука. Волей-неволей руки дергаются в бессмысленной попытке освободиться, почесаться. При каждой такой попытке зубчики затягиваются все теснее, кисти распухают, становятся синюшными подушками, какими-то глубоководными чудовищами. Не впадать в отчаяние. Можно впасть в истерию, ведь это тоже своего рода анестезия. Пока что повторяй, что готов претерпеть до конца, повторяй, повторяй, повторяй и в конце концов забудешь про руки. Вот, забыл про руки. Их больше нет у меня. Имеются только две попавшие в капкан глубоководные лягушки. Или черепахи, вылезшие из панцирей освежиться и тут как раз угодившие в капкан. Во всяком случае, эти лягушки, эти черепахи не имеют ко мне никакого отношения. У меня были когда-то руки, это верно. Они неплохо поработали: оперировали, совсем неплохо оперировали, такие анастамозы накладывали, так чувствовали пациента, они также неплохо строчили пером, то есть одна из них строчила нечто почти художественное о сути боли и обезболивания, а вторая в это время постукивала пальцами по столу, как бы отсчитывая какой-то ритм, они также в свое время неплохо ласкали мою жену, ее плечи, груди, бедра, они немного и грешили, те мои руки, особенно правая, но сейчас это уже не важно; главное, что от них осталась богатая память. Их-то самих уже нет. А раз их нет, значит, ничто уже не может сжимать их стальными зубцами. Солдат, потерявший на войне руки, тоже не может почесать нос. Чем ты лучше этого солдата? Научись почесывать нос о плечо, о колено, о стенку, о спинку кровати... Сколько дней уже я забываю свои руки? Семь, десять? Самков заорал тогда: «Ну, а что ты делал, Градов, у Раппопорта в Государственном научно-контрольном институте противоинфекционных препаратов имени Тарасевича?! Видишь, блядь старая, мы все знаем! Признавайся, пидор гнойный, договаривались с жидком, как фальсифицировать данные вскрытий?» Тут кто-то ему позвонил, и он пошел к выходу и, проходя мимо, страшно замахнулся как бы для убийственного удара. Конечно, этого, того, ну, который там все эти крики выслушивал, можно было убить одним таким ударом, однако этот, тот, ну, то есть я сам, почему-то даже не моргнул, глядя на замахнувшийся кулак. Остался только один Нефедов, бледный офицерик, который все строчил протокол, почти не поднимая головы. Наедине с подследственным он поднял голову и тихо сказал: «Лучше признаться, Борис Никитич. Зачем вам все это упорство? Ведь все признаются. Ну зачем вам все эти мучения? Ну давайте, я сейчас запишу, что вы состояли в заговоре с Раппопортом или, даже лучше, что Раппопорт вас втянул в заговор, и вас сразу переведут на общий режим». Тот тогда, то есть я, который там сидел словно призрак русской интеллигенции, которому спать не давали уже двадцать семь с половиной лет, в том смысле, что, кажется, более недели или сколько там прошло с того момента, когда в кабинет на кафедре госпитальной хирургии ввалились три толстяка в синих драповых пальто с каракулевыми воротниками, эдакие гнусные пудовые пальтуганы на вате, им повезло, тем трем мерзавцам, что они на Борьку не нарвались, на моего мальчика, вот этот тот, который мною был, который от дремоты даже убийственного кулака не испугался, вот этот, стряхнув мурашек с головы, сказал другому участнику спектакля, топорной драмы на двоих: «Пишите, капитан. С выдающимся ученым Яковом Львовичем Раппопортом я встречался в институте имени Тарасевича для обсуждения вопроса о возможности медикаментозного воздействия на процессы отторжения после операций по пересадке органов. Это все, что я могу заявить в ответ на беспочвенные и дикие обвинения старшего следователя полковника Самкова». — «Какие обвинения?» — переспросил Нефедов. «Беспочвенные». — «Беспочвенные и еще какие? Тихие? Вы сказали «тихие»?» — «Нет, я сказал «дикие». Если угодно, дикарские...» Тут сразу вошел Самков и приказал Нефедову надеть на «старого распиздяя» наручники. И Нефедов еще больше побледнел. Он пошел звать сержанта. «Сам надевай!» — заорал Самков. «Да я...» — начал было Нефедов. «Учись! — еще громче заорал Самков. — На хуя ты мне тогда тут нужен?!» Даже и в окопах Второй мировой войны, то есть второй Отечественной, подследственный не слышал такого количества мата... 1885 год. Мы едем с папой, мамой и сестренкой Дунечкой, Царствие им Небесное, на поезде в Евпаторию. Волшебное путешествие! Мальчик высовывает нос из окна и покрывается паровозной сажей. «Ты туда уже негром приедешь!» — хохочет отец. В окружающем пространстве России распространено не так уж много матерщины. Рулады, которые туда прорываются, идут из 1953 года из Лефортовской тюрьмы. «Вот какой у нас клоун!» — смеется мама. «Мы из тебя, разъебай-профессор, сейчас такого клоуна сделаем, — обещает Самков, приближая свое мясистое лицо с маленьким крестообразным шрамом над углом челюсти; довольно искусное удаление фурункула. — Ты, падла, забудешь тогда об интеллигентском достоинстве, паразит трудового народа!» Лицо приближается еще ближе. Может быть, хочет зубами вцепиться в остатки моей плоти? «Может, ты забыл своего дружка Пулково? Могу напомнить. Твой дружок уже десять лет на американских атомных бандитов работает. Ну, отвечай, вас одновременно завербовали?» Боже мой, какое счастье, впервые за столько лет, хоть и из уст идиота, пришла новость о Лё! Значит, еще жив, значит, ему удалось вырастить своего Сашу, значит — в Америке?! Где моя Мэри, почему я так мало о ней думаю? То и дело возвращается мать, вплоть до младенческих воспоминаний: большая грудь матери, средоточие мира, желанный сосок, тогда еще у меня были руки, я брал все это богатство руками. Но где же Мэри? Почему она никогда не появляется? Ведь мы с ней были двумя половинками одного целого. Она раздвигала ноги, и впускала меня к себе, и в конечном счете вздувалась, заполнялась продолжением рода, и снова раздвигала ноги, являя Китушку, Кирилку, Нинку, и потом того, не названного, мертворожденного. Чудеснейшая, фантастическая пульсация женщины. Мужчина банален, женщина — пульсирующий цветок. Вспоминай Мэри, даже если не вспоминается, вспоминай! Так же, как ты заставил себя забыть руки, вспоминай теперь свою жену. Когда ты первый раз ее увидел и где? Ну, конечно же, тысяча восемьсот девяносто седьмой, балкон Большого зала консерватории. Она опоздала к началу моцартовского концерта. Уже играли «Eine Kleine Nachtmusik», когда по проходу прошло и обернулось на двадцатидвухлетнего студента некое юное, тончайшее, нерусское создание, которое даже и взглядом как-то страшно было повредить. Принцесса Греза! Она потом уверяла, что заметила его много раньше, чем он ее, что даже однажды шла за ним по улице в полной уверенности, что он какой-нибудь молодой поэт нового символистского направления, уж никак не предполагала медика. Итак, ты вспомнил юную Мэри: вот она скользит в говорящей толпе консерватории, вопросительно смотрит на тебя, мимо проносят ворохи шуб, ну, подойди же, вы сближаетесь, у тебя тогда уже не было рук, во всяком случае, ничего похожего на раздутые и окаменевшие лягушки более поздней поры...

В 1897 год прорвался лязг открываемых запоров одиночной камеры Лефортовской тюрьмы, и Борис Никитич встряхнулся от полуобморочного погружения. Он понял, что самым наглым образом нарушает режим: осмелился прилечь на койку в дневное время. Сейчас надзиратель начнет орать и угрожать карцером. Вошел не самый подлый, которого Борис Никитич для того, чтобы отличить от других, называл Ионычем. Даже и орать сегодня не начал, сделал вид, что ничего не заметил. Поставил на столик миску баланды и миску каши. Тошнотворно, но желанно пахла рыбная баланда, каша же благоухала совершенством перлового зерна.

В первую неделю тюремной жизни Борис Никитич, очевидно, на почве психической анорексии, перешедшей в церебральную кахексию, испытывал отвращение к пище. Миски оставались нетронутыми, и в тюрьме решили, что Градов держит голодовку протеста. Любые формы протеста подлежали здесь немедленному подавлению. В камеру пришел какой-то толстый полковник с медицинским значком на погонах — почему-то большинство эмгэбэшников вокруг были толстыми, жопастыми и брюхастыми, настоящими свиньями — и пригрозил принудительным кормлением. Борис Никитич тогда начал опорожнять содержимое мисок в парашу, пока вдруг не понял, что симптомы кахексии уходят и он начинает снова испытывать интерес к еде.

«Ну, давай сыму». Ионыч отщелкнул замок и не без труда стащил с запястий зека воспитательные браслеты. В течение десяти минут, отведенных на прием пищи, можно было насладиться наличием рук. Борис Никитич попытался взять ложку, увы, это оказалось невозможным: раздутые сарделины пальцев и не думали сгибаться. Придется, как в прошлый раз, пить баланду через край, а уж потом гущу подгребать всей лопатой ладони. «Да ты сначала руки-то разотри, — как неразумному ребенку сказал ему Ионыч и шепнул: — Не спеши!» Неожиданное проявление человечности подействовало на Бориса Никитича едва ли не ошеломляющим образом. Он расплакался, затрясся, а Ионыч отвернулся, то ли еще более проявляя гуманизм, то ли в смущении от уже проявленного. В целом удалось провести без наручников не менее двадцати минут. Нельзя сказать, что пальцы смогли овладеть ложкой, однако кое-как держать ее, чтобы не уподобляться животным, все-таки удалось. Водружая педагогическое средство обратно, Ионыч защелкнул наручники на последнюю скобу, то есть, очевидно, в нарушение инструкции дал запястьям возможность чуть-чуть безнаказанно шевелиться. Уходя из камеры, Ионыч вдруг подмигнул заключенному толстым веком и сделал жест обеими ладонями под ухом: можешь, мол, поспать. Склоняя голову к подушке, Борис Никитич подумал, что, пожалуй, в течение всей своей семидесятисемилетней жизни никогда он такого послеобеденного блаженства не испытывал. Ровным счетом никакого плавания во времени он во время этого сна не испытывал, одно лишь полнейшее растворение, нирвана. Сколько времени прошло, неизвестно, но проснулся он от истерического крика другого надзирателя, которого он мысленно называл Чапаем.

«Ты что, мать-твою-перемать-на-четвереньках, расположился, сучий потрох, с комфортом, еще похрапывает! Сейчас докладную на тебя подам за нарушение режима! Отправишься в карцер, блядь, будешь там в шкафу стоять, пока весь говном не выйдешь!» Борис Никитич вскочил. Вдруг весь кошмар ночей и дней его узилища, а может быть, и весь вообще кошмар Лефортовской тюрьмы за все времена сдавил его посильнее карцерного шкафа и одновременно пронзил изнутри, то есть из самой глубины кошмара, то есть из самого себя. «Убейте! — завопил он, вздымая скованные руки и просовывая свою голову между этими несуществующими или, во всяком случае, несвоими руками, как будто пытаясь продраться каким-то узким лазом. — Убейте, убейте, мучители, бесы!» Чапай даже отшатнулся. Взрыв обычно молчаливого, погруженного в себя «предателя родины» застал его врасплох. «Ну, чё ты, чё ты, расписиховался-то, Градов?! — зачастил он блатной скороговоркой. — Да ладно, хер с тобой, давай-ка, давай, оттолкнешься щас за ужином и на допрос тебя сведу. Ну, хули психовать-то?»

Руки у Бориса Никитича упали. Теперь его трясла сильная дрожь. «Неожиданно большой выброс адреналина в кровь, — подумал он. — Прорыв Чапая сквозь оболочку моего блаженного сна вызвал такую реакцию».

В следственном кабинете, по заведенному у чекистов обычаю, на него некоторое время не обращали внимания. Нефедов углубленно копался в папках, сверял что-то по какому-то толстенному справочнику — само воплощение юридической деятельности. Самков сидел боком, развалясь, телефонная трубка под ухом, подавал кому-то односложные реплики, живот, обтянутый кителем, пошевеливался, словно свернувшийся клубком барсук. Наконец он повесил трубку, с улыбочкой покачал крутой башкой, пробормотал «ох, говна кусок» и только тогда уже развернулся в сторону подследственного.

— Ну что ж, Борис Никитич... — Он с удовольствием заметил, как вздернулась голова «сраного профессора» при таком необычном обращении. — Ну что ж, профессор, наше следствие переходит в другую фазу. Вы теперь остаетесь наедине с капитаном Нефедовым, а я вас покидаю.

Он с интересом и, как показалось Борису Никитичу, с каким-то напряжением уставился на свою жертву: какая последует реакция? Борис Никитич заставил себя усмехнуться:

— Что ж, была без радости любовь, разлука будет без печали.

— Взаимно! — рявкнул Самков и встал, собирая со стола какие-то нелепо распадающиеся папки. Ожесточившись от этих непослушных папок, он еще раз глянул на «жидовского подголоска» совсем уже темным, ненавидящим взглядом. — Вопросы есть?

— Есть один вопрос, — проговорил Борис Никитич. — Я все время тут у вас жду встречи с Рюминым. Почему же он не появляется?

Более сильного вопроса он, очевидно, не мог задать в этих стенах. Нефедов весь вытянулся и сжал губы, как будто ему в рот вдруг попало горячее яйцо.

Самков выронил только что собранные папки, уперся кулаками в стол, весь выпятился в сторону Градова.

— Ах ты, су... Да как ты... Да как вы смеете тут провоцировать?! Забыли, где находитесь?! Можем напомнить!

Забыв про папки, он зашагал к выходу, обдав Бориса Никитича на ходу волной «Шипра» и пота. «Пошлопотный большевик», — подумал ему вслед Борис Никитич.

Оставшись без руководящего товарища, Нефедов еще минуту смотрел на захлопнувшуюся дверь с тем же выражением лица, скрывающего во рту то ли яйцо, то ли горячую картофелину. Потом лицо все целиком активно задвигалось: картофелина прожевана.

— Ну, мы начнем с наручников, Борис Никитич, — заговорил он. — Они вам больше не нужны, правда? Зачем они вам? — говорил он как бы с некоторой шутливой укоризной.

Он приблизился к подследственному и бодро, ловко, умело отщелкнул с запястий подлые браслеты. Почти с шутливой миной двумя пальцами, словно пахучую рыбу, отнес их к столу и бросил в ящик:

— Ну, вот и все, с этим покончено. Ни мне они не нужны, ни вам, Борис Никитич, ведь правда?

— Мне они помогли, — сказал Градов. Не глядя на Нефедова, он начал по очереди растирать одной мертвой кистью другую мертвую кисть. Странное чувство испытывал он: изъята хоть и подлая, однако как бы неотъемлемая часть его личности.

— Что вы имеете в виду, профессор? — с чуткостью и интересом спросил следователь. Он весь представлял собой теперь, когда следствие целиком перешло в его руки, некое воплощение чуткости, интереса, корректности и даже как бы некоторой симпатии. «Работают по последнему примитиву, — подумал Борис Никитич. — Сначала кнут — Самков, потом пряник — Нефедов».

— Вам этого не понять, гражданин следователь. Вам же не приходилось жить в этих браслетах.

«Кажется, это я уже слишком, — подумал Градов. — Сейчас и этот начнет орать». На бледном лице капитана, однако, не появилось ничего, кроме мимолетного ужаса.

— Ну хорошо, Борис Никитич, забудем об этом. Давайте всерьез вернемся к... к нашему разбирательству. Прежде всего, я вам хотел сообщить, что некоторые вопросы сейчас сняты. Например, вопрос о конспирации с Раппопортом снят. — Нефедов внимательно подождал реакции на это сообщение. Борис Никитич пожал плечами. — Отменяются также ваши очные ставки с Вовси и Виноградовым...

— Они живы? — спросил Градов.

— Живы, живы, чего же им не жить, — торопливо ответил Нефедов. — Просто очные ставки отменяются, вот и все.

«Видимо, ждет, что я спрошу почему, — подумал Борис Никитич, — и тогда он мне скажет, что уж вот это-то не моего ума дело». Нефедов между тем горестно вздохнул над бумагами и даже почесал себе макушку.

— Однако появляются и некоторые новые вопросы, профессор. Вот, например: чем все-таки было мотивировано ваше выступление на митинге в Первом МОЛМИ? Отчаянным призывом к единомышленникам? Были у вас в зале единомышленники, профессор?

— Конечно, были, — ответил Градов. — Уверен, что все мыслили так же, только говорили наоборот.

— Ну, это уж вы зря, Борис Никитич, — как бы слегка надулся Нефедов. — Что же, все у нас такие неискренние, что ли? Я не согласен. Но все-таки скажите, что вас подвигло на этот поступок? Бросить вызов правительству, это ведь не шутка!

— Я хотел подвести черту, — совсем спокойно, как бы даже не обращая внимания на следователя, сказал Градов.

— Подвести черту? — переспросил Нефедов. — Под чем же?

— Вам этого не понять, — сказал Градов.

Нефедов вдруг несказанно обиделся:

— Да почему же мне этого не понять, профессор? Почему же вы во мне априорно видите примитива? Я, между прочим, окончил юридический факультет МГУ, заочно. Всю классику прочел. Спросите меня что-нибудь из Пушкина, из Толстого, немедленно отвечу. Я даже Достоевского читаю, хоть его и в реакционеры записали, а я вот читаю и думаю, что это полезно, потому что помогает нам лучше понять психологию преступника!

— Чью психологию? — переспросил Градов.

— Психологию преступника, профессор. Ну, мы следователи, юристы, нам ведь нужно понимать преступников.

— И в этом вам Достоевский помогает, гражданин следователь? — Теперь уже Градов вглядывался в черты Нефедова.

Заметив это, последний весьма заметно порозовел и помрачнел.

— Ага, ну-ну, я понимаю, что вы имеете в виду, профессор. И на этот раз понимаю, можете не сомневаться.

— Это очень хорошо, — сказал Градов.

— Что хорошо? — удивился все с той же застывшей обидой на лице Нефедов.

— То, что вы все понимаете. Однако, говоря о подведении черты, я вовсе не имел в виду ваш уровень, гражданин следователь, а просто долго рассказывать, гражданин следователь, и к следствию это ни с какого угла не имеет никакого отношения.

— Вот вы меня все время, Борис Никитич, гражданином следователем называете, то есть формально, а почему не перейти на Николая Семеновича, а? Или даже на Николая, а? Ведь я вам даже отчасти и не чужой, — говоря это, Нефедов быстро стащил с лица свою обиду и натянул вместо нее некое лукавство, добродушную усмешечку.

— Что это значит? — поразился Градов. И Нефедов, следователь, тогда сделал ему, подследственному, удивительное признание.

Оказалось, что он является не кем иным, как сыном хорошо знакомого градовскому семейству Семена Савельевича Стройло. Вот именно, подлинное фамилие (почему-то всегда употреблялся средний род по отношению к фамилии) Стройло было Нефедов, а Стройло — это, так сказать, революционное фамилие, ну, в том смысле, по моде тех лет, что строительство социализма. Папа был большой энтузиаст, кристальный коммунист, вы, конечно, помните. Николаю Семеновичу на данный момент исполнилось двадцать девять лет, то есть он был первенцем Семена Савельевича и его супруги Клавдии Васильевны, то есть, когда у папы и тети Нины возникли романтические революционные отношения, Коле уже было годика два. Ну, естественно, тетя Нина не знала о существовании Нефедовых в связи с большим разрывом культурного уровня. То есть папа был для тети Нины как бы холостым юношей, хотя к тому времени уже и сестренка родилась, Пальмира. Папа потом вернулся в семью, но нередко тетю Нину вспоминал с большой душевной мукой. В общем, еще с детства Николай не только знал семейство Градовых, но был как бы вовлечен в какие-то с ним отношения. Даже ездили в Серебряный Бор и прогуливались с папой вокруг вашего дома, Борис Никитич. Ну, зачем так вздрагивать? Ведь это же все было такое человечное, романтическое, страдания большого гордого человека. Николай отца никогда не осуждал. Большому кораблю большое плаванье. Вот вы удивляетесь, профессор, что я вашу дочь называю тетей Ниной, а как же мне еще ее называть, если о ней столько говорили в моем детстве и отрочестве? Пусть по-разному говорили, но все ж таки она для меня стала почти как родственница. Всегда с большим вниманием следил за ее поэтическими успехами, а «Тучи в голубом», можно сказать, стали песней юности. В училище все ее пели, даже иногда и неприличные варианты придумывали: ну, молодежь...

В тридцатых годах Семен Савельевич Стройло, конечно, покинул Нефедовых, поскольку шел большой, можно даже сказать, головокружительный его рост в иерархии комиссариата. Да, в иерархии комиссариата. Однако заботы о семье он никогда не оставлял и, в частности, о Николае, которого в разгар войны прямо за руку привел в училище госбезопасности, за что, конечно, нельзя не испытывать к нему чувства большой благодарности. Так уж распорядилась судьба, Борис Никитич, то есть внешние исторические обстоятельства, что никаких других чувств, кроме положительных, Николай Нефедов к своему родителю никогда не питал. Эти чувства у него, конечно, еще более гипертрофировались в связи с героической гибелью отца в самом конце войны. Обстоятельства гибели никогда публично не освещались, однако в кругах разведки было известно, что генерал Стройло как лицо наиболее приближенное к маршалу Градову, вот именно, разделил судьбу командующего Резервным фронтом в одних и тех же, простите, до сих пор волнуюсь, обстоятельствах. Ну, вы же по-человечески должны понимать, Борис Никитич, что это еще больше, как-то вдохновенчески, приблизило меня к вашему семейству...

— Как приблизило? Вдохновенчески, вы сказали? — переспросил Градов. Он смотрел на бледное, плоское лицо молодого следователя, и ему казалось, что он и на самом деле видит в нем черты Семена Стройло, которого он только однажды в своей жизни и успел рассмотреть, кажется, осенью 1925 года, ну да, в день рождения Мэри, во время дурацкого представления «Синих блуз».

— Ну, я хотел сказать, что хоть и не идеалистически, но как-то все-таки духовно, — пробормотал Нефедов.

— То есть вы как бы стали нашим родственником, гражданин следователь, не так ли? — сказал Градов.

— Не надо яду, профессор! Не надо яду! — с каким-то даже как бы страданием, едва ли не по-шекспировски, вроде бы даже взмолился следователь, как будто он давно уже не исключал возможности «яда» со стороны подследственного, и вот его худшие ожидания оправдались.

«Любопытный сын вырос у того «пролетарского богатыря», — подумал Борис Никитич. — Может и папашу перещеголять». Руки между тем возвращались к жизни. Ситуация становилась все более двусмысленной. Нефедов вроде бы вспомнил, что не ему тут полагается откровенничать, а наоборот, и задал вопрос:

— Итак, вы не отрицаете, Градов, что в зале находились ваши единомышленники?

Однако, не дождавшись ответа, посмотрел на часы и сказал, что Борису Никитичу сейчас предстоит проделать небольшое путешествие. «А вдруг отпускают, — метнулась мысль, — вдруг Сталин приказал меня освободить». Он сделал усилие, чтобы не выдать этой безумной надежды, однако чтото, видимо, по лицу проскользнуло — Нефедов слегка усмехнулся. «С тем же успехом, вернее, с гораздо большим, в тысячу раз более вероятным успехом могут и в подвал отправить, под пулю. Что ж, я готов, как племянник Валентин, по слухам, в тысяча девятьсот девятнадцатом году в Харькове рвануть на груди рубашку и крикнуть перед смертью: «Долой красную бесовщину!» — однако я не сделаю этого, потому что мне не двадцать один год, как было племяннику Валентину, а семьдесят семь, и я уже не могу, как он, швырнуть им в лицо такой вызов в виде всей будущей жизни, и я молча паду под ударом».

Через час Бориса Никитича высадили из воронка прямо перед входом в длинный, совершенно безликий коридор, однако ему по каким-то самому непонятным приметам показалось, что стража тут лубянская, в том смысле, что не лефортовская. На этом его тюремный опыт заканчивался: после ареста привезли на Лубянку, потом отправили в Лефортово.

— Куда меня привезли? — спросил он сержанта, препровождавшего его в бокс, то есть в одиночный шкаф ожидания.

— В приличное место, — усмехнулся пухлый и белесый от подземной жизни сержант.

Камера, в которую он попал после бокса, также напомнила ему первую, лубянскую, камеру. Здесь все было как-то чуть-чуть получше, чем в Лефортовской следственной тюрьме МГБ: умывальник, кусок мыла, одеяло...

Приличное место, думал Борис Никитич, положив перед собой на стол возвращающиеся руки. Я нахожусь в приличном месте в самом центре приличного города Москвы, где все это прожил, где все это промелькнуло, словно в фильме о Штраусе, что начинается его рождением и кончается смертью, и все укладывается в два часа, в этой приличной стране, от которой я не счел возможным тогда оторваться, в такой приличный момент истории. «Где будет труп, там соберутся орлы». Давайте будем оплакивать родину в момент ее высшей несокрушимости. Кто-то на Западе сказал, что патриотизм — это прибежище негодяев, однако тех, кого этот западник имел в виду, возможно, нельзя назвать патриотами, потому что они не вдумываются в корень слова, но лишь славят могущество. Говоря «отечество», далеко не каждый думает об отцах, то есть о мертвых. Забыв об отцах здесь, в России, мы из отечества сделали Молоха, закрылись от вечности, от Бога, прельщенные лжехристами и лжепророками, что предлагают нам ежедневно и ежечасно вместо истин свои подделки. В чем смысл этой чудовищной имитации, что выпала на долю России? Сколько ни ищи, другого ответа не найдешь: смысл имитации —

в самой имитации. Все подменено, оригиналов не найдешь. Позитив обернулся негативом. Космос смотрит на нас с темной ухмылкой. И все-таки: «Претерпевший же до конца спасется». К чему еще мы можем прийти в результате всего этого нашего дарвинизма?

Через несколько дней утром у Бориса Никитича во рту сломался и просыпался кусочками в миску весь нижний мост. Случилось то, чего он так опасался, когда Самков махал возле его лица кулаками. Вдруг ударит по челюсти и разрушит давно уже ненадежное стоматологическое сооружение. Тогда я сразу же впаду в дряхлость, думал он. Меня тогда даже не расстреляют. Просто выбросят догнивать на помойку. И вот мост развалился, когда прекратились уже и угрозы кулаками, и пытка наручниками. Просто ни с того ни с сего развалился на кусочки. Дурно пахнущие, ослизненные, пожелтевшие кусочки. Опускай их в парашу, пусть циркулируют по вонючим потрохам Лубянки, там им и место. Почти немедленно на нёбе обнаружилась серьезная трофическая язва. Распад идет довольно быстрыми темпами, если к этому еще присоединить непрекращающуюся диспепсию, сильный зуд по всему телу, сыпь с коростой. Он теперь почти не мог говорить с достаточной для коммуникации ясностью. Впрочем, это уже и не требовалось. Допросы почти прекратились. Нефедова он видел теперь не чаще двух раз в неделю, да и то, очевидно, только для формы. Во время этих коротких, не более пятнадцати минут, встреч «почти родственник», по сути дела, не задавал никаких вопросов, а только лишь возился в бумагах, изредка поднимая на Бориса Никитича какой-то странно тревожный и как бы вопросительный взгляд; эдакий сталинский вариант «человека из подполья». Борису Никитичу, который еще несколько дней назад с некоторой гадливостью думал о причастности следователя к своей семье, теперь уже было все равно. О чем ты спрашиваешь, человек, своим взглядом? Нет у меня никаких ответов, человече.

Однажды в кабинете Нефедова оказались двое посторонних, носители больших ватных грудей с орденскими планками. Все три офицера с большой торжественностью встали, и старший по званию зачитал Борису Никитичу некоторый документ:

«В соответствии со статьей пункта 5 Уголовно-процессуального кодекса РСФСР следствие по делу Градова Бориса Никитича прекращено. Градов Борис Никитич из-под стражи освобожден с полной реабилитацией. Начальник отдела МВД СССР А.Кузнецов».

По прочтении документа все трое направились к нему с протянутыми руками. Он аккуратно пожал все три руки. Справка была вручена, как хорошая правительственная награда.

— Куда прикажете двигаться? — полюбопытствовал Борис Никитич.

— На курорт, на курорт отправляйтесь, профессор, — заколыхались ватные груди. — Справедливость восстановлена, теперь самое время в Мацесту, на курорт!

— Теперь куда прикажете двигаться? — снова полюбопытствовал Градов.

— Теперь о вас капитан Нефедов позаботится, профессор, а мы вам от лица руководства министерства и от правительства Советского Союза выражаем самые лучшие пожелания совместно с восстановлением вашего драгоценного для родины здоровья.

«Кричат, как будто я глухой, а между тем слух пока еще совсем не затронут распадом», — подумал Градов.

Большие чины покинули кабинет, а Нефедов, сияя своей бледностью, принялся вручать профессору отобранные после его ареста во время обыска в Серебряном Бору сертификаты личности: паспорт и разные дипломы, профессорский, академический, военный билет... Явилась сержантская челядь с личными вещами, в частности, с великолепной, 1913 года, из английского магазина на Кузнецком мосту, шубой, которая, просуществовав сорок лет, не проявляла никаких признаков распада. Последним, на цыпочках, подлетел запыхавшийся пухлый страж с довольно тяжелым пакетом. Заглянув в пакет, Борис Никитич обнаружил там своего рода пещеру Алладина: золотом, серебром и драгоценной эмалью светящиеся свои правительственные награды.

— Теперь куда прикажете двигаться? — спросил он, держа в руках этот пакет.

— Сейчас мы в приемную спустимся, Борис Никитич! — возбужденно объявил Нефедов. — Там вас некоторые родственники дожидаются. Мы, конечно, могли бы и сами вас доставить с полным комфортом на дачу, однако они проявили очень сильное желание, в частности, ваш внук, Борис Никитич, которому я бы все-таки посоветовал проявлять сдержанность по отношению к органам.

Капитан Нефедов возглавил процессию. За ним двигался профессор Градов, стражи с личными вещами шли позади, словно африканские носильщики. На повороте коридора Борис Никитич опустил в урну пакет со своими наградами.

В этом месте, уважаемый читатель, автор, который — вы не будете этого отрицать — столь долго держался в тени по законам эпической полифонии, позволит себе небольшой произвол. Дело в том, что ему какими-то мало еще изученными ходами романной ситуации пришла в голову идея рассказать короткую историю этого пакета с высокими наградами. Случилось так, что после освобождения Б.Н.Градова пакет был найден в урне ночным уборщиком штаб-квартиры органов безопасности старшиной Д.И.Гражданским. Весьма далекий от идейной цельности человек, старшина Гражданский решил, что теперь старость его обеспечена: как и многие другие советские граждане, он был уверен, что высшие ордена СССР производятся из самых драгоценных в мире сплавов. Будучи не очень сообразительным, старшина Гражданский не продумал до конца механику превращения драгоценностей в расхожие денежные знаки и поэтому умер в бедности. Идея, однако, пережила своего создателя. В 1991 году внучатый племянник Гражданского, известный на Арбате бизнесмен Миша-Галоша продал весь комплект американскому туристу за триста долларов и остался чрезвычайно доволен сделкой.

Борис Никитич медленно, но вполне устойчиво спускался по последнему маршу лестницы в приемную. Прямо за его спиной высился большой портрет Сталина в траурных драпрях. Проходя мимо портрета, он его не заметил и теперь, разумеется, меньше всего думал о том, что его спуск по этой лестнице может выглядеть символически. Совсем забыв, что его здесь ждут «некоторые родственники», он думал о том, как предупредить Мэри и Агашу. Они не выдержат, если я вот просто так войду в дом, они просто умрут от неожиданности. Забыв про телефоны и автомобили, он думал, что вот, спускаясь так по лестнице, он в конце концов и войдет в свой дом. Он спускался все ниже, а капитан Нефедов между тем отставал. С каждой ступенькой профессор Градов отдалялся от капитана Нефедова, который в конце концов застыл в середине марша, с рукой на перилах, глядя на спуск старика.

— Дед! — прогремел вдруг по всему пространству сильный молодой голос. И тут наконец Борис Никитич увидел своих, несущихся к нему внука Борьку и трех девчонок — Нинку, Ёлку и Майку. Капитану Нефедову хотелось разрыдаться от компота чувств, в котором все-таки преобладала обида.

Антракт VII. Пресса

«Тайм»
Иосифа Сталина в конце концов постигла общая участь всех людей.

Генри Хэзлит: «Смерть Иосифа Сталина открывает огромные возможности, сравнимые лишь с теми, что возникли после смерти монгольского хана Огдая в 1241 году».

Наследником Сталина стал жирный и дряблый Георгий Маленков, 51 год, по происхождению уральский казак, рост 5 футов 7 дюймов, вес 250 фунтов. Женат на актрисе, имеет двоих детей.

Следующий за ним — Лаврентий Берия, 53, грузин, как и сам Сталин, шеф тайной полиции и проекта красной атомной бомбы, спокойный, методичный, любит искусство и музыку; может быть и сговорчивым, и беспощадным. Женат, двое детей, живет на загородной даче, ездит на пуленепробиваемом черном «паккарде», похожем на катафалк. Старый друг Маленкова. Никогда не был за границей.

В окне манхэттенского русского ресторана появился портрет Сталина с надписью: «Сталин умер! Сегодня бесплатный борщ!»

«Правда», начало марта 1953 г.

> Имя Сталина — мир!
> Имя Сталина — жизнь и борьба!
> Его светлое имя — народов советских судьба!
> О, Литва моя!
> С именем Сталина ты расцвела!
> Ты в борьбе и строительстве счастье нашла!
>
> *Антанас Венцлова*

Торжественно-строгое, терпеливое ожидание... Распахнулись двери Дома союзов, и живая река потекла плавно, молчаливо... Прощание великого народа с великим вождем.

А.Сурков

> И наш железный Сталинский Цека,
> Которому народ Вы поручили,
> К победе коммунизма на века
> Нас поведет вперед — как Вы учили!
>
> *К.Симонов*

В этот час величайшей печали
Я тех слов не найду,
Чтоб они до конца выражали
Всенародную нашу беду.
Всенародную нашу потерю,
О которой мы плачем сейчас.
Но я в мудрую партию верю —
В ней опора для нас!

А. Твардовский

Да живет и побеждает дело Сталина!

А. Фадеев

«Тайм»
МНЕНИЯ О СТАЛИНЕ
Бизнесмен Доналд Нельсон, занимавшийся ленд-лизом: «Нормальный малый, вполне вообще-то дружелюбный малый».

Леонид Серебряков: «Самый мстительный человек на земле. Если проживет достаточно долго, до каждого из нас доберется».

Посол Джозеф Дэвис: «Его карие глаза были более чем мягкими и нежными. Любой ребенок захотел бы покачаться у него на колене».

Биограф Борис Суворин: «Отвратительная личность; хитрый, вероломный, грубый, жестокий, непоколебимый».

Адмирал Уильям Лихи: «Мы все думали, что это атаман бандитов, пробравшийся на вершину власти. Это мнение было неверным. Мы сразу поняли, что имеем дело с интеллигентом высшей пробы».

Уинстон Черчилль: «Сталин оставил во мне впечатление глубокой холодной мудрости и отсутствия иллюзий».

Рузвельт: «В общем, очень впечатляющ, я бы сказал».

Троцкий: «Самая выдающаяся посредственность в Партии...»

Мать Сталина: «Сосо всегда был хорошим мальчиком».

ЗАГОЛОВКИ СОВЕТСКИХ ГАЗЕТ

Родной, Бессмертный!
Бодр наш дух, непоколебима уверенность!
Творец колхозного строя
Гениальный полководец
Будет жить в веках
Китай и СССР сплотятся еще теснее!
Сталин — освободитель народов
Партия
     родная держит
          знамя,
Ей вручаем
     мысли
        и сердца.
Сталин умер —
     Сталин
        вечно с нами!
Сталин — жизнь,
     а жизни
        нет конца!

Н.Грибачев
Прощай, отец!
     М.Шолохов

Мы стоим — пусть слезы наши льются!
И сегодня, как всегда, сильны
Дети Партии, солдаты Революции,
Сталина великие сыны.

А.Софронов

ЗАГОЛОВКИ

Сталинская забота о советских женщинах

Корифей науки

Великое прощание

Клятва трудящихся Киргизии

Скорбь латышского народа

...Что умер он. Земля осиротела,
Народ лишился друга и отца.
И мы клянемся Партии сегодня.

М.Исаковский

«Тайм»

Сталинская империя занимала одну четвертую часть земной суши, насчитывала одну треть земного населения.

Британский лейборист Герберт Моррисон: «Он был великий, но нехороший человек».

Премьер-министр Индии Неру: «Человек гигантского статуса и непоколебимой отваги. Я искренне надеюсь, что с его кончиной не прекратится его влияние на дело мира».

Американские «джи-ай» в корейских окопах: «Джо загнулся! Ура! Ура! Еще одним краснопузым меньше!»

Художник Пабло Пикассо как коммунист-доброволец своими голубками внес хороший вклад в дело партии. Две недели назад партия заказала ему портрет Сталина. Вскоре этот портрет на три колонки появился в мемориальном выпуске «Ле лэтр франсэз». Лондонская «Дейли мейл» начала тут издеваться: «Обратите внимание на большие, плавящиеся глаза, пряди волос, как бы забранные в парикмахерскую сеточку, жеманно скрытую улыбку Моны Лизы; да это просто женский портрет с усами!» Через два дня секретариат партии выразил категорическое неудовлетворение портретом. Член ЦК товарищ Арагон, в прошлом поэт, получил выговор за публикацию этого портрета. Пикассо сказал: «Я выразил то, что чувствовал. Очевидно, это не понравилось. Tant pis. Жаль».

ЗАГОЛОВКИ СЕРЕДИНЫ МАРТА
Животворящий гений

Бессмертие

Сталин — наше знамя!

Величайшая дружба с Китаем

Клятва трудящихся Индии

Дело Сталина в верных руках

Скорбь простых людей Америки

Стальное единство

Сталин о повышении колхозной собственности

до уровня общенародной собственности

как условии перехода к коммунизму

Всеобъемлющий гений

> И как ему,
>
> верны мы партии любимой,
>
> Центральный комитет,
>
> тебе
>
> мы верим, как ему!
>
> *М.Луконин*

> Обливается сердце кровью.
>
> Наш родимый! Наш дорогой!
>
> Обхватив твое изголовье,
>
> Плачет Родина над тобой...
>
> *О.Берггольц*

Поклялись мы перед Мавзолеем
В скорбные минуты, в час прощанья,
Поклялись, что превратить сумеем
Силу скорби в силу созиданья.

В. Инбер

ЗАГОЛОВКИ

Сталин учил нас быть бдительными
Мудрый друг искусства
Творец новой цивилизации
Коммунистическая партия — вождь советского народа

Последний заголовок остановил стихотворные излияния скорби, да и прозаические тексты в конце марта изменились:

Киев растет и хорошеет
    Хлопковые поля Узбекистана
    Улучшать идейно-воспитательную работу
    Полностью использовать резервы производства
    Неотложные задачи орошаемого земледелия
    О некоторых вопросах повышения урожайности
    в нечерноземной полосе

Эпилог

Жарким сверкающим днем в начале июня Борис Никитич III Градов сидел в своем саду и наслаждался бытием. Ярчайшая манифестация природы, ничего не скажешь! Как хороши все-таки в России эти ежегодные метаморфозы! Еще недавно безнадежно скованная снегом земля преподносит чудесные калейдоскопы красок, небо удивляет глубиной и голубизной, бризы, пробегая меж сосен, приносят запахи прогретого леса, смешивают их с ароматами сада. Весь этот праздник можно было бы без труда назвать «лирическим отступлением», если бы он не пришелся на эпилог.

После освобождения Борису Никитичу первым делом сделали нижние зубы, и он теперь то и дело, по выражению внука Бориса IV, вспыхивал голливудской улыбкой. Пришли большие деньги за переиздания учебников и капитального труда «Боль и обезболивание». Увеличившееся семейство ходило вокруг со счастливыми придыханиями, величало героем и титаном современности; последнее, разумеется, было плодом Борькиной любовной иронии. Что касается мелкодетья (последнее словечко являлось плодом уже самого героя и титана), то оно, то

есть Никитушка и Архи-Медушка, буквально устраивали на него засады, чтобы, напав внезапно, за-
цапать и зализать. Жизнь, словом, улыбалась старому доктору в эти майские и июньские, такие яркие дни, она даже предлагала ему нечто недоступ-
ное другим, а именно: некое льющееся переливами
темно-оранжевое облако, которое с застенчивой
подвижностью располагалось сейчас шагах в тридцати от кресла Бориса Никитича, возле куста сирени, и колыхалось, как бы предполагая за собой некоторую суету актеров, смущенных какой-то неувяз-
кой.

Борис Никитич, отложив «Войну и мир», откры-
тую на сцене охоты, с интересом наблюдал за колыханием этого, казалось бы, одушевленного или жаж-
дущего одушевиться облака-занавеса. Оно, казалось, хотело приблизиться к нему и уже вроде бы
отделялось от куста сирени, однако потом в смущении и крайней застенчивости ретировалось.

Между тем все семейство с благоговением пе-
редвигалось и развлекалось на периферии сада.
Мэри подстригала свои розы и обихаживала тюльпаны. Агаша на террасе сооружала грандиозный са-
лат «Примавера». Нинка сидела в беседке со своей
портативкой, строчила что-то явно «непроходимое»,
если судить по тому, как была зажата сигарета в углу
саркастического, но все еще яркого рта. Муж ее Сандро в темных очках стоял в углу сада. Ноздри его трепетали в унисон с трепещущими пальцами. Ухуд-
шившееся зрение как бы компенсировалось обо-
стрившимися обонянием и осязанием. Китушка и
Архи-Медушка безостановочно — что за энергия —
носились по дорожкам то с мячом, то с обручем, то
просто друг с другом. Борис IV почти в той же позе,

что и дед, только более горизонтальной, лежал в шезлонге с книгой Достоевского: это был «Игрок». Еще два прелестнейших игрока, Ёлка и Майка, резались в пинг-понг. Темно-оранжевое облако-занавес, меланхолично отдалившись, уже как бы готовилось пересечь забор и отойти к соснам.

Не хватало здесь только тех, кто был далеко, Кирюшки и Цили, ну и, конечно, множества тех из человеческого большинства — отца, мамы, сестры, того мертворожденного крошки, маршала Никиты, Галактиона, Мити... Как, значит, Митя все-таки там? Ну, конечно же, проколыхалось облако-занавес. Теперь оно уже оказалось на полпути от куста сирени до кресла Бориса Никитича, стояло в нерешительной и выжидательной позе: ну, пригласи!

Вместо приглашения он перевел взгляд на тоненькую, соломенно-васильковым вихрем налетающую на мячик Майку, недавно, ему в подарок, ставшую из Стрепетовой Градовой. В этот момент ему стало совершенно ясно, что в ней уже растет его семя. А где же наше облако? Ах, оно опять ушло в сосны и там как бы затерялось, как бы давая понять, что оно собой представляет не что иное, как игру теней и света. Все вокруг находилось в состоянии игры друг с другом, как в хорошо отлаженном симфоническом оркестре. Корневая, то есть закрепленная за землей, природа гармонично предоставляла свои стволы, ветви и листья временно отделившимся от земли частичкам природы, всяким там бйлкам, скворцам, стрекозам. В траве недалеко от своей сандалии Борис Никитич увидел большого и великолепного ярко-черного жука-рогача. Отлично бронированный, на тонких чешуйчатых, но непримиримо стойких ножках, он открывал свои челюсти, превращая их в щупальца. Эге, милый мой, подумал про жука Борис Никитич, увеличить тебя в достаточной степени, и ты превратишься в настоящего Джаггернаута. Облако-занавес в этот момент быстро явилось, прошло сквозь куст сирени, окружило собой Бориса Никитича и тут же вместе с ним растворилось, как бы не желая присутствовать при переполохе, который начнется, когда обнаружат неподвижное тело.

Сталин между тем в виде великолепного жука-рогача, отсвечивая сложенными на спине латами, пополз куда-то в сверкающей траве. Он ни хера не помнил и ни хера не понимал.

19 апреля 1992 г.

Москва — Вашингтон — Гваделупа — Вашингтон

ОГЛАВЛЕНИЕ

Василий Аксёнов

Московская сага
Тюрьма и мир
книга третья

Редактор *Михаил Гуревич*
Оформление *Александр Анно*
Корректоры *Татьяна Калинина,*
Наталия Пущина
Компьютерная верстка *Регина Курбакова*
Художественный редактор *С. Киселева*

Подписано в печать с готовых монтажей 21.03. 2005.
Формат 84x108^1/$_{32}$. Гарнитура «Ньютон».
Печать офсетная. Усл. печ. л. 29,4.
Доп. тираж 6500 экз. Заказ № 2759.

Издательство «Изографус»
109193, Москва, ул. Петра Романова, д. 19, оф. 13

ООО «Издательство «Эксмо».
127299, Москва, ул. Клары Цеткин, д. 18, корп. 5.
Тел.: 411-68-86, 956-39-21.
Home page: www.eksmo.ru   E-mail: info@ eksmo.ru

Отпечатано с готовых диапозитивов издательства
на ОАО "Тверской полиграфический комбинат"
170024, г. Тверь, пр-т Ленина, 5. Телефон: (0822) 44-42-15
Интернет/Home page - www.tverpk.ru Электронная почта (E-mail) -sales@ tverpk.ru

ЧИТАЙТЕ КНИГИ ВАСИЛИЯ АКСЕНОВА

Затоваренная бочкотара

В давние времена, шестидесятые — семидесятые, люди до дыр зачитывали журнальные тетрадки с его новыми повестями и рассказами. Особенно популярна была «Затоваренная бочкотара» — фразы из нее становились крылатыми. Пусть и нынешний читатель откроет для себя эту мудрую и озорную повесть, откроет «Поиски жанра», «Пора, мой друг, пора», «Рандеву», «Свияжск». Ведь, по сути дела, Россия сегодня все та же...

Скажи изюм

Один из самых известных романов Василия Аксенова — озорная, с блеском написанная хроника вымышленного фотоальбома «Скажи изюм». Несколько известных советских фотографов задумали немыслимое для советской действительности — собрать свои работы в одном альбоме и издать его в обход цензуры. Бдительные стражи партийной идеологии и «органы» (в романе — «железы») начинают преследовать «идеологических диверсантов». За увлекательно придуманной историей неподцензурного фотоальбома «Скажи изюм» угадывается вполне реальная история знаменитого литературного альманаха «Метрополь», авторы которого замахнулись на один из краеугольных камней режима — цензу-

ру и поплатились за это, а за мастерами объектива, за героями книги — метропольцы, известные писатели и поэты, в том числе и сам автор романа.

Остров Крым

Знаменитый роман «Остров Крым» Василия Аксенова принес автору мировую известность. В основе фабулы невероятное допущение: как могла повернуться история, если бы Крым не был захвачен большевиками, а остался свободным и независимым. В романе много приключений, гротескных житейских ситуаций. Несмотря на фантастический сюжет, книга во многом оказалась провидческой.

Кесарево свечение

В новом романе Василия Аксенова «Кесарево свечение» действие — то вполне реалистическое, то донельзя фантастическое — стремительно переносится из нынешней России в Америку, на вымышленные автором Кукушкины острова, в Европу, снова в Россию и Америку. Главные герои — «новый русский» Слава Горелик, его возлюбленная Наташа и пожилой писатель Стас Ваксино, в котором легко угадывается автор.

Ожог

Роман Василия Аксенова «Ожог», донельзя напряженное действие которого разворачивается в Москве, Ленинграде, Крыму шестидесятых — семидесятых годов и «столице Колымского края» Магадане сороковых — пятидесятых, обжигает мрачной фантасмагорией советских реалий.

Книга выходит в авторской редакции, без купюр.

Издательство «Изографус»
109193, Москва, ул. Петра Романова, д. 19, офис 13
Тел./факс 277-75-75. E-mail: Izografus@izograf.ru. **Интернет:**
www.izograf.ru

Оптовая и розничная торговля:
115114, Москва, 3-й Павелецкий проезд, д. 9, стр. 1
Тел. 235-07-31, тел./факс 235-02-37. E-mail: Izograf@izograf.ru

ООО «Издательство «ЭКСМО»
107078, Москва, Орликов пер., д. 6
Интернет/Home page — www.eksmo.ru
Электронная почта (E-mail) — info@eksmo.ru
Книга — почтой: Книжный клуб «Эксмо»
101000, Москва, а/я 333. E-mail: bookclub@eksmo.ru

Оптовая торговля:
109472, Москва, ул. Академика Скрябина, д. 21, этаж 2
Тел./факс: (095) 378-84-74, 378-82-61, 745-89-16
Многокан. тел. 411-50-74. E-mail: reception@eksmo-sale.ru
Мелкооптовая торговля:
117192, Москва, Мичуринский пр-т, д. 12/1.
Тел./факс (095) 932-74-71
ООО «Медиа группа «Логос»
103051, Москва, Цветной бульв, 30, стр. 2
Единая справочная служба: (095) 974-21-31. E-mail:
mgl@logosgroup.ru
ООО «КИФ «ДАКС». 140005, М. О., г. Люберцы, ул. Красноар-
мейская, д. 3а
Тел. 503-81-63, 796-06-24. E-mail: kif_daks@mtu-net.ru
Книжные магазины издательства «Эксмо»:
Москва, ул. Маршала Бирюзова, 17 (рядом с м. «Октябрьское
поле»). Тел. 194-97-86
Москва, Пролетарский пр-т, 20 (м. «Кантемировская»).
Тел. 325-47-29
Москва, Комсомольский пр-т, 28 (в здании МДМ,
м. «Фрунзенская»). Тел. 782-88-26
Москва, ул. Сходненская, д. 52 (м. «Сходненская»).
Тел. 492-97-85
Москва, ул. Митинская, д. 48 (м. «Тушинская»).
Тел. 751-70-54